聖徳太子と四天王寺

聖徳太子
千四百年
御聖忌
記念出版

ごあいさつ

推古天皇三十年（六二二）に聖徳太子が薨去され、令和三年（二〇二一）に千四百年の御聖忌を迎えます。四天王寺では令和三年十月十八日より令和四年四月二十二日までの期間、「聖徳太子千四百年御聖忌慶讃大法会」を厳修し、当山ならびに各宗ご本山による慶讃法要を通して太子を顕彰し、そのご遺徳をしのびます。

四天王寺は、推古天皇元年（五九三）、聖徳太子のご誓願により建立されたわが国最古の官寺として、永きにわたりその法灯を継承してまいりました。一方で、度重なる戦火や自然災害により、伽藍焼失と復興を繰り返してきた歴史がございます。

本書は、古代から現在にいたる当山の通史を軸に、そこから枝分かれする様々なテーマを、「コラム」として各分野の第一線でご活躍される先生方にご執筆をいただきました。本書を通読いただければ、幾多の苦難の歴史を乗り越え、多様で豊かな信仰・文化を育んできた四天王寺の姿が浮かび上がってきます。

まさに四天王寺の千四百年が詰まった一冊と言えましょう。聖徳太子千四百年御聖忌という百年に一度の大きな節目に、このような充実した図書が刊行できましたことは極めて意義深いものと存じます。

最後になりましたが、監修者としてお導きくださった石川知彦先生をはじめ玉稿を賜りました執筆者の先生方、本書の刊行に深いご理解をいただいた法藏館ならびにお力添えをいただきましたすべての関係各位に深甚なる謝意を表します。

本書が、次の百年に向けて、四天王寺が歩むべき道を照らす一筋の光となりますことを心より祈念するものであります。

合掌

和宗総本山　四天王寺

第百十三世管長　加藤公俊

目次

〔謝辞〕

本書の刊行にあたり、次の団体ならびに個人にご協力いただいた。記して感謝申し上げます。（五十音順、敬称略）

飛鳥資料館　安城市歴史博物館　一乗寺
大阪市文化財協会　大阪市立美術館　大阪歴史博物館
鶴林寺　京都国立博物館　光照寺
香雪美術館　国立扶余博物館　古代学協会
三千院　四天王寺学園　四天王寺福祉事業団
淨橋寺　清浄光寺　正倉院事務所
新潮社　泉屋博古館　知恩院
東京国立博物館　東京文化財研究所　奈良国立博物館
奈良文化財研究所　法隆寺　本證寺
明忍寺　野中寺

石川温子　大島幸代　城野誠治
鈴木慎一　西川明彦　山口隆介

凡例

一、本書は、聖徳太子千四百年御聖忌を記念し、石川知彦氏（龍谷大学 龍谷ミュージアム副館長）監修のもと和宗総本山四天王寺が編集し、刊行するものである。

一、図版は四天王寺所蔵のほか、他機関より提供を受けたものは適宜記した。

一、序・本文ならびにコラムの執筆者については、各文末に記した。

序

四天王寺中心伽藍（南東から）

四天王寺

——太子と歩んだ一四〇〇年

「日本仏法最初」と謳《うた》われ、現在でも「大阪人のお仏壇」と称される四天王寺は、「和国《わこく》の教主《きょうしゅ》」聖徳太子（厩戸皇子《うまやどのおうじ》）が創建した日本有数の古刹《こさつ》である。その四天王寺が千四百年もの長い時を経て、常に日本仏教界にとってきわめて重要な寺院であり、また大阪人のみならず多くの日本人の心の拠り所となり続けてきた秘密はどこにあるのだろうか。もちろん聖徳太子が建てたお寺であり、その太子を大きな信仰の柱として位置付けてきたことが、大きな要因といえるだろう。しかし、それだけでは済まされないのが四天王寺の奥深さである。

第一章

四天王寺に息づく多様な信仰

現代にも受け継がれる四天王寺のある特徴を表した言葉に、「信仰の百貨店」という色褪《いろあ》せた言い回しがある。まずは現在も続く四天王寺の年間行事、そして境内《けいだい》の諸堂宇《しょどうう》において、大切にされている祖師《そし》たちから、その「百貨店」ぶりを見ていきたい。四天王寺にとってもっとも重要な法要《ほうよう》であり、また多くの参詣者《さんけいしゃ》を集めるのが、太子の命日を新暦に換算して四月二十二日に開催される聖霊会《しょうりょうえ》である。六時堂《ろくじどう》（六時礼讃堂。重要文化財。以下「重文」）前の石舞台では、天王寺楽所《がくそ》による古式に則《のっと》った舞楽《ぶがく》が奉納される。また正月十二日には太子の誕生を祝い、五智光院《ごちこういん》にて生身供《しょうじんく》が行われ、太子の月命日《つきめいにち》である毎月二十二日は、「お太子さん」と呼ばれる太子会《たいしえ》が催される。ところが、境内を埋め尽くすかのように露店が出て、太子会を上回る参詣者を集めるのが、毎月二十一日の「お大師《だいし》さん」である。

「お大師さん」とは言わずと知れた弘法大師空海《こうぼうだいしくうかい》。境内には西大門《さいだいもん》の南側に大師堂《だいしどう》が建つ。一方で平安時代以降、四天王寺別当《べっとう》に就任したのは天台山《てんだいさん》門《もん》・寺門《じもん》の高僧がほとんどで、江戸時代以降は東京・寛永寺《かんえいじ》末に位置付けられ、大坂における天台の拠点寺院として存続していた。そんな四天王寺に弘法大師の銅像が立ち、「お大師さん」に多数の参詣者が集うのは何故《なにゆえ》であろう。四天王寺では若き日の空海が、西門で日想観《じっそうかん》を行ったことを伝えており、のちに真言宗《しんごんしゅう》では大師を太子の後身《こうしん》と位置付けている。江戸時代以降に、大師の月命日に参詣する人々が増えたという。

これに対して日本天台宗の開祖最澄《かいそさいちょう》は、弘仁《こうにん》七年（八一六）に四天王寺の太子廟《たいしびょう》（聖霊院）に参詣し、六時堂・薬師院《やくしいん》を建立したと『天王寺誌《てんのうじし》』に記される。ところが四天王寺境内には、一乗院が近年建立される以前に最澄を祀る堂宇はなく、六月四日に講堂・一乗院《いちじょういん》にて伝教大師忌法要が執り行われる。このほか天台系の堂宇・行事としては、元三大師良源《がんざんだいしりょうげん》を祀る元三大師堂（一六一八年再興、重文）が境内北西に建ち、その命日である正月三日に「元三大師 合格祈願法要」が行われている。そして毎月十七日には、講堂にて法華八講会《ほっけはっこうえ》が開催され、密教系の法会《ほうえ》として五月四・五日に五智光院にて授戒灌頂会《じゅかいかんじょうえ》が催される。

図1　国宝 法然上人絵伝（四十八巻伝） 巻第16（部分。鎌倉時代、京都・知恩院所蔵。画像提供：京都国立博物館）

一方、鎌倉新仏教の開祖に関わる堂宇や行事が、多く残されている。まず浄土宗《じょうどしゅう》の開祖法然《ほうねん》は、『阿弥陀経《あみだきょう》釈《しゃく》』のなかで西門の念仏に言及し、文治《ぶんち》元年（一一八五）に参詣したと伝え、高野山明遍《こうやさんみょうへん》の夢に、四天王寺西門辺りで病人に粥を与えている姿として登場し、法然の伝記絵（知恩院本《ちおんいんぼん》『四十八巻伝《しじゅうはっかんでん》』、巻第一六、図1）にその姿が描かれている。現在四天王寺には、西大門の南側に阿弥陀堂《あみだどう》が建ち、法然上人二十五霊場の第六番とされている。元来この付近には、近世初頭に再建された引聲堂《いんぜいどう》が戦前まで建っており、これは鳥羽法皇《とばほうおう》が久安《きゅうあん》五年（一一四九）に創建した念仏三昧院の伝統を引き継ぐとされ、四天王寺では一月二十五日に講堂にて法然上人《しょうにん》忌法要を行っている。

法然の弟子、親鸞《しんらん》は太子を「和国の教主」として篤く信奉し、自身の二度にわたる参籠を伝えるとともに、その弟子や子孫がたびたび四天王寺に参詣している。現在西大門の北西に見真堂《けんしんどう》が建ち、その脇に親鸞の銅像が立っている。こちらは引聲堂の場合と同様、戦前まで西大門北側に建っていた短聲堂《たんぜいどう》の伝統を引き継いでおり、十一月二十八日には講堂にて親鸞聖人《しょうにん》忌法要を行っている。

また時宗《じしゅう》の開祖一遍《いっぺん》は、文永《ぶんえい》十一年（一二七四）と弘安《こうあん》九年（一二八六）に三度にわたって四天王寺を訪れており、その姿が四天王寺境内の詳細な様相とともに『一遍聖絵《いっぺんひじりえ》』（巻第二、第八、第九、図2）

図2　国宝 一遍聖絵 巻第2（部分。鎌倉時代・正安元年・1299、法眼円伊筆、神奈川・清浄光寺所蔵）

に描かれている。四天王寺では八月二十三日に、やはり講堂《こうどう》にて一遍上人忌法要を行っている。このほか四天王寺では、七月五日に栄西禅師《えいさいぜんじ》、九月二十九日に道元禅師《どうげん》、そして十月十三日に建長《けんちょう》二年（一二五〇）の参詣が知られる日蓮《にちれん》聖人のそれぞれ忌日法要を営んでいる。こうした開祖たちに加え、浄土宗西山義《せいざんぎ》の証空《しょうくう》は、嘉禎《かてい》四年（一二三八）聖霊院にて不断念仏《ふだんねんぶつ》を修している。そして鎌倉後期には、山門・寺門がほぼ独占していた四天王寺別当に、律宗西大寺流《りっしゅうさいだいじりゅう》（真言《しんごん》律宗《りっしゅう》）の祖・叡尊《えいそん》が弘安七年（一二八四）に就いている。その弟子忍性《にんしょう》は、永仁《えいにん》二年（一二九四）に別当となり、悲田院《ひでんいん》・敬田《きょうでん》院《いん》を再興するとともに、西門の木製鳥居を石鳥居《いしのとりい》（重文）として再建している。

以上のように四天王寺では、多くの僧侶たちが訪れ様々な宗教活動を行っており、まさに仏教諸宗派の坩堝《るつぼ》と化していた。四天王寺は近世には天台宗寺院として明確に位置付けられたものの、そうした他宗派の痕跡を掻き消すことなく伝え、現在でも年間行事や堂宇として残されているのは特筆すべきであろう。

それでは次に、境内外の堂宇に祀られた祖師像《そしぞう》以外の尊像《そんぞう》から信仰の多様性を辿《たど》ってみたい。回廊《かいろう》に囲まれた中心堂宇（現、有料ゾーン）の各本尊については後述することとして、常に参拝可能な堂宇の本尊を確認しておこう。

まず中心伽藍の北側に建つ六時礼讃堂《ろくじらいさんどう》は、元和《げんな》九年（一六二三）徳川秀忠《とくがわひでただ》によって再興された椎寺《しいでら》薬師堂《やくしどう》を移建した仏堂で、南側の石舞台《いしぶたい》とともに重文に指定されている。最澄が薬師如来《やくしにょらい》を六時堂本尊に据えたと伝えられ、現在でも桃山〜江戸初期頃の薬師如来像を本尊としている。聖霊会や、修正会《しゅしょうえ》の結願《けちがん》法要である「どやどや」が行われる場所で、現代の参詣者にとってもっとも身近な堂宇といえる。

中心伽藍の北東に建つ亀井堂《かめいどう》は、古代から霊水の湧く聖地に建ち、お盆には先祖供養の経木が流される。近年堂内の亀形石《かめがたいし》が、七世紀の水祭祀の遺構であることが確認され、一躍脚光を浴びた。その亀井堂の本尊は石造不動明王立像《ふどうみょうおうりゅうぞう》（水掛不動《みずかけふどう》）で、毎月二十八日に不動尊供が行われている。

六時堂の北西に建つ大黒堂《だいこくどう》には、三面大黒天《さんめんだいこくてん》が祀られている。甲子《きのえね》の日が縁日とされるが、二月十二日の「旧正《きゅうしょう》大黒天」には多くの参詣者が集う。このほか、地蔵石仏《じぞうせきぶつ》を集めた大黒堂西南の地蔵山《じぞうやま》では毎月二十四日に地蔵尊供が、亀井堂南東に建つ亀遊嶋弁天堂《きゅうじまべんてんどう》では、毎月二十一日に辯才天《べんざいてん》法要が、西大門南西に建つ布袋堂《ほていどう》では、やはり毎月二十一日に布袋堂法楽《ほうらく》が修められている。

一方境内飛び地（南大門《なんだいもん》南方）の庚申堂《こうしんどう》は、青面《しょうめん》金剛《こんごう》（庚申）を祀っているが、初庚申《はつこうしん》の一月十一日（宵庚申《よいこうしん》）には大般若会《だいはんにゃえ》が、翌日の本庚申には柴《さい》燈大護摩供《とうだいごまく》が行われ、参詣者が境内を埋める。そして境内周辺の子院《しいん》に目を向けると、谷町筋《たにまちすじ》をはさんで西側に建つ愛染堂勝鬘院《あいぜんどうしょうまんいん》は、太子建立の施《せ》薬院《やくいん》を引き継いで忍性が十三世紀末に創建した真《しん》言院《ごんいん》に始まる。寺伝では平安時代に金堂《こんどう》に愛染明《あいぜんみょう》王《おう》を祀り、現在でも「愛染さん」として親しまれている。六月三十日から七月二日にかけて行われる愛染祭り（勝鬘愛染会）は、大阪夏の三大祭りとされる。また四天王寺の西方、大阪湾を見下ろす上町台地《うえまちだいち》西端には千手観音《せんじゅかんのん》を本尊とする清光院《せいこういん》清水寺《きよみずでら》（新清水寺）が立ち、風光明媚な景勝地としても参詣者を集めていた。

以上見てきたように、四天王寺では密教《みっきょう》尊像を含む仏教尊像、そして神像や道教尊《どうきょうそん》まで、ありとあらゆる尊格が信仰の対象とされている。こうした状況を生み出したのは、四天王寺の長い歴史に隠されていると思われる。そこで次に、千四百年に及ぶ四天王寺の歩みを振り返りつつ、多様な尊像が安置されてきた歴史的な環境を再確認してみたい。

第二章 各時代で祀られてきた尊像

四天王寺の歴史を辿ろうとする際、重要な転機となったのが、伽藍における人の流れが南北軸から東西軸へと変化したことと考えている。すなわち四天王寺は創建以来、南大門から中門《ちゅうもん》、五重塔《ごじゅうのとう》、金堂、講堂、食堂《じきどう》と、堂宇が南北に連なる四天王寺式伽藍配置であった。五世紀を中心とする百舌鳥《もず》古墳群《こふんぐん》と同様、南北に建ち並ぶ四天王寺の建築群の西側面をみせ、難波津《なにわのつ》に向かう大陸や半島からの使節団に日本の国力をアピールしていたのだろう。この南北軸に変化が起こる契機となったのが、寛弘《かんこう》四年（一〇〇七）金堂の「六重小塔」から見出された、太子自筆を謳《うた》う『四天王寺縁起《してんのうじえんぎ》』（根本《こんぽん》本、以下『御手印縁起《ごしゅいんえんぎ》』）である。ここに記された内容により、従来からあった太子信仰と舎利《しゃり》信仰に加え、浄土信仰が高まりをみせた。その結果として、伽藍の東側に建っていた太子廟《たいしびょう》（聖霊院）が改めて脚光を浴び、極楽浄土《ごくらくじょうど》の東門《とうもん》とされた西門が注目されたのである。そして元来舎利を安置していた五重塔と金堂を中心に、西門と聖霊院を結ぶ東西軸が形成された。こうした四天王寺の伽藍の状況は、

図3　国宝 聖徳太子絵伝 第9面（部分。平安時代・延久元年・1069、秦致貞筆、本紙縦189.2㎝、横136.7㎝、東京国立博物館所蔵。Image : TNM Image Archives）

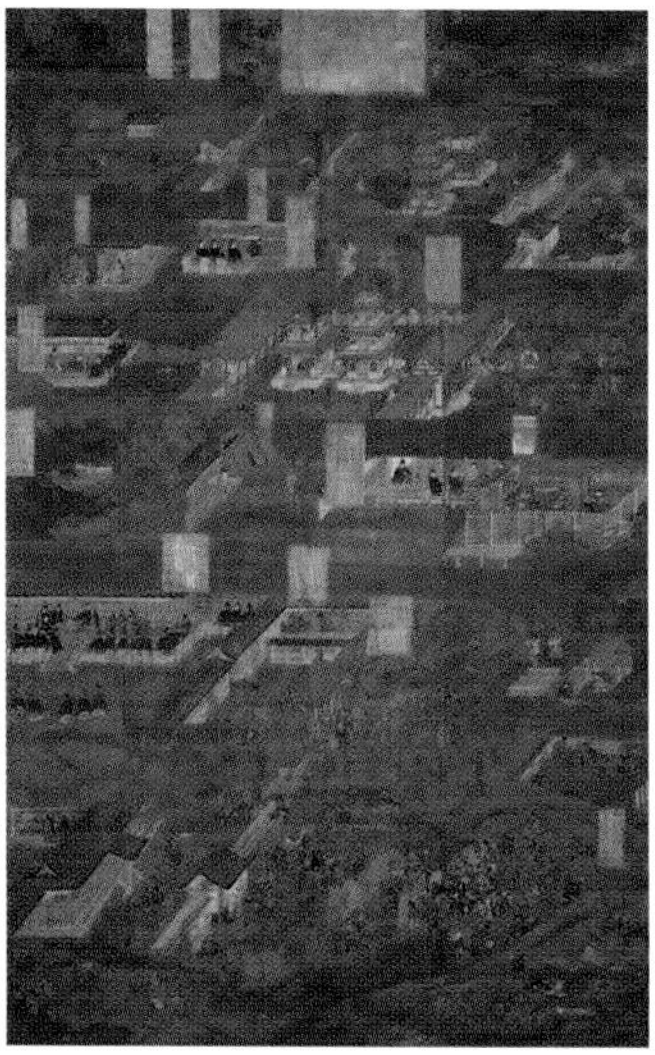

図4　聖徳太子絵伝 第2幅（鎌倉～南北朝時代、本紙縦196.5㎝、横124.7㎝、奈良国立博物館所蔵。画像提供：奈良国立博物館）

聖徳太子絵伝《しょうとくたいしえでん》に描かれた四天王寺を見ると理解しやすい。すなわち現存最古の太子絵伝で、延久《えんきゅう》元年（一〇六九）に秦致貞《はたのちてい》が描いた法隆寺献納宝物《ほうりゅうじけんのうほうもつ》本（第九面、図3）では、南北に並ぶ中心伽藍のみが大きく描かれている。それに対して、十四世紀に四天王寺絵所《えどころ》にて描かれたと推定される愛知・本證寺《ほんしょうじ》本や同・妙源寺旧蔵《みょうげんじきゅうぞう》本（奈良国立博物館本第二幅上部、図4）などでは、西門から聖霊院までの伽藍全体が描かれている。そこで四天王寺の堂宇に安置された尊像を、南北軸の時代と東西軸の時代に分けて、概観していくこととする。

一　南北軸の時代

金剛力士像《こんごうりきしぞう》（仁王《におう》）が安置される中門を入って正面に建つ五重塔は、戦前の室戸《むろと》台風後の発掘調査の結果、創建当初から地下式心礎《しんそ》を有し、そこに舎利荘厳具《しょうごんぐ》が納められていたことがわかった。創建からしばらく経った時期の初層内には、大小二組の四天王像《してんのうぞう》と「霊鷲山像《りょうじゅせんぞう》」が安置されていた。四天王像二組は『太子伝古今目録抄《たいしでんここんもくろくしょう》』に引かれる『大同縁起《だいどうえんぎ》』の記載から、「小四天四口」が大化《たいか》四年（六四八）安倍内麻呂《あべのうちまろ》による造像《ぞうぞう》安置、「大四天王四口」が新羅《しらぎ》へ向かおうとする斉明天皇《さいめいてんのう》のために造像安置され、そして舎利を納めた「亀甲合子」が置かれていたことが知られる。また『日《に》

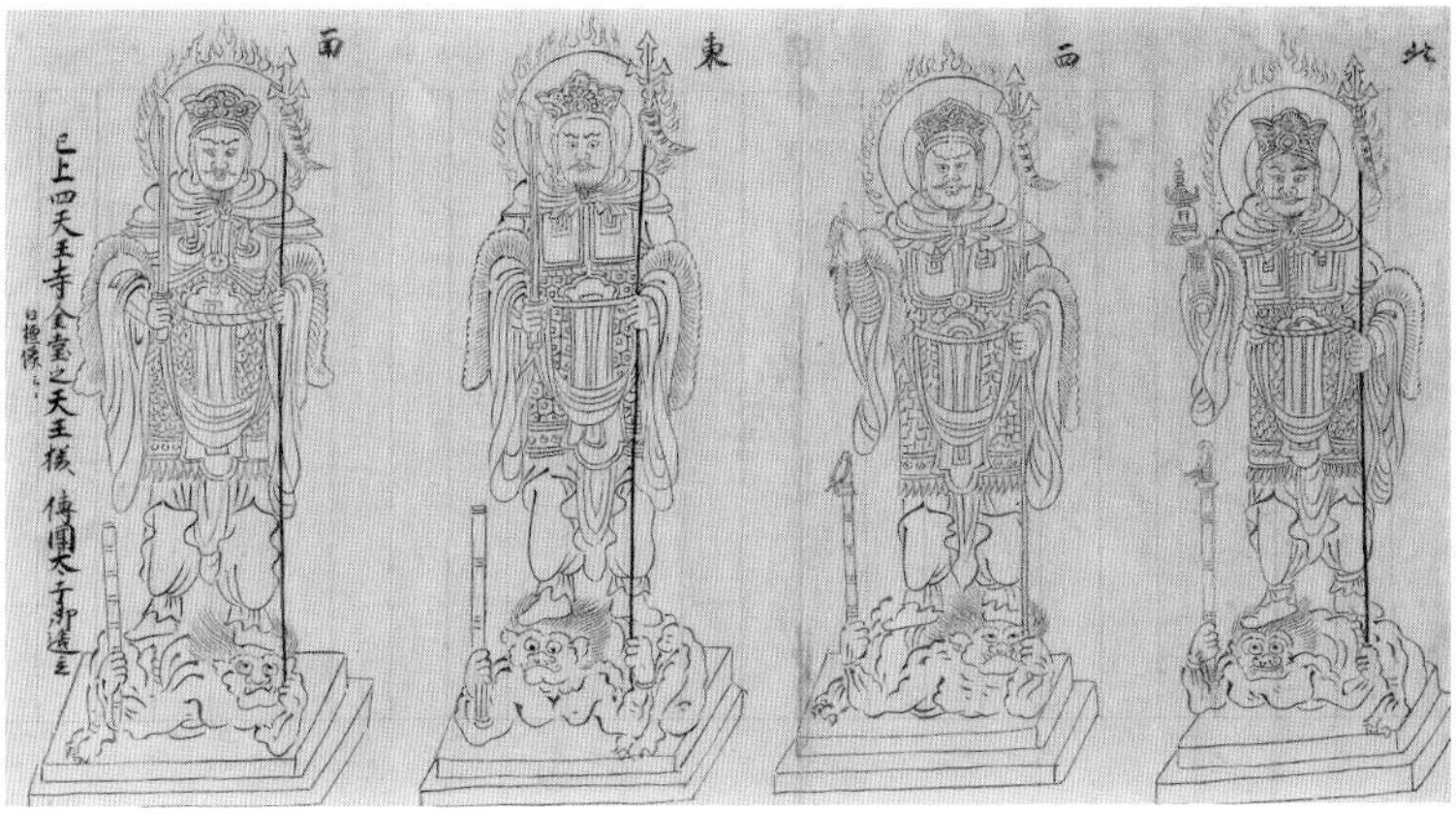

図5　『別尊雑記』巻第47断簡（鎌倉時代、本紙縦30.2㎝、横57.1㎝、四天王寺所蔵）

本書紀《ほんしょき》』（大化四年二月条）によると、「佛像四軀」とともに「霊鷲山像」が安置されたと記すが、これは法隆寺五重塔の塑像群《そぞうぐん》（塔本四面具）と同様、仏伝《ぶつでん》（釈迦《しゃか》の伝記）の一部を造形化したものと考えられている。上記の点から五重塔は、本来的に仏舎利を奉安するための建物であり、そこに釈迦如来と四天王が祀られていた。そして『大同縁起』成立までに、初層に「四壁大師等画像」、すなわち太子や天台系の高僧、釈迦十大弟子《じゅうだいでし》を含む二十四人の祖師像が描かれていた【第二部コラム2参照】。その後五重塔は、承和三年（八三六）の落雷により、太子廟（聖霊院）とともに損壊を受け、その際塔心礎に舎利とともに納められていた太子の遺髪《いはつ》四把が盗まれた。幸い遺髪は取り戻され、新造された壺に入れて戻された。仏舎利とともに納められていた太子の遺髪は、太子が日本における釈迦と認識されていたことをよく示している。

次に本尊を安置するための金堂には、『大同縁起』によると、推古天皇三十一年（六二三）に唐から帰国した学問僧「恵光法師《えこうほうし》」が請来《しょうらい》した阿弥陀三尊を筆頭に、弥勒菩薩《みろくぼさつ》と大小二組の四天王が安置されていた。『御手印縁起』の段階で「金銅救世観音菩薩像《こんどうくぜかんのんぼさつぞう》」と記される弥勒菩薩は、天智天皇《てんじてんのう》の時に安置された像で、広隆寺像《こうりゅうじぞう》や中宮寺像《ちゅうぐうじぞう》と同様、半跏思惟《はんかしゆい》の菩薩形であったと想定されている。また「大四天王像四王」は聖徳太子の本願、「小四天王四口」は太子の后の本願による造像安置と記されている。五重塔と合わせると、四天王寺では大小四揃の四天王が安置されていたことになる。平安末期の『別尊雑記《べっそんざっき》』巻第四七「四天王」の項に、「已上四天王寺金堂之天王様」の図像（四天王寺所蔵、図5）が載せられ、「伝聞太子御造立／白檀像云々」と注記され、その模刻像《もこくぞう》が大阪・大聖勝軍寺《たいせいしょうぐんじ》（平安後期・鎌倉時代）などに伝わっている。そして金堂には金銅製の千仏像《せんぶつぞう》や「純金太子像一軀。高一寸九分。」の存在も記している。加えて、太子の薨去《こうきょ》一年後に新羅から献上された「金塔《きんとう》」および舎利、灌頂幡《かんじょうばん》などが金堂に安置されたが、この時に献上された仏像は「葛野秦寺」、すなわち現広隆寺本尊の弥勒菩薩半跏像とされている。こうした『大同縁起』の記載を重視すると、創建当初の金堂には寺名のとおり、太子および后の発願《はつがん》になる四天王像が安置され、太子薨去後にはその極楽往生《おうじょう》を祈願して阿弥陀三尊が、そして七世紀後半に至って弥勒菩薩が祀られたのであった。その後『御手印縁起』の段階で、弥勒菩薩が名を「救世観音」に変えて本尊とされていた。金堂だけを見ても南北軸の時代にあって、時代の趨勢《すうせい》に則って本尊が替わっていった。そして東西軸への変化をもたらした契機が、弥勒菩薩から太子の本地《ほんじ》とされる救世観音への本尊名の変更であったと考えたい。この点については後述する。

金堂の背後に建つ講堂には、現在内陣西側（夏《げ》堂《どう》）に阿弥陀如来坐像が、そして東側（冬堂《とうどう》）には十一面観音《じゅういちめんかんのん》立像が安置されている。『大同縁起』には講堂の記載はなく、出土瓦の様式からも、奈良時代以降の創建と考えられている。『御手印縁起』には、夏堂に「金色阿弥陀仏像一軀、丈六」、冬堂に「塞観音一軀」と記され、丈六《じょうろく》の阿弥陀如来像と、塑造《そぞう》の観音像（十一面かどうかは不明）が安置されていた。

講堂の北側には、食堂が戦前まで建っていたことが知られ、『御手印縁起』には文殊菩薩《もんじゅぼさつ》と「毘頭盧比丘像《びんづるびくぞう》」の存在が記される。現在その南側に六時礼讃堂が建てられており、『大同縁起』に「六時堂薬師仏ハ波羅門僧正御持仏也。」と記し、奈良時代に日本へ渡来した菩提僊那《ぼだいせんな》の念持仏《ねんじぶつ》を祀ったとしている。一方『四天王寺誌《してんのうじし》』によれば、弘仁七年（八一六）に境内の太子廟（聖霊院）に参詣し、詩一首を献じた最澄が、六時堂を椎寺薬師院とともに建立したと伝えている。いずれにせよ六時堂の本尊は、比叡山根本中堂《ひえいざんこんぽんちゅうどう》と同じ薬師如来であり、八世紀後半以降に造像が盛んになる薬師如来が四天王寺にも安置されていたことになる。ただし四天王寺への天台の接近は、五重塔壁画における天台高僧像の存在からも、弘仁年間（八一〇〜八二四）より遡ることが想定され、六時堂本尊の創祀については再考を要する。また薬師如来像の造像に関わり、四天王寺所蔵の木造如来坐像（重文、伝阿弥陀三尊像の中尊。【第一部コラム3図1参照】）を薬師如来と見て、入唐八家《にっとうはっけ》の一人で、空海の孫弟子に当たる初代四天王寺別当・円行《えんぎょう》が、別当在任中の承和年間（八三四〜八四八）、東寺《とうじ》の造仏所で制作したとみなす意見がある。そうであれば、四天王寺への薬師信仰は天台・真言双方から流入したと考えるべきであろう。

講堂の東側に建つ亀井堂は、この地に四天王寺が建立された要因の一つとなった霊水の湧く聖地である。この堂宇に不動明王が祀られたのはずっと後世になるが、上下の水槽からなる亀形石【第一部コラム3図2参照】は竜山石《たつやまいし》の一枚岩から彫られ、明日香村《あすかむら》の酒船石《さかふねいし》遺跡と同じく、遺構は七世紀後半の斉明天皇《さいめいてんのう》の頃と推定されている。一部の聖徳太子絵伝にも亀井堂は描かれるが、十四世紀前半の茨城・妙安寺《みょうあんじ》本には亀形石まで描かれており、四天王寺の重要な遺構と考えられてきた。また『大同縁起』に「小塔殿一宇。轆轤作小塔二万基官納。」と記す万塔院《まんとういん》については後述する。

図6　『別尊雑記』巻第18（部分。鎌倉時代・元亨元年・1321、四天王寺所蔵）

図7　如意輪観音半跏像（平安時代、総高48.4cm、四天王寺所蔵）

二　東西軸の時代

『御手印縁起』金堂条の冒頭には「金銅救世観音菩薩像」があげられる。『別尊雑記』巻第一八「如意輪観音《にょいりんかんのん》」の項に、「四天王寺救世観音像」の図像（四天王寺所蔵、図6）が載せられ、「聖如意輪云々。仍私加之。」と注記され、これが如意輪観音の一種と認識されていたことが知られる。元来弥勒菩薩として造立された菩薩半跏思惟像を太子の本地とみなし、これを救世観音と称するようになったのが、まさに『御手印縁起』が出現した頃（一〇〇七年）で、この種の模刻像の現存最古の遺品となる四天王寺像（大阪府堺市・法道寺旧蔵。図7）も十一世紀初頭頃の作になる。そもそも七世紀に創建された日本の古代寺院では、半跏思惟形の弥勒菩薩を本尊とする場合が多かった。その後、造立当初は「観音菩薩」とされていた、同じく片足踏み下げの東大寺大仏殿脇侍像や、滋賀・石山寺《いしやまでら》、奈良・岡寺《おかでら》本尊像が、醍醐寺《だいごじ》の聖宝《しょうぼう》の頃から如意輪観音とみなされ、『十巻抄《じっかんしょう》』でも如意輪観音として図像が掲載されている。このように如意輪観音の像容が、密教系の六臂《ろっぴ》像以外にも認められるようになり、これが「救世観音」と称されていた片足踏み下げの、四天王寺本尊像にも及んだと想定さ

れる。そして「救世観音」が、「聖如意輪」として『別尊雑記』に記載されるに至ったのは、聖宝の流れを汲む覚性《かくしょう》、心覚《しんかく》、守覚《しゅかく》といった真言僧の意向によるとの指摘が、最近明らかにされている。

金堂本尊の名称変更というこの出来事は、四天王寺が律令《りつりょう》体制に立脚する古代寺院からの脱却を図り、太子信仰を中核とする中世的な寺院に変貌を遂げようとする象徴的な事件であったと評価できよう。元来中心伽藍の東側には、太子の霊を祀る聖霊院（太子廟）が建っており、『大同縁起』には「上宮太子聖霊檜皮葺大殿」と「佛堂」、「細殿《ほそどの》」の存在が記され、「細殿」に太子絵伝が嵌《は》め込まれていたと推定されている。中心伽藍の金堂と東側の聖霊院の両者が、有機的に結びついたのである。

『御手印縁起』の出現以降、四天王寺以外で聖徳太子像の造像・作画活動が活発化し、現存する最古の太子像の遺品が法隆寺絵殿《えどの》（重文、一〇六九年、円快《えんかい》作）と兵庫・一乗《いちじょう》寺《じ》（聖徳太子および天台高僧像、国宝、十一世紀後半）に伝わる。『御手印縁起』の出現により、太子四百年遠忌《おんき》に向けて四天王寺は大いに盛り上がったことと想像されるが、治安《じあん》三年（一〇二三）に藤原道長《ふじわらのみちなが》が参詣に訪れたことが知られる程度で、遠忌前後の造像活動などは明らかにできない。またその百年後、太子五百年遠忌に際して、広隆寺では上宮王院《じょうぐうおういん》に聖徳太子着衣立《ちゃくいりゅう》像《ぞう》（一一二〇年、頼範作）が祀られ、法隆寺では聖霊院にて、聖徳太子四侍者坐像（国宝）の開眼法要《かいげんほうよう》が保安《ほあん》二年（一一二一）に行われている。この五百年遠忌に際しても、四天王寺での造仏活動等を知ることはできない。ただし藤原頼長《ふじわらのよりなが》の日記『台記《たいき》』には、数度にわたって四天王寺に参詣したことが記されている。康治《こうじ》二年（一一四三）の参詣では寺内諸堂を巡り、聖霊院では絵堂を訪れ寺僧から太子絵伝の絵解きを聴いている。久安四年（一一四八）の参詣に際しては、聖霊院に太子の「霊像」と「童像」が祀られていることを記し、絵堂では寺僧による絵解きの誤りを指摘している。これらの記載から、四天王寺では天徳《てんとく》四年（九六〇）の回禄《かいろく》後、聖霊院では「霊像」と「童像」の少なくとも二種類の太子像（成人前と成人後の太子像）が造立され、太子絵伝が改めて描かれていたことが知られる。ちなみに近世の『和漢三才図会《わかんさんさいずえ》』には、「聖霊院」の項目に「太子十六歳像、後有四十九歳像」

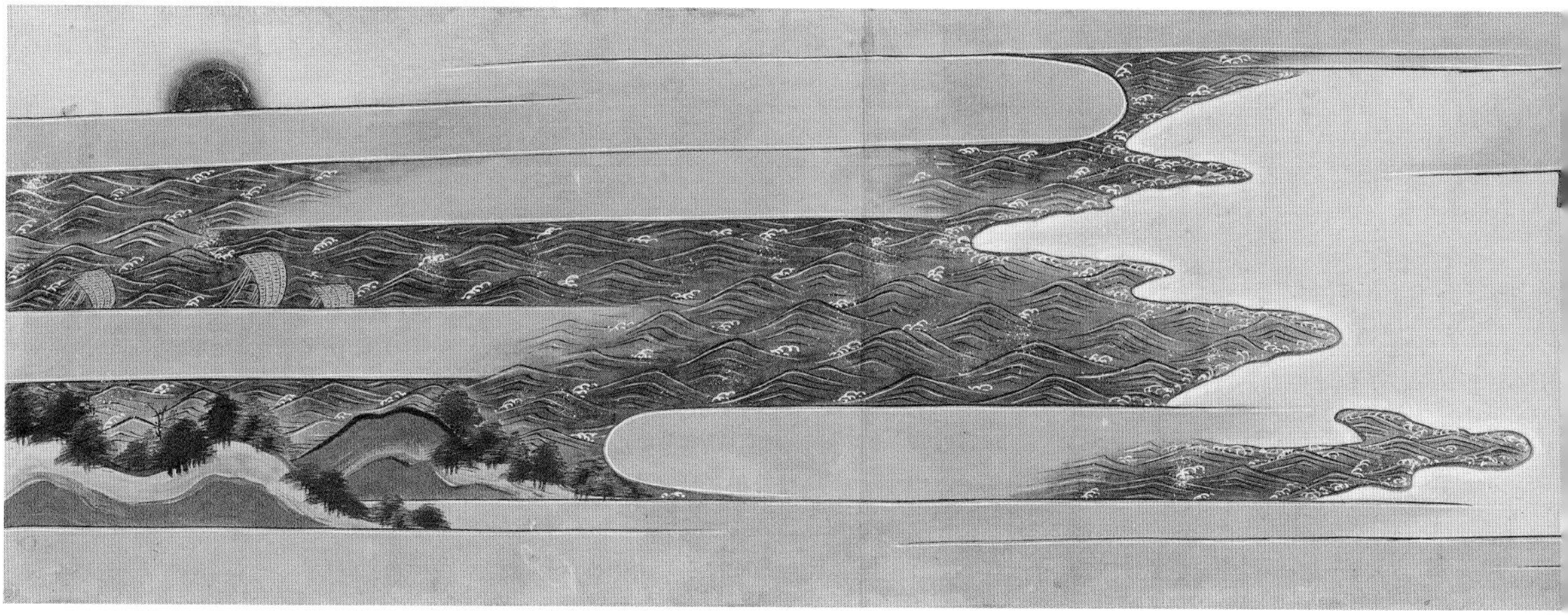

図8　善慧上人絵伝 巻第4(部分。室町時代・享禄4年・1531、兵庫・浄橋寺所蔵。画像提供：奈良国立博物館)

と記し、「三昧堂」の項には「二歳真像、称南無仏太子」と記している。また長寛《ちょうかん》二年（一一六四）には四天王寺東大門の東南に位置する「川堀」村にて、『聖徳太子伝略《しょうとくたいしでんりゃく》』（大阪・杏雨書屋本《きょううしょおくぼん》、重文）が書写されたことが記される。その後も「四天王寺東僧坊」では『太子伝古今目録抄』（一二二七年）が著され、「四天王寺東門村蓮華蔵院護摩堂」では、栃木・輪王寺本《りんのうじぼん》『太子伝』（一四〇五年）および愛知・万徳寺本『聖徳太子伝』（一四六二年）が書写されたことが知られる。このように四天王寺の伽藍東側・境内東方では、太子信仰の流布・高揚が図られていたことが指摘されている。こうして金堂東側の聖霊院は、太子信仰の中心として機能していくことになった。

太子四百年および五百年遠忌に際して、目立った動きを確認できなかった四天王寺であるが、太子六百年遠忌に至ってようやくその活動が史料に登場する。建保《けんぽ》二年（一二一四）四天王寺所司《しょし》が、宝蔵《ほうぞう》から太子御持経《ごじきょう》（細字《さいじ》法華経、平安後期の書写、重文。【第一部コラム6図8参照】）を発見し、遠忌への期待感を増幅させていく。別当であった慈円《じえん》は貞応《じょうおう》三年（一二二四）、聖霊院へ参籠して願文《がんもん》（重文、京都・青蓮院所蔵）を奉納、絵堂を再興して太子絵伝および九品往生図《くぼんおうじょうず》を南都《なんと》絵所の尊智《そんち》に描かせている。太子七百年遠忌に向けては、四天王寺絵所や四天王寺大仏師が活動し始めていた頃と推定され、四天王寺は太子信仰の中心寺院として造仏造画活動を大いに盛り上げていた。鎌倉末期のこの時期が、太子信仰美術の最盛期と思われるが、八百年遠忌前後の一部太子絵伝の制作や、太子伝の書写を除くと、以降は残念ながら目立った活動を確認することはできない。

ところで『御手印縁起』には、「宝塔金堂、相当極楽土東門中心」と記され、四天王寺の立つこの地が「昔釈迦如来転法輪所」であると同時に、極楽浄土の東門の中心であることを主張している。この頃より都からの貴族の参詣者が増え、また高台から難波の海を望めるこの境内西側は、西方の

図9　聖徳太子絵伝 第2幅（部分。室町時代、広島・光照寺所蔵）

海に沈む夕陽を見て浄土を観想《かんそう》する日想観の名所となっていった。室町・一五三一年制作の絵巻ながら、浄土宗西山義の祖・証空の絵伝（兵庫・浄橋寺本《じょうきょうじぼん》『善慧上人絵伝《ぜんねしょうにんえでん》』巻第四）には、西門での念仏と日想観の様が描かれている（図8）。この間、長保《ちょうほ》二年（一〇〇〇）の東三《ひがしさん》条院詮子《じょういんせんし(あきこ)》を皮切りに、藤原道長（一〇二三年）、上東門院彰子《じょうとうもんいんしょうし(あきこ)》（一〇三一年）、藤原頼通《ふじわらのよりみち》（一〇四八年）、後三条上皇《ごさんじょうじょうこう》・陽明門院《ようめいもんいん》（一〇七三年）、太皇太后寛子《たいこうたいごうかんし(ひろこ)》・藤原師実《ふじわらのもろざね》・師通《もろみち》ら（一〇八四年）、三善為康《みよしためやす》（一〇九九年）、白河法《しらかわほう》皇《おう》・鳥羽上皇《とばじょうこう》・待賢門院璋子《たいけんもんいんしょうし(たまこ)》（一一二七年）、鳥羽上皇・待賢門院（一一三四年）らの参詣・供養が確認できる。ただし注意すべきは、こうした皇族・貴族の参詣に際しては、中心伽藍での舎利供養や法華八講《ほっけはっこう》などが主要目的であったことで、そうした流れのなかで十二世紀半ば頃に扇面法華経冊子《せんめんほけきょうさっし》（国宝。【第二部コラム7参照】）が奉納されたことが指摘されている。

一方、大治《だいじ》三年（一一二八）珍海《ちんかい》が撰述した『菩《ぼ》提心集《だいしんしゅう》』には、早くも「天王寺の西門の念仏」が取り上げられている。そして治暦《じりゃく》年間（一〇六五〜一〇六九）の金峯山《きんぷせん》住僧永快は、実際に念仏を唱えつつ入水《じゅすい》往生を遂げ、保延《ほうえん》六年（一一四〇）の僧西念は、舟で漕ぎ出し入水往生を図っている。そして前述した藤原頼長が数度にわたって四天王寺に参詣しているが、二回目の久安二年（一一四六）には鳥羽法皇の御幸《ぎょこう》に供奉《ぐぶ》しており、この年に始められた西門（鳥居）と西大門の間での迎講《むかえこう》を見て、法皇は「浮涙於御眼」と『台記』に記している。この年から同六年（一一五〇）にかけて、法皇は毎年四天王寺を参詣し（計十一回）、同五年（一一四九）西大門南側に念仏三昧院《ねんぶつざんまいいん》を創建し、落慶法要《らっけいほうよう》を行っている。その後後白河法皇《ごしらかわほうおう》（計十三回）、後鳥羽《ごとば》法皇《ほうおう》（計四回）も盛んに四天王寺に御幸し、後白河法皇は文治三年（一一八七）に五智光院を創建して伝法《でんぽう》灌頂を受けたほか、西門近くに念仏堂《ねんぶつどう》も創建している。そして西門付近には、迎講を催した「出雲聖人」が建てた八幡念仏所《はちまんねんぶつしょ》や極楽堂《ごくらくどう》などが建ち、近世以降の短聲堂・引聲堂に引き継がれていった。この頃の今様《いまよう》『梁塵秘抄《りょうじんひしょう》』には、「極楽浄土の東門は　難波の海にぞ対へたる　転法輪所の西門に　念仏する人参れとて」と謡われ、目隠しした民衆が、西大門から鳥居をくぐるまで念仏を唱えて歩く様が、『一遍聖絵』や聖徳太子絵伝などに盛んに描かれている。なかでもメトロポリタン美術館本や兵庫・鶴林寺《かくりんじ》八幅・三幅本、奈良・大蔵寺《おおくらでら》旧蔵奈良国立博物館本、広島・光照寺本《こうしょうじぼん》（第二幅左下、図9）などでは、四天王寺の景観として中心伽藍を描かず、西大門から鳥居の場面のみを描いており、中世において四天王寺といえば西門付近とみなす認識があったことを示している。その鳥居は、永仁二年（一二九四）別当に就任した忍性が、木製から石造に造り替えており、嘉暦《かりゃく》元年（一三二六）銘の金銅製扁額《へんがく》（重文）には、「釈迦如来　転法輪所　当極楽土　東門中心」と切り抜かれた銅板の文字が表されている。

結びにかえて

四天王寺と同様、太子創建で太子信仰の中心であった、もう一つの名刹が法隆寺である。世界最古の木造建造物が残るのみならず、金堂の釈迦三尊像や夢殿の救世観音立像（ともに国宝）をはじめ、太子有縁の尊像が残るほか、伝存する宝物は質・量ともに群を抜いている。四天王寺においても、法隆寺と同様の宝物が安置されてきたと想像されるが、現存する宝物は圧倒的に少ない。これを象徴的に示すのが、奈良時代に官営工房で製作された百万塔《ひゃくまんとう》である。百万塔は、称徳天皇《しょうとくてんのう》の発願により宝亀《ほうき》元年（七七〇）に完成し、法隆寺のほか南都六大寺、飛鳥の川原寺《かわらでら》、近江の崇福寺《すうふくじ》、そして四天王寺の十大寺に十万基ずつ納められた。四天王寺でもこれを納めるため、前述した万塔院が創建され、幾度かの回禄を経て慶長《けいちょう》および元和の再興までは存在が確かめられる。ところが、その後の火災により建物も、そして十万（実際は二万基か）の小塔も一基残らず現存していない。四天王寺を含む十大寺のうち、現存するのは法隆寺のみで、現在四万基余りが確認できる。また法隆寺は前述した四天王寺の場合と同様、多様な信仰を抱え込んできたことを、現存する多くの堂宇や様々な尊像から確認できる。主要堂宇以外では、たとえば西院《さいいん》伽藍の大講堂に薬師三尊像、上御堂《かみのみどう》に釈迦三尊像、食堂・西円堂《さいえんどう》・新堂《しんどう》に薬師如来坐像、三経院《さんぎょういん》に阿弥陀如来坐像、護摩堂《ごまどう》に不動明王二童子立像、地蔵堂《じぞうどう》に地蔵菩薩像、行者堂《ぎょうじゃどう》に役行者前後鬼像《えんのぎょうじゃぜんごきぞう》、東院伝法《とういんでんぽう》堂《どう》に阿弥陀三尊像など、枚挙にいとまがない。

当初は法隆寺と同等の伽藍・宝物を備えながら、四天王寺が残念な現状に至ったのには当然理由がある。それは天災・人災を問わず、火災を中心とする災害であり、その筆頭が落雷による火災と、大風による倒壊である。四天王寺や南都六大寺の多くは平野部に立ち、落雷や大風を避けられる地形になく、その点背後に山並みが続く法隆寺は有利であったと考えられる。また地震についても、西側の上町断層をはじめとする断層が多い四天王寺は不利である。それにも増して大きく影響するのが、人災による火災である。太子はそもそも交通の要衝《ようしょう》の地に法隆寺と四天王寺を立てた。両者ともに奈良時代までは交通の要衝と言える地であったが、平安時代以降は法隆寺が要衝から外れたのに対し、四天王寺は京都から淀川《よどがわ》をくだって海へ出る地に立つことは変わりなく、このルートは平安末期以降に盛んとなった熊野詣《くまのもう》での途上にあり、熊野詣でと四天王寺参詣はセットであったといってよい。同じく平安末期に始まった西国三十三所《さいごくさんじゅうさんしょ》観音巡礼のルートも、法隆寺は通らないが、四天王寺は多少遠回りをしても近世の多くの巡礼者が参詣していた。このように人や物流のルート上にあることは長所であるが、短所でもある。皇族・貴族や僧侶たちを多数集め、多くの檀越《だんおつ》を抱え経済的にも潤い、平安時代以降は太子信仰の中心寺院として栄えた。中世には北は出羽《でわ》（秋田県秋田市）、陸奥《むつ》（宮城県大崎市）から、武蔵《むさし》（東京都台東区）、伊勢《いせ》（三重県津市）、京都（金山《きんざん》天王寺）など諸国に四天王寺を建立、まさに四天王寺の「支店（別院）」を各地に抱えたほどの繁栄ぶりであった。その反面、絶えず戦乱に巻き込まれて回禄を繰り返すが、その最たる例が第二次世界大戦に伴う焼亡であった。

こうして古い建造物や宝物など、四天王寺が失うものは多かったが、常に人々の心を引き寄せ、多様な信仰の場を形成していった。こうした苦難に満ちた歴史を乗り越え、多くの貴賤僧俗の支援を得ながら、「信仰の百貨店」ができあがっていった。今日も続く四天王寺の特徴は、良くいえば溢れる包容力、懐の深さであろうが、悪くいえば節操がない、ええ加減となろう。しかしこの四天王寺の「ええ（良い）加減」な特徴が、良くも悪くも大阪人に根付いた気質といえまいか。これからも永遠に「ええ加減」な大阪人が、四天王寺を支えていくことであろう。

（石川知彦）

（参考文献）
本書所載の各論、コラム
藤岡　穣「四天王寺の仏像と聖徳太子の彫像」（特別展図録『四天王寺の宝物と聖徳太子信仰』所収、一九九二年）
朝賀　浩「四天王寺聖霊院絵堂聖徳太子絵伝の再検討」（東方出版、『聖徳太子信仰の美術』所収、一九九六年）
木村展子「四天王寺の慶長再建について」（神戸大学美術史研究会『美術史論集』第九号、二〇〇九年）
清水紀枝「救世観音と如意輪観音」（千四百年御聖忌記念特別展図録『聖徳太子　日出づる処の天子』所収、二〇二一年）

第1部

古代の四天王寺

菩薩半跏像（試の観音）
（四天王寺所蔵、重要文化財、白鳳時代、7世紀）

第一章

四天王寺の創建

一　四天王寺の正面性と寺号

難波《なにわ》の海に沈む夕日に向かって、西方極楽浄土《さいほうごくらくじょうど》への思いを馳せる「日想観《じっそうかん》」。その中心舞台となる鎌倉時代の石鳥居《いしのとりい》の前に「大日本仏法最初四天王寺」と刻まれた石碑が立つ（図1）。「大阪の仏壇」として多くの人々が慣れ親しんだ四天王寺のイメージは、この石鳥居から西大門《さいだいもん》の背後に塔と金堂が並ぶ正面景観であろう。

図1　石鳥居からみた四天王寺伽藍

　しかし、このような四天王寺の正面景観は平安時代の終わりに隆盛した浄土《じょうど》信仰によって形作られたもので、実際は南大門《なんだいもん》を正面として中門《ちゅうもん》・塔《とう》・金堂《こんどう》・講堂《こうどう》が一直線上に並ぶ、飛鳥《あすか》時代を代表する伽藍《がらん》配置の寺院である（図2）。そして、このような伽藍配置は日本に仏教を伝えた百済《くだら》の王都に建立された寺院との共通性が強く、『日本書紀《にほんしょき》』などの創建説話をみても四天王寺は、石碑に示される通り日本でもっとも古い寺院の一つであることは間違いない。ただ、実際の創建事情については不明な点が多く、四天王寺の創建問題についてこれまで様々な議論がなされてきた。ここではまず、四天王寺の創建について文献史料とともに考古学的な見地から考えてみたい。

　なお、『日本書紀』では一貫して「四天王寺」という寺名で記載されているが、創建当初は飛鳥寺《あすかでら》（法興寺《ほうこうじ》）や斑鳩寺《いかるがでら》（法隆寺《ほうりゅうじ》）のように地名を冠して「荒陵寺《あらはかでら》」と称されていたと考えられる。四天王寺の寺名は『金光明経《こんこうみょうきょう》』四天王品《してんのうぼん》に基づくと考えられているが、『金光明経』による鎮護国家《ちんごこっか》思想が取り入れられたのは、国家仏教が成立し始める天武《てんむ》朝以降と考えられており、天武天皇五年（六七六）十一月に『仁王経《にんのうきょう》』とともに初めて『金光明経』を諸国に講説《こうせつ》させている。天武天皇九年（六八〇）五月には『金光明経』を宮中および諸寺に説かしめているが、その前年四月に諸寺の名が定められており、この時に寺院の法号が成立した可能性が高い。ただ、ここでは混乱を避けるために、

図2　四天王寺の中心伽藍（南東から）

『日本書紀』などに統一されている「四天王寺」の表記で統一する。

二　二つの創建伝承

『日本書紀』に四天王寺の創建にかかわる記載が二ヵ所あることは、以前よりよく知られている。最初は有名な崇峻《すしゅん》天皇の即位前紀（五八七）の記載で、長年にわたり対立していた蘇我《そが》氏と物部《もののべ》氏の確執が、用明《ようめい》天皇崩御《ほうぎょ》後の皇位継承問題で武力対立へと発展したときのものである。物部守屋《もののべのもりや》が穴穂部皇子《あなほべのみこ》に皇位を継承させようとしたため、蘇我馬子が穴穂部皇子を謀殺するとともに、物部守屋を誅滅するため諸王子・諸臣らとともに軍をあげたのであるが、物部守屋の反撃に苦戦を強いられる。このとき、聖徳太子が霊木に四天王像を刻んで戦勝を祈願し、勝利を得ることができたため四天王寺を造営したという（図3）。ちなみに、蘇我馬子《そがのうまこ》も諸天王・大神王らに願をたてて寺塔の造営を誓約し、乱後に法興寺（飛鳥寺）が造営される。

また、推古《すいこ》天皇元年（五九三）是歳条に「四天王寺を難波の荒陵に造る」とあり、これら『日本書紀』における二つの創建記載から、その後の二段階にわたる造営移建が考えられるようになったのだろう。古くは平安時代の初めに書かれたとされる『上宮聖徳太子伝補闕記《じょうぐうしょうとくたいしでんほけつき》』に、はじめは「玉造の東岸の上」に建立され、のちに「荒陵村」へ移したとあり、物部守屋の討伐も太子信仰の影響を受けて物部氏が仏教を排斥しようとしたことに由来すると説かれるようになる。そして、このような四天王寺創建の言説は、『四天王寺縁起』（根本《こんぽん》本《ぽん》）や私撰歴史書である『扶桑略記《ふそうりゃくき》』などにも引き継がれ、四天王寺玉造創建説の史料的根拠となっていったのである。

欽明《きんめい》天皇の時代に百済から仏教が正式にもたらされ、当時の東アジアの動向を見据え新たな国家形成を目指すために仏教の受容を重視した蘇我氏と、伝統的な神祇祭祀を重視した物部氏とが、仏

図3　『聖徳太子絵伝』に描かれた守屋合戦（四天王寺所蔵の遠江法橋筆 聖徳太子絵伝 第2幅）

教受容の可否を巡って半世紀近くにわたって対立していたのは事実である。ただ、前述した崇峻天皇即位前紀にみられる蘇我氏と物部氏の戦いは、皇位継承という政治的な問題が契機となって勃発した事件であり、蘇我側の勝利の結果として四天王寺と法興寺（飛鳥寺）という伽藍寺院の造営が実現したのは間違いないが、仏教受容の可否を目的とする戦いではない。その意味では、仏教説話的要素がより強調された四天王寺の二段階造営移建説は信憑性が低いと判断せざるをえない。そもそも、『日本書紀』崇峻天皇即位前紀では「乱をしずめた後に、摂津国《せっつのくに》に四天王寺を造る」とあるだけで、当年に造営が開始されたとは記されておらず、たとえこの歳に造営が開始されたとしても、移建を示唆する推古天皇元年までは六年しかなく、これらの記載をもって四天王寺の造営地の変更を考えるのは無理があろう。

　実際に、四天王寺の移建問題に関しては、考古学的見地からも否定的にならざるをえない。昭和九年（一九三四）に関西地方を襲った室戸台風によって、十九世紀初めの文化年間に再建された五重《ごじゅうの》塔《とう》が倒壊した。この被災後に塔再建にともなう基壇《きだん》の調査が行われ、文化再建の塔心礎《しんそ》の真下、深さ約三・六mにおよぶ地点から地下式心礎が発見されたのである。心礎は上面に細溝で直径約一・一mの円形の柱座を表現したもので、心柱《しんばしら》中に納められた仏舎利《ぶっしゃり》の荘厳具《しょうごんぐ》の一部と考えられる金環《きんかん》も二点出土した（図4）。このような地下式心礎や舎利荘厳具は飛鳥寺や中宮寺《ちゅうぐうじ》などの初期寺院と共通しており、塔基壇周辺から飛鳥時代の素弁八弁《そべんはちべん》蓮華文軒丸瓦《れんげもんのきまるがわら》（NMIa型式）が多く出土したことから、この心礎は塔創建時のものと考えられ、創建当初から塔の位置は動いていないと判断できる。

　金堂跡については、太平洋戦争後の伽藍復興にともなう調査が行われ、七世紀にさかのぼる掘り込み版築《はんちく》を発見した。残念ながらこの基壇地業は創建期まではさかのぼらないようだが、周辺からは塔基壇と同様に創建瓦である素弁八弁蓮華文軒丸瓦が多量に出土することから、創建期の金堂も同位置に造営されたことは間違いない。これら四天王寺の創建瓦より年代が古い瓦の出土は上町台地《うえまちだいち》では発見されておらず、塔と金堂を南北に配置する四天王寺の伽藍は飛鳥時代の当初から現在地に造営されたものと考えるのが妥当なのである。

三　創建年代はいつごろか

　では、その創建年代は『日本書紀』に記載されるように、崇峻天皇代から推古天皇元年の六世紀末までさかのぼるのであろうか。古代寺院の造営は、版築によって形成された高い基壇の上に礎石《そせき》を据えて柱を立て、瓦葺きの重い屋根を建物本体の複雑な組み物で支えるという新たな技術の習得があって初めて可能になるものであり、当時の人々にとっては長期にわたる大事業であった。当然、部材の調達も含めた造営の開始と伽藍が完成する時期に大きな開きが生じてしまうため、厳密に四天王寺の造営時期を決めることは難しい。しかし、同時期に造営された寺院間の出土瓦を比較検討することで、寺院造営の順序を判断することが可能である。

　我が国でもっとも古く造営されたと考えられる寺院は、四天王寺と飛鳥寺、そして聖徳太子が斑鳩宮《いかるがのみや》の隣接寺院として造営した斑鳩寺（法隆寺）などがあげられる。現在、世界文化遺産に登録されている法隆寺西院《さいいん》伽藍は、飛鳥時代に創建された斑鳩寺の伽藍ではなく、天智《てんじ》天皇九年（六七〇）の火災後に再建されたものであることが最近の年輪年代測定で判明した。もともとの伽藍は西院伽藍の南東に残された塔心礎の場所（若草伽藍）で、四天王寺と同じ塔と金堂が南北に並ぶ伽藍配置であったことが発掘調査で明らかとなっている。この斑鳩寺の創建瓦と四天王寺の蓮華文創建瓦（NMⅠa型式）が同じ木製瓦笵《はん》を使用した同笵瓦であり、しかも斑鳩寺の蓮華文がすべてシャープな文様なのに対し、四天王寺では笵が傷んだ蓮華文の軒丸瓦が多く出土している（図5）。この事実は、瓦笵が斑鳩寺から四天王寺造営のために移されたことを示唆しており、相対的に四天王寺の造営は斑鳩寺に遅れることになる。ちなみに、飛鳥寺の創建軒丸瓦が斑鳩寺から出土するが、こちらは飛鳥寺の蓮華文瓦笵の中房部を改笵したものであり、

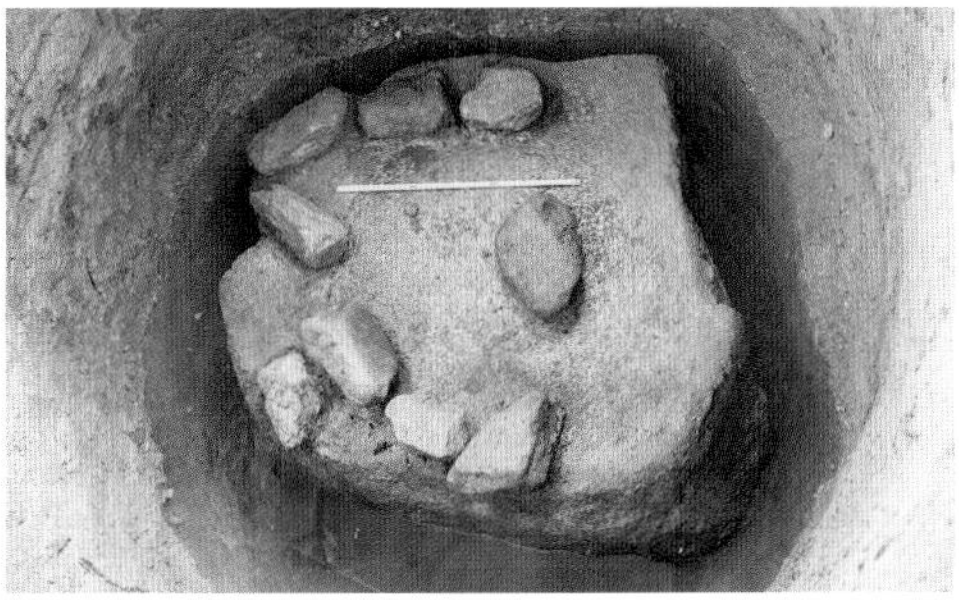

図4　四天王寺塔　　図4-1　塔心礎

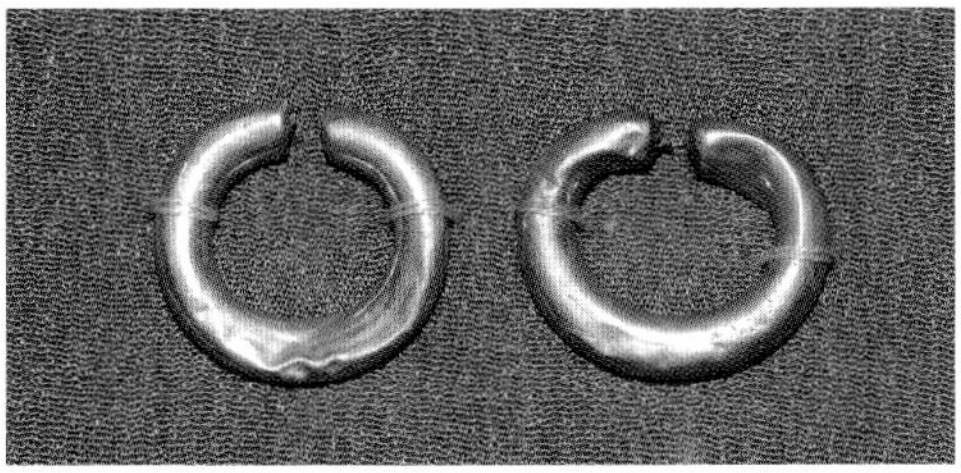

図4-2　舎利荘厳具の金環

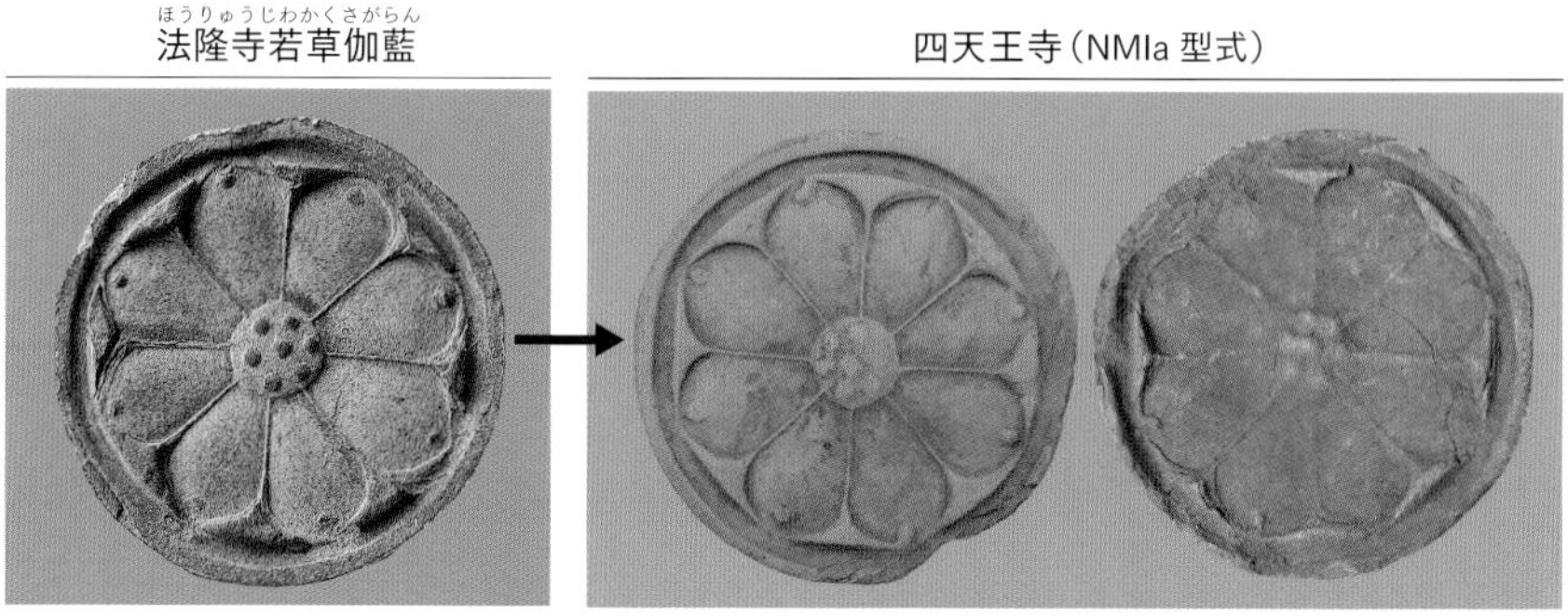

図5　法隆寺若草伽藍と四天王寺の創建瓦の比較（法隆寺の瓦は法隆寺所蔵。『飛鳥・藤原京展』〈朝日新聞社、2002年〉より転載）

逆に飛鳥寺の造営が斑鳩寺よりさかのぼることを示している。

ここで『日本書紀』における各寺院の造営記載を確認すると、具体的な造営過程が明記されているのは飛鳥寺のみである。崇峻天皇元年（五八八）に百済より仏僧・舎利とともに寺工・鑪盤《ろばん》博士・瓦博士・画工といった寺院造営技術者が献上されるが、その技術者の指導のもとに飛鳥寺が造営され始め、崇峻天皇五年（五九二）には仏堂と歩廊《ほろう》の竣工、推古天皇元年（五九三）には塔心柱が立柱されている。そして、推古天皇四年（五九六）に伽藍がある程度完成したようで、推古天皇十四年（六〇六）には鞍作止利《くらつくりのとり》（止利仏師《とりぶっし》）が制作した丈六金銅仏が金堂に安置される。

これに対し、斑鳩寺の創建記載はなく、推古天皇十四年是歳条に聖徳太子が岡本《おかもとの》宮《みや》で法華経《ほけきょう》を講説したおりに、播磨国《はりまのくに》水田を賜り斑鳩寺に施入したという説話的な記事が認められるだけである。西院伽藍金堂の内陣東に安置されている金銅薬師像光背銘《こんどうやくしぞうこうはいめい》や『法隆寺伽藍縁起并流《ほうりゅうじがらんえんぎならびにる》記資財帳《きしざいちょう》』は推古天皇十五年（六〇七）に造営されたとするが、薬師像の造像年代は様式的見地などから七世紀半ばから後半とされており問題が多い。むしろ、確実な飛鳥仏といえる金堂本尊の金銅釈《しゃ》迦三尊《かさんぞん》像光背銘では、聖徳太子が薨去した翌年の「癸未年」（推古天皇三十一年・六二三）に皇子の冥福を祈って造像されたと記されており、七世紀第1四半期でも後半には斑鳩宮の寺院として聖徳太子によって造営されていた可能性が高いと考える。

ここで注目したいのは、『日本書紀』推古天皇三十一年（六二三）秋七月条に新羅《しらぎ》から遣使が来朝し、聖徳太子の弔問のため仏像と金塔および舎利・灌頂幡《かんじょうばん》などが献上されていることである。この時、仏像は「葛野秦寺」に安置されるが、そのほかの仏具はすべて四天王寺に納められている。この記載は四天王寺に関するもっとも信憑性の高い史料と考えられており、斑鳩寺の金銅釈迦三尊像の造像とともに聖徳太子が薨去した段階で、両寺院が造営途中にあったことを示唆している。これらの史料を軒瓦の同笵関係と比較検討して考えると、我が国で最初の伽藍寺院は大王宮が所在した都に造営された飛鳥寺であり、遅れて聖徳太子の斑鳩宮に隣接して斑鳩寺が造営され、最後にヤマト王権の玄関口でもある難波に四天王寺が造営されたと考えるのが妥当であろう。

図6　四天王寺の建物計画溝

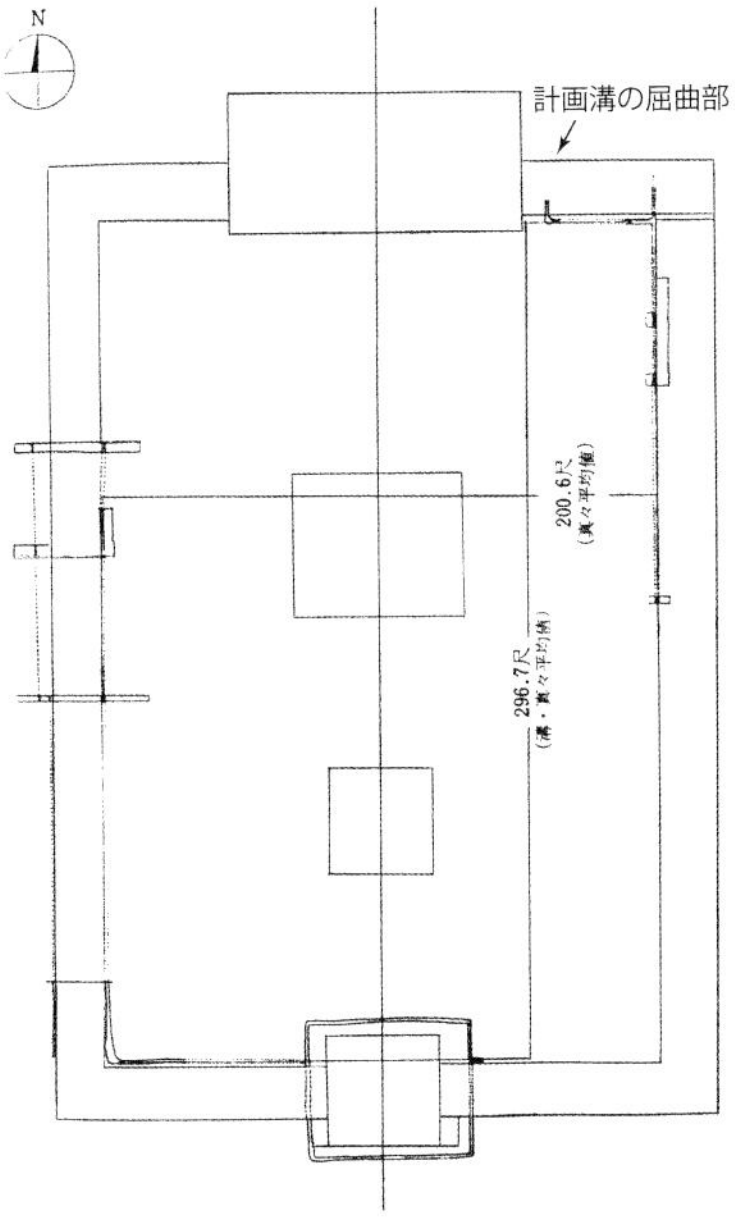

四　百済の古代寺院と四天王寺

なお、四天王寺の伽藍は塔と金堂が南北一直線上に並ぶだけでなく、中門から派生した回廊《かいろう》が飛鳥の諸寺院のように講堂前で閉じず、北回廊が講堂にとりついて金堂と講堂が同じ空間を共有している。実際の回廊や講堂の造営は七世紀中ごろ以降まで下るが、建物計画溝の発見によってこの空間構成は創建当初から計画されていたことが明らかとなった。さらに、北回廊については、建物計画溝が講堂にとりつかず建物の西辺を示すように南辺溝が北に曲がることから、当初は回廊ではなく建物として計画されていた可能性も指摘されている（図6）。

ここで、朝鮮半島の百済の都であった泗沘《しび》（現在の扶余《ふよ》）の古代寺院の空間構成を概観すると、定林寺《じょうりんじ》跡や陵山《りょうざん》里廃寺《りはいじ》・王興寺《おうこうじ》跡などでは中門・塔・金堂・講堂が一直線上に並ぶ伽藍配置をもつことに加え、講堂の東西に付属建物が複数存在し、東西回廊はこれらの付属建物にとりつく伽藍が一般的であった。四天王寺の東西に付属建物が創建当初に計画されていたのであれば、金堂と講堂の空間構成が百済の古代寺院と強い共通性をもっていたことになる（図7）。

それに関連し、『日本書紀』敏達《びたつ》天皇六年（五七七）十一月条に、百済への遣使だった大別王《おおわけのおおきみ》が帰朝する際、百済国の王（威徳王《いとくおう》）が律師《りっし》・禅師《ぜんじ》・比丘尼《びくに》・呪禁師《じゅごんし》とともに造仏工と造寺工を大別王に付けて献上し、彼らを難波の大別王の寺に安置したという興味深い記載が認められる。百済では王興寺塔心礎に奉納された青銅製舎利容器の銘文から、同年に威徳王が亡き王子のために王興寺の塔を造営し舎利供養を行ったことが明らかとなっている。王興寺は百済王宮の後苑、扶蘇山城の錦江対岸に造営された百済王室の寺院で、講堂の東西に建物が付属し、さらに金堂の東西に配置された南北棟建物に回廊がとりつく大伽藍であった。

また、陵山里廃寺の発掘調査成果によれば、塔跡の地下式心礎上に置かれた舎利龕銘《がんめい》から、王興寺創建に先立つ五六七年に威徳王が百済王陵の陵寺として陵山里廃寺を造営しており、伽藍構成が王興寺と共通するだけでなく、講堂の構造が東西二室に分かれ西半部にはオンドルが設置されてい

図7　一塔一金堂式伽藍配置の比較（陵山里廃寺と四天王寺。陵山里廃寺の画像は韓国・国立扶余博物館所蔵）

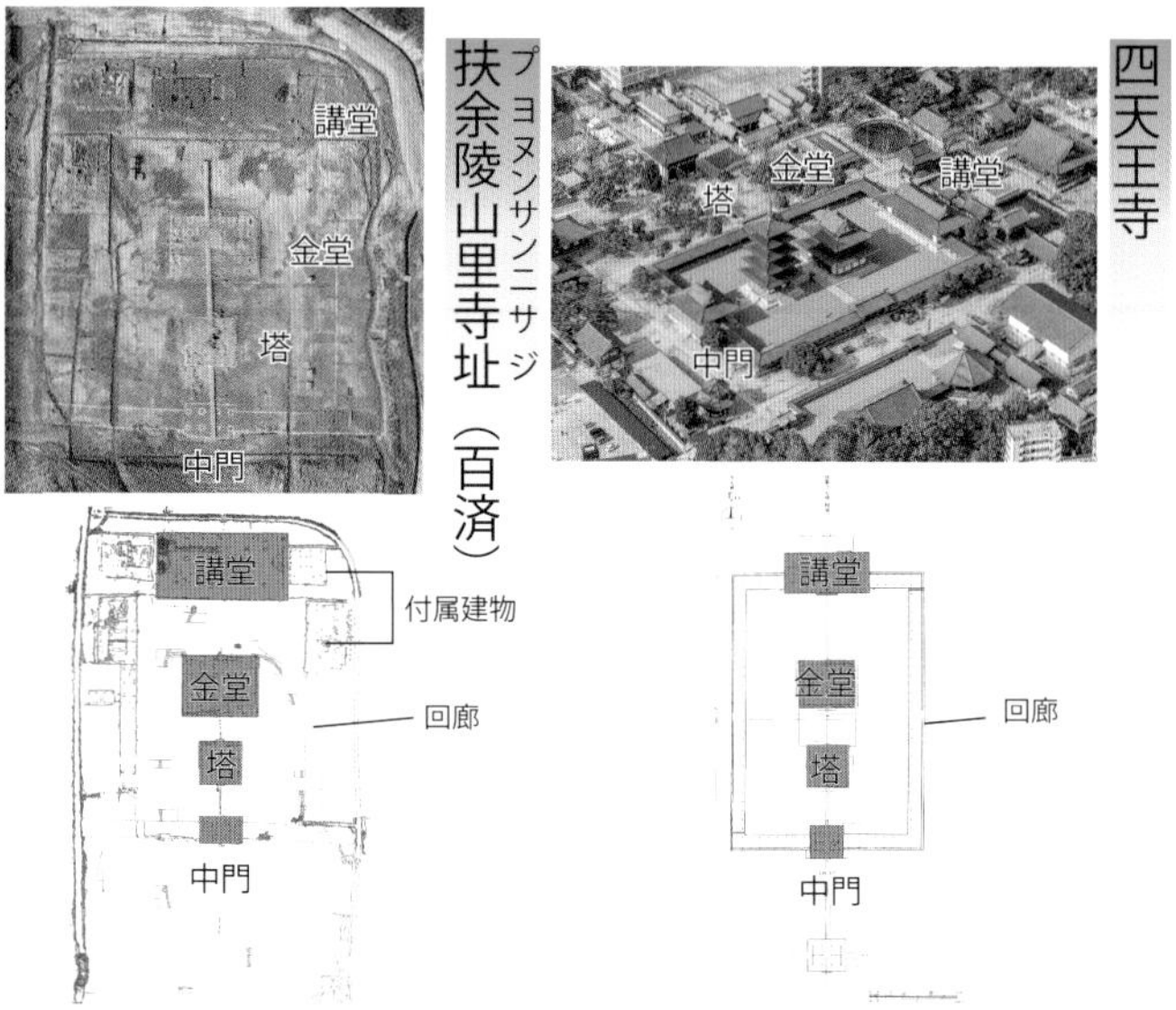

た。これは、講堂の東半部が夏仕様、西半部が冬仕様の建物として造営されていたことを示しており、寛弘《かんこう》年間（一〇〇四〜一〇一二）ころの史料ではあるが『四天王寺縁起』（根本本）に記された桁行《けたゆき》八間の講堂が「夏堂四間」、「冬堂四間」で構成されている事実との関連性も指摘できよう。

つまり、敏達天皇六年（五七七）に派遣され難波に安置された造寺工は、これら陵山里廃寺や王興寺など百済の王室寺院の空間構成を熟知した工人であった可能性が高く、四天王寺の伽藍設計に何らかの影響を与えたことも否定できないであろう。このほか、四天王寺では講堂の調査で明らかとなった屋根構造の扇垂木《おうぎだるき》や、中門・回廊基壇の基壇外装が外側は切石積《きりいしづみ》基壇であるが、内側は瓦積基壇を採用するなど百済寺院の強い影響が各所で認められる。難波はヤマト王権の対外的な玄関口であり、四天王寺の寺域東ではのちに百済郡が建郡されるように多くの渡来系移住民が居住する地域であった。発掘調査で確認された四天王寺伽藍の特徴には、難波地域の国際性の豊かさがよく表出しているのである。

第二章　難波の大寺としての展開

一　孝徳朝の難波遷都と四天王寺

皇極《こうぎょく》天皇四年（六四五）、三韓の調の朝貢《ちょうこう》と偽って蘇我入鹿《そがのいるか》を誅殺し、大王家の座を凌ぐほどの権力を保持していた蘇我蝦夷《そがのえみし》が滅ぼされた。いわゆる乙巳《いっし》の変である。そして、政変を主導した中大《なかのおお》兄《え》皇子は叔父である軽《かる》皇子に皇位を譲り、孝徳《こうとく》天皇が即位するとともに自らは新政権の皇太子として政権運営に携わっていく。この政変の歴史的背景として、朝鮮三国を含めた激動する東アジア情勢に対応するため、大王を中心とした中央集権的国家の形成を急ぎ目指さなければならなかったことが想定されている。

新たに即位した孝徳天皇は、都を飛鳥から外交

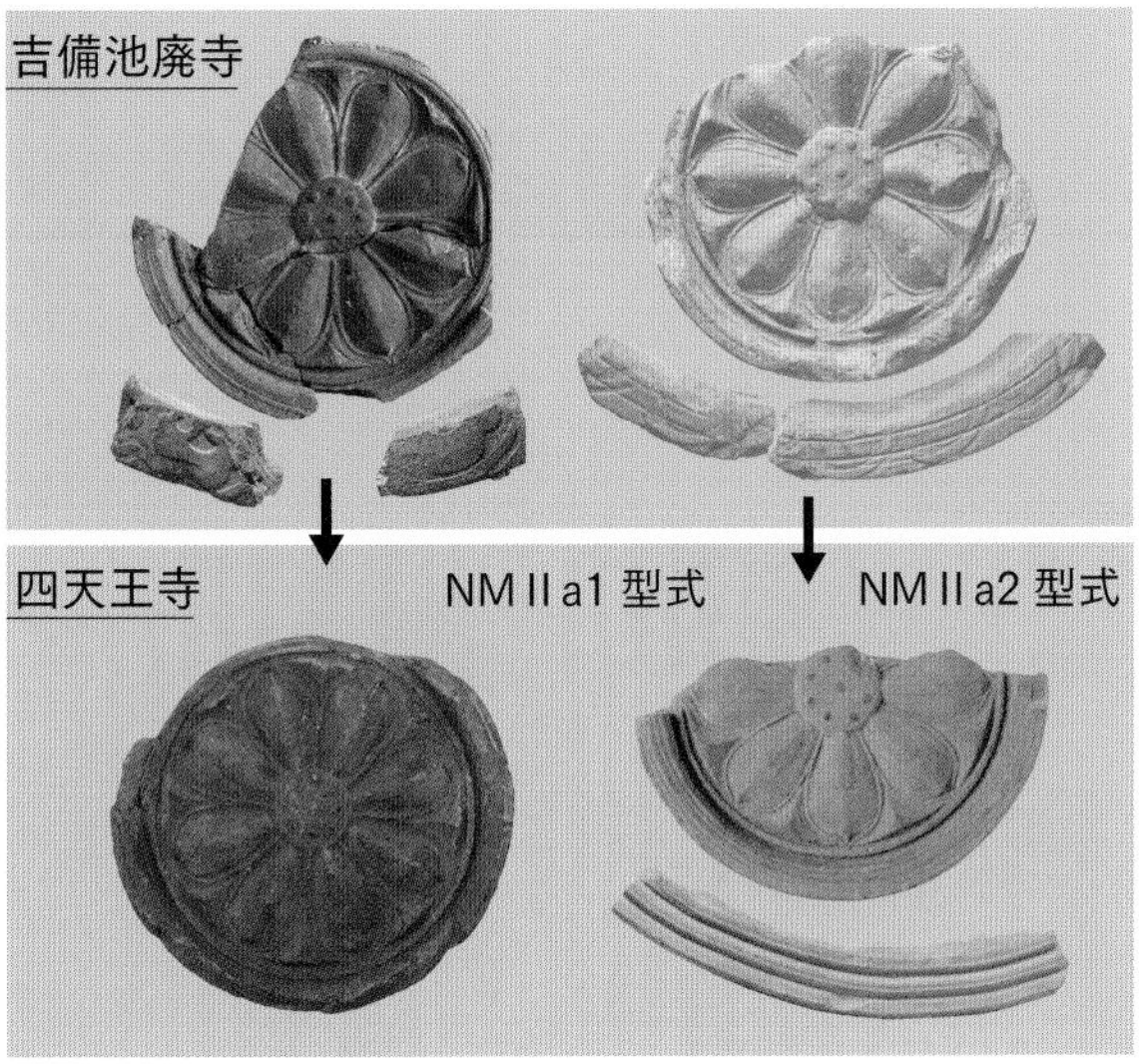

図8　吉備池廃寺と四天王寺の同笵瓦（吉備池廃寺の瓦は奈良文化財研究所所蔵。『大和吉備池廃寺－百済大寺跡－』（吉川弘文館、2003年）より転載）

拠点である難波へ移し、新たな国家形成に向けた諸政策として改新の詔を出すとともに、上町台地の北端において壮麗な宮殿の造営を開始した。白雉《はくち》二年（六五一）の暮れに孝徳天皇が遷御《せんぎょ》し、「宮殿の様相は細かく論じることができないほどにすばらしい」と称賛された難波長柄豊碕宮《なにわのながらのとよさきのみや》である。発掘調査で明らかとなった前期難波宮の遺構が相当すると考えられ、その構造は大王の私的空間である内裏《だいり》の前面に公的な性格を有する内裏前殿の空間を新たに創出し、その南に少なくとも十四堂の朝堂を配する、これまでにない広大な朝堂院《ちょうどういん》を備えていた。また、内裏・朝堂院の周囲には官衙域を形成し、萌芽的な官僚的政治空間をも創出しようとしたのである。

この新たな宮殿造営と併行して進められたのが、難波宮を荘厳する大寺としての性格を付加された四天王寺伽藍の再整備である。これまで蘇我氏の飛鳥寺や上宮王家《じょうぐうおうけ》の斑鳩寺など、大王以外の有力氏族や皇族が本貫地《ほんがん》に寺院を造営していたが、新たな大王宮の空間に大王の勅願寺《ちょくがんじ》が造営される事例は、舒明《じょめい》天皇十一年（六三九）に大宮（百済宮《くだらのみや》）とともに造営された百済大寺《くだらのおおでら》が初めてであった。『日本書紀』によれば「西の民は宮を造り、東の民は寺を作る」とあるように造営丁《よぼろ》が広く徴発されており、翌年十月には舒明天皇が完成なった百済宮へ移り、その一年後には百済宮で舒明天皇は崩御している。しかし、百済大寺の造営は遅れて皇極天皇元年（六四二）九月にも、大寺造営のための近江《おうみ》と越《こし》から改めて丁を徴発している。この百済大寺は都に大王が大寺を造営する嚆矢となり、即位前紀において仏法を尊び神道を軽んじたと評される孝徳天皇が、難波長柄豊碕宮の造営とともに難波随一の伽藍である四天王寺を大王の大寺として整備するのも自然な流れだったといえよう。

実際に、四天王寺の中心伽藍内では百済大寺と想定される吉備池廃寺《きびいけはいじ》と同笵の百済大寺式軒瓦（NMⅡa型式）が多く出土しており、その出土比率は七世紀半ばから後半の軒丸瓦の四分の一近くを占めている（図8）。史料としても『日本書紀』大化《たいか》四年（六四八）二月に、新政権の左大臣である阿倍内麻呂《あべのうちまろ》が四天王寺の塔内に仏像四体を安置し霊鷲山《りょうじゅせん》像を造る記載が認められるが、これは『太《たい》子伝古今目録抄《しでんここんもくろくしょう》』（『天王寺秘決《てんのうじひけつ》』）にひく『大同縁起』の五重塔「小四天」王像と考えられている。このように、難波宮の大寺としての再整備において、塔・金堂だけでなく中門から回廊、そして講堂といった中心伽藍が整えられ始めたと考えられるのである。

二　継続する伽藍造営の背景

しかし、この孝徳朝の新政権は、難波長柄豊碕宮の完成後まもなく崩壊にむかう。白雉四年（六五三）には皇太子の中大兄皇子が、母の皇極上皇と妹の間人《はしひと》皇后を連れて飛鳥に戻ってしまい、公卿大夫や百官の人々も皇太子に従ったという。孝徳天皇は傷心のうちに翌年崩御したため、皇極上皇が飛鳥板蓋宮《あすかいたぶきのみや》で斉明《さいめい》天皇として重祚し、都は飛鳥に戻ることになった。ただ、舒明天皇の発願した百済大寺の造営が皇極朝まで継続したように、四天王寺の伽藍整備も継続して進められたようである。それは、四天王寺から百済大寺式軒瓦の後につづく単弁十弁軒丸瓦（ＮＭⅡｃ型式）が百済大寺式軒瓦の三倍近く出土し、この軒瓦は『日本霊《にほんりょう》異記《いき》』にみえる斉明朝の「難波百済寺」に比定されている堂ヶ芝廃寺《どうがしばはいじ》と同笵関係にあることからもうかがわれる（図9）。

都が飛鳥に遷ったとはいえ、難波長柄豊碕宮は副都として存在しており、実際に斉明天皇元年（六五五）七月の蝦夷への饗は難波宮で行われた。さらに、斉明天皇六年（六六〇）暮れには、百済再興のため斉明天皇は難波宮で軍備を整えて自ら九州へ向かうが、翌年に出陣先である九州の朝倉橘《あさくらのたちばなの》広庭宮《ひろにわのみや》で崩御している。先の『大同縁起』の五重塔内に記載された「大四天王四口」は斉明天皇のために敬いて造り安置したとあり、四天王寺が天智朝以降も外敵調伏の性格をもつ難波の大寺として重視されていたことを示唆する。

また、天武《てんむ》・持統《じとう》朝には「大寺制《おおてらせい》」の再編が行われ、天武天皇九年（六八〇）四月には大寺として国が認めた二、三の寺院を除いて官治《かんち》から除外し、食封《じきふ》を給う寺院（「有封寺」）の年限を三十年に制限する勅が出されている。これを受けて四天王寺は「有封寺」になったと考えられるが、『新抄格勅符《しんしょうきゃくちょくふ》抄《しょう》』によれば壬辰年（持統天皇六年・六九二）に食封二百五十戸が荒陵寺（四天王寺）に施入されており、『続日本紀《しょくにほんぎ》』大宝《たいほう》三年（七〇三）には四大寺とともに三十三寺の筆頭寺院として持統太上天皇の七七日の斎を設けるなど、「大寺」に次ぐ寺格の高さを維持しているのである。

なお、天武天皇十二年（六八三）十二月、難波を正式に副都とする詔が出され四天王寺の存在意義もますます高まったことが予測できる。ただ、残念なことに荘厳さを誇った難波長柄豊碕宮は朱鳥《しゅちょう》元年（六八六）正月に被災し、そのほとんどを焼失してしまった。しかし、近年の難波宮の調査では前期難波宮の跡地を管理しながら、聖武《しょうむ》天皇による後期難波宮の造営が行われたことが想定されており、ヤマト王権における難波地域の重要性はまったく失われていなかった。それに加えて、先述したように難波地域には多くの渡来系氏族が居住しており、これら渡来系氏族を束ねるために百済王族の善広らを居住させ、百済王氏《くだらのこにきしうじ》の内臣化が進められたという。四天王寺は王権を支える寺院としてだけでなく、これら渡来系氏族たちの精神的支柱として機能したのであり、百済王氏をはじめとする渡来系氏族のネットワークを基盤として発展していったのである。

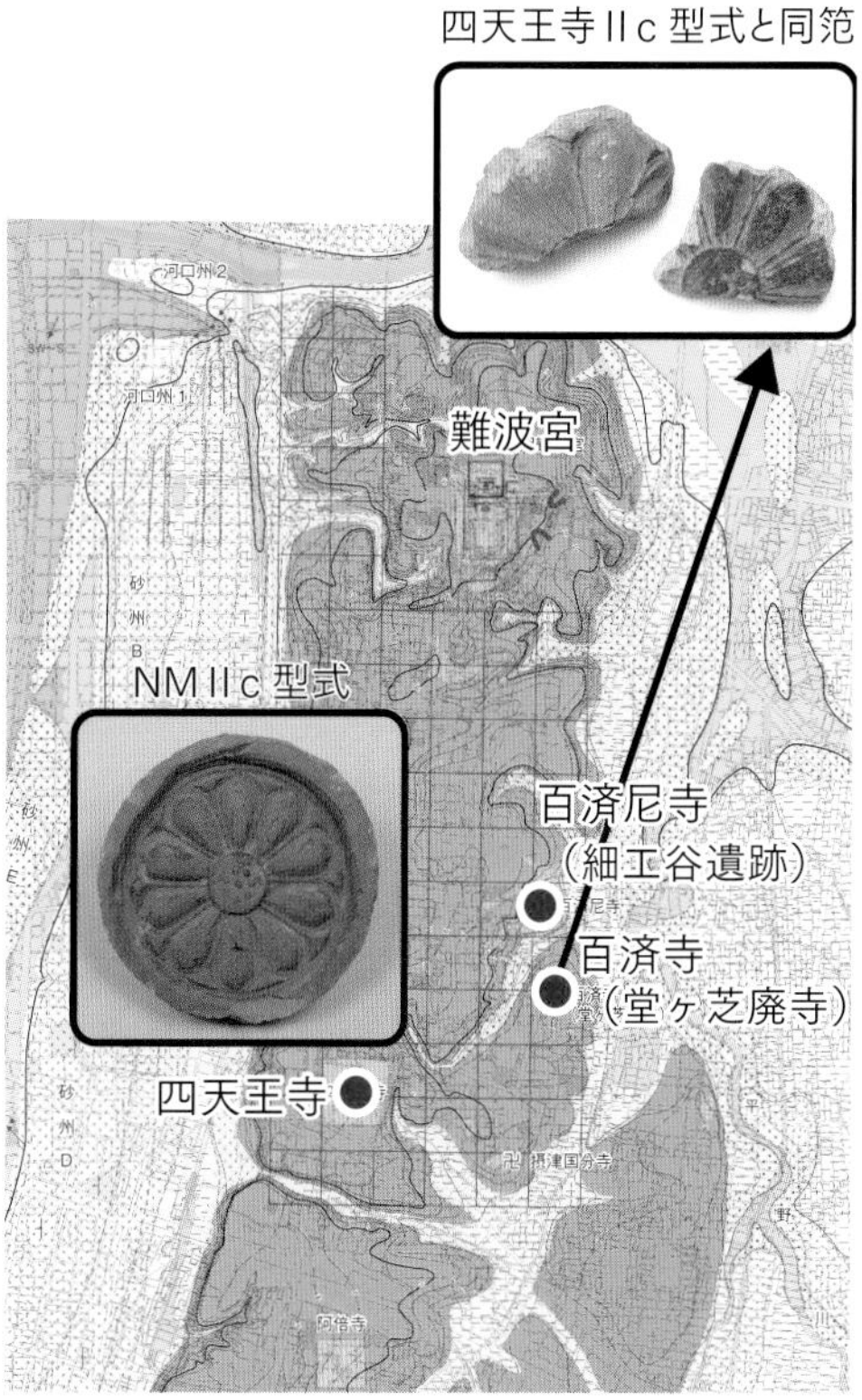

図9　四天王寺と堂ヶ芝廃寺（堂ヶ芝廃寺の瓦は大阪市文化財協会所蔵）

三　後期難波宮の造営と四天王寺

神亀《じんき》三年（七二六）十月、聖武天皇は播磨国印南《いなみ》野《の》に行幸《ぎょうこう》するが、その帰路に難波宮へ還宮するとともに藤原四兄弟の一人である藤原宇合《ふじわらのうまかい》を「知造難波宮事」に任命し、朱鳥元年に被災した難波宮の再興を始める。そして、天平《てんぴょう》四年（七三二）三月には知造難波宮事の宇合以下を賜賞しており、この時が難波宮再興の一つの画期だったことは間違いない。

聖武天皇が再興した難波宮は、前期難波宮の朝堂院空間にあわせて計画的に八堂構造の朝堂院と大極殿院《だいごくでんいん》が造営され、その北側に複廊で囲まれた内裏を置くことが、発掘調査で確認されている。ただ、近年の遺構の変遷や出土瓦の分析などでは、天平四年段階には七尾瓦窯《ななおがよう》産の蓮華文軒丸瓦と均整唐草文軒平瓦を主体とする内裏と朝堂院西区画だけが完成しており、重圏《じゅうけん》文軒瓦で飾られる朝堂院・大極殿院の造営は遅れるという。

このような長期にわたる難波宮再興とともに京域の整備も進められ、天平六年（七三四）九月には難波京内への宅地班給が行われている。そして、この京内整備にともない難波の大寺である四天王寺も、大幅に伽藍が整えられたと考えられる。それは、宇合らへの賜賞が行われた前年の天平三年（七三一）十二月に寺封三十戸が施入されたと『新抄格勅符抄』に伝えられることや、天平六年三月の難波行幸で食封二百戸が三年を限って施入されていることから容易に想像できよう。

図10-1　蓮華文軒丸瓦（NM Ⅲ a1型式）

図10-3　唐草文軒平瓦（NH Ⅳ a型式）

図10-2　蓮華文軒丸瓦（NM Ⅲ b1型式）

図10-4　唐草文軒平瓦（NH Ⅳ b1型式）

図10　四天王寺造瓦工房の瓦（四天王寺所蔵）

ちなみに、壬辰年（六九二）に施入された寺封二百五十戸が、有封寺として三十年を限って施入されたものであるならば、養老《ようろう》六年（七二二）に一度停止されたと考えられるが、難波宮再興にともなって四天王寺も官寺の例に加えられ、永代寺封として引き続き施入された可能性が高い。実際にこの寺封は、『新抄格勅符抄』に掲載された三百五十戸の寺封のうちに数えられている。四天王寺が官寺の例に加えられていることは、聖武天皇が孝謙天皇に譲位《じょうい》する直前の天平感宝《てんぴょうかんぽう》元年（七四九）閏五月に、沙弥勝満《しゃみしょうまん》として出家施捨《せしゃ》の対象となった寺院として、弘福寺《ぐふくじ》（川原寺《かわらでら》）と並んで四天王寺があげられていることや、孝謙天皇が即位し天平勝宝への改元が行われた直後の諸寺墾田《こんでん》地の制限のなかで、官寺として五百町の墾田が認められていることからも明らかである。

なお、奈良時代における四天王寺伽藍は、中門基壇が拡張され回廊や講堂も大きく修造されるとともに、金堂基壇に手が加えられたことが発掘調査から明らかになっており、伽藍地内も瓦敷きで美しく整えられたようである。出土瓦も他の寺院からは出土しない単弁十弁蓮華文（ＮＭⅢａ１型式）や単弁八弁蓮華文（ＮＭⅢｂ１型式）を中心とする軒丸瓦や、難波宮再興の初期に使用された均整唐草文軒平瓦の影響を受けた軒平瓦（ＮＨⅣａ型式・

ＮＨⅣｂ１型式）など、独自な奈良時代の瓦が多数出土している（図10）。これらの瓦群は上町台地周辺で採れる粘土の特徴をもち、赤褐色から橙色に近い焼成具合も共通していることから同じ工房で製作されたと考えられ、四天王寺が奈良時代になると独自の瓦生産工房を所有していたことを示唆する。『四天王寺縁起』（根本本）には寺院修理・維持に関して、「玉造《たまつくり》の岸の西方、瓦二万枚を焼き置く。竈の穴に埋蔵す。修造の時に至りて、鑿《うが》ち取り用ゐるのみ」という記述がみえるが、ここに記された瓦窯は上記の瓦生産工房の存在を反映しているのかもしれない。伽藍整備とともに瓦工房など寺院経営のための施設が充実していく様子に、四天王寺の難波京の官寺としての発展をうかがうことができるのである。

四　孝謙（称徳）朝の四天王寺と摂津職

天平勝宝八年（七五六）二月から四月にかけて、孝謙天皇は前年より体調を崩していた父聖武太上天皇とともに難波へ行幸を行った。この難波行幸では智識寺南行宮《ちしきじみなみあんぐう》に立ち寄り、大仏造立の契機となった智識寺ほかの河内六寺に礼仏している。聖武太上天皇だけでなく孝謙天皇にとっても智識寺は特別な寺院で、天平勝宝元年（七四九）暮れに出された大仏造立を助けるという宇佐八幡神《うさはちまんしん》の神託への詔のなかで、聖武天皇が智識寺の盧舎那仏を礼拝して大仏造立を発願した旨を述べており、神託に先立つ同年十月には智識寺への行幸も行っていた。天平勝宝八年の行幸は、まさに太上天皇のために思い出の地を巡る行幸だったといえるが、聖武太上天皇は難波滞在中に体調が悪化し、平城宮に還るも翌月の五月には崩御してしまう。

この難波行幸と関連して、正史には記載されないが四天王寺も密接にかかわっていたと想定できる資料がある。それは、間弁が杓子状を呈する複弁八弁蓮華文軒丸瓦で、もともとは智識寺で使用されていた軒丸瓦であるが、瓦笵が四天王寺に移され難波宮へも供給していたことが判明している（ＮＭⅣｂ型式・難波宮六二四一型式）（図11－1）。天平勝宝八年の難波行幸では孝謙天皇は難波宮内に新たに造営された「東南新宮」に御しているが、すでに造難波宮司《ぞうなにわぐうし》は解体されていたと考えられるため、その造営を託されたのは難波宮の管理を行っていた摂津職だった可能性が高い。とくに、この行幸時には摂津職の亮として百済王理伯《くだらのこにきしりはく》が二年前に任命されており、河内へと本貫を移しつつも摂津に大きな影響力を持っていた百済王氏が、智識寺と四天王寺を結び付けるとともに難波宮にも智識寺の同笵瓦を供給させたと考えるのが妥当であろう。

天平勝宝九年（七五七）三月の『摂津職解《せっつしきげ》』によ

図11-1　蓮華文軒丸瓦（NMⅣb型式）

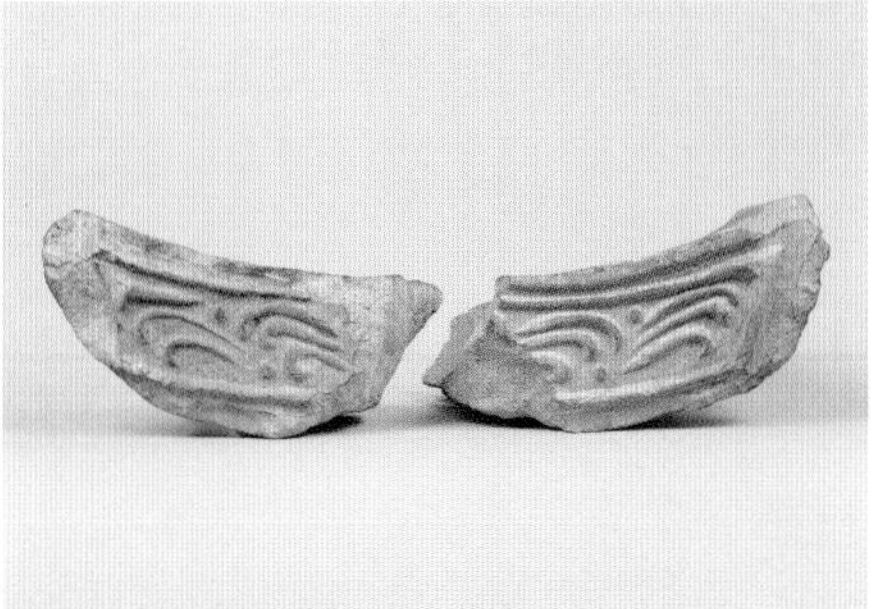

図11-3　唐草文軒平瓦（NHⅤc型式）

図11-2　蓮華文軒丸瓦（NMⅡd型式）

図11-4　鬼瓦（金寺山廃寺・由義寺と同笵）

図11　四天王寺から出土した難波宮・河内智識寺と由義寺との同笵瓦（四天王寺所蔵）

ると、聖武太上天皇の一周忌に大仏殿歩廊の完成を間に合わせるために、摂津職を通じて四天王寺と梶原寺《かじわらでら》に歩廊用の瓦を発注している。前述したように、四天王寺では難波宮再興にともなう伽藍整備のなかで独自の瓦生産工房を操業しており、両寺院への瓦の発注を主導したのも百済王理伯であった可能性がある。この百済王理伯を通じた四天王寺と智識寺の関係は、藤原仲麻呂《なかまろ》の乱後に孝謙太上天皇が称徳《しょうとく》天皇として重祚し、道鏡《どうきょう》政権下において仏教優遇政策が進められるなかで深められ、四天王寺の発展をさらに促すことになる。

とくに、神護景雲《じんごけいうん》元年（七六七）八月に百済王理伯が摂津大夫となると、同年十月には四天王寺の家人《けにん》と奴婢《ぬひ》三十二人に爵を賜い、十一月には和銅《わどう》元年（七〇八）に口分田とされた播磨国餝磨《しかま》郡の寺田の代わりとして大和・摂津・越中・播磨・美作《みまさか》等の国の乗田および没官田が施入されている。また、神護景雲三年（七六九）六月には播磨国餝磨郡の口分田百七十町が四天王寺に施入され、同年七月には周防の戸五十烟《えん》を入れるなど、四天王寺への経済的援助が著しい。

そして、同年十月の由義宮《ゆげのみや》行幸では、由義宮が西京になることにともなって河内国が河内職に改められるが、その前日に河内智識寺に配された今《こん》良《りょう》一二人と四天王寺の奴婢十二人に爵を賜っている。前者は智識寺行宮の今良と考えられるが、四天王寺の奴婢十二人はおそらく由義宮の前身となる弓削行宮に奉仕していた可能性が高いだろう。新たに西京となった由義宮の造営は「造由義大宮司」があたったが、その次官は摂津職と河内職の兼任であり、難波の官寺である四天王寺の奴婢が由義宮に奉仕するのも摂津職との関係を考えれば理解しやすくなる。

近年の発掘調査で、由義宮の官寺となる由義寺《ゆげでら》の塔跡が発見され話題となった。その出土軒瓦を分析すると、大和西大寺系の軒瓦や河内国内の同笵瓦とともに、西摂の金寺山廃寺《かなでらやまはいじ》で使用された軒瓦・鬼瓦《おにがわら》の同笵瓦が多数出土していることが判明した。これらの軒瓦・鬼瓦の瓦笵は、由義寺の造営後に四天王寺に運ばれて作瓦されたことも明らかになっており（NMⅡd型式・NHVc型式）（図11－2～4）、西摂の金寺山廃寺と河内の由義寺、そして難波の四天王寺を結び付ける歴史的背景として、摂津職大夫として由義寺の造営にかかわった百済王理伯の存在が重要だったことは間違いないだろう。四天王寺は摂津職との良好な関係を通じて、王権を支える重要な官寺としての存在意義を固めたのである。

五　山背遷都と四天王寺

称徳天皇が神護景雲四年（七七〇）八月に崩御し、由義宮という仏都造営計画が頓挫すると、道鏡政権下の混乱を収束するために天智天皇の血筋をひく光仁《こうにん》天皇が即位し、聖武天皇の皇女である井上《いのうえ》内親王との間に生まれた他戸《おさべ》親王が皇太子となった。しかし、天武天皇系の皇統によるこれまでの政権運営から新たな時代への転換を求めた藤原百川《ももかわ》らの計略により、井上内親王と他戸親王は廃皇后・廃皇太子となり、渡来系の高野新笠《たかののにいかさ》を母にもつ山部親王が新たに皇太子となる。のちの桓武《かんむ》天皇である。

桓武天皇は天応《てんのう》元年（七八一）八月に即位するが、旧勢力の強い平城京では翌年すぐに氷上川継《ひかみのかわつぐ》の謀反や天皇魘魅《えんみ》事件などが勃発したため、延暦《えんりゃく》に改元するとともに新たな王朝の都として山背への遷都《せんと》の準備が水面下で始められたと考えられる。その政策の一環として、聖武天皇系との関係が深い難波を押さえるため、延暦二年（七八三）三月に和気清麻呂《わけのきよまろ》が摂津大夫に任じられたのであろう。延暦三年（七八四）五月には遷都のために山背国乙訓《おとくに》郡長岡村の地相が調査され、翌月には早くも造長岡宮使《ぞうながおかぐうし》が任命されて長岡京造営が開始されるが、地相調査の直前に遷都を予兆するように摂津職から「二万匹ほどの蝦蟇（ヒキカエル）が、長さ三町ほど連なって難波市南道の南に位置する汚れ池から南進し、四天王寺境内に入って昼ごろに消え去った」という報告が出されている。

清麻呂は長岡遷都の建議者として評価されており、四天王寺という難波の官寺を舞台として遷都の予兆を演出しただけでなく、聖武天皇が造営した難波宮の解体と、新宮への移築を主導していた。

図12　平安宮豊楽殿と同笵の軒瓦（上がNMⅢa2型式軒丸瓦、下がNHⅣb2型式軒平瓦。四天王寺所蔵）

実際に長岡宮の発掘調査で、大極殿と朝堂院は難波宮から解体・移築されたものであることが判明している。長岡宮造営に対して四天王寺が具体的にどのような動きをみせたのか明らかでないが、摂津大夫として新政権を支えた和気清麻呂とも協力態勢をとっていた可能性があり、それは長岡宮ではなく平安宮の造営段階において考古資料に表出することになる。

　長岡宮の造営は急ぎ遷都が行われたため、造営途上で多くの問題や矛盾を抱えることになり、新たな都として平安京の造営が計画された。平安宮遷都は延暦十三年（七九四）十月に行われるが、遷都直後にはまだ大極殿も造営途中で、延暦十四年（七九五）から翌年にかけて朝堂院が順次造営されていった。その間、造営官司は造宮使から造宮職《ぞうぐうしき》に改変されるが、その造宮職の長官に任命されたのが新京造営に尽力してきた和気清麻呂である。そして、造宮職が平安宮中枢部の最後に造営したのは、朝堂院の西に設計された国家的饗宴施設の豊楽院だが、その正殿である豊楽殿周辺から四天王寺の軒瓦（NMⅢa2型式・NHⅣb2型式）が多数出土しているのだ（図12）。これらの軒瓦は四天王寺の付属瓦工房から運ばれたものであり、和気清麻呂が最後に携わった造営事業に四天王寺が積極的にかかわっていたことがわかる。

　延暦十二年（七九三）三月の太政官府によると、「難波大宮すでに停む」ため摂津職は摂津国に改められている。長岡宮造営にともなう難波宮の解体によって、摂津職の政治的地位は低下し、平安遷都の直前に難波は摂津国に格下げとなった。古代律令制の枠組みのなかで難波宮の官寺として発展してきた四天王寺にとって大きな画期になったのは間違いないであろう。しかし、四天王寺は平安宮豊楽殿への瓦の進上からわかるように、新王権の動向にも柔軟に対応していった。

　その後、延暦二十三年（八〇四）十月に桓武天皇は和泉国へ行幸するが、難波行宮に滞在したおりには難波江に船を浮かべて四天王寺の奏楽を楽しんでいる。王権は変わっても難波という地域性を十分に活かし、王権とのつながりを保持し発展し続けた古代の四天王寺の姿を、断片的ではあるがこれら残された史料や考古資料から垣間見ることができる。そして、それが現在まで変わらず法灯を守り続けた四天王寺の基盤となったのである。

（網　伸也）

コラム【1】

四天王寺の発掘調査

——発掘調査によって判明した創建期の四天王寺——

はじめに

四天王寺は、飛鳥時代に創建された日本屈指の古代寺院である。創建からこれまで多くの罹災《りさい》に見舞われており、そのたびに篤い信仰のもと伽藍《がらん》を復興してきた歴史をもつ。ただ、古代の四天王寺の痕跡については地中に埋もれてしまい、人々の目に触れる機会はなかった。

ところが、昭和九年（一九三四）の室戸《むろと》台風で仁王門《におうもん》（中門《ちゅうもん》）と五重塔《ごじゅうのとう》が全壊し、塔再建に伴う調査で基壇《きだん》の下から飛鳥時代にさかのぼる塔心柱《とうしんばしら》の礎石《そせき》（心礎《しんそ》）が発見された。また、昭和二十年（一九四五）の大阪大空襲によって、六時堂《ろくじどう》周辺以南の主要伽藍はすべて灰塵に帰してしまったが、戦後になり講堂《こうどう》の部分的調査が行われ境内地が国指定史跡に指定されるとともに、伽藍の復興計画も具体的に議論されるようになった。そこで、四天王寺伽藍の実態を明らかにする目的で、昭和三十年（一九五五）七月から昭和三十二年（一九五七）十一月にかけて中心伽藍の発掘調査が国営調査で行われることとなったのである（図1）。

一　四天王寺伽藍の再発見と造営の画期

四天王寺は、中門・塔・金堂《こんどう》・講堂が南北に一直線上に並ぶ伽藍配置であり、飛鳥時代を代表する伽藍配置として広く「四天王寺式伽藍配置」と呼ばれている。提唱された当初は、文化《ぶんか》年間（一八〇四～一八一八）に再建された伽藍から古代の四天王寺を復原していたため推測の域をでなかったが、戦後の発掘調査により主要伽藍の配置は創建当初とほとんど変わらないことが考古学的にも証明された。

また、伽藍の完成までに時間をかなり要しており、造営過程において創建段階と伽藍が整備される二つの画期

図1　発掘中全景（塔跡壇上〈南〉から）

が想定できたことも大きな成果であった。創建当初は塔と金堂は造営されるが、中門・回廊《かいろう》・講堂は計画だけで造営までに至らず、掘立柱《ほったてばしら》の塀のみで寺域を区画していたと想定できる。

調査所見によると、中門・回廊・講堂では建物の範囲を示す溝（建物計画溝）は掘られていたが、回廊と講堂では飛鳥時代に建物を構築した痕跡は認められなかったという。中心伽藍の南正面に建てられた南大門《なんだいもん》と中門は飛鳥時代に建立された可能性が指摘されているが、中門でも回廊・講堂と一連の建物計画溝が掘られており、南大門基壇の下層では地面に穴を掘って柱を立てる掘立柱の跡が東西に並んで見つかった。同様の掘立柱列は後の調査で、東大門《とうだいもん》基壇の下層や西大門《さいだいもん》の南北でも南北方向に並んで確認されており、創建段階は掘立柱塀のみで塔・金堂を囲んでいた可能性が高いといえよう。

そして、次の画期は計画されていた中門と講堂・回廊が造営され、伽藍と寺域の整備が進められた時期である。伽藍整備の時期は様々な意見がみられるが、孝徳天皇《こうとくてんのう》が新しく難波長柄豊碕宮《なにわのながらのとよさきのみや》を造営した七世紀中頃以降に行われたと考えられる。この伽藍整備の際に、主要伽藍の造営だけでなく回廊内の景観も整備されたようで、南大門や中門・塔・金堂などを結ぶ位置で平瓦《ひらがわら》を縁石《えんせき》とした参道が確認されている。四天王寺造営の第二の画期から、宮都《きゅうと》である難波《なにわ》の大寺にふさわしい寺院として荘厳《しょうごん》された様子がうかがわれるのである。

図2　南西回廊の瓦積基壇（文化財保護課『四天王寺』1967年）

二　最先端技術で建立された創建伽藍

四天王寺の創建伽藍が発掘調査で明らかになったことにより、改めて飛鳥時代の伽藍配置の源流を求める研究が進められた。四天王寺式伽藍配置をもつ古代寺院は、朝鮮半島では百済《くだら》の都である扶余《ふよ》周辺で多く発見されており、戦前に調査が行われた扶余軍守里廃寺《ぐんしゅりはいじ》などとの類似性が指摘されていた。また、発掘調査で判明した建物の構造などは、日本に仏教を伝えた百済の最先端技術を駆使して四天王寺が造営されたことを強く示唆している。

たとえば、新たに伝えられた瓦葺《かわらぶき》建物の基礎には、土を少しずつ搗《つ》き固めて盛り上げた版築《はんちく》技法で基壇を造り、石などで基壇外装を行うのが通例で、中門・講堂・回廊の調査でも切石《きりいし》外装の基底部にあたる地覆石《じふくいし》が確認されている。ただ、中門と回廊の伽藍南半分では、基壇の外側は切石積みであったが、内側は百済で多用される瓦積みの外装となっており、その構造は百済王宮の後苑《こうえん》に造営された扶蘇山廃寺《ふそさんはいじ》と共通する（図2）。

また、講堂跡北縁外側の旧地表面では屋根材の痕跡が確認され、屋根の角を支える隅木《すみぎ》の先端には、鉄鎖で吊り下げられた状態の風鐸《ふうたく》が発見された（図3）。屋根材の痕跡は、隅木から垂木《たるき》が扇形に配置されており、講堂の屋根が扇垂木《おうぎだるき》という構造であったことが判明した。この扇垂木は中国や朝鮮半島の建物で用いられていた技法であり、屋根構造からも大陸文化の影響が見て取れる。

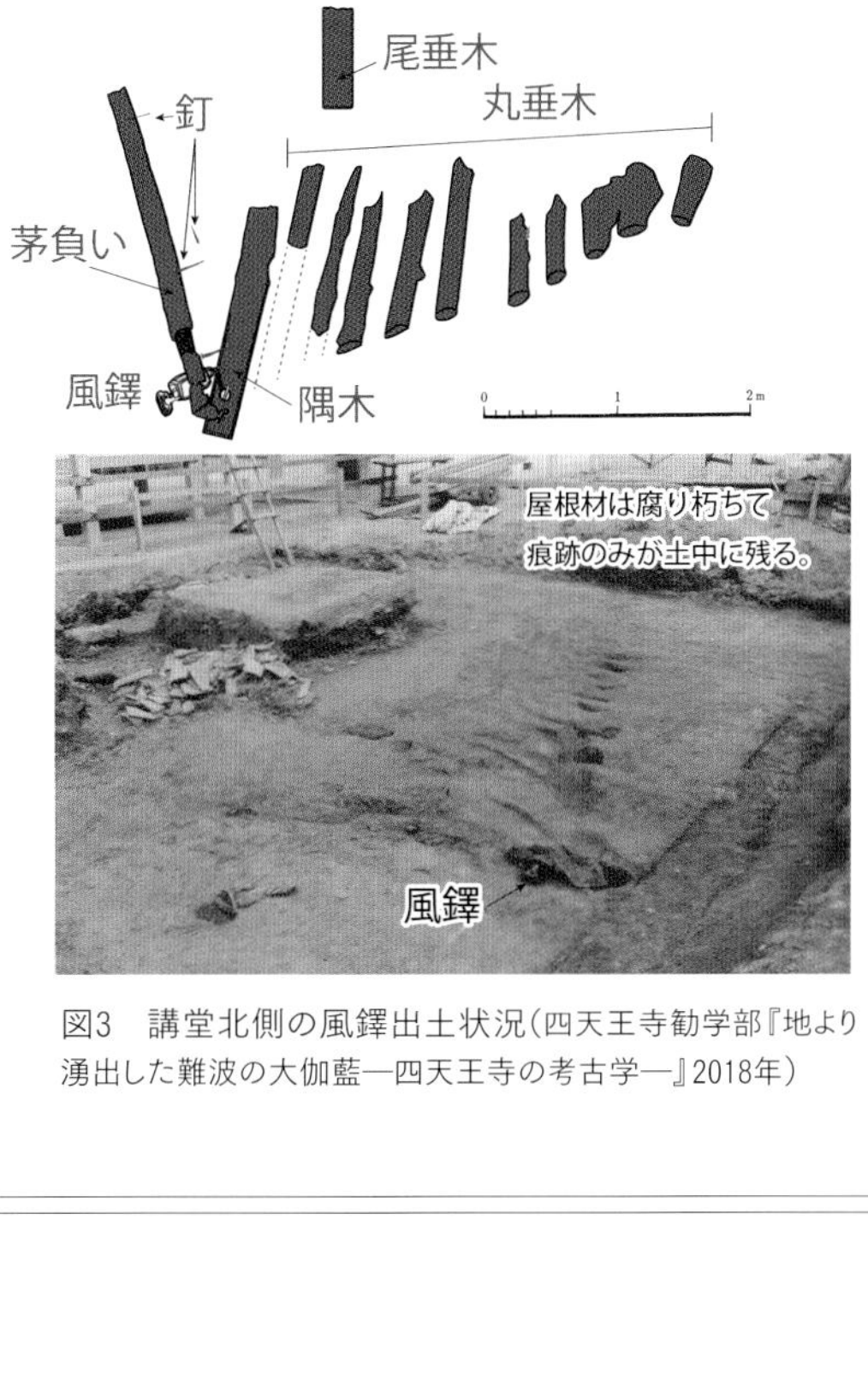

図3　講堂北側の風鐸出土状況（四天王寺勧学部『地より湧出した難波の大伽藍―四天王寺の考古学―』2018年）

四天王寺が造営された難波は、ヤマト王権の領域支配における交通の要衝であったばかりでなく、大陸などへの外交上の起点にもなっていた。四天王寺が立地する上町台地《うえまちだいち》の西側には海が広がっており、海上を行き来する船からはその壮大な伽藍がよく見えたことであろう。ヤマト王権にとって、四天王寺は新しい時代の象徴的なモニュメントであり、百済から伝えられた最先端技術を駆使して伽藍造営が進められたと考えられるのである。

まとめ

以上、四天王寺中心伽藍の実態が発掘調査によってかなり明らかになったのであるが、この調査に考古学・文献史学・建築史・地学・人類学などの研究者が携わっていたことも、学史的に評価すべきである。研究分野を越えた総合的な発掘調査が行われた意義は大きく、これまで知られていなかった古代の四天王寺の姿を多くの人々に示しただけでなく、以後の古代寺院における調査研究の指標にもなったのである。

　なお、この発掘調査の成果をもとに、現在の四天王寺伽藍が再建されることになった。伽藍再建にあたっては、できるかぎり復元的意図をもちながらも、法隆寺よりも古いことをねらった創作と位置づけ、素朴で古拙な様式で由緒の古さを示すことが重要視された。たとえば、講堂の発掘調査で確認された扇垂木の屋根構造を再建伽藍にも使用した。また。四天王寺と同じく七世紀に造られた玉虫厨子《たまむしのずし》を参考にして、現存の法隆寺《ほうりゅうじ》よりも古式の錣葺《しころぶ》きと呼ばれる屋根形式を用いるなど、創建当時の四天王寺となるべく同じになるように再建されている（図4）。

　四天王寺は創建以来、何度も同じ位置に再建されており、そのため地中では古代から近世までの遺構が重なり複雑化していた。そのような状況において、創建期の伽藍を解明することの困難さは想像に難くない。しかし、この発掘調査に参加した方々や、伽藍復興に関わった人々の努力により、規模や配置が創建当初のままの姿の四天王寺が完成したのである。

（矢野昌史）

図4　現在の四天王寺講堂

コラム【2】

出土瓦からみた飛鳥・奈良時代の四天王寺

古代寺院の出土瓦は、他寺院の瓦と比較することで年代のものさしとなるだけでなく、寺院が創建された歴史的背景を知る重要な手がかりとなる。このコラムでは、四天王寺の古代瓦の出土傾向から、七～八世紀の伽藍《がらん》造営過程を明らかにする。

二〇一六～二〇二〇年に、四天王寺に保管されている出土瓦を再整理する事業が行われた。今回提示する瓦の各型式の点数は、この時の調査で確認した軒瓦《のきがわら》と、すでに報告された図録や発掘調査報告書で示された成果を統合したものである。

古代の四天王寺出土瓦の全容を語るには、藤沢一夫氏の分類［文化財保護委員会　一九六七］をもとに、創建から天徳《てんとく》四年（九六〇）の伽藍焼亡までの軒瓦をⅠ～Ⅵ期に分けて再整理した網伸也氏の分類が基本となる［網　一九九七］。今回は、Ⅰ～Ⅴ期の軒瓦を取り扱う。軒丸瓦《のきまるがわら》をＮＭ、軒平瓦《のきひらがわら》をＮＨと表し、同時期に属するが文様《もんよう》が異なるものは、ローマ数字の後にアルファベットの小文字で分類する。そして、同文異笵《どうもんいはん》の場合は、さらにアラビア数字で細分する。ただし、Ⅰ期とⅡ期に属する軒平瓦は、筆者の分類を用いる［谷﨑　二〇二〇］。

今回、資料数が増えたことにより、軒瓦の型式ごとの出土割合や、建物ごとの出土傾向を導き出すことができた。図1は、七～八世紀前葉までの軒瓦の出土割合を表している。図2は、七～八世紀の各型式が、建物ごとに

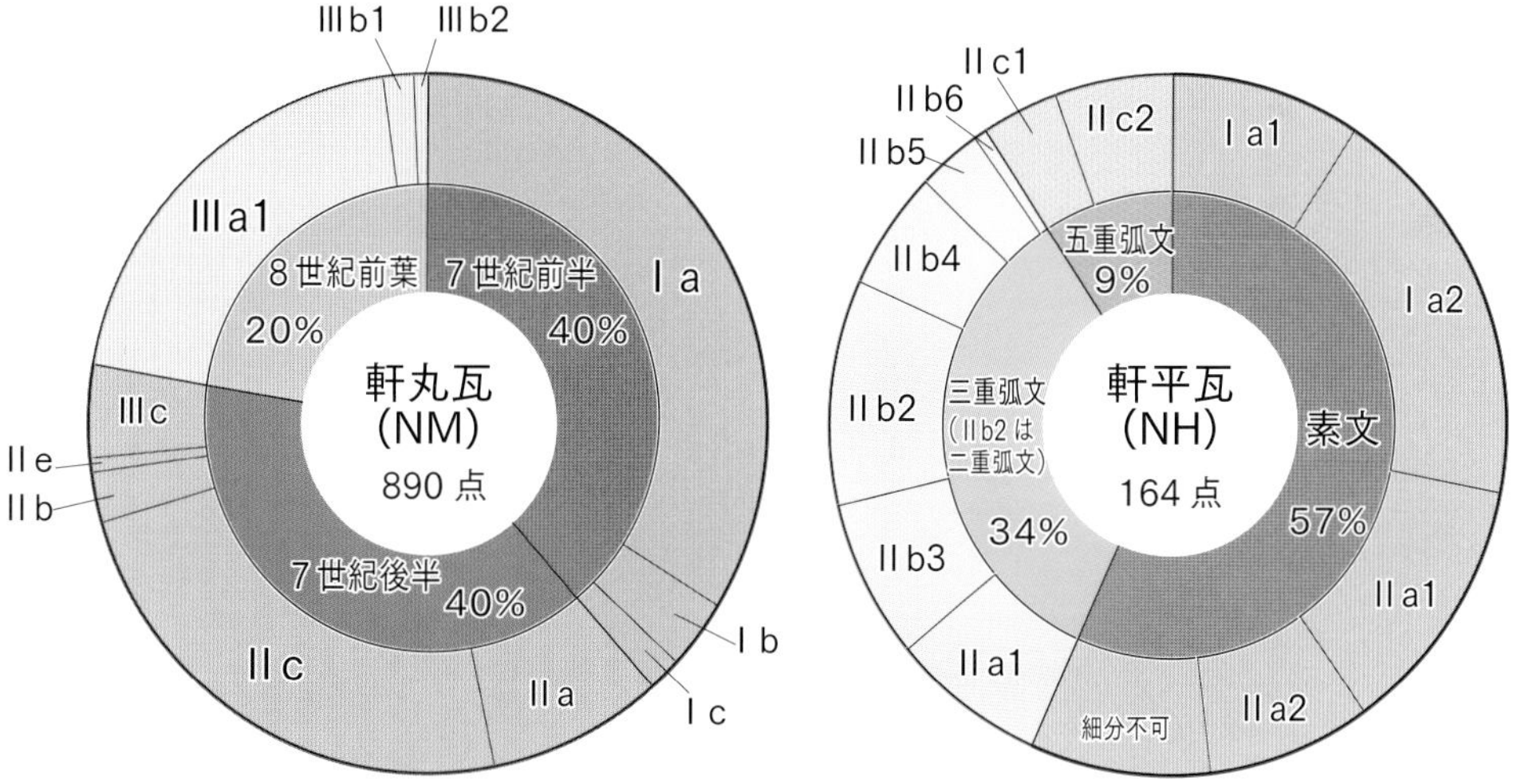

図1　飛鳥から奈良時代初頭の軒瓦出土割合（7世紀前葉～8世紀前葉）

どのくらいの割合で出土しているかを示しており、全体の出土数が十点以下の型式は分析から省いている。

図1の左グラフをみると、軒丸瓦の出土割合から大きく三つのまとまりを見出すことができる。第一は、七世紀前半の大半を占めるNMⅠa型式軒丸瓦、第二は、七世紀後半の半数以上を占めるNMⅡc型式軒丸瓦、第三は、八世紀前葉のNMⅢa1型式軒丸瓦である。これらを採用する時期が、伽藍造営の画期を示している。右グラフは、軒平瓦の出土割合で、素文《そもん》軒平瓦が半数以上を占める。NMⅠa型式と組むもの、NMⅡc型式と組むものがあり、飛鳥《あすか》時代軒瓦の主体であったことがわかる。図2からも伽藍造営の画期を見出すことができる。NMⅠa型式軒丸瓦は、金堂《こんどう》・塔《とう》に集中しており、創建期の様相を示すが、NMⅡc型式軒丸瓦は、講堂《こうどう》や中門《ちゅうもん》で多く出土する。NMⅢa1型式軒丸瓦は中心伽藍全域で出土し、

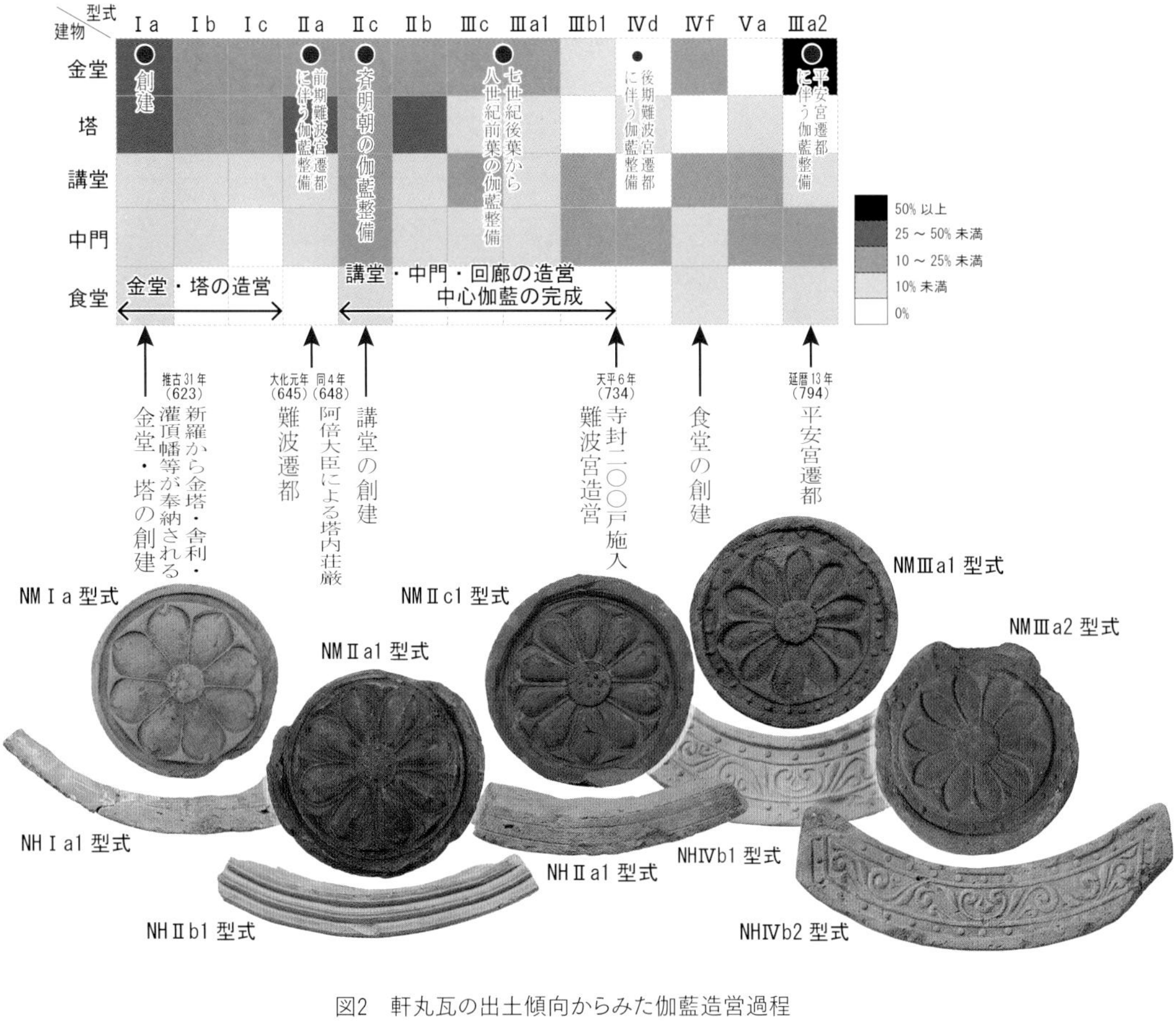

図2　軒丸瓦の出土傾向からみた伽藍造営過程

八世紀前葉頃の大修造が想定できる。奈良時代になると、各型式の出土数は少なくなるが、平安宮豊楽殿《へいあんきゅうぶらくでん》と同笵のNMⅢａ２型式軒丸瓦とNHⅣｂ２型式軒平瓦は、金堂や中門を中心に多く出土している。

では、時期ごとにくわしくみていくことにする。

一　創建期

素弁八弁蓮華文《そべんはちべんれんげもん》軒丸瓦のNMⅠａ型式は、法隆寺若草《ほうりゅうじわかくさ》伽藍と同笵である。笵傷《はんきず》の進行が認められ、若草伽藍の金堂の完成年代や、『日本書紀《にほんしょき》』推古《すいこ》三十一年（六二三）七月条を考慮して、六二〇年頃の年代が考えられる。ほかの素弁系軒丸瓦（NMⅠｂ・Ⅰｃ型式）も補足的に用いられた。セットの素文軒平瓦NHⅠａ１・２型式は、若草伽藍塔所用の軒平瓦と製作技法が類似する。

二　七世紀後半の伽藍整備期

大化《たいか》元年（六四五）、難波《なにわ》遷都を契機に、四天王寺の整備が進められた。塔を中心に出土する単弁八弁《たんべん》蓮華文軒丸瓦のNMⅡａ型式は、わが国最初の天皇勅願《ちょくがん》寺院である百済大寺《くだらのおおでら》に比定される吉備池廃寺《きびいけはいじ》と同笵である。『日本書紀』大化四年（六四八）二月条にも、阿倍大臣《あべのおおおみ》によって塔内が荘厳《しょうごん》されたとある。しかし、七世紀後半の軒瓦の中で、NMⅡａ型式軒丸瓦や三重弧文《さんじゅうこもん》軒平瓦NHⅡｂ１型式は一定量出土しているものの主体を占めるものではなく、孝徳天皇《こうとくてんのう》の崩御や飛鳥還都によって、金堂の整備は中断された可能性がある。

本格的に整備が進むのは、六六〇年代である。単弁十弁《じゅうべん》蓮華文軒丸瓦のNMⅡｃ型式は、中心伽藍全域で出土するだけでなく、百済王氏《くだらのこにきしうじ》の難波百済寺《なにわのくだらでら》に比定される堂ケ芝廃寺《どうがしばはいじ》の創建瓦である。難波は、斉明《さいめい》六年（六六〇）の百済救援軍派兵の重要な軍備拠点であり、天智《てんじ》三年（六六四）には、百済王族が居住地にした。この頃、講堂や中門、回廊の建立が本格的になり［谷﨑　二〇二二］、百済の復興と護国の祈願を込めて、四天王寺の整備が進められたと考えられる［谷﨑　二〇一八］。

三　八世紀前葉の伽藍完成期

NMⅡｃ型式に続いて生産された無子葉《むしよう》単弁十弁蓮華文軒丸瓦のNMⅢａ１型式は、八世紀前葉が上限年代で、この頃講堂や周辺施設が完成した。NMⅡａ型式から派生したNMⅡｂ型式軒丸瓦や、新羅《しらぎ》に祖型が求められる文様をもつNMⅢｃ・Ⅱｅ型式軒丸瓦が補足的に用いられた。出土状況からみて、NMⅢａ１型式に組む軒平瓦は確定できないが、複弁系《ふくべんけい》軒丸瓦には、重弧文《じゅうこもん》軒平瓦（主にNHⅡｂ２～４型式）がセットになる。六六〇年に中心伽藍の大修造が本格的に行われ、講堂・中門が、当初の計画とは異なるかたちで建立されて、八世紀前葉に完成をみる。伽藍造営に関与した有力氏族として、中央官人として地位を確立し、本拠地開発を推進した百済王氏が候補として考えられる［谷﨑　二〇二二］。

四　奈良時代の伽藍整備

奈良時代になると、後期難波宮と共通する多種多様な軒瓦をもって中心伽藍が修造された。その契機は、難波宮の造営が一段落した天平《てんぴょう》六年（七三四）に寺封《じふ》が施入されたことで、この頃、金堂基壇の縮小、中門の瓦積《かわらづみ》基壇の拡張、食堂《じきどう》の創建などが行われた。

ＮＭⅢａ１型式軒丸瓦の創出から顕在化した四天王寺付属造瓦所では、独自に作笵されたＮＭⅢａ型式軒丸瓦二種と、ＮＨⅣｂ型式軒平瓦二種を主体として、瓦が大量生産されていた。『摂津職解《せっつしきげ》』天平勝宝《てんぴょうしょうほう》九年（七五七）三月の、東大寺大仏殿歩廊のための瓦大量発注記事にもあるように、官の要請に従って瓦の供給を行っており、平安宮の造営にも積極的に関与したと考えられる。

（谷﨑仁美）

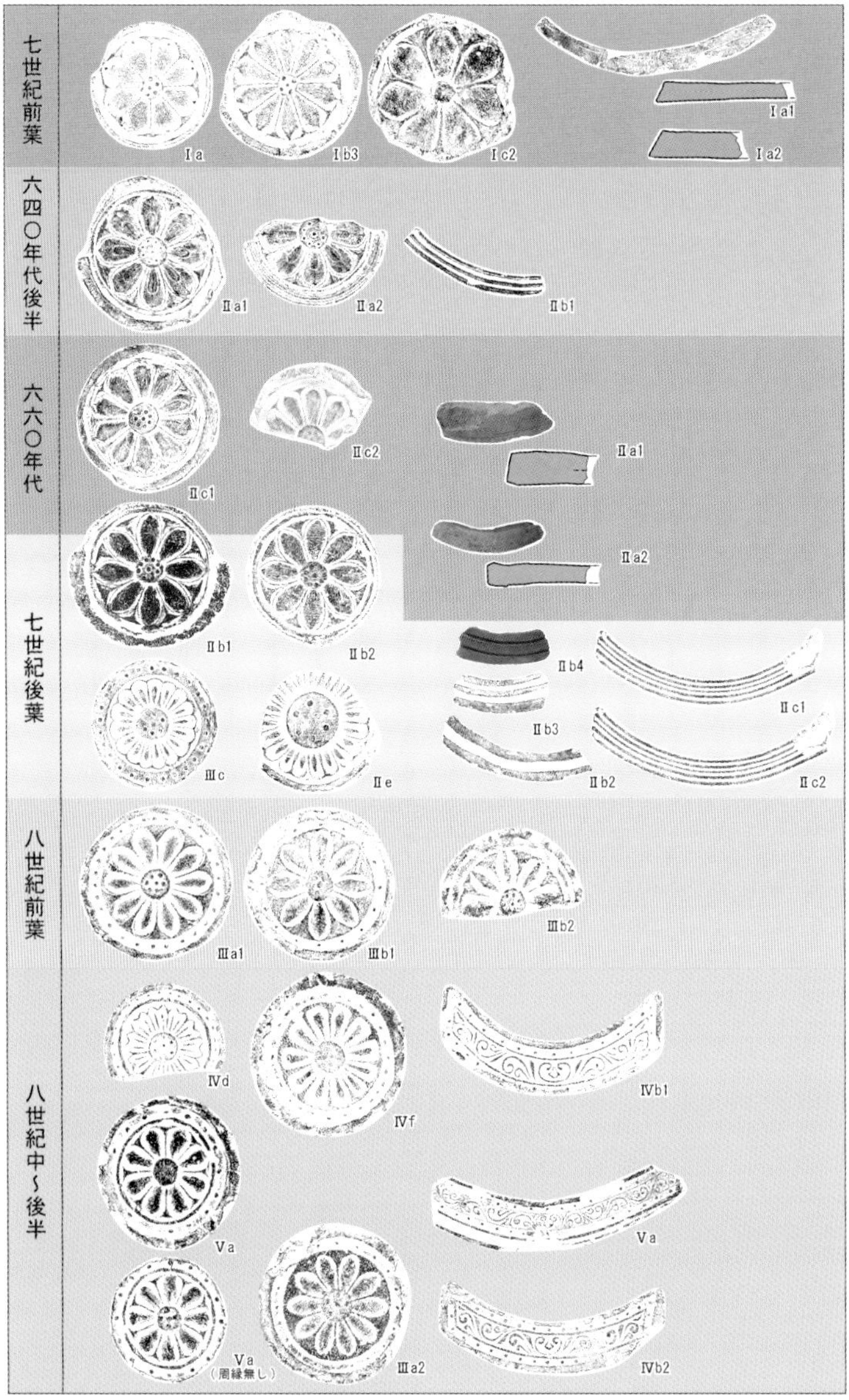

図3　時期ごとの主な軒瓦（縮尺:1/12）
（[四天王寺文化財管理室1986]の図と筆者が作図したもので作成）

コラム【3】

四天王寺亀井堂の亀形石槽

はじめに

四天王寺をめぐる有名な習俗に経木流《きょうぎなが》しがある。六時《ろくじ》礼讃堂《らいさんどう》（六時堂）で回向《えこう》した経木に亡くなった方の戒名《かいみょう》を書き、亀井堂《かめいどう》（図1）へ運んで堂内の水槽に流すのである。亀井堂にはその名の通り、堂内に巨大な二匹の亀がいる。もちろん本物の亀ではなく、上下一対の亀形の水槽であり、これらはともに石の水槽であるため、亀形石槽と呼んでいる。現在も大切な信仰の場となっており、写真撮影も許されない厳粛な場であるため、これまで正式な調査が行われていなかったが、平成二十七〜三十年（二〇一五〜二〇一八）にはじめて学術調査が行われ、この不思議な石造物の謎の解明が進んだ。ここではその成果を簡単に紹介したい。

一　亀井堂亀形石槽の概要

亀形石槽は水を受ける亀形の水槽と、口から水を吐く亀形の石槽物から構成される（図2）。前者を「下水槽」、後者を「上水槽」と呼んでおく。

下水槽は縦二三二・五cm、横一五三・四〜一五四・〇cmを測る巨大な凝灰岩《ぎょうかいがん》一枚岩から、頭部と手足を持つ小判形の水槽を造り出す。水槽の内法は長軸一七〇・〇cm、

図1　亀井堂外観

図2　亀井堂亀形石槽

幅九七・二cm、深さ一三・三cmを測る。水槽の縁には側《そっ》甲板《こうばん》（亀甲の端の部分）を表現したと思われる波形の線が左右八本ずつ刻まれる。水槽の西端には当初水を通していたと考えられる穴があり、現在は内部に何かが詰められて埋まっている。当初はここで上水槽からの落水を受け、水槽内へ放水していたのだろう。水槽上面は東へわずかに傾いており、上水槽から注がれた水は、下水槽内部を満たして尾部より溢れ出る。尾部には上方に巻き上がる尾を持つ。頭部に相当する部分は現在上水槽の亀形頭部によって押さえつけられているが、よく見ると両面に線刻で目のようなものが表現される。

　上水槽は岩座《いわざ》に伏せる亀を表現しており、口に挿入された樹脂製筒から下水槽へ水が流れ落ちている。水槽本体と岩座は凝灰岩の一石造りだが、甲羅と頭部はそれぞれ花崗岩《かこうがん》の別部材で造られている。頭部を含む最大長一二二・二cm、台座の幅二四七・五cmを測る。

　頭部は甲羅とは若干質の異なる花崗岩を使用し、頭部と本体との接続部分にはモルタルが厚く塗られる。下水槽の頭部は上水槽亀形頭部によって押さえつけられており、本来の役割を果たしていない。なお、上水槽のさらに西側は現在の堂床下に井戸状の水溜があり、ここから水が上水槽内部に流れているようである。

　これらの石槽はともに黄色がかった凝灰岩と呼ばれる石で造られている。兵庫県立大学客員教授・先山徹先生の鑑定によると、兵庫県で産出する竜山石《たつやまいし》に非常によく似ているとのことである。筆者の経験上、畿内の石造物に使用されている石でこのような黄色がかった硬質の凝灰岩は、竜山石をはじめとする播磨《はりま》地域の凝灰岩以外該当するものがなく、この石材は竜山石で間違いないだろう。

二　亀形石槽の復元

　この亀形石槽は上水槽がリアルな亀の形をしていることから、新しい時代のものと考えられてきたのだが、実際に調査を始めるとすぐに亀甲と亀形頭部の石材が本体の竜山石ではなく花崗岩であることがわかった。甲羅と頭は後補のものだったのである。そこでこれを除外して考えると、上下ともに同じような形態、石材で、一対のものと考えてもよさそうである。ところが、よく観察すると細部に違いがある。まず足の形が上下で違う。下水槽は足が肉薄で掘り込みが丁寧であることに対し、上水槽は肉厚で断面蒲鉾形だ。さらに、表面に残るノミ調整の痕跡が明らかに上下水槽で異なっているほか、上水槽の岩座の彫出にはツルハシのような工具を用いているが、こうした工具は下水槽では使用されていない。つまり、足の形が異なるだけでなく、使っている道具まで異なるのだ。形だけなら上下で造った職人が違っていたということもできるが、道具が異なるとなるとこれは根本的な違いである。

　そこで再度上水槽全体を観察してみたところ、上水槽はその両脇から水が漏れており、上水槽の岩座には、この水を逃がすために溝を掘っている。普通、水が漏れる水槽など不良品以外の何物でもない。ではなぜこのような不自然な事態が起きているのだろうか。そこで水が漏れている部分を見てみると、水槽本体と亀甲の合わせ口付近が平坦に造られておらず、隙間が空いている。これを漆喰《しっくい》で無理矢理目張りしており、この漆喰が劣化して崩落したところから水が漏れているのである。この隙間から上水槽内部を覗いてみると、上水槽内部も下水槽の底と同様に丁寧に磨き上げられ、赤銅色を呈していることがわかった。つまり、上水槽はなぜか水槽の内部が外に露出しており、そこから漏水しているのである。

こうした観察から、上水槽はどうも元々亀の形をしていたのではなく、普通の水槽の形をしていたものを、いつのころか無理やり亀形に変更し、その際、足を造るために全体を削りすぎたために両脇から水が漏れることになってしまったものである、という結論に至った。これで上下の水槽が同じ石なのに造り方が違うことも理解できることとなった。

こうした検討によって四天王寺亀井堂亀形石槽は現在の井戸＋亀＋亀ではなく、井戸＋水槽＋亀という組み合わせであったことがわかったのである。この組み合わせは、実は二〇〇〇年に奈良県明日香村酒船石《さかふねいし》遺跡でみつかった亀形石造物の組み合わせそのものなのである（図3）。酒船石遺跡で亀形石造物が発見された際、四天王寺亀井堂亀形石槽も注目されたが、その形状が異なることからそれ以上議論が進展しなかった。しかし今回の調査で両者の距離は一気に縮まったといえよう。

図3　奈良・酒船石遺跡でみつかった亀形石造物の復元品（写真提供：奈良文化財研究所飛鳥資料館）

三　亀形石槽の年代について

では四天王寺亀形石槽はいつのものだろうか。文献上は寛弘年間（一〇〇四～一〇一二）の歌集『相模集』など十一世紀前半ごろから出現する。出現期の史料にみられる亀井の利用方法は亀井の水で手をすすいで四天王寺に参拝したり、何かのついでに亀井を見るなど、亀井を参拝目的にしている気配はない。十一世紀にこれだけの施設を新たに創設したのであれば、これを目的に参拝してもよさそうだが、そのような記事はみられない。『玉葉《ぎょくよう》』文治《ぶんじ》三年（一一八七）八月二十二日条には後白河法皇《ごしらかわほうおう》が四天王寺で伝法灌頂《でんぽうかんじょう》を受けた際の移動経路が描かれている【第二部「平安時代の四天王寺」図9参照】。これには亀井堂の場所は描かれているが、亀井堂で何かをした記録はない。つまり伝法灌頂などの重要儀式のなかに亀井は組み込まれていないのである。こうしたことから、亀井と亀形石槽が文献史料の出現期である十一世紀に新設された可能性はきわめて低い。

　ではその年代をどのように捉えればよいのだろうか。その最大のヒントはやはり飛鳥酒船石遺跡だろう。今回の調査で四天王寺亀井堂亀形石槽が本来飛鳥酒船石遺跡と同じ構造のものであったことが判明した。飛鳥酒船石遺跡は斉明天皇《さいめいてんのう》の時代、七世紀第三四半期に造られたことが判明しており、その機能は国家的な「水辺の祭祀」に係るものと考えられている。「水辺の祭祀」とは、古墳時代に盛行する湧水・導水を利用した特殊な祭祀であり、有名なものとしては奈良県御所《ごせ》市南郷《なんごう》遺跡群でみつかった巨大な木樋と水槽を用いたものがある。こうした水辺の祭祀は、七世紀には飛鳥酒船石遺跡のような国家祭祀に取り込まれるほか、飛鳥京跡苑池《あすかきょうあとえんち》のような庭園の装置に転じてゆく。そして律令祭祀《りつりょうさいし》に続くことなく八世紀までに消滅してゆく。こうした水辺の祭祀の変遷に四天王寺亀井堂亀形石槽を位置づけたとき、やはりそれが消滅する八世紀以降に降ることはなく、七世紀という年代がもっとも妥当であるといえよう。

　こうした推定は、竜山石という特殊な石材の利用状況からも肯定できる。竜山石は兵庫県高砂《たかさご》市周辺で産出する硬質凝灰岩である。この石は古墳時代前期の石棺や石室材に使用されることが多く、とくに天皇陵クラスの巨大古墳で使用されることが多く、王家の関与で開発される石材であると考えられている。七世紀になるとその利用は推古《すいこ》天皇・竹田皇子《たけだのおうじ》合葬陵と考えられる奈良県橿原《かしはら》市植山古墳《うえやまこふん》や、山背大兄皇子の墓ともいわれる奈良県平群町西宮《へぐりちょうにしのみや》古墳のような王家の古墳、飛鳥寺《あすかでら》大仏基礎や藤原宮大極殿基壇《ふじわらのみやだいごくでんきだん》など、国家の中枢で利用されるが、八世紀以降はほとんど利用されなくなる。

　このように石材利用の面からも、四天王寺亀井堂亀形石槽は七世紀に位置づけられ、その背後には王家、国家の強い関与が見え隠れする。飛鳥酒船石亀形石造物との前後関係は明確でないが、四天王寺の造営が本格的に行われ、周辺に難波京《なにわのみや》に関連する施設が造られるようになる孝徳《こうとく》朝前後の時期がもっとも可能性が高いだろう。

おわりに

　以上、四天王寺亀井堂亀形石造物について、その調査成果と年代を簡単に紹介した。調査によって判明したことも多いが、いったいどういった目的で造られたものか、また、平安時代以降、四天王寺の宗教空間にどう組み込まれていったか、など多くの謎が残されている。今一度亀井堂の亀たちに手を合わせ、その語りに耳を澄ませたい。

（佐藤亜聖）

コラム【4】

四天王寺金堂本尊の姿を求めて

——史料と模刻像の再検討——

一　史料にみる金堂本尊

延暦《えんりゃく》二十二年（八〇三）撰述の四天王寺の縁起資財帳《えんぎしざいちょう》とされる『大同縁起《だいどうえんぎ》』によると、当時四天王寺金堂《こんどう》には「阿弥陀三尊、右恵光法師従大唐請坐者、弥勒菩薩一軀、蓮華坐、右近江朝庭宇天皇御世請坐（中略）大四天王像四口、右聖徳法王本願、小四天王四口、右上宮大后本願」が安置されていた。つまり、恵光法師が唐《とう》より請来した阿弥陀三尊《あみださんぞん》、天智天皇《てんじてんのう》の近江大津宮《おおみのおおつのみや》（六六七〜六七二）の時に安置された弥勒菩薩《みろくぼさつ》、大小二組の四天王《してんのう》である。恵光法師は、『日本書紀《にほんしょき》』推古天皇《すいこてんのう》三十一年（六二三）七月条に、唐より新羅《しらぎ》経由で帰国した学問僧としてその名がみえる。阿弥陀三尊もその時の請来とみていいだろう。弥勒菩薩は、それから約五十年を経て安置されたことになるが、心覚《しんかく》（一一一七〜八〇）撰『別尊雑記《べっそんざっき》』に「四天王寺救世観音像」として載る像（序図6参照）がこれにあたるとみられている。同像は大袖の貫頭衣《かんとうい》をまとった珍しい姿で、七世紀前半、止利派の作とされる東京国立博物館法隆寺献納宝物《ほうりゅうじけんのうほうもつ》一五五号像と多くの共通点がある。

ところが、寛弘《かんこう》四年（一〇〇七）出現の『御手印縁起《ごしゅいんえんぎ》』（『四天王寺縁起』〈根本本〉）では、金堂条の筆頭に「金銅救世観音菩薩像」を掲げ、かつ百済《くだら》国王より欽明《きんめい》天皇十三年（五五二）に渡された像とも記している。『大同縁起』の弥勒菩薩がすでに救世観音として信仰を集めていたことが知られるとともに、その渡来を日本の仏教公伝にかこつけているらしい。また、材質を「金銅」と記す点も留意される。金銅仏ならばせいぜい数十cmの大きさと考えられるからである。一方、『御手印縁起』に阿弥陀三尊についての記載はない。当時は天徳《てんとく》四年（九六〇）の火災からの復興の最中であったが、阿弥陀三尊は火災で焼亡してしまったのかもしれない。

四天王寺は千四百年の歴史のなかで度重なる罹災に見舞われてきた。しかし、金堂の救世観音（弥勒菩薩）のその間の事情については不明な点が多い。天徳《てんとく》の火災では伽藍《がらん》がほぼ全焼したはずだが、『別尊雑記』所載の図像による限り、救世観音は四天王とともに罹災を免れたと考えられる。金堂はその後、正平十六年（一三六一）の地震で倒壊し、天正《てんしょう》四年（一五七六）の織田信長《おだのぶなが》と石山本願寺《いしやまほんがんじ》の合戦で焼亡した。救世観音の地震での被害は不明だが、兵火では焼亡したらしく、再興にかかる天正十一年十一月付の秋野坊亨順《あきのぼうきょうじゅん》による「勧進文《かんじんもん》」（『秋野家伝証文留《あきのかでんしょうもんどめ》』所収）は「金銅救世観音登銅煙」とその被害を伝えている。溶解し、その姿は見る影もなかったということであろう。実際、興福寺多聞院《こうふくじたもんいん》の院主による『多聞院日記』天正十二年五月七日条によれば、春日絵所《かすがえどころ》の芝侍従《しばじじゅう》が四天王寺に赴き金堂本尊造立のために絵像を描いたといい、「昔ハカナ仏」であったとする。なお、この間、永正《えいしょう》七年（一五一〇）八月に大地震が近畿を襲い、四天王寺も石鳥居が崩落するなど被害を蒙ったが、『天王寺誌《てんのうじし》』によればこの時金堂の如意輪観音《にょいりんかんのん》（救世観音）の御頸《おんくび》が破損し、秋野宗順《そうじゅん》が勧進して修補したという。

慶長《けいちょう》五年（一六〇〇）、四天王寺は豊臣秀吉《とよとみひでよし》・秀頼《ひでより》の沙汰により復興を遂げたが、それも束の間、同十九年の大坂冬の陣で再び焼亡し、元和《げんな》年間（一六一五〜一六二四）に今度は徳川家康《とくがわいえやす》・秀忠《ひでただ》により復興が進められた。秀忠は家臣たちを奉行に割り当てたが、なかでも金堂の奉行を担当した片桐貞隆《かたぎりさだたか》による『天王寺御建立堂宮諸道具改渡帳《てんのうじごこんりゅうどうみやしょどうぐあらためわたしちょう》』には、「観音壱躰 木像 是は金堂ノ本尊也」「四天四躰 木像 御長七尺五寸」「弥勒壱躰 木像 御長五尺」「婆羅門六躰 木像 御長弐尺壱寸」を列挙し、観音以下の木像四件を造立したことが知られる。なお、『天王寺誌』第一巻「伽藍記」にも八尺七寸の如意輪観音、五尺の弥勒、七尺五寸の四天王、二尺一寸の婆羅門《ばらもん》六軀と同じ四件が列挙され、これにより『改渡帳』では法量《ほうりょう》の記載がない本尊如意輪観音が八尺七寸であったことがわかる。如意輪観音は救世観音のことに相違ないが、かつては金銅仏とされていたのを元和の復興では木像とし、かつ丈六級《じょうろく》の大きさであることが注目されよう。

以上、四天王寺金堂本尊について史料から知られるところをみてきた。すなわち、初めは唐より請来の金銅阿弥陀三尊が本尊であったが、『御手印縁起』成立の時点では天智朝に安置された弥勒菩薩が本尊とされ、救世観音、また百済からの請来金銅仏として信仰を集めていた。その後、永正の地震に際して頸部《けいぶ》を損傷したのに続き、石山合戦、大坂冬の陣ではいずれも焼亡し、元和の復興では八尺七寸の木像として造立された。要約するとこのようになる。

ただし、こうした経緯には疑問がないわけではない。というのも、小さな金銅仏であれば、地震で頸部を損傷したことがいささか不審に思われる。また、元和の復興時に八尺七寸とした典拠も詳かではない。そこで次に、平安時代後期以降にしばしば造立された救世観音の模刻像を検討することで、さらにその姿に迫っていきたい。

図1　救世観音像
（三千院所蔵、鎌倉時代・寛元4年・1246）

図2　救世観音像（三千院所蔵）、側面

二　模刻像からみた金堂本尊

救世観音の模刻像のうち現存最古とみられるのは十一世紀初期の造立とみられる四天王寺像（大阪・法道寺《ほうどうじ》伝来）で、その後は広隆寺桂宮院《こうりゅうじけいきゅういん》像、法隆寺聖霊院《しょうりょういん》像などが続く。これら平安時代後期の作例は、いずれも半跏思惟形であることに加え、大袖付きの貫頭衣を着けるが、それ以外は概して同時代の様式に基づいており、忠実な写しといった像容ではない。

ところが、寛元《かんげん》四年（一二四六）の三千院《さんぜんいん》像（図1）は、鎌倉時代らしく玉眼《ぎょくがん》は嵌入《かんにゅう》するものの、飛鳥時代ないし朝鮮・三国《さんごく》時代の仏像に特有の表現が随所に認められ、原像に肉迫している印象が強い。正面観は、後補の宝冠《ほうかん》や冠繒《かんぞう》を除くと『別尊雑記』の図像によく一致するが、図像の暢達な描きぶりに対してより厳格な姿で、飛鳥時代の様式をむしろよく伝えている。また、側面観については、髻《もとどり》を表さない点や頭部を前方に突きだす姿勢、ずんぐりした体型（図2）が七世紀半ば頃の作とされる法隆寺金堂四天王像（図3）に共通することが注目され、ずんぐりした体型に限れば初唐様式にならう法隆寺献納宝物一六三号の半跏思惟像（図4）にも通じる。さらに、榻座《とうざ》クッション部の渦巻文《うずまきもん》（図5）は朝鮮・三国時代に類例があり、おそらく北斉《ほくせい》時代以降に流行した曹仲達様《そうちゅうたつよう》に由来するものと思われる。図像ないし三千院像の大きな盾形の宝冠、階段状に襞《ひだ》を重ねる衣褶《いしゅう》、そして何より法隆寺献納宝物一五五号像に通じる点はいかにも古様で、その様式の源

図3　増長天像（法隆寺金堂所蔵四天王像、飛鳥時代・7世紀中葉）

図4　金銅菩薩半跏像（法隆寺献納宝物163号、飛鳥時代・7世紀）

図5　救世観音像（三千院所蔵）、背面

流は中国・南北朝時代でも六世紀前半の作例に求められる。しかし、三千院像の側面観や榻座クッションの衣文からは、さらに隋《ずい》～初唐の様式をも受容していた可能性が導かれる。三千院像からはこのように原像のイメージを復元することができるだろう。

救世観音の模刻像としては、室町時代の作とみられる京都・廬山寺《ろざんじ》像や宮城・天王寺像の存在も重要である。面長な面貌、杏仁形《きょうにんけい》の目、ずんぐりした手指などには、やはり図像からでは再現し難い飛鳥時代の原像の面影が感じられ、両像が造立された室町時代、おそらくは天正四年に石山合戦で焼失するまで原像が伝えられていたとの想定も可能だと思われる。そうなると両像の大きさが改めて注目される。廬山寺像で像高二一六・一cm、天王寺像で像高一八五cm、ことに廬山寺像は元和復興像の八尺七寸にせまり、そもそも五間で重閣であったという四天王寺金堂の本尊にふさわしい大きさとも言える。

救世観音は永正七年の大地震で頸部を破損したこと、また『多聞院日記』の「昔ハカナ仏」との伝聞調の語りに留意するならば、すでにそれ以前から木像だったとも思われる。いつから木像だったかは不明だが、そもそも『大同縁起』は弥勒菩薩について天智朝に安置されたと伝えるだけで、大きさも材質も記していない。あるいは、渡来の金銅仏というのは『御手印縁起』の創作で、原像は天智朝に造立された丈六級の木像だった可能性もあるのではないだろうか。

結びにかえて

以上、史料と模刻像から四天王寺金堂本尊の姿を求めてみた。果たして金銅仏であったのか、丈六級の木像であったのか、にわかには決めがたい。廬山寺像や天王寺像の存在は、救世観音がもとより木像であったことを示唆しているように思われるが、四天王寺には救世観音の試作という金銅菩薩半跏像（第一部扉図）、江戸初期の火災後に境内から発見されたと伝承される焼損した銅造菩薩半跏像（図6）が伝えられ、逆にこれらは原像が金銅仏であったことを示唆しているようにも思われる。

しかしながら、この問題を考える時、三千院像が髻を表さない点は重要である。法隆寺の夢殿救世観音像、金堂四天王像がそうであるように、飛鳥時代の木像の伝統を反映している可能性があるからである。三千院像からは、古様を守りつつ隋～初唐様式も受容した原像のイメージが復元された。その点からも、原像は渡来仏ではなく、天智朝における造像である蓋然性が高いと思われる。（藤岡　穣）

図6　銅造菩薩半跏像（四天王寺所蔵、白鳳時代、7世紀）

コラム【5】

四天王寺の舎利信仰

はじめに

飛鳥時代において、仏教の開祖釈迦《しゃか》の遺骨である舎利《しゃり》は寺院の建立に不可欠であった。五八八年、百済《くだら》は日本に僧侶や造寺技術者とともに舎利を贈ったが、これはわが国最初の本格的寺院である法興寺《ほうこうじ》の創立を目的としていた。法興寺の伽藍《がらん》は一塔三金堂《こんどう》と呼ばれる形式で、舎利を祀る塔を伽藍の中心に据え、それを三基の金堂が囲むというスタイルを見せていた。推古天皇《すいこてんのう》元年（五九三）に草創された四天王寺は中門《ちゅうもん》を入ると正面に塔がそびえ、金堂はその後方に位置する伽藍形式である。飛鳥時代前期の寺院は舎利の礼拝《らいはい》を主軸とする伽藍構成をもち、奈良時代以降の寺院の多くが仏像を祀る金堂が伽藍の中核に位置し、塔は伽藍の周辺へと移動したのとは大きく異なっていた。

しかし、四天王寺において時代を通じて人々の信仰を集めた舎利は、五重塔《ごじゅうのとう》のそれではなく金堂に安置されていた舎利であった。本来塔に奉籠《ほうろう》されるべき舎利が、直接礼拝できる堂内に安置された例としては筆者の知る限り国内最古であるが、そもそも五重塔の舎利があるにもかかわらず金堂に舎利を安置した点に、四天王寺が舎利信仰を重視してきた歴史を感じることができる。四天王寺はわが国の舎利信仰上きわめて重要な位置にあると言うことができる。このコラムでは、四天王寺五重塔及び金堂の舎利を取り上げ、四天王寺の舎利信仰の特質について考えることにしたい。

一　五重塔の舎利

平安時代初期の延暦《えんりゃく》二十二年（八〇三）に四天王寺の寺宝や財物を記した縁起資財帳《えんぎしざいちょう》である『大同縁起《だいどうえんぎ》』の逸文《いつぶん》（『太子伝古今目録抄《たいしでんここんもくろくしょう》』に引用）には、五重塔について次のように記されている。

（前略）五重塔一基。内安置天宮一具。亀甲合子一合。其内有二金瓶一。安二置舎利一枚一。又瑠璃瓶一基。内安置舎利五枚。困長不レ開。奉レ担二波羅門六軀一。小四天四口。安倍大臣敬請者。大四天王四口。右奉二為越天皇一敬造請坐。御塔四角。（後略）

これによれば、五重塔には一合の亀甲合子《きっこうごうす》があり、中に舎利一枚を納める金瓶《きんぺい》と舎利五枚を入れた瑠璃瓶があったという。右には舎利容器について述べた最後に婆羅《ばら》門《もん》六軀《く》が担ぐと見えるが、彼らが担いでいたのは亀甲合子か、あるいは金瓶か瑠璃瓶のいずれなのか不明である。平安時代中期に成立した『四天王寺縁起』（根本本）には、金堂の金塗六重宝塔もしくはその内容器の金銅舎利塔形を六軀の婆羅門が担ぐと見えるが、流記資財帳である『大同縁起』の記述の方が正しいとみるべきであろう。この舎利容器が安置されていた場所について、昭和十年（一九三五）の五重塔の発掘調査の際に塔心礎《とうしんそ》に舎利孔《しゃりこう》が確認されなかったことなどから、福山敏男氏は初層内陣のような礼拝可能な場所を想定している。延暦二十二年（八〇三）の『大同縁起』作成の際に寺宝調査が行われたと推測されるが、『大同縁起』には舎利容器についての詳細な記述があり、かつ「長く開かず」という表記が、舎利容器が開けることの可能な環境に置かれていたことを暗示していることから、筆者も福山説を支持したいと考える。

ところで五重塔には舎利以外に髪の毛も祀られていた。承和《じょうわ》三年（八三六）冬、塔に落雷があり勅使《ちょくし》が被害状況を検分したが、その折勅使は塔の心柱《しんばしら》の底下に納められていた髪を盗み、妻に与えるという事件が起きた。これは聖徳太子の御髪という口伝《くでん》があったが、後日祟りがあったため捜索が行われて発覚し、髪は新造の容器に入れられて塔に戻されたという（『続日本後紀《しょくにほんこうき》』承和四年・八三七十二月八日条）。

塔に釈迦の髪を安置することはインドや中国ではしばしば行われていた。『大唐西域記《だいとうさいいきき》』によれば、玄奘《げんじょう》が訪れた七世紀のインド各地に釈迦をはじめとする如来《にょらい》の髪や爪を安置したとされるストゥーパが数多く存在した。また、中国では東晋《とうしん》の簡文帝《かんぶんてい》（在位三七一～三七二）が建立した洛陽《らくよう》の長干寺《ちょうかんじ》塔には、仏骨、爪、髪が安置されていた（『高僧伝《こうそうでん》』巻一三）。実際、中国には塔基から舎利などとともに髪が発掘された例がある。一九六九年に陝西省《せんせいしょう》耀州区《ようしゅうく》の金鎮寺村から発掘された石函《せっかん》には、舎利容器や供養具のほか金銅《こんどう》容器に入れられた髪が納められていた。この石函は銘文《めいぶん》より隋《ずい》の文帝《ぶんてい》が建立した仁寿舎利塔《じんじゅしゃりとう》の一基に埋納されたもので、仁寿四年（六〇四）に納入されたことが明らかである。このように、髪を仏骨などとともに舎利として塔に安置することは、古代インド以来長い歴史を有し、四天王寺五重塔もその系譜に位置づけることができる。おそらく平安時代初期の日本には髪を舎利の一種とする認識がなく、五重塔安置の髪を聖徳太子のものとする伝承が生まれたものと推測される。

二　金堂の舎利

『日本書紀《にほんしょき》』によれば、推古天皇三十一年（六二三）七月、新羅《しらぎ》と任那《みまな》がわが国に仏像一具、金塔と舎利、大灌頂幡《だいかんじょうばん》一具、小幡十二条を贈り、このうち仏像一具以外は四天王寺に献納された。『大同縁起』の金堂に関する記述に、この金塔と舎利に該当すると思われる品を見ることができる。

（前略）二重金堂一基。阿弥陀三尊。右恵光法師従二大唐一請坐者。弥勒菩薩一軀。蓮華座。右近江朝廷御宇天皇御世請坐。案二本願縁起一云。救世観音菩薩像。従二百済国一渡請坐者。今案。此文注二前帳弥勒像一也。若誤歟。金泥銅千仏像。小塔一基。六重未二小破一。内有二白銅壺一合一。重十三両。壺内置二舎利一。大金合一合。重一分。蕁軽。奉レ安二置舎利弐枚一。大四天王像四王。右聖徳法王本故（願カ）。小四天王四口。右上宮大后。鈍（純カ）金太子像一軀。高一寸九分。太子蘭一具。左物銀淤一枚置一分僧孝便等時淤失。

この金塔は六重で、中に舎利を納めた重さ一三両の白銅壺と、重さ一分の金製合子があり舎利二枚を安置していた。白銅壺の素材である白銅とは銅に錫《すず》を多く配合した銅合金で、一三両という重さは五五〇g程度である。器壁の厚さで重量は変わるので単純な比較はできないが、正倉院《しょうそういん》の金銅合子（南倉二八）が五〇四gで、高一二・五cmであることを参考にすれば、白銅壺も同じくらいの大きさの小型容器であったかと想像される。飛鳥時代から奈良時代にかけて白銅製品はわが国でも作られたが、佐波理《さはり》などの良質な白銅製品は新羅で生産され、日本人がそれを意欲的に買い求めていたことを正倉院に数多く遺る佐波理製品よりうかがうことができる。金堂安置の金塔は推古天皇三十一年に新羅が贈った品と考えて良いであろう。

四天王寺は平安時代中ごろより皇族や貴族たちの頻繁な参詣を受けるようになったが、その目的の一つは金堂舎利の頂礼《ちょうらい》にあった（図1）。四天王寺を参詣した主な人物をあげると、治安《じあん》三年（一〇二三）の藤原道長《ふじわらのみちなが》、延久《えんきゅう》五年（一〇七三）の後三条院《ごさんじょういん》、応徳《おうとく》元年（一〇八四）の藤原《ふじわらの》師実《もろざね》、大治《だいじ》二年（一一二七）の白河法皇《しらかわほうおう》、久安《きゅうあん》二年（一一

図1　現在の「舎利出し」。金堂舎利頂礼の法義。毎朝11時に四天王寺舎利職によって勤修される（撮影：広瀬達郎〈芸術新潮〉）

四六）ごろの鳥羽法皇《とばほうおう》がある。彼らの四天王寺での行動は、金堂での舎利頂礼、聖霊院《しょうりょういん》や絵堂《えどう》で聖徳太子の遺徳を偲び供養すること、西門《さいもん》での念仏、そして舞楽《ぶがく》鑑賞となる。

金堂は太子の本地《ほんじ》とされた救世観音《くぜかんのん》像や太子本願の四天王像などを祀っていた。平安時代の寛弘《かんこう》四年（一〇〇七）、金塔の中から太子が自ら書写したとされる『四天王寺縁起』（根本本）が発見されており、金塔も太子ゆかりの宝物の一つと認識されていたことがわかる。金堂の舎利頂礼は、釈迦信仰と太子信仰とが融合した性格を有していたと考えられる。

おわりに

法隆寺金堂の釈迦如来像は聖徳太子等身像とされる。そのことは太子の生前より太子を釈迦になぞらえる発想が存在したことを物語っている。四天王寺五重塔に安置されていた髪を太子御髪とする口伝が生まれたのもその延長に置くことができるだろう。平安時代になると二歳の聖徳太子の掌より舎利がこぼれ落ちたという信仰が生まれたが、この信仰はいまだ仏教が伝わって間もない飛鳥時代において、仏教を国内に広める役目を負って生を享けたことを示している。四天王寺は仏教の開祖である釈迦と日本仏教の祖である太子に対する信仰が共存し、互いに相乗効果を発揮することで広く日本人の信仰を勝ち得たと言うことができる。

（内藤　栄）

コラム【6】

四天王寺宝蔵とその宝物

四天王寺宝物館《ほうもつかん》には、現在五千点を超える文化財が収蔵されている。これは、当寺の歴史の長さから考えれば決して多い数ではない。さらに中世以前から確実に四天王寺に伝来していることがわかる作品となると、十数点ときわめて限られてくる。まさに当寺の罹災の歴史を物語るものである。こうした四天王寺に伝来する宝物は、宝蔵《ほうぞう》に納められ、当寺の信仰の根幹をなすものとして、厳重に守られることで現在に継承されてきたものである。本コラムでは、現在の四天王寺宝物の核となっている、宝蔵に安置されてきた宝物について概観したい。

一 四天王寺の宝蔵

正倉院や法隆寺の綱封蔵《こうふうぞう》のように、寺院には宝蔵と呼ばれる宝物の収蔵施設がかならず設置されており、四天王寺にもそうした宝蔵が存在していた。古くは『四天王寺縁起《してんのうじえんぎ》』に「甲蔵壱宇 瓦葺」とあり、いわゆる校倉《あぜくら》造の蔵が存在していたことが知られる。

当寺の宝蔵は、楠木正成《くすのきまさしげ》が「太子未来記《たいしみらいき》」を披見した場所としてとくに有名であるが、早くは、平安時代の『台記《たいき》』などの記録から、四天王寺を参詣した貴族が、金堂《こんどう》での舎利礼拝《しゃりらいはい》、聖霊院絵堂《しょうりょういんえどう》での絵解《えと》きとともに、宝蔵で宝物を拝観していることが知られる。これが四天王寺参詣時の定番ルートであったようだが、一方で、宝蔵の宝物を拝観できるのは、天皇などごく限られた身分の者だけに許される特別の待遇でもあった。

『玉葉《ぎょくよう》』の挿図【第二部「平安時代の四天王寺」図9参照】によると、中世以前の宝蔵は亀井堂《かめいどう》と大寺池（現、亀の池）の間に所在していたようである。その当時の具体的な建物の様子は明らかではないが、元和《げんな》再建伽藍を描く近世の絵図「摂津国四天王寺図《せっつこくしてんのうじず》」の宝蔵をみると、高床で、二棟の校倉を中央が吹き抜けとなるようにつながった双倉《ならびぐら》の形式で、南面する建物であったことがわかる（図1）。

図1　摂津国四天王寺図　宝蔵

図2　現在の宝蔵（大阪市指定有形文化財）

この宝蔵は、慶長《けいちょう》年間に豊臣秀吉《とよとみひでよし》の伽藍《がらん》再建に伴って造立され、大坂《おおさか》の陣《じん》の兵火では焼失を免れていたことが史料によって知られる。

とくに注目すべきは、その東側の扉の前に高欄《こうらん》を設け、その向かいには拝殿《はいでん》を置くことである。『四天王寺法事《してんのうじほうじ》記《き》』の挿図によると、宝蔵東間の中央に太子の御影を安置しており、本来は宝物を納める「倉庫」でありながら、礼堂《らいどう》としての性格を有していることがうかがわれる。現在でもこの伝統を受け継ぎ、宝蔵では毎年正月元旦に、太子より宝物をお預かりする「朝拝式」の儀式が行われている。

「摂津国四天王寺図」に描かれる慶長再建の宝蔵は、享和《きょうわ》元年（一八〇一）の雷火にて焼失し、享和二年（一八〇二）に仮堂として建てられたのが現在の宝蔵である（文化《ぶんか》九年・一八一二再建との伝えもある）。この再建時には、三間四方に規模が縮小され、さらに明治～大正の頃に西向きに変更されて現在に至っている（図2）。宝蔵は「釘無堂《くぎなしどう》」と通称され、平成二十八年（二〇一六）には、大阪に残る稀少な近世校倉として大阪市指定有形文化財に指定された。

二　宝蔵に収蔵された什物

古くより宝蔵に納められる什物《じゅうもつ》は、寺にとっても特別な存在であった。それゆえ、寺の由緒を紹介する史料には、かならず「宝物目録」が収録され、その什物が列記される。ここで『四天王寺年中法事記《してんのうじねんちゅうほうじき》』（貞享《じょうきょう》二年・一六八五）所収の宝物目録をみてみよう。

宝物ノ目録
本願ノ縁起太子御自筆御手ノ形廿五処アリ、故ニ御手印記トモ云
同御写　後醍醐天皇御宸翰同玉手ノ跡廿五処アリ
扇地紙法華経太子御自画御自筆
小字法華経一部一巻
楊枝御影太子御自筆　御守七
緋御衣一衣　達磨大師ノ袈裟一衣
鏑矢一筋　丙毛槐林御剱一振

七星御剱一振　京不見笛二管
閻浮檀金ノ弥陀一体二菩薩ハ木造　函千手一軀弘法大師御作
千本琴一張楠正成献上

このうち、「達磨大師袈裟《だるまだいしけさ》」以外の品については現存しており、そのほとんどが国宝・重要文化財として今も宝物館に収蔵されている。ここにみる宝物は、以後の宝物目録にもかかならず掲載されるもので、数ある当寺の什物のなかでももっとも重要なものとして認識され、大切に守られてきた。とくに本願縁起《ほんがんえんぎ》（『四天王寺縁起《してんのうじえんぎ》』根本本《こんぽんぽん》）や小字《しょうじ》法華経（細字《さいじ》法華経）などは、「太子伝来七種《たいしでんらいななしゅ》の宝物」としてさらに重視されたものである。また、扇面法華経冊子《せんめんほけきょうさっし》【第二部コラム7参照】も当寺の国宝として広く知られており、本願縁起や同後醍醐天皇宸翰本《ごだいごてんのうしんかんぼん》に続いて記載されていることからも、その重要度がうかがわれる。

図3　阿弥陀三尊像〔閻浮檀金弥陀〕（四天王寺所蔵、鎌倉～室町時代）、像高〔阿弥陀〕14.3㎝、〔観音〕10.4㎝、〔勢至〕10.3㎝

「閻浮檀金ノ弥陀《えんぶだごんのみだ》」は、中尊《ちゅうそん》が金銅仏《こんどうぶつ》（実際は真鍮製鍍金）で、脇侍が木造という特殊な組み合わせの阿弥陀三尊《あみださんぞん》である（図3）。古くより「太子御持仏」と伝えられ、近世の宝物目録にはかならず掲載されている。しかし、近代になるとどういうわけか目録から姿を消し、長らく忘れ去られ、本像に付随していたとみられる鎌倉時代の美しい銀製光背《ぎんせいこうはい》（図4）だけが単独に伝わっている状態であった。

近年、光背と脇侍の宝冠にみる精緻かつ繊細な透かし彫りの意匠が同一の手になるものとみられ、中尊と光背の大きさが合致することから、もと一具を成すものと確認された（図5）。小像ながら、脇侍の造形も優秀で、鎌倉時代の秀麗な作風を備えており、「太子御持仏」の伝承に恥じない像である。

「函千手《はこせんじゅ》」は、重要文化財に指定される、千手観音《せんじゅかんのん》及び二天《にてん》箱仏のことである（図6）。本像は白檀《びゃくだん》の一材から、箱形や光背・台座《だいざ》の一部を彫り出し、別の一材から掘り出した千手観音を矧《は》ぎつけたもので、二天像を浮き彫りした扉を丁番で取り付ける。その精緻な彫技はすばらしく、平安時代のいわゆる和様檀像に位置付けられるものである。

なお、ここに記載はないが、元禄《げんろく》頃には、天王寺楽所伶人《てんのうじがくそれいじん》の東儀家より寄進された蘭陵王《らんりょうおう》・納蘇利《なそり》の古面（図7）や、聖徳太子絵伝《しょうとくたいしえでん》（遠江法橋本《とおとうみほっきょうぼん》）【第三部コラム8図1参照】なども追加して宝蔵に納められるなど、長年にわたる蓄積により、多様な「四天王寺宝物」が形成されていった。

三　太子伝来七種の宝物

前述の宝物のなかでも、聖徳太子が実際に所用していたと伝えられる七件については、「太子伝来七種の宝物」と呼ばれ、さらに別格の扱いを受けてきた。この七種は、『四天王寺縁起』根本本、丙子椒林剣《へいししょうりんけん》及び七星剣《しちせいけん》、懸守《かけまもり》、細字法華経、緋御衣《ひのみころも》、京不見御笛《きょうみずのおふえ》、鳴鏑矢《なりかぶらや》である。

これらは、四天王寺における太子信仰の核になってきた宝物であり、四天王寺が太子の寺であることの確固たる証ともいえる象徴的な存在であった。

『四天王寺縁起』は当寺の縁起資財帳《えんぎしざいちょう》であるとともに、太子の本願や、予言、四箇院《しかいん》建立の意義なども盛り込んだものであり、寛弘《かんこう》四年（一〇〇七）に金堂の金六重塔《きんろくじゅうのとう》より発見されて以後は、太子真筆の「聖遺物」として、当寺の信仰の中核をなしたものである。この縁起の出現により、四天王寺は、太子信仰や浄土信仰《じょうどしんこう》の霊地としての存在価値を高め、貴族をはじめ民衆の参詣を促し、「聖徳太子の寺」の地位を不動のものとした。まさに四天王寺繁栄

図4　銀鍍金光背（四天王寺所蔵、重要文化財、鎌倉時代。長19.5㎝）

図5－1　阿弥陀三尊像脇侍 観音菩薩像 宝冠

図5－2　阿弥陀如来立像と銀鍍金光背

図6　千手観音及び二天箱仏（四天王寺所蔵、重要文化財、平安時代。高12.3cm、幅10.3cm）

の礎を築いた、最重要の宝物である【第二部コラム1参照】。

「小字法華経」（細字法華経）（図8）は、法華経を微細な文字によって一巻の経巻にまとめたものである。聖徳太子前身の南岳大師慧思《なんがくだいしえし》が御持していたと伝わる法華経は、太子が斑鳩宮《いかるがのみや》の夢殿《ゆめどの》において感得した「夢来経《むらいきょう》」といわれているが、太子薨去後の推古天皇《すいこてんのう》三十五年（六二七）に、この経が突如として失われ、その後行方がわからなくなっていた。しかし、建保《けんぽ》二年（一二一四）に、四天王寺宝蔵より発見され、以後聖徳太子感得の細字法華経として伝えられている。現在では、その書風などから、十一世紀に書写されたものとみられているが、発見時の様子を記録した史料も残っており、宝物がどのように伝えられ

図7　舞楽面

図7－2　納蘇利（四天王寺所蔵、重要文化財、鎌倉時代。長24.0cm、幅17.4cm）

図7－1　蘭陵王（四天王寺所蔵、重要文化財、鎌倉時代。長31.2cm、幅21.6cm）

図9　塵地蒔絵経箱（四天王寺所蔵、重要文化財、平安時代。縦31.0cm、横18.0cm、高14.0cm）

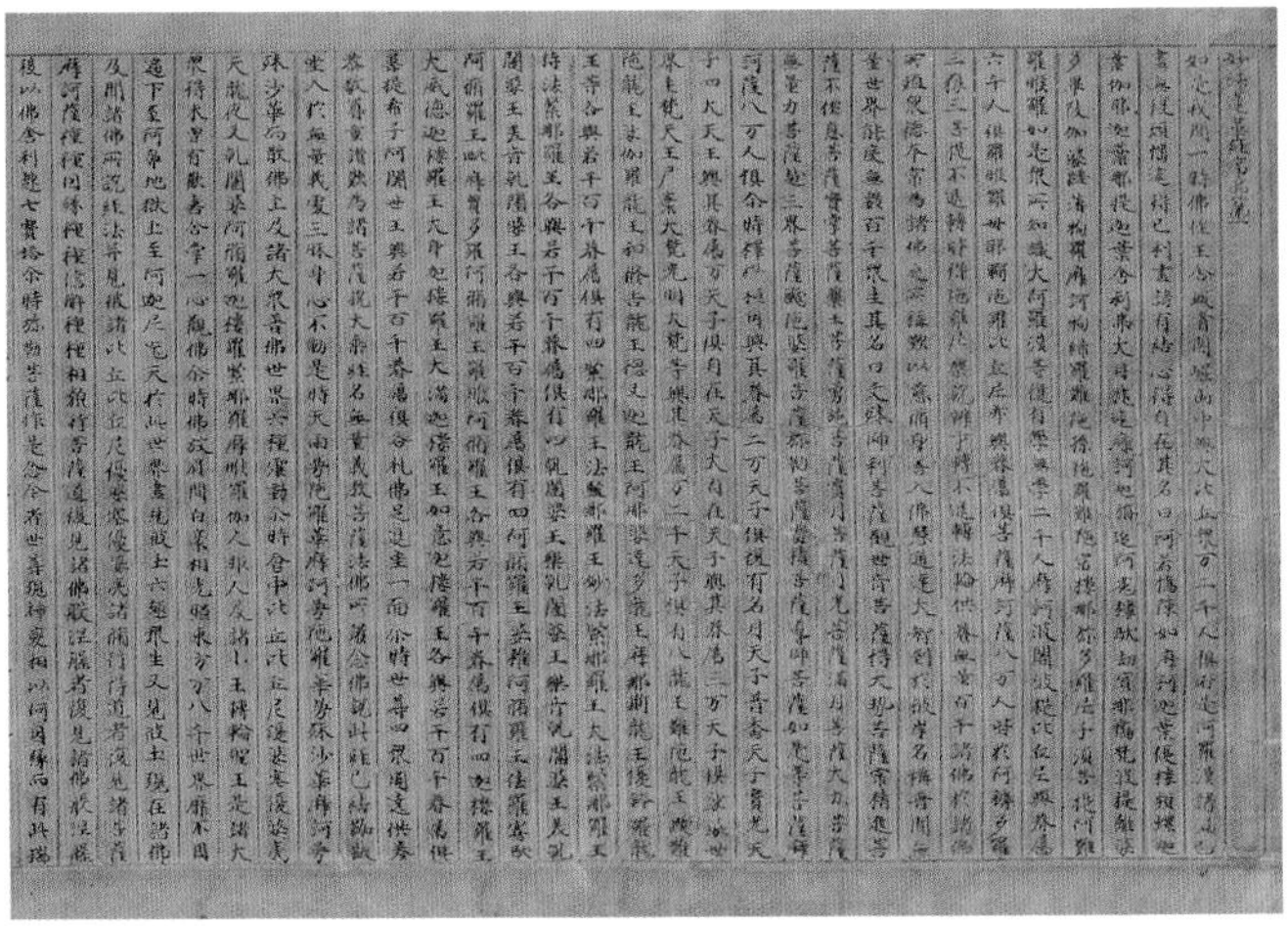

図8　細字法華経（四天王寺所蔵、重要文化財、平安時代。縦27.0cm、横2143.8cm）

図10－5　松喰鶴文（高4.9cm、幅6.2cm）

図10　懸守（四天王寺所蔵、国宝、平安時代。画像提供：京都国立博物館）

図10－6　桜透丸文（高7.8cm、幅7.8cm）

図10－3　獅子狛犬（高4.7cm、幅6.3cm）

図10－1　花菱七宝文（高7.1cm、幅8.1cm）

図10－7　桜折枝文（高6.5cm、幅7.8cm）

図10－4　松喰鶴文（高4.8cm、幅6.2cm）

図10－2　火取香炉（高6.9cm、幅8.8cm）

たかという履歴がわかる点でも興味深い。本経を納めていた平安時代後期の塵地蒔絵経箱《ちりじまきえきょうばこ》も伝来している（図9）。

懸守《かけまもり》（図10）は、紐をつけて首から懸けるお守りで、女性や子どもが旅の道中に携帯したものである。木製の躯体を色鮮やかな錦《にしき》で包み、さらに松喰《まつくい》鶴《づる》や桜の折枝、獅子狛犬《ししこまいぬ》などをかたどった精巧な金銀製の金具による華麗な装飾を施す。太子が一歳～七歳までに所持していたと伝えるが、その美麗で可憐な装飾は、平安時代の製作になるものである。

平成二十九年（二〇一七）に、京都国立博物館と共同で実施したX線CT調査により、内部の納入品の実態が明らかとなった。とくに、桜折枝文《さくらおりえだもん》の中には、精巧な小仏龕《ぶつがん》が納められていることが判明し（図11）、大きな話題となった。

緋御衣《ひのみころも》（図12）は、太子着用の袍《ほう》の断片と伝えられる。古墳時代に朝鮮半島を通じて伝わった茜染特有の色を呈しており、古代裂《こだいぎれ》の遺例として貴重である。一部の破片を除いて、粉状化した状態で伝わっていたが、現在は額装して保管されている。また、本衣を納

図11　懸守内部の様子（画像提供　京都国立博物館）

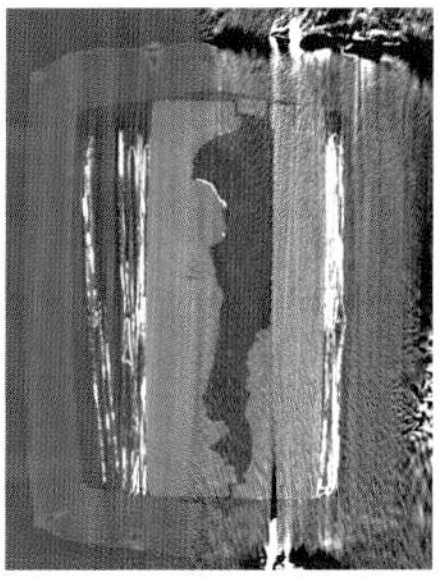

図11－1　桜折枝文　X線CT撮影による断層画像

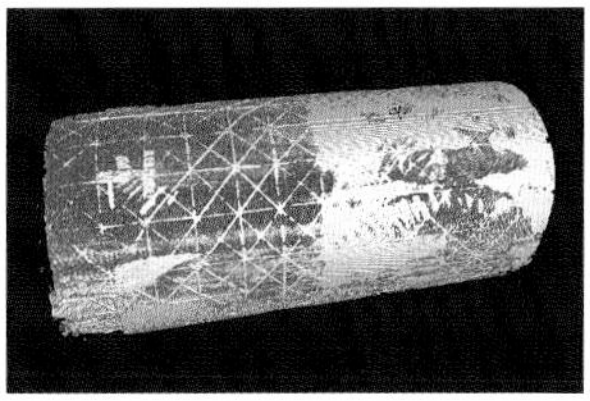

図11－2　桜折枝文　断層画像を積み上げて再構築した立体画像（仏龕外観）

図11－3　桜折枝文　断層画像を積み上げて再構築した立体画像（仏龕内部）

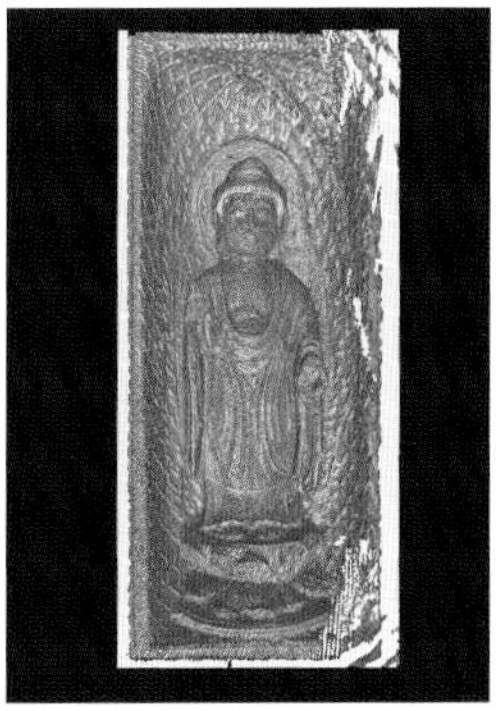

図11－3－1

図11－3－2

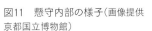

図12　緋御衣（四天王寺所蔵、重要文化財、飛鳥時代）

図13　漆皮箱（四天王寺所蔵、重要文化財、奈良時代。縦34.0㎝、横28.0㎝、高8.5㎝）

めていた奈良時代の漆皮箱《しっぴばこ》（図13）も伝来し、重要文化財に指定されている。

鏑矢（図14）は射放した際に咆哮することから鳴鏑矢ともいい、鏃元《やじりもと》に音響を発するための装置である鏑形を付ける。鉄製の鏃はT字型で、矢羽は元来四本であったが、現在は欠失している。寺伝では聖徳太子が物部守屋との合戦に用いた矢と伝わる。丙子椒林剣・七星剣とともに上古に遡る遺品である。

図14　鳴鏑矢（四天王寺所蔵、重要文化財、飛鳥時代。長74.2cm）

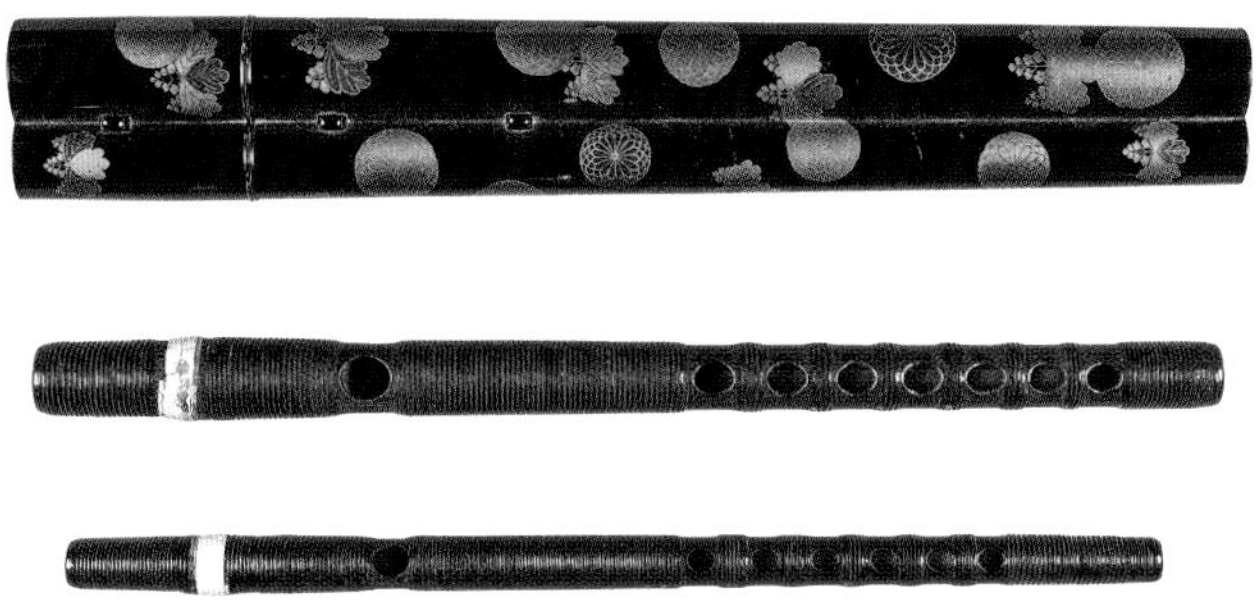

図15　京不見御笛（四天王寺所蔵、鎌倉時代。上・龍笛：長39.9cm。下・高麗笛：長36.9cm）

丙子椒林剣及び七星剣は、太子佩用《はいよう》と伝わるもので、わが国屈指の古刀であり、四天王寺縁起に次ぐ霊宝としてつとに知られるものである。詳細は【第一部コラム7参照】に詳しい。

「京不見御笛」（図15）は、聖徳太子愛用と伝える龍笛《りゅうてき》と高麗笛《こまぶえ》の二管の横笛である。室町時代、後花園院《ごはなぞのいん》の命でこの笛を京都へ運ばせたところ、笛が破損したために京に至らず、四天王寺に持ち帰ると元に戻っていたという伝承からこの名で呼ばれる。また、太子の笛の音に歓喜した信貴山《しぎさん》の神が、猿の姿で太子の前に現れたという伝承を模した舞楽《ぶがく》「蘇莫者《そまくしゃ》」では、「京不見御笛当役」がこの笛を用いて演奏していた【第四部コラム5図5参照】。類品との比較から鎌倉時代の制作と推定される。

こうした太子ゆかりの品々は、単に寺の什物という枠を超え、太子その人の存在を象徴するものであった。人々は、『四天王寺縁起』に太子の肉声を聞き、ゆかりの品々を拝して、太子の面影に触れるのである。そこには、太子への純真な信仰がみてとれる。

宝蔵の宝物は、こうした信仰に支えられ、度重なる戦火・災害に見舞われても真っ先に避難させ、先人達が必死の思いで守り伝えてきたのである。これらの宝物が、長く続く当寺の歴史のなかで、太子の所用の伝承をまとって今日まで伝来してきた事実こそが、四天王寺の太子信仰の生きた姿といえよう。

（一本崇之）

コラム【7】

七星剣・丙子椒林剣について

はじめに

本コラムは、聖徳太子伝来として古くから知られる、四天王寺の国宝「直刀　無銘（号 七星剣《しちせいけん》）」（図1）と国宝「直刀　無銘（号 丙子椒林剣《へいししょうりんけん》）」（図2）について、図像上の特徴とその意味について考察するものである。

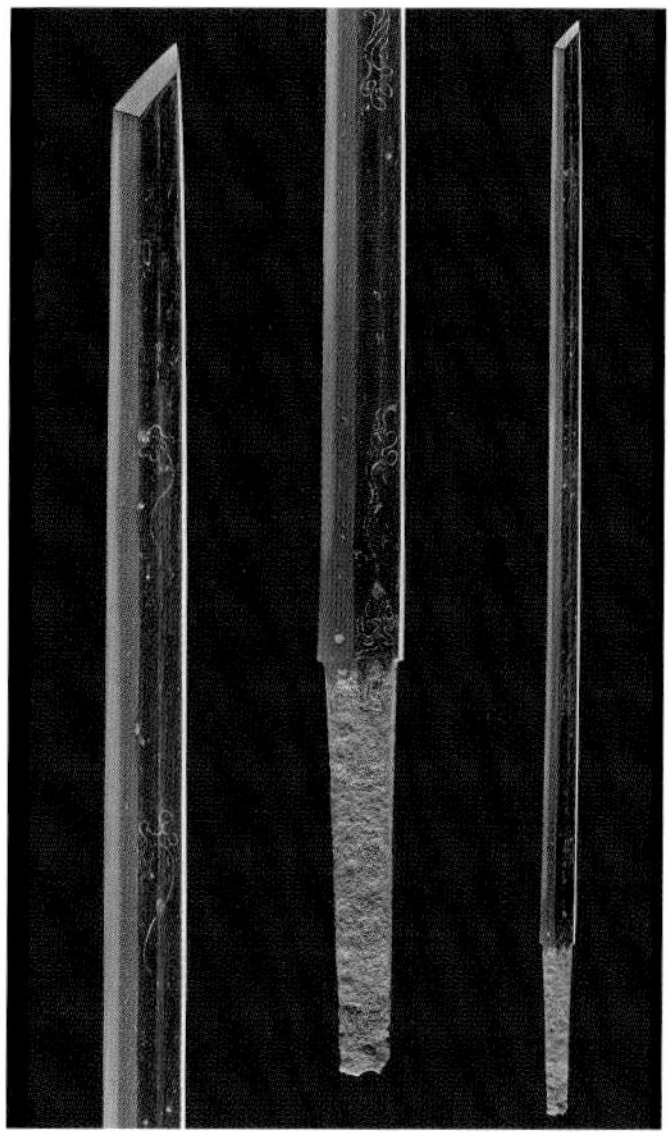

図1　直刀　無銘（号 七星剣。四天王寺所蔵、国宝、飛鳥時代・7世紀。撮影 藤瀬雄輔）

図2　直刀　無銘（号 丙子椒林剣。四天王寺所蔵、国宝、飛鳥時代・7世紀。撮影 藤瀬雄輔）

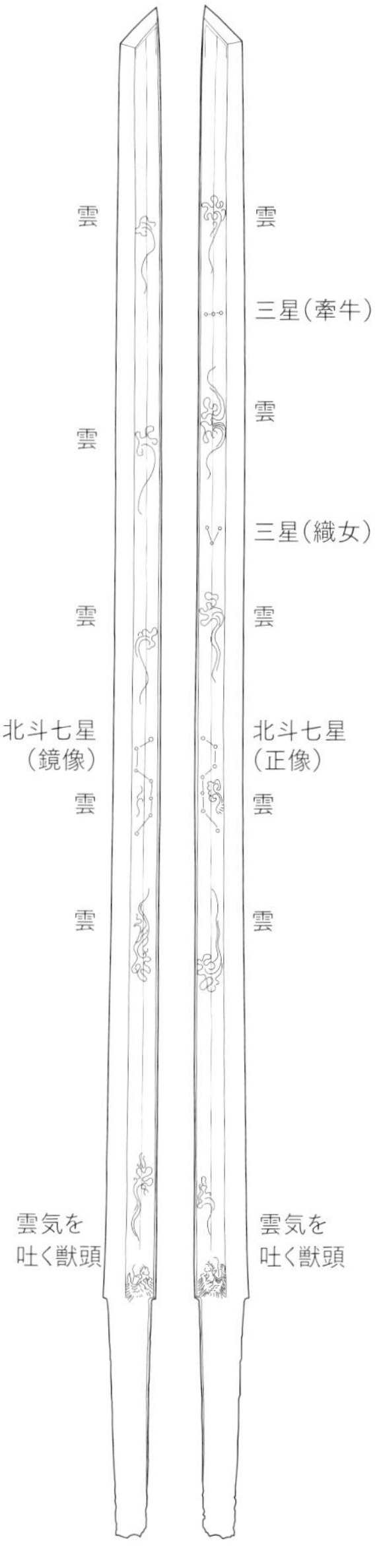

図3　七星剣の金象嵌による文様

一　二剣の概要

最初に二剣の概要を述べたい。

七星剣は、刃長《はちょう》（刃わたり）六二・二cmの切刃造《きりはづくり》の刀剣で、全体が刃の側へ一cmほど緩やかに反る。刀身表面の様相を意味する地鉄《じがね》は、木材の板目のようであるが一部柾目《まさめ》を交える。焼刃の模様である刃文《はもん》は直線的な線の直刃《すぐは》で、全体が潤《うる》んだように見え光にかざすと強く反射する。表裏の鎬《しのぎ》と棟《むね》の間に二筋の樋《ひ》があり、その上に金象嵌で星雲などの文様をあらわす（図3）。佩表《はきおもて》（刃を下にして左腰に身につけたとき外側となる面）は、茎《なかご》（刀身の柄《つか》）から先に向かって、雲気を吐く獣頭、雲、北斗七星（正像）・雲、雲、くの字形の三星、雲、一文字形の三星、雲を配する。対する逆面の佩裏《はきうら》は、同じく茎から先に向けて、雲気を吐く獣頭、雲、北斗七星（鏡像）・雲、雲、雲、雲となる。茎は先端が直径六㎜ほどの懸通孔《かけどおしのあな》を一部残して欠失する。刀装はない。

一方、丙子椒林剣は、刃長が六五・八㎝、切羽造で、やはり先にしたがい刃方へわずかに反る。地鉄は、一部柾目を交えるが、総体に細かい板目である。刃文も同じく直刃であるものの、全体の線は七星剣よりも細く引き締まり、光にかざすと鮮やかに輝く。佩裏の茎上に「丙子椒林」の四字を金象嵌《きんぞうがん》であらわす（ごくわずかに銅系金属による象嵌がある）。茎は先端が直径一㎝ほどの懸通孔を半分残して欠失する。こちらも刀装はない。

七星剣は、金象嵌で北斗七星などの文様を全体に施して特徴となし、地鉄や刃文は弛緩を感じさせる。一方、丙子椒林剣は、金象嵌の表現は部分的であるが地刃の緊迫感は七星剣を凌駕する。この相違は制作年代に起因するものではなく、同一時期の作風の相違と考えられる。

二　二剣の図像考察

両剣はこれまでにさまざまな観点から考察された歴史がある。なかでも、七星剣の星座の表現には、古代中国の天体思想との関係が指摘され、諸氏による研究がある。本コラムでは、これらのうち、杉原たく哉氏の所見を参照したい。一方、丙子椒林剣については、新井白石《あらいはくせき》（一六五七〜一七二五）が「丙子」を剣の制作年（丙子年）、「椒林」を刀工の名と解釈し現在まで通説となる。また、古代中国には「干将《かんしょう》」「莫邪《ばくや》」、「龍泉《りゅうせん》」「太阿《たいあ》」と呼ばれる陰陽二剣の伝説上の名剣が著名だが、内藤藤一郎氏は、七星剣と丙子椒林剣に上記の思想が影響していることを指摘されている。

先学をまとめて七星剣と丙子椒林剣における図像面での特徴をひとことでいえば「中国古代思想に基づく地位や権力の表現」である。

七星剣にみられる星座には、権力、あるいはそれを行使する上で必要な要素が中国の天体思想に基づいてあらわされる。北斗七星は、中国・晋朝の正史で唐の貞観二十年（六四六）に成立した『晋書《しんじょ》』に「斗は人君の象《かたち》為《な》り。号令の主《あるじ》なり。又、帝車為り（原漢文。以下同）」とあるように、号令を発する君主を象徴し、またその車でもあるともいう。くの字形の三星は杉原氏によれば「織女《しょくじょ》」という星座で、『晋書』には「果瓜《かか》、糸帛《しはく》、珍宝《ちんぽう》を主《つかさど》るなり」と財力をつかさどるとする。一文字形の三星は牽牛《けんぎゅう》で、中国の天文学では河鼓《かこ》ともいい、河鼓は「鈇《ふ》鉞《えつ》を主《つかさど》る」として軍事力をつかさどる。

さらに、佩裏の鏡像となった北斗七星も地位や権力を示す表現であろう。正倉院《しょうそういん》事務所長の西川明彦氏の御教示と三宅久雄氏の研究によれば、正倉院宝物《ほうもつ》の「青斑石《せいはんせきの》鼈合子《べつごうす》」（図4・5）というスッポン形の容器には、甲羅形の蓋外面に鏡像となった北斗七星があらわされているという。そして、ドーム形の蓋には、大地が平面で半球形の天空が覆うと考える「天円地方」という古代中国の宇宙観が投影されており、鏡像の北斗七星はこの思想に基づく高い地位の表現であるという。つまり、合子の蓋を手にする者は天空よりも高く地上を見下ろす位置が設定されるため、その結果、北斗七星の像が反転したと解釈されるのである。この考え方を七星剣の鏡像となった北斗七星に適用すると、剣は左腰に刃を下にして佩くので、着用者に接する佩裏に鏡像があるということは、合子の場合と同様に、使用者が天空より高い位置に設定されることになる。

　同様に、内藤氏が唱えられた陰陽二剣の思想もやはり地位や権力と密接な関連がある。たとえば『呉越春秋《ごえつしゅんじゅう》』に登場する干将・莫邪は、同名の夫妻が呉王の闔閭《こうりょ》に献じた宝剣二口であり、あるいは『晋書』で記される龍泉・太阿は、張華《ちょうか》という学者であり政治家であった人物の栄達に際して雷煥《らいかん》が掘り当てた名剣で、一剣は張華の保有となったという。これらの剣は、王や立身した人物が所持する点が共通する。

　七星剣と丙子椒林剣は、昭和二十七年（一九五二）に、後年重要無形文化財保持者（人間国宝）に認定された小野光敬《こうけい》（一九一三〜一九九四）によって研磨がおこなわれ、現在は東京国立博物館に寄託されている。しかし、元来は両剣を二口一双に納める黒漆の箱に納められ寺内に伝えられていた。また、内藤氏や四天王寺第百一世管長の出口常順氏は、両剣が四天王寺金堂《こんどう》にかつてあった太子本願と伝える「大四天王像」の持物で、七星剣が持国天《じこくてん》、

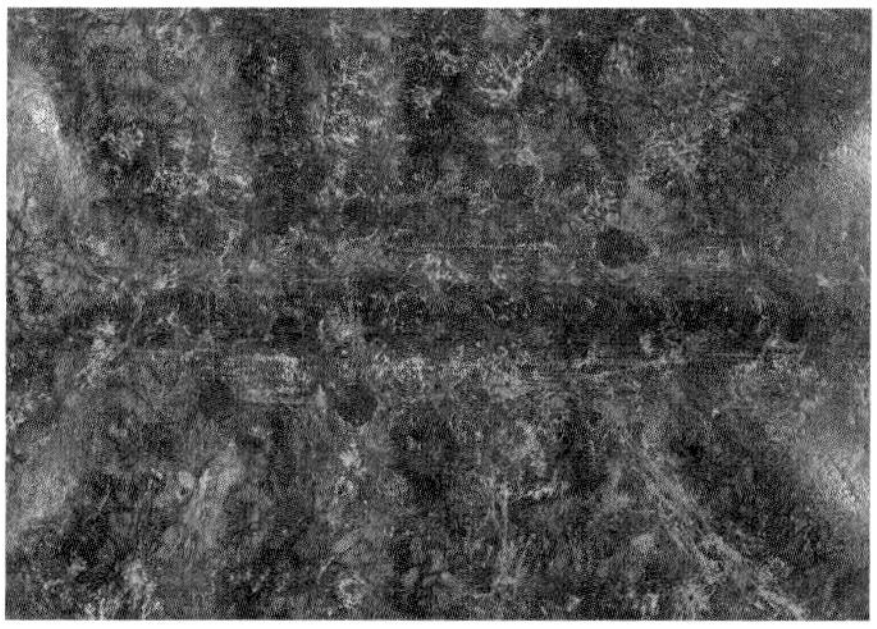

図5　青斑石鼈合子　部分

図4　青斑石鼈合子（正倉院宝物、奈良時代・8世紀）

丙子椒林剣が増長天《ぞうちょうてん》の持物であった可能性を指摘されている。この推定に従うならば、やはり両剣は長期間にわたり二口一双の寺宝として存在したことがうかがわれる。このような伝来の形式は、内藤氏が指摘されるように、陰陽二剣の思想に端を発するものと考えられ、やはり権力が示唆されているのである。

このように、七星剣については表現の一貫性を指摘できるが、丙子椒林剣の文字の解釈については、現在のところ明確な意味をみいだすことができない。

しかし、南朝梁《なんちょうりょう》の陶弘景《とうこうけい》撰『古今刀剣録《ここんとうけんろく》』には、夏《か》から南朝梁の皇帝や名将などの刀剣が列挙され、その剣の多くに、二字、あるいはそれ以上の漢字があったとする記述が留意される。

文字は意味が分かるものでは「大呉」「司馬」などと国名や皇帝の名、「建平」「建義」などの年号、「滅賊」「百勝」などの破敵の語、あるいは「神亀」「永昌」といった繁栄を意図する語が多い。

丙子椒林剣の漢字は、丙子が時を示す文字であるので『古今刀剣録』における年号の表現と同質とみなせる。他方、椒林の二字は、作者や所持者などの人名をあらわす可能性もあるが、文字どおり「椒の林（しょうのはやし）」とも読める。中村亜希子氏、神野恵氏によれば、椒（山椒）の実は強い香りから邪気を払うとされ、また実の多さから子孫繁栄を示すともいい、吉祥の意味があるという。椒林の二字は、繁栄を意味する語とも解釈できるのではなかろうか。

おわりに

以上のように、七星剣と丙子椒林剣には中国古代思想に基づく表現がみられた。

北斗七星をあらわした剣と無文の剣の組み合わせは、飛鳥時代から奈良時代に類例があり、奈良・法隆寺《ほうりゅうじ》金堂の四天王像のうち、持国天と増長天の持物である銅製七星剣と銅製無文剣の二口、あるいは正倉院宝物で『国家《こっか》珍宝帳《ちんぽうちょう》』記載の「呉竹鞘御杖刀《くれたけのさやのごじょうとう》」の刀身である七星剣と「漆塗鞘御杖刀《うるしぬりのさやのごじょうとう》」の刀身である無文剣が著名である。これらは、多少の異同はあるものの北斗七星の反転表現など共通点が多いのは重要である。

この点を考えるにあたり鎌倉時代の『古今目録抄（聖徳太子伝私記）』に注目すると、法隆寺金堂持国天の持物「大刀（先述の銅製七星剣）」が聖徳太子幼少時の御守であり「末世衆生の済度のため、此の天に持たらしむ。或いは国家安穏のため、此の天に持たらしむと云々」とある。

四天王寺の剣と法隆寺の剣に共通した図像表現があるということは、そこに託された意味も同様と考えられる。すると、七星剣に託されていた衆生の救済や国家安穏は、そもそも四天王寺が建立された動機でもあることは周知のことであり、またそれは聖武天皇《しょうむてんのう》が目指されていた鎮護《ちんご》国家の基本理念でもある。この一致に両剣の単なる武器を超えた、限りなく高い精神性が指摘できる。

（酒井元樹）

※本研究はＪＳＰＳ科研費１７Ｋ１３３６１の助成を受けたものです。

第2部

平安時代の四天王寺

四天王寺縁起（根本本）
（四天王寺所蔵、国宝、平安時代）

図1　平安宮豊楽院出土 四天王寺同笵瓦（古代学協会所蔵、平安時代。撮影：網 伸也）

第一章

平安前期

一　桓武天皇の登場

延暦《えんりゃく》元年（七八二）、桓武天皇《かんむてんのう》が即位するとまもなく都は平城京《へいじょうきょう》から長岡京《ながおかきょう》、そして延暦十三年（七九四）には平安京《へいあんきょう》へと遷都《せんと》がおこなわれた。

桓武天皇は積極的な親政に乗り出した。寺院に対しては依然南都《なんと》で存在感を示す諸大寺や四天王寺の封戸収公《ふこしゅうこう》を断行しつつ、延暦十七年（七九八）にはそれら十ヵ寺を官寺《かんじ》（大寺）と定め（『元亨釈書《げんこうしゃくしょ》』）、国家鎮護の役割を求めたのである。

桓武天皇は平安京建設に際し、王城鎮《おうじょうちん》護《ご》を目的に京内に常在寺・東寺《とうじ》・西寺《さいじ》を建立した。加えて、京の外延部を守護する寺院の設定もおこなわれたのである。延暦五年（七八六）に東方、すなわち近江《おうみ》に梵釈寺《ぼんしゃくじ》（近江の四天王寺）が新たに造営されたが、同様に西方を守護する寺院として位置づけられたのが四天王寺だった。また、平安宮豊楽院《ぶらくいん》の瓦（図1）として四天王寺同笵瓦が採用され、難波《なにわ》で新たに焼かれて運ばれた。四天王寺は天皇の住む都（京）の造営と護持、そして国家全体の安寧を保つ重大な役割を担ったのである。なお延暦二十三年（八〇四）十月、難波を訪れた桓武天皇は難波江に船を浮かべて四天王寺の奏楽に耳を傾けている。

国家的祈祷《きとう》を担う大寺はその構成寺院や数に変動がありながらもしばらく存続した。四天王寺は元慶《がんぎょう》四年（八八〇）に病に臥せった清和上皇《せいわじょうこう》の回復のため功徳を修する二十一ヵ寺に、そして十世紀初めには十五大寺に規定された（『延喜式《えんぎしき》』）。その後も四天王寺は兵乱鎮撫《ちんぶ》や祈雨など国家的祈祷に幅広く応えたのであった。

二　天台宗の接近

桓武天皇の時代にその庇護を受け頭角を現した人物に天台宗《てんだいしゅう》の祖最澄《さいちょう》（図2）がいる。最澄は比叡山で修行に励んだのち唐《とう》へ留学し、円（天台教学）・禅・密・戒を修めて帰国した。そして弘仁《こうにん》七年（八一六）、四天王寺の太子廟《たいしびょう》に参詣《さんけい》し一首の詩を捧げた。最澄は円以下の四種を融合し、その中核に法華経《ほけきょう》を据える法華一乗《ほっけいちじょう》主義を唱え、詩およびその前文のなかで聖徳太子をわが国に法華経を弘めた先徳として崇敬の念を表すとともに、自らを太子の玄孫と位置づけ、天台宗興隆への加護を願ったのである。なお最澄は弘仁七年（八一六）に六時堂《ろくじどう》および薬師院《やくしいん》を建立したとも伝えられる（『天王寺誌《てんのうじし》』、四天王寺所蔵。以下、『寺誌』）。

最澄の没後三年経った天長《てんちょう》二年（八二五）には四天王寺・法隆寺《ほうりゅうじ》の安居講師《あんごこうじ》に天台宗僧が定められた（『類聚三代格《るいじゅうさんだいきゃく》』）。また同年には弟子の光定《こうじょう》が最澄同様に太子廟を訪れ詩一首の奉納をおこなっている。こうして四天王寺と天台宗のかかわりがはじまり、十世紀以降、天台宗出身者が四天王寺別当の多くを占めるようになった。

図2　最澄像（聖徳太子及び天台高僧像のうち。一乗寺所蔵、平安時代・11世紀）

三　太子伝の寺

最澄は四天王寺に太子廟（のちの聖霊院《しょうりょういん》）を訪ねたが、絵堂《えどう》には遅くとも八世紀後半に太子絵伝が存在していた。太子絵伝は法隆寺よりも早かったのである。

承和《じょうわ》三年（八三六）十二月六日、四天王寺は落雷に見舞われた。これにより五重塔《ごじゅうのとう》と太子廟が破壊された。朝廷はこれを災いの兆しと恐れ、南都諸大寺・四天王寺ら十九ヵ寺に三日三晩の大般若経《だいはんにゃきょう》転読《てんどく》を命じた。ところが状況検分に訪れた役人が塔の心柱《しんばしら》底に納められていた聖徳太子御髪四把を持ち出し妻に与えるという事件が発生した。こうしたことが続き、後日祟《たた》りまでもが起きたことから勅命が下され、御髪を納める壺が作られ寄進されることになった（『続日本後紀《しょくにほんこうき》』）。朝廷は四天王寺を太子の遺跡寺院と強く認識しており、その護持に並々ならぬ関心を示したのである。

平安時代以降、太子信仰の広がりに大きな影響を与えたものに『聖徳太子伝暦《しょうとくたいしでんりゃく》』（図3）がある。本書は聖徳太子の伝記を編年体でまとめたもので、十世紀後半に成立したとみられているが、奥書《おくがき》によればその編纂には「在四天王寺壁聖徳太子伝」と難波百済寺《くだらでら》にあった太子伝類が参照されたという。前者は四天王寺の絵堂に掲げられていた太子

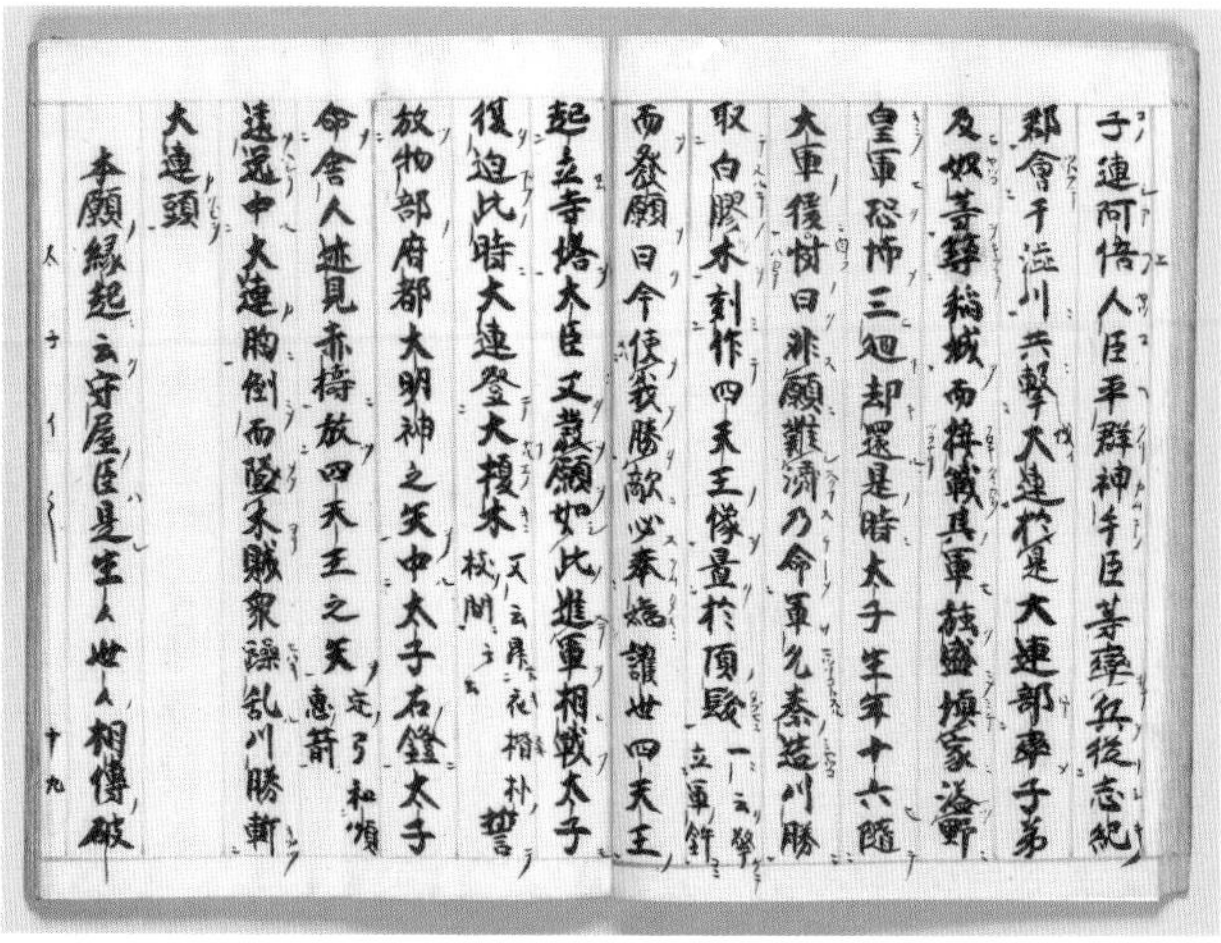

図3　紙本墨書『聖徳太子伝暦』（四天王寺所蔵、江戸時代・慶長11年・1606。縦29.9cm、横21.0cm）

絵伝であり、後者は百済寺の老僧が所持していた太子に関する伝書三巻などとされる。

四天王寺内部では中世にかけて太子伝が書写・伝来されていたことも知られている。たとえば、嘉《か》禄《ろく》三年（一二二七）に東僧房《ひがしそうぼう》で記された『太子伝古今目録《たいしでんここんもくろく》抄《しょう》』（別名『天王寺秘《てんのうじひ》決《けつ》』。以下、『秘決』）や、応永十二年（一四〇五）に四天王寺蓮花蔵院《れんげぞういん》内護摩堂《ごまどう》で書写されさらに四天王寺金堂不出の秘本の系譜に位置づけられる日光山輪王寺天海蔵本《にっこうさんりんのうじてんかいぞうほん》の太子伝（文保本《ぶんぽうぼん》太子伝）、そして芹田坊《せりたぼう》の秘伝書とされ十五世紀までに成立していた現万徳寺《まんとくじ》所蔵『聖徳太子伝』など、いくつもの太子伝が今に伝存している。四天王寺とその周辺では太子信仰が強く醸成されていたのである。

四　新たな寺院統治機構の誕生

平安時代に入ると寺院の統治機構に変化が生まれた。古代寺院で管理運営の責務を負ったのは三綱《さんごう》だったが、貞観《じょうがん》十二年（八七〇）、清和天皇は三綱の上位に寺務を統括する別当を設けることを定めた。四天王寺でも翌年から別当が常置されたが、記録上、初代別当とされる東寺阿闍梨《あじゃり》の円行《えんぎょう》が着任したのはそれより早い承和四年（八三七）とされている。ただし円行の着任はその前年の落雷で五重塔・太子廟が被災したことによるもので（『続日本後紀』）、復興を推進するための臨時措置と考えられている。

別当は当初、寺の内部にいた十禅師《じゅうぜんじ》から選ばれた。十禅師とは国家安寧を祈願し、寺院内部の秩序維持を担うために選ばれた十名の僧を指し、四天王寺では天長《てんちょう》九年（八三二）に置かれた（『二中歴《にちゅうれき》』）。ただし四天王寺の十禅師は承和二年（八三五）十二月、梵釈寺・常住寺《じょうじゅうじ》と並んで宮中の金光明会《こんこうみょうえ》の聴衆《ちょうじゅ》にも預かっており（『続日本後紀』）、寺中にとどまらず中央でも活動の場を得ていた。さらに他寺出身の別当が誕生するようになると、彼らは四天王寺に常住しなかった可能性があり、別当という職が一種の権益とみなされる道が開かれることになっていく。

十世紀終わり頃になると別当はほぼ天台宗（延暦寺＝山門《さんもん》、園城寺《おんじょうじ》＝寺門《じもん》）出身者となった【第二部

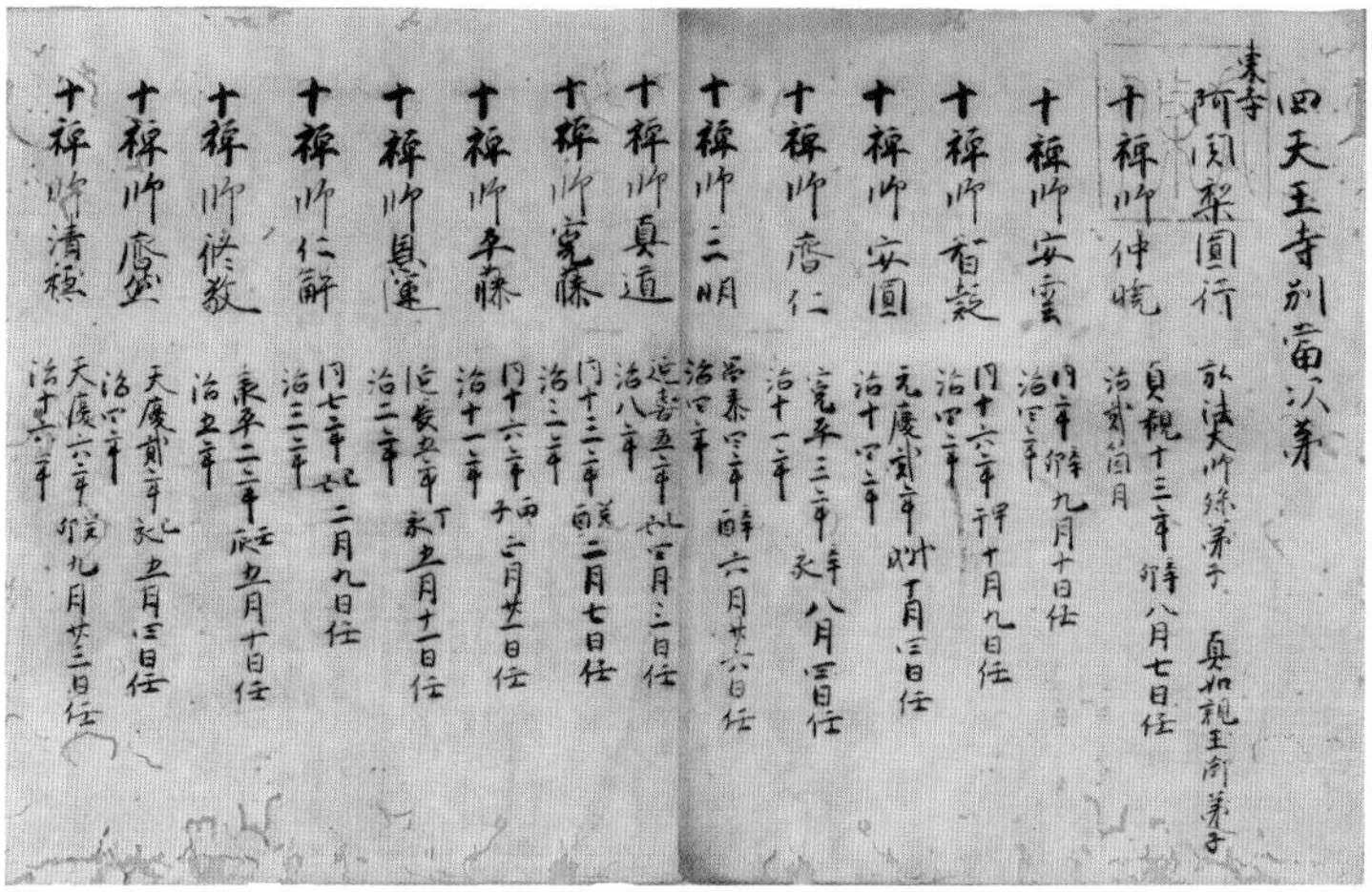

図4 紙本墨書『四天王寺別当次第』（四天王寺所蔵、大阪市指定文化財、鎌倉時代、縦29.6㎝、横442.4㎝）

コラム4参照】。ただし、その場合でも別当は四天王寺十禅師の資格をもつことが欠かせなかった。四天王寺僧であることが前提だったわけだが、十一世紀になるとその資格が外れていく。四天王寺の別当職は「僧侶无双之恩任」（「四天王寺別当職款状」広島大学文学部国史学研究室所蔵）と評価されるものだったので、山門・寺門の競望が相次いだ。その結果、十一世紀前半は山門出身者が、後半以降平安時代末までは寺門出身者がほぼ独占するという状態にいたった。

寺務責任者である別当が他寺出身者で占められることになると、寺内の事情に通じた実質的な寺務運営の担い手が必要となる。そうしたなかで登場したのが執《し》行《ぎょう》である。執行の職名が確認できるのは永承《えいしょう》元年（一〇四六）の鎮暹《ちんせん》が初見である（『四天王寺別当次第《してんのうじべっとうしだい》』、四天王寺所蔵。以下、『別当次第』。図4）。

ところで、執行はのちに「順」を通字《とおりじ》とした名を称する秋野坊《あきのぼう》の存在が際立ってくる。そこで「順」字をもつ執行を『別当次第』で確認してみると、寛治《かんじ》八年（一〇九四）に着任した別当増誉《ぞうよ》の時の永順《えいじゅん》が初見となる。ただし永順は秋野坊の系図である『秋野家譜《あきのかふ》』（四天王寺所蔵）には名前が登場しない。また「秋野坊」の呼称自体も初見は建武《けんむ》二年（一三三五）の「天王寺秋野房」まで下るようである（『秋野家伝証文留《あきのかでんしょうもんどめ》』、四天王寺所蔵）。永順は中世大阪を代表する河港だった渡辺津《わたなべのつ》一帯に勢力を張る武士団渡辺党遠藤氏の出身であったが、遠藤氏は国衙《こくが》の財務運営に携わっており、永順は惣追捕使《そうついぶし》という武力による検察をおこなう立場にある人物だった（『別当次第』）。俗界にかかわる執行という立場にふさわしい出自といえ、こうした人物が寺内に定着し秋野坊が確立していった可能性があろう。

五　御願寺（別院）の建立と初期「末寺」の衰退

平安時代には天皇や女院《にょういん》の御願を修する目的で御願寺《ごがんじ》の建立がみられた。御願寺は皇室と直結する存在で経済的保護や宗旨内での独立性など特権が与えられたが、四天王寺にもそうした御願寺の

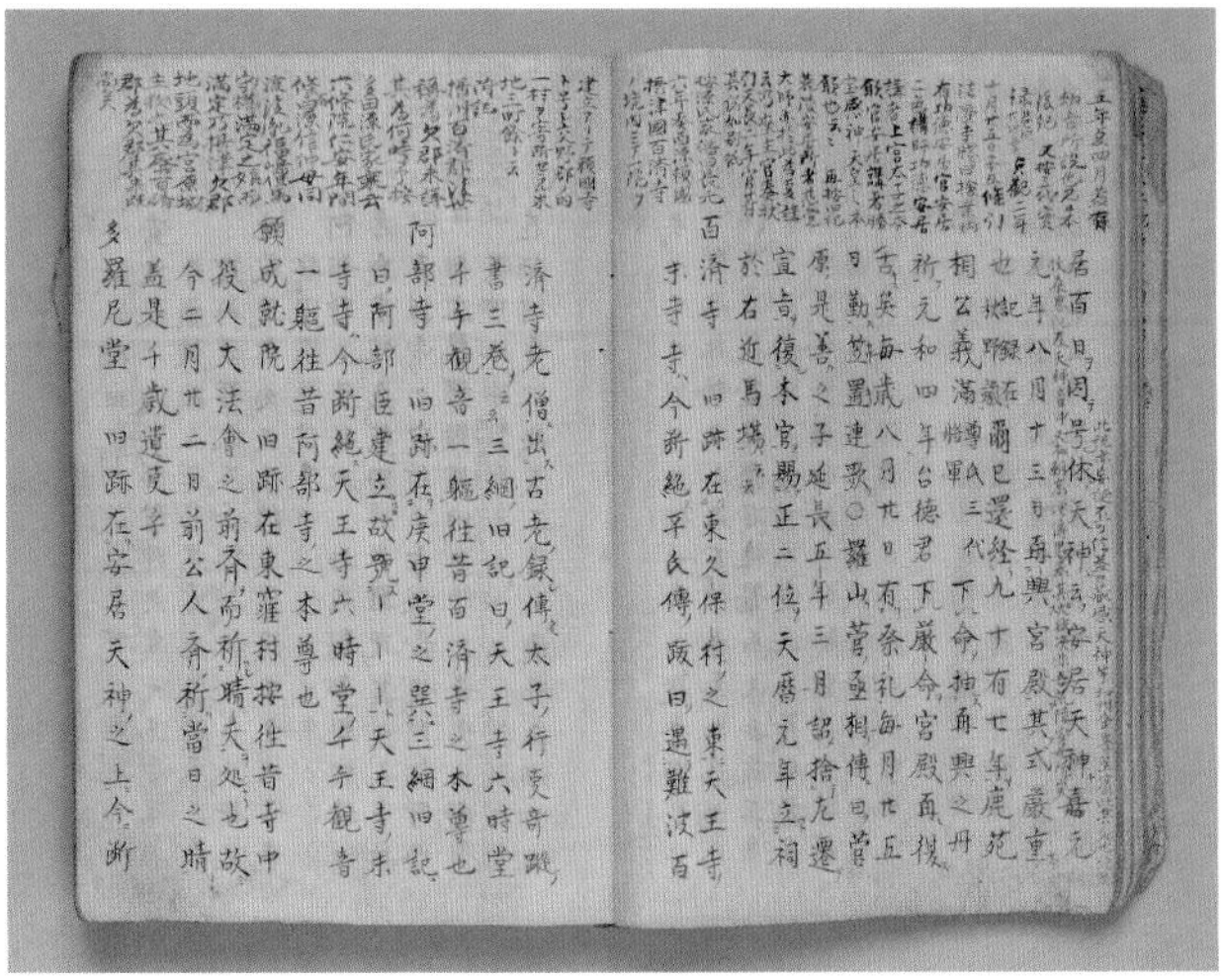

図5　紙本墨書『天王寺誌』（四天王寺所蔵、江戸時代前期、縦26.5㎝、横19.2㎝）百済寺の部分

性格をもつ別院《べついん》が誕生した。天慶《てんぎょう》六年（九四三）建立の朱雀院《すざくいん》による新院および薬師院（『秘決』）、安和《あんな》二年（九六九）または天元《てんげん》六年（九八三）建立の冷泉院《れいぜいいん》による三昧院《さんまいいん》（『寺誌』『秘決』）、久安《きゅうあん》五年（一一四九）建立の鳥羽院《とばいん》による念仏《ねんぶつ》堂《どう》（念仏三昧院）、治承《じしょう》元年（一一七七）建立の後白河法皇《ごしらかわほうおう》による灌頂堂《かんじょうどう》（のち五智光院《ごちこういん》、『寺誌』）があげられる。なお六時堂についても冷泉院御願と記す記録がある（『秘決』）。これらの別院は建立後、それぞれに信仰面で寺内における存在感を高めていった。

　一方、『別当次第』によれば、十一世紀末〜十二世紀にかけて四天王寺関係者が別当を兼ねた寺院の名が確認できる。百済寺・聖園寺・菩提院《ぼだいいん》・善《ぜん》光寺《こうじ》・福心院《ふくしんいん》である。また『秘決』にも発願者《はつがんしゃ》が記されない「別院」として百済寺・範鏡寺《はんきょうじ》・範海《はんかい》寺《じ》・福田院《ふくでんいん》・菩提院・正国寺《しょうこくじ》・冥興寺《みょうこうじ》・安部寺《あべじ》が登場する。ここで重なるのは百済寺・菩提院の二カ寺のみだが、平安時代末まで四天王寺が関与する「別院」が一定存続していたようにみえる。

　しかし実際にはこれらは衰退しつつあった古代の「末寺」（『寺誌』）と考えられる。たとえば百済寺は前述した『聖徳太子伝暦』の編纂にあたり参考とされた太子伝類を所持した老僧の在住寺院である。百済寺に比定されているのは天王寺区所在の堂ヶ芝廃寺《どうがしばはいじ》で、ここからは四天王寺と同笵瓦が出土しており両寺のかかわりの深さが指摘されている。しかしその反面、百済寺を支えた百済王氏《くだらのこにきしうじ》は桓武天皇の登場とともに河内国交野《かわちのくにかたの》郡へと本拠地を移管され、時を同じくして百済寺も移転したと推測されている。堂ヶ芝廃寺の出土遺物も八世紀内にとどまっているという【第一部「古代の四天王寺」・コラム2参照】。

　ただしこれだけをもって百済寺が八世紀末で同地から姿を完全に消したとは言い切れない。もっとも百済寺の名が十二世紀初頭以降、諸記録に登場しなくなるのは事実なので、九世紀以降は寺院活動が低迷し、別当職の権利・権益がかろうじて存続していたとみるのが妥当だろう（図5）。百済寺同様、他の「別院」についても、十二世紀初頭以降はいずれも確認できなくなる。これらは古代に建立された「末寺」寺院で、平安時代をもって役割を終えたものと推測される。

第二章　平安中期〜後期の四天王寺

一　天徳火災からの復興と末法の世の到来

天徳《てんとく》四年（九六〇）、四天王寺は焼亡した（『日本《にほん》紀略《きりゃく》』）。この火災により寺は大きな被害を受けた模様で、南大門《なんだいもん》・中門《ちゅうもん》・講堂《こうどう》・食堂《じきどう》については再建された痕跡が確認されている。再建時に講堂大棟《おおむね》を飾ったと推測される一角鬼面文鬼瓦（重文、四天王寺所蔵。図6）も出土しており、壮大な建築だったことを偲ばせている。

図6　一角鬼面文鬼瓦（四天王寺所蔵、重要文化財、平安時代、縦69.0cm、横59.0cm）

この復興が急がれるタイミングと時を同じくするように、わが国に末法《まっぽう》思想が広まった。末法思想とは、仏陀《ぶっだ》の没後一千年間は仏の教え・修行・悟りがそなわっている正法《しょうぼう》の時代、それに続く一千年は教えと修行はあるものの悟りがともなわない像法《ぞうぼう》の時代、そしてその後一万年間は教えのみとなる末法の時代を迎えるという仏教の時代区分の考え方である。その末法の時代に入るのは一〇五二年（永承七）と考えられ、末法思想の広まりは来世に対する関心を大いに高めたのであった。比叡山の僧源信《げんしん》（九四二〜一〇一七）が『往生要集《おうじょうようしゅう》』を著わしたのもこの時期で、その後の浄土《じょうど》信仰の広がりに大きな影響を与えた。

そうしたなか寛弘《かんこう》四年（一〇〇七）、『四天王寺縁《してんのうじえん》起《ぎ》』（根本本《こんぽんぽん》。国宝、四天王寺所蔵。以下、『縁起』）【第二部コラム2参照】が金堂《こんどう》の六重小塔のなかから「発見」された。これは寺僧の都維那《ついな》十禅師慈運がみいだしたものである。『縁起』は聖徳太子自筆とされ、四天王寺が昔釈迦の説法した所であること、宝塔《ほうとう》・金堂が極楽《ごくらく》の東門の中心にあたること、太子の髪六本に仏舎利《ぶっしゃり》六粒を添えて塔心柱中に納めたことが述べられ、本尊類や諸堂宇《どうう》・寺領が書き上げられている。これらの由縁を通じて四天王寺はその存続が国家・王法の繁栄の基になると主張したのである。この『縁起』により四天王寺がわが国仏法の聖地であり、浄土信仰、太子信仰、舎利信仰の重要拠点であることが広く知られ、四天王寺の隆盛が導かれることになった。

二　浄土信仰と念仏

　四天王寺は上町台地《うえまちだいち》上に立地している。上町台地は現在の大阪城付近に向け南から高度を上げる舌状台地で、四天王寺の西側はもともと急峻な下り斜面を経て海へ続いていた。太陽が海へ沈む様子を目の当たりにできる環境は、西方にある極楽浄土への憧憬を高め、浄土を観想《かんそう》する日想観《じっそうかん》（『観無量寿経《かんむりょうじゅきょう》』）の絶好の地とみなされた【第二部コラム6参照】。『縁起』出現後、四天王寺は幅広い階層の参詣者を迎えるようになっていくが、とりわけ貴族たちはこぞって足を運んだ。京から大坂へは主に川船が利用され、現在の天神橋南詰西にあった渡辺津から上町台地西縁辺を通る浜路（松屋町筋）で四天王寺を目指したのである。

　四天王寺参詣の早い事例としては東三条院《ひがしさんじょういん》詮子《せんし(あきこ)》（一条《いちじょう》天皇母）があげられる。長保《ちょうほ》二年（一〇〇〇）三月のことであった。この時は左大臣藤《ふじ》原道長《わらのみちなが》を従え、石清水八幡宮《いわしみずはちまんぐう》、住吉社《すみよししゃ》を経て四天王寺に参り、落日の様子を西大門《さいだいもん》から拝した。

　治暦《じりゃく》年中（一〇六五～一〇六九）には僧永快《えいかい》が彼岸中に四天王寺に詣で、一心に唱えた念仏は百万遍に達した。そして弟子を集め持物を分配し、夜に阿弥陀仏を唱えながら西へ向かい、衆人が見守るなか海へ身を投じたのである（『拾遺往生伝《しゅういおうじょうでん》』）。また『発心集《ほっしんしゅう》』によれば、十二世紀初めの鳥羽法皇《とばほうおう》の頃、ある女房が娘に先立たれたため悲嘆して出家し、四天王寺を訪れて念仏を唱えたという。眼前には噂に聞く難波の海が広がっており、船で海へ乗り出すと沖には紫雲が立っている。紫雲が浄土を象徴する一方、難波の海は浄土への道しるべ、とでもいうべき意味合いで登場する。四天王寺と難波の海は現世と来世を結ぶ重要な存在として捉えられていた。目隠しをすることで浄土を観想し、西門を経て海（西方浄土）へと向かう道行がおこなわれたのである。

　長暦《ちょうりゃく》年中（一〇三七～一〇四〇）には安助《あんじょ》上人が河内国河内郡に往生院（東大阪市）を建立した。この地は四天王寺から約一三km離れているが四天王寺の真東にあたり、いわば極楽への東門を東に移動させた場所といえる。安助はここに四天王寺の日想観を移したという（『拾遺往生伝』）。往生院は生駒山地の斜面に立地したことから、落日は遮られることなく見る者を包み込んだ。四天王寺の浄土信仰は近在の地をも包摂するものだったのである。

　十二世紀に入ると西大門一帯は念仏信仰の道場としての性格を強めた。天仁《てんにん》元年（一一〇八）十月、出雲鰐淵寺《いずもがくえんじ》の僧永暹《えいせん》が西門で念仏を修したのち河内磯長《しなが》の太子廟で入滅した（『後拾遺往生伝《ごじゅういおうじょうでん》』）。また久安二年（一一四六）から六年まで毎年九月を中心に鳥羽法皇は四天王寺を参詣し、百万遍念仏を修めた。九月には念仏会《ねんぶつえ》が催されており、法皇が念仏導師を勤めることもあった。法皇は久安五年（一一四九）に念仏三昧院を創設している。

久安二年（一一四六）からは迎講《むかえこう》（来迎会《らいごうえ》）が実施された。迎講とは浄土から阿弥陀如来《あみだにょらい》が諸々の菩薩《ぼさつ》を率いて、現世に往生者を迎えに来る様子を再現した儀礼である。鳥羽法皇は西大門と鳥居の問で出雲聖人が執りおこなう迎講を見た（『台記《たいき》』）。迎講への結縁は浄土への思いをさらに募らせ、往生を確信する意味合いを持った。鳥羽法皇は迎講に接し感動のあまり涙を流したという。四天王寺の極楽浄土への入口という性格は、来迎という視覚的な演出をともなって彩られたのであった。

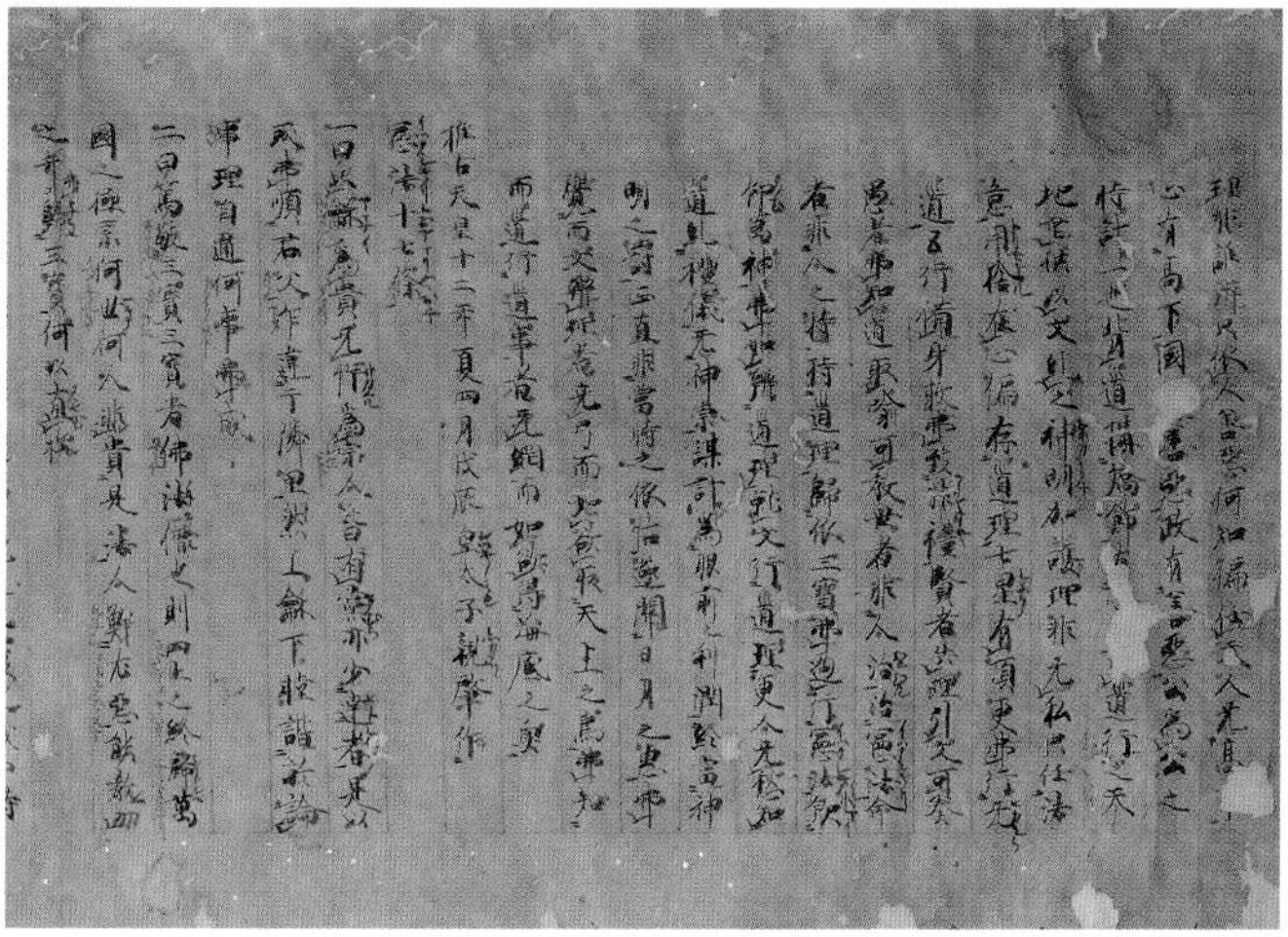

図7 紙本墨書『十七条憲法』（良是筆、四天王寺所蔵、重要文化財、鎌倉時代、嘉禎2年・1236、縦27.6cm、横160.0cm）

三　太子信仰

平安時代後期、四天王寺は太子建立寺院として広く認識されることになった。十二世紀前半成立の『今昔物語集《こんじゃくものがたりしゅう》』には次の一節がある。

　此ノ天王寺ハ必ズ人マイルベキ寺也。聖徳太子ノ正ク仏法ヲ伝ヘムガ為ニ此ノ国ニ生レ給テ、専ラ願ヲ発テ造リ給ヘル寺也、

仏法を伝えた太子が発願した寺院であるがゆえとのことで、鎌倉期以降に擡頭する法隆寺に先んじ、四天王寺は平安時代を通じて太子由縁の寺院という地歩を確実に固めていたのであった。

天皇・貴族層は太子を観音《かんのん》の化身とみなし、極楽浄土への引導者とみる場合や、太子を偉大な政治家として崇敬する場合があった。たとえば太政《だじょう》大臣《だいじん》に昇りつめた藤原道長（九六六〜一〇二七）は聖徳太子の生まれ変わりと評された人物だが（『大鏡《おおかがみ》』）、晩年、治安《じあん》三年（一〇二三）十月には四天王寺を訪れ太子を追慕した。藤原道長と頼通《よりみち》という摂関家《せっかんけ》絶頂期の二名から一文字ずつ受け継いだ藤原頼長《よりなが》も康治《こうじ》二年（一一四三）十月、父忠実《ただざね》夫妻とともに四天王寺参詣をおこなった。頼長は寺内諸堂を巡ったが、その際聖霊院とともに絵堂を訪れ、寺僧から太子絵伝の絵解きを受けた。そして自らが政治の実権を握ることがあれば十七条憲法（図7）に沿って務めたいと祈請したのであった（『台記』）。支配層にとって太子の存在と業績は自らの立場を安定させ、発展させるうえでの精神

的支えとなったのである。

四　舎利信仰

仏陀の遺骨である舎利の供養とは、それを礼拝することによって釈迦の復活を願うためにおこなわれる。そして『聖徳太子伝暦』に太子二歳で東へ向かって合掌し「南無仏」と称えたとき掌中から舎利が出たとあり、また「往生の願いと阿弥陀如来の出現の夢が虚妄でなければ舎利が現れる」（『後拾遺往生伝』）と考えられたことから、舎利信仰は太子信仰や浄土信仰と結びつき、往生が現世において保障されるという現世利益的な信仰の意味合いを深めたのである。

四天王寺は京から熊野詣《くまのもうで》・高野《こうや》参詣に赴く人々もしばしば立ち寄ったが【第二部コラム1参照】、その際の記録には舎利信仰の様子が頻出する。熊野詣について記した現存最古の記録である『大御記』によれば、永保《えいほ》元年（一〇八一）九月に藤原為房《ふじわらのためふさ》が四天王寺に参詣した。この時舎利三粒の出現があり、為房は諷誦文《ふじゅもん》を修したのち聖霊院に参拝している。また中御門宗忠《なかみかどむねただ》筆の『中右記《ちゅうゆうき》』には天仁二年（一一〇九）の熊野詣からの帰路、夢中に往路四天王寺参詣時の情景が現れ、そこでは宝蔵《ほうぞう》舎利を拝し、寺僧が取り出した珠玉二十粒のなかに舎利三粒が含まれていたという。舎利信仰は現世に苦しむ人々を救済する信仰として、のちに四天王寺近在の人々の間にも広がっていった（『天王寺金堂《てんのうじこんどう》舎利講記録《しゃりこうきろく》』）【第一部コラム5参照】。

五　寺の空間と景観

御願寺（別院）の創設や浄土信仰の高まりは四天王寺の空間・景観に変化をもたらすことになった。古代における四天王寺の範囲については、『縁起』に記されている東西八町（八六五ｍ）・南北六町（六五〇ｍ）が他の古代寺院と比較してあまりに広すぎることから、東・南・西大門の位置を最外廓とする九〇〇尺（約二六六ｍ）角の範囲（東南角は斜めに欠ける）が妥当と考えられている。この範囲には延暦二十二年（八〇三）勘録《かんろく》の『大同縁起《だいどう》』に書き上げられた二重屋根の金堂・五重塔・上宮太子聖霊檜皮葺大殿（聖霊院）・小塔殿・回廊《かいろう》のほか、講堂・僧房・食堂が存在し、中心伽藍を形成していたとみられる（以下、この範囲を寺中と呼ぶ）。

平安時代前期の景観をうかがわせる絵画に法隆寺旧蔵の『聖徳太子絵伝《しょうとくたいしえでん》』（東京国立博物館所蔵。図8）がある。摂津国大波郷《せっつのくにおおなみのごう》の住人秦致貞《はたのちてい》（『嘉元記《かげんき》』）の手による現存最古の『聖徳太子絵伝』で、延久元年（一〇六九）に制作された。四天王寺にあった太子絵伝をある程度参考にしたものと推測されており、南大門・西大門・築地塀と中門・塔・金堂・

講堂・僧房・回廊などが描かれている。祖本が八世紀にさかのぼる可能性があり、平安時代前期までの寺中景観を具体的にうかがわせる唯一の作品である。

平安時代後期の景観を知る大きな手がかりとなるのが各種の四天王寺参詣記事である。とくに文治三年（一一八七）八月に後白河法皇が参詣した際の様子を記す『玉葉《ぎょくよう》』は略図（図9）をともない、重要な記録となっている。略図では中心伽藍部分に南の中門・塔・金堂・西重門《さいじゅうもん》、その北側に不整形の大寺池（亀の池）・宝蔵・亀井が置かれている。なお本文中には寺中建物とみられる聖霊院・御影堂・絵堂・閼伽井《あかい》も登場する。

平安時代後期の動きとして特筆されるのが、浄土信仰の広がりにともない、寺中の西側、すなわち西大門から鳥居までの範囲が新たな信仰空間と

図8　綾本着色、法隆寺献納宝物障子絵内「聖徳太子絵伝」第5隻右（秦致貞筆、東京国立博物館所蔵、国宝、平安時代、延久元年・1069、縦185.2㎝、横134.7㎝。Image:TNM Image Archives）

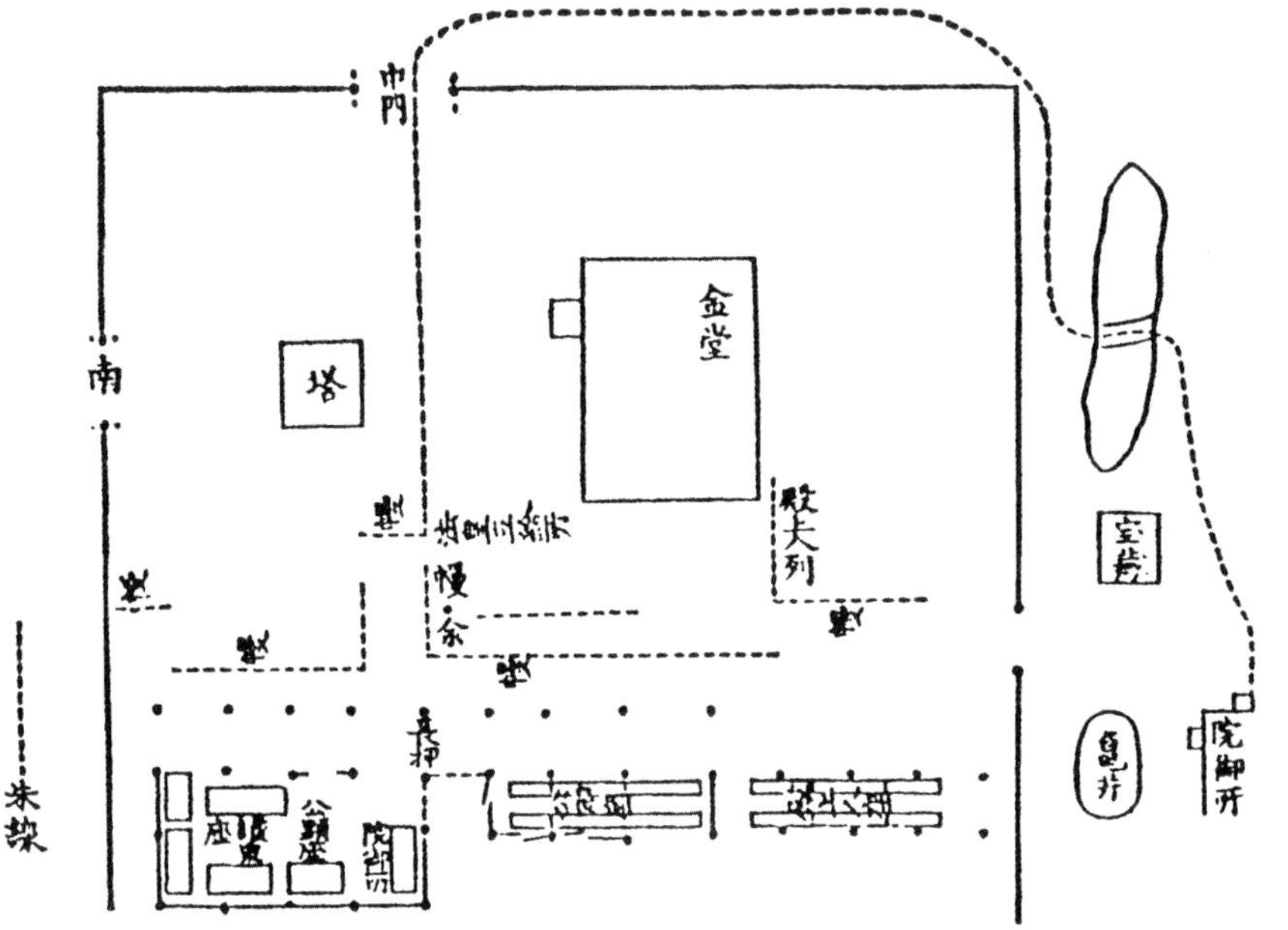

図9　四天王寺図（『国史参考 玉葉』より転載）

して誕生した事実である。この空間は前述の念仏信仰の場となったところで、迎講が執りおこなわれたのもここである。西大門の西側空間であることから「西門」とも呼ばれた。西大門近くには出雲聖人の「八幡念仏所」や「極楽堂」が置かれたほか、鳥羽法皇発願の念仏三昧院や後白河法皇による持仏堂なども当地にあった（『台記』）。これら念仏信仰諸堂の関係は明らかでないが、近世以降は短聲堂（北側）・引聲堂（南側）へと継承されており、念仏信仰の空間として後世まで存続した。なおこの「西門」は鎌倉時代の国宝『一遍上人絵《いっぺんしょうにんえ》伝《でん》』（『一遍聖絵』。清浄光寺《しょうじょうこうじ》所蔵）をみると、寺中とは区別された空間であることがわかる。寺中が築地塀囲みであるのに対し、「西門」は土塀・柵による空間となっているのである。この違いは当初からの寺域である寺中に対し、「西門」についてはあとから整備された経緯が示唆されている。

　なお平安時代後期には寺中の北側にも寺域が拡大したと考えられる。時代が下る十六世紀や近世の状況から推測すれば、薬師院については周囲を塀で囲まれ、寺中の北西に接するように存在した可能性がある。御願寺（別院）はその性格上一定の広さの独立空間を保持したとみてよく、その誕生は寺域の拡大を促すことになったと推測されるのである。

　こうして四天王寺は新たな信仰の展開を受け、寺域を拡大させることになった。その広さは東西三町（約三二七m）、南北四町（約四三六m）に達したと推定されている。

（大澤研一）

コラム【1】

『四天王寺縁起』と『大同縁起』

一　『四天王寺縁起』（根本本）とは

現在、四天王寺に遺る国宝の『四天王寺縁起《してんのうじえんぎ》』（根本本《こんぽんぼん》）（図1。以下『四天王寺縁起』とする）の成立や内容については江戸時代の狩谷棭斎《かりやえきさい》をはじめとして川岸宏教氏の詳細な研究、近年の榊原史子氏の著作など多くの論考がある。これら先学の研究に依りつつ、平安時代に編纂されたとされる『大同縁起《だいどうえんぎ》』との比較を通じて、その成立の意義を考えてみたい。『四天王寺縁起』は、その末尾に「乙卯歳正月八日　皇太子仏子勝鬘　是縁起文納置金堂内　濫不可披見　手跡狼也」とあって乙卯歳《きのとうのとし》、つまり推古天皇《すいこてんのう》三年（五九五）に勝鬘《しょうまん》と名乗った聖徳太子《しょうとくたいし》が自ら書写し金堂《こんどう》に納めたものでみだりに人には見せてはいけない、筆跡が乱れたものであるから、と書かれている。また、二十六箇の太子の手形が押されていることより「御手印縁起《ごしゅいんえんぎ》」とも、太子の本願《ほんがん》をるる述べることから「本願縁起」とも呼ばれる。四天王寺の創建年を、『日本書紀《にほんしょき》』に記すように推古天皇元年（五九三）とすれば、それより二年後に聖徳太子が縁起を書かれたということになる。しかし、多くの研究者には、この縁起の多数の写本に記されている「寛弘四年八月一日、此縁起文出現、郷都維那十禅師慈運金堂六重塔中求出之、一条院

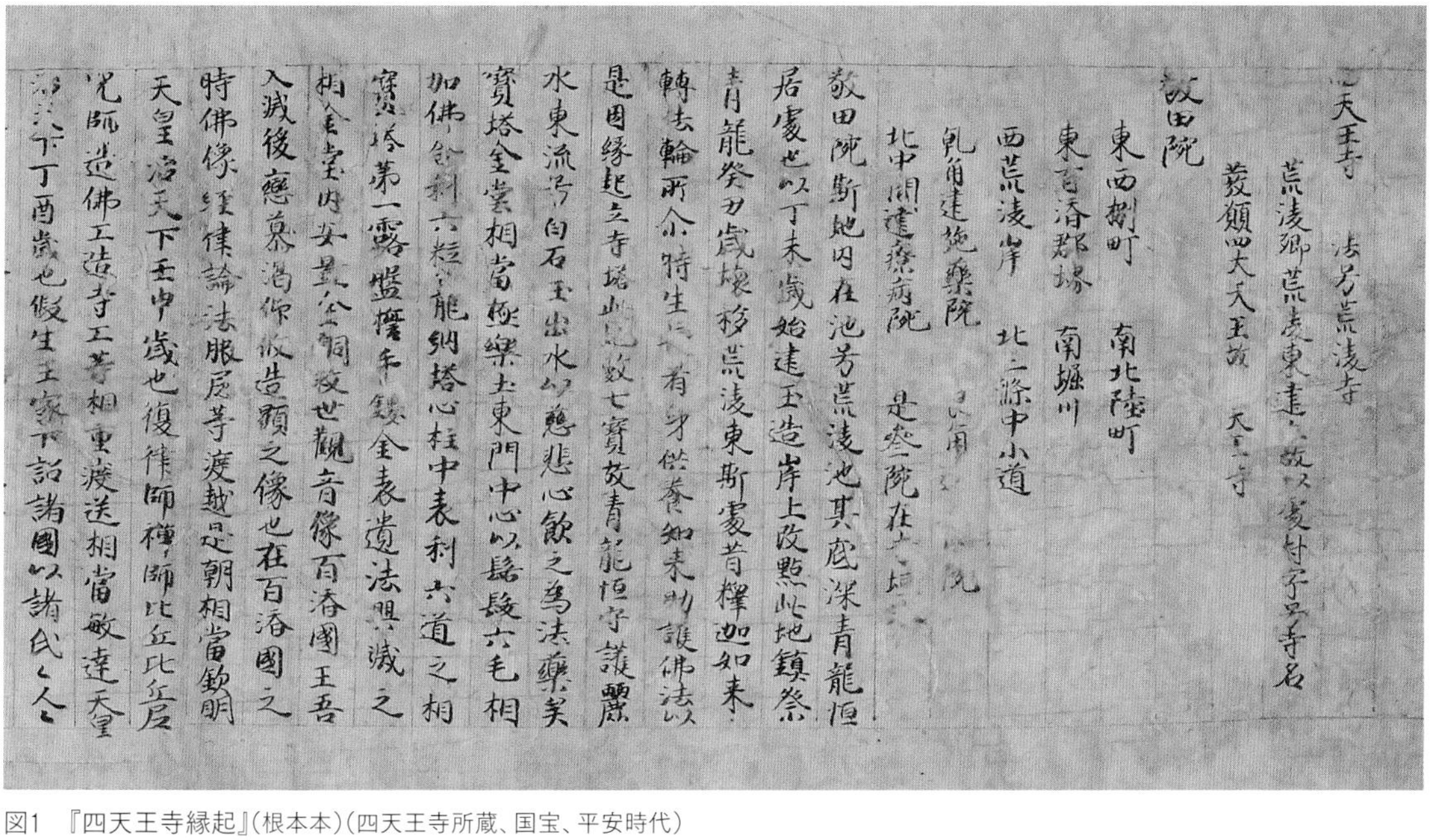

図1　『四天王寺縁起』（根本本）（四天王寺所蔵、国宝、平安時代）

懐仁御時円融院第一皇子長吏慶算定額之時」という奥書にあるとおり、寛弘《かんこう》四年（一〇〇七）か、あるいはその前後の時期に仮託、書写したものであろうと考えられている。

二　四天王寺の創建

四天王寺は先に示したように『日本書紀』では推古元年に創建されたとされるが、この創建年については、発掘調査の結果などからも疑問の多いところであるが、同じく『日本書紀』の推古三十一年（六二三）の条の新羅《しらぎ》からの朝貢品《ちょうこうひん》である舎利《しゃり》などが四天王寺に納められていることや、少し下って大化《たいか》四年（六四八）、阿倍大臣《あべのおおおみ》（内麻呂《うちまろ》）が塔内の仏像四軀を納め、霊鷲山像《りょうじゅせんぞう》を造らせたこと、あるいは発掘された古瓦などから七世紀前半には建立《こんりゅう》され、その後早い時期に何度か拡張あるいは修補されていたと考えられている。とくに先述した推古三十一年の記事においては新羅から献納された仏像が葛野秦寺《かどのでら》（のちの広隆寺《こうりゅうじ》）に納められていることから四天王寺には仏像が不要であったこと、つまり金堂が建立されていたことが推測できる。推古三十一年が、聖徳太子が亡くなられた翌年であることも注目される。このようにしてすでに難波《なにわ》の大寺であった四天王寺を『日本書紀』は聖徳太子の寺として、その創建説話とともに大きく扱うことになったのである。その後奈良時代を通じて寺封《じふ》の施入や墾田《こんでん》の寄進が行われ、寺院規模が大きく拡大した。

三　『大同縁起』

さて、奈良時代から平安時代初期にかけて、多くの寺院で国家に上申するための流記資財帳《るきしざいちょう》が制作された。四天王寺も例外ではない。それが、今日の縁起とは別の『大同縁起』と呼ばれる縁起である。これは、現存はしないが鎌倉時代、嘉禄《かろく》三年（一二二七）の奥書のある『天王寺《てんのうじ》秘決《ひけつ》』（『大日本仏教全書』では『太子伝古今目録抄《ここんもくろくしょう》』となっている）にはたびたび登場している。たとえば「大同縁起に云う」という形で、とくに建築や仏像に関する事柄について引用が多い。この『大同縁起』は延暦《えんりゃく》二十二年（八〇三）に「四天王寺三綱寺主」により編纂されたものとされ、九世紀初めには四天王寺の公的な流記資財帳ともいえる縁起が存在していたのである。この『大同縁起』と現存する『四天王寺縁起』ではどのような違いがあるのだろうか。それがこの縁起の成立の意味を知る一つの目安となるかもしれない。『大同縁起』と『四天王寺縁起』の大きな違いは、まず、『四天王寺縁起』には聖徳太子を祀る堂宇《どうう》や後代に建築された建物の記載がない。『四天王寺縁起』は聖徳太子の自筆で建立後二年としていることから太子の没後の建物については書かないのが当然である。『大同縁起』では「一、塔四天事」という項目に、「上宮太子聖霊、檜皮葺大殿一宇四間、法堂一宇八間、檜皮葺、細殿一宇八間、板敷、廻廊八十間」など太子を祀る聖霊院《しょうりょういん》の様子が詳しく書かれている。このなかで「法堂」とはおそらく拝殿《はいでん》、細殿とは絵堂《えどう》のことであろうと考えられる。九世紀には廻廊《かいろう》で囲まれた聖霊院が存在した。それから同じ箇所に「小塔殿一宇、轆轤作小塔二万基　官納」とあるが、これは『天王寺秘決』の最初の「一、天王寺別院事」に載る「万塔院」のことで、これは聖武天皇御願《しょうむてんのうごがん》とあるから聖徳太子の時代の建物ではないため『四天王寺縁起』には記載がない。また、同じ項目の「六時堂薬師仏波羅門僧正御持仏也」も六時堂《ろくじどう》は伝教大師最澄《でんぎょうだいしさいちょう》の建立であるから『四天王寺縁起』には記述していない。

四　五重塔のこと

では、五重塔《ごじゅうのとう》（宝塔《ほうとう》）や金堂についての記述はどうであろうか。まず、五重塔について、『四天王寺縁起』には「宝塔一基五重瓦葺／心柱中籠舎利髻毛／四大天王四躰」とあって、きわめて簡単に心柱《しんばしら》に舎利と太子髻毛が納められていること、四天王像四躯が安置されていることが記されている。一方『大同縁起』では「五重塔一基。内安置天宮一具。亀甲合子一合。其内有㆓金瓶㆒。安㆓置舎利一枚㆒。又瑠璃瓶一基。内安置舎利五枚。困長不㆑開。奉㆑担㆓波羅門六軀㆒。小四天四口。安倍大臣敬請者。大四天王四口。右奉㆓為越天皇㆒敬造請坐。御塔四角。（後略）」とこちらはかなり詳しく、また、多くの物が安置されていた。「天宮」はおそらく『日本書紀』にある大化四年（六四八）、阿倍大臣（内麻呂）が請坐した「霊鷲山像」であろうと思われ、法隆寺五重塔のような塑像《そぞう》による造形ではないかと考えられる。舎利は亀甲合子《きっこうごうす》の中の金瓶《きんぺい》に一枚、波羅門《ばらもん》六軀が担ぐ「瑠璃瓶」とはおそらくガラス製の器であろうかその中に五枚、計六枚納められていた。また、四天王像は二種類あって、阿倍大臣請坐の小四天《しょうしてん》、越天皇（皇極《こうぎょく》・斉明天皇《さいめいてんのう》）請坐の大四天《だいしてん》の二組八躯が納められていた。『大同縁起』にみる限り五重塔のなかでもっとも古い造形物は「天宮」あるいは二組の四天王像で大化四年かあるいは斉明天皇の在世期である七世紀中頃と考えられる。『四天王寺縁起』にこれらが記述されなかったのはいうまでもなく聖徳太子没後に五重塔に納められたものであったためである。

五　金堂と本尊

次に金堂を見てみよう。『四天王寺縁起』には「金堂一宇　二重瓦葺／金銅救世観音像壱躰／四大天王像四躰／金塗六重宝塔一基／金銅舎利塔形一基／納入舎利拾三粒　担波羅門六躰」とある。つまり、金堂には本尊である金銅の救世観音《くぜかんのん》、四天王四躯、六重金塔《ろくじゅうこんとう》、六人の波羅門が担ぐ金銅舎利塔《こんどうしゃりとう》（中に舎利が十三粒入る）が納められているとあり、これもかなりあっさりとしている。一方『大同縁起』での金堂は「二重金堂一基。阿弥陀三尊。右恵光法師従㆓大唐㆒請坐者。弥勒菩薩一軀。蓮華座。右近江朝廷御宇天皇御世請坐。案㆓本願縁起㆒云。救世観音菩薩像。従㆓百済国㆒渡請坐者。今案。此文注㆓前帳弥勒像㆒也。若誤歟。金泥銅千仏像。小塔一基。六重未㆓小破㆒。内有㆓白銅壺一合㆒。重十三両。壺内置㆓舎利㆒。金合一合。重一分。蓴軽。奉㆑安㆓置舎利弐枚㆒。大四天王像四王。

右聖徳法王本故(願カ)。小四天王四口。右上宮大后。鈍(純カ)金太子像一軀。高一寸九分。太子蘭一具。左物銀淤一枚置一分僧孝便等時淤失。延暦廿二年。三綱寺主云云。已上。」とあって、恵光請坐の阿弥陀三尊、近江朝天皇(天智《てんじ》天皇)請坐の弥勒菩薩《みろくぼさつ》、金泥銅の千仏像、舎利を納める六重小塔、聖徳太子本願の大四天王像、太子后本願の小四天王像、その手の上には純金の太子像、太子蘭一具など、平安時代初期の金堂には多くの仏像や仏具が納められていることがわかる。しかし、これらのうち、聖徳太子の時代のものと特定されるのは太子本願とされる大四天王像四口のみである。六重小塔については由来を示していないのであるいは太子存命中のものと考えてもよいかもしれない。ただ、『四天王寺縁起』の波羅門六軀が担ぐ舎利塔は『大同縁起』では五重塔にあったとされ、創建時には金堂にあったものが九世紀には五重塔に移されていたのか、天徳《てんとく》の火災(九六〇年のこと)で焼失したのち五重塔のものは復興しなかったのか不明である。最初に記される阿弥陀三尊《あみださんぞん》についてはその願主恵光は、『日本書紀』推古三十一年、新羅の使とともに来日した唐《とう》の学問僧恵光のことであろうが、その人の発願であったとしても太子の滅後ということになり『四天王寺縁起』には記載されなかった。しかし、川岸氏が述べられたように『大同縁起』の時代、九世紀初めには本尊であった可能性はある。

六　救世観音のこと

次に天智天皇発願の弥勒菩薩であるが、『四天王寺縁起』には当然記載されていない。ただ、『天王寺秘決』では『本願縁起』の救世観音像はこの弥勒像の誤りではないか、といい、法隆寺の『古今目録抄』では天王寺金堂観音座中に「弥勒」の銘があったとしている。この天智朝期の弥勒とされる菩薩像は他の同時期の弥勒像同様おそらく半跏思惟《はんかしい》の姿であったと考えられる。十一世紀の四天王寺の「救世観音像」について『別尊雑記《べっそんざっき》』(仁和寺所蔵、心覚《しんかく》編)には半跏思惟像として記載されている。ただ、その図像については「四天王寺救世観音像　聖如意輪云々/仍私加之」との記載があり「如意輪観音」とした時代もあったようである。「如意輪」という名称も唐代以降の経典に訳されたものであるので太子の時代には存在しない。では「救世観音」という名称はいつごろからなにゆえ用いられたのだろうか。救世観音という名称が初めて用いられたのは『聖徳太子伝暦《しょうとくたいしでんりゃく》』中の百済《くだら》僧日羅《にちら》が太子を敬礼《きょうらい》した時の言葉「敬礼救世観世音　東方伝灯粟散王」から命名されたと考えられている。『聖徳太子伝暦』成立の時期と『四天王寺縁起』の成立の時期の近いことや聖徳太子イコール救世観音という信仰の高まりから本尊の名称として用いたと考えていいだろう。ここにも四天王寺独特の太子信仰が認められる。『四天王寺縁起』には「四箇院制」、「釈迦如来転法輪処当極楽土東門中心」「白石玉出水」「未来記」など、おそらくその当時話題となりのちの信仰につながる重要なメッセージが語られているがここでは触れないでおく。

(南谷恵敬)

コラム【2】

四天王寺五重塔初層の祖師影壁画について

奈良時代後半から平安時代にかけて、四天王寺五重塔《ごじゅうのとう》に、太子を含む祖師像《そしぞう》が描かれていたことを知る人は少ない。日本で最初に太子絵伝《えでん》を制作していた四天王寺に、さほど時を置かずして太子の絵像が存在していたのであった。現存する最古の太子像は、彫刻では法隆寺絵殿《ほうりゅうじえどの》の円快作太子伝七歳坐像《えんかいさくたいしでんしちさいざぞう》（一〇六九年。重要文化財。以下「重文」）であり、絵画では一乗寺《いちじょうじ》本聖徳太子および天台高僧《てんだいこうそう》像十幅（十一世紀後半、国宝）のうちの太子孝養像十童子《きょうようぞうじゅうどうじ》像である。これらの作例を三百年近く遡る時期に、すでに聖徳太子像が描かれていたことは重要であると考える。

ここでは今はなき五重塔初層壁画を、史料の上から確認するとともに、そこに描かれていた太子像の姿を推定しつつ、太子像の歴史における意義についてまとめておきたい。

一　史料に記される五重塔壁影

創建時の五重塔には、四方四仏および大小二組の四天《してん》王《のう》像が安置されるとともに、心礎《しんそ》には舎利《しゃり》や太子の遺髪が納められていた。その初層壁面に「四壁大師等畫像」（『太子伝古今目録抄《たいしでんここんもくろくしょう》』＝一二二七年成立、所引の『大同縁起《だいどうえんぎ》』＝八〇三年勘録《かんろく》、に記される）が遅くとも平安初期には描かれており、少なくとも鎌倉時代までは当初の壁画が存在していたことが確かめられる。その壁影については、筆者もかつて拙稿［石川　一九九六］にて論じたことがあるが、最近山口哲史氏による論考「四天王寺五重塔壁画に関する基礎的考察」（西本昌弘編『日本古代の儀礼と神祇・仏教』所収、塙書房、二〇二〇年四月）が発表された。この壁画について記す史料は三種あり、『太子伝古今目録抄』に引かれる前述した『大同縁起』、そして十二世紀前半の『弥勒菩薩画像集《みろくぼさつがぞうしゅう》』（重文。仁和寺所蔵）に記す「八維壁絵」、そして正和《しょうわ》三年（一三一四）頃成立の『上宮太子拾遺記《じょうぐうたいししゅういき》』に記す「四天王寺宝塔三国大師等銘《ほうとうさんごくだいしとうめい》」（建久《けんきゅう》七年・一一九六年奥書）で、この三者は同じ内容の壁画を指すと考えられている。このうち壁影の詳細を明記するのが「四天王寺宝塔三国大師等銘」で、塔内の八方の壁面八面に計二十四名の祖師が描かれていた。すなわち八面とも三名ずつ、三尊《さんぞん》形式に近い形で配されていた。山口氏が作成した復元想定図がわかりやすいので、ここに転載させていただいた（図1）。ここに描かれた二十四名は、山口氏によれば①聖徳太子とその同時代人（六名）、②中国天台宗草創期の僧侶と関係者（十二名、「達摩《だるま》」を含む）、③行基《ぎょうき》とその弟子（三名）、④釈迦十大弟子のうち三名、の四種類に分類できるという。

こうした太子を含む天台系を中心とした祖師の選択は、かつて拙稿でも指摘したように、この「四天王寺宝塔三国大師等銘」から、延暦寺東塔法華堂大師等壁画賛《えんりゃくじとうとうほっけどうだいしとうへきがさん》（天慶《てんぎょう》九年・九四六年に大師等三十二名の賛文を作成したのは橘在列《たちばなのありつら》。

『大日本史料』一－八、天慶九年雑載条）を経て、兵庫・一乗寺本聖徳太子および天台高僧像十幅と、次第に天台色が強まっていった経緯を知ることができる。そして太子を含む天台系祖師像の伝統は、江戸時代に至るまで五重塔の「八祖画像」壁画として存続していたことが、『天王寺誌』第一巻「伽藍記」の記載からわかる。

二　四天王寺における太子像制作の歴史

四天王寺では奈良時代後半、法隆寺に先立って絵堂《えどう》が建立され、太子の生涯の重要な事績を描いた太子絵伝（障子絵《しょうじえ》）が制作され、絵伝のテキストとなる太子伝（敬明作『四天王寺障子伝』一巻、もしくは教明作『七代記』）が宝亀《ほうき》二年（七七一）に作成されていたことが、『太子伝古今目録抄』や『太子伝玉林抄《たいしでんぎょくりんしょう》』といった諸史料から知ることができる。これに対して太子単独の絵像・彫像は、現存遺品に恵まれず、また確実な史料からもその存在を確認することが困難である。たとえば『聖徳太子伝暦《しょうとくたいしでんりゃく》』では、太子の没後に蘇我馬子《そがのうまこ》が、太子像の前に跪く自らの絵（図2参照）を描かせたとあり、また『招提千歳伝記《しょうだいせんざいでんき》』では、天平勝宝《てんぴょうしょうほう》六年（七五四）四天王寺に参詣した鑑真《がんじん》が、「太子之像」に拝謁したと記している。しかし日本において、肖像（祖師像）が制作されたのは鑑真和上《がんじんわじょう》坐像が最初であるとされており、こうした史料をそのまま信頼することはできまい。ただし法隆寺においては、天平宝字《てんぴょうほうじ》五年（七六一）に成立した「法隆寺東院縁起資財帳《ほうりゅうじとういんえんぎしざいちょう》」に、「法王像《ほうおう》」を描いた勝鬘経《しょうまんぎょう》が東院に納められていたことが記され、この頃には何らかの太子像が成立していたと考えられる。これが勝鬘経の見返し絵であるのなら、法隆寺献納宝物《けんのうほうもつ》（東京国立博物館所蔵）中の鎌倉期の勝鬘経（重文。図3）の例からも、勝鬘経講讃《こうさん》像であった可能性が高い。

そうしたなかにあって、「四天王寺宝塔三国大師等銘」に記される「上宮聖徳法皇《じょうぐうしょうとくほうおう》」像は、四天王寺において確実に存在していた太子像の最初の作例として重要である。やはり「法皇」と記していることから、こちらも勝鬘経講讃像であった可能性もあるが、ここで注意を要するのが、太子が馬子と覚哿《かくか》とともに、おそらくは三尊形式で

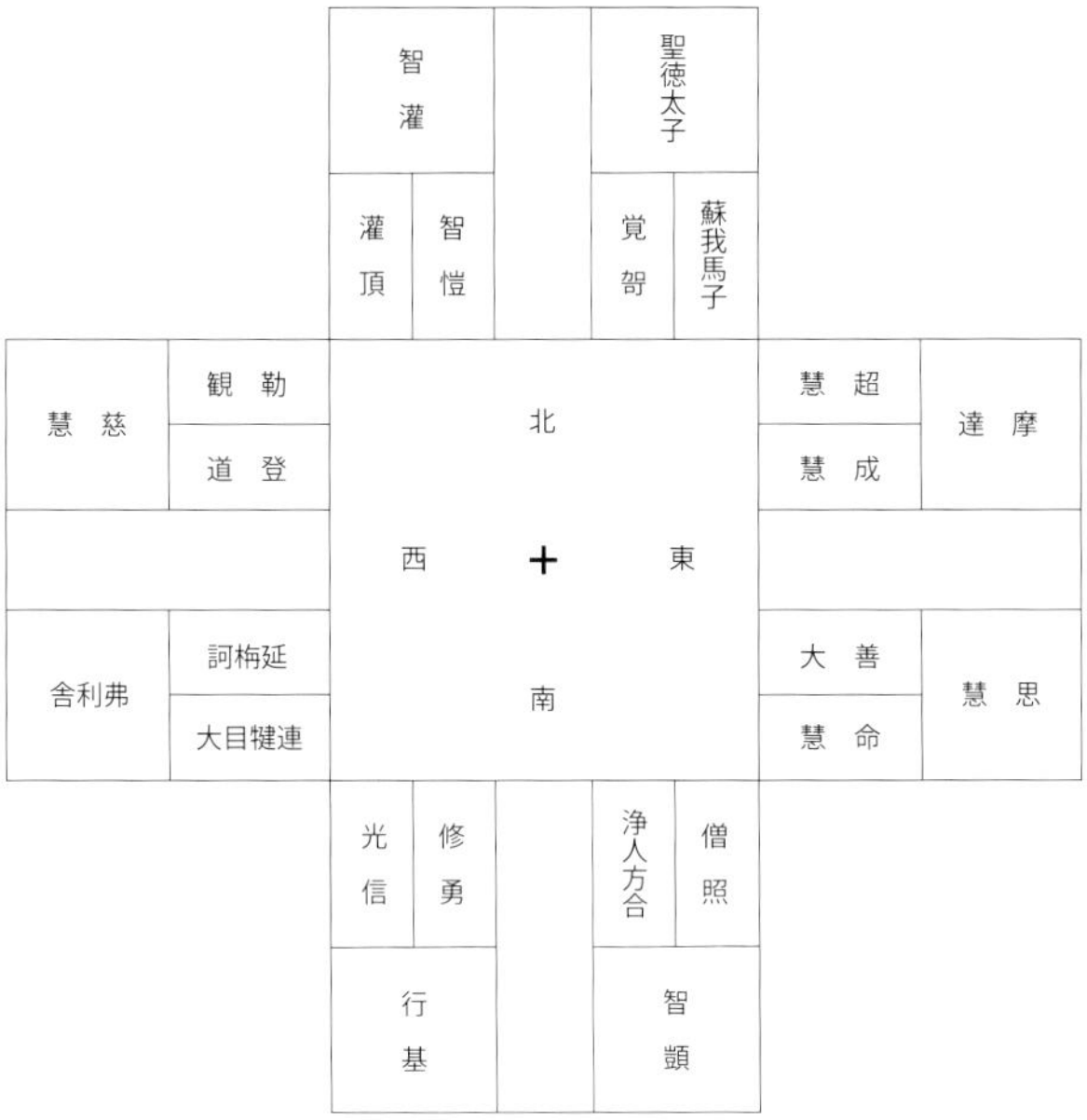

図1　四天王寺五重塔壁画復元想定図(山口哲史氏作成図から描き起こし)

描かれていたことである。次節で他の太子の尊容の可能性を考えてみたい。

ところで三尊形式の祖師像といえば、古代の絵画史ではむしろ一般的であった。唐代《とうだい》の閻立本《えんりっぽん》筆の「歴代帝王《れきだいていおう》図巻《ずかん》」はもとより、大陸の制に則り興福寺南円堂《こうふくじなんえんどう》の八祖師影、東寺灌頂堂《とうじかんじょうどう》の祖師影など、三尊形式で描かれた祖師像を辿ることができる。その後日本で制作された現存する三尊形式の祖師像としては、慈恩《じおん》大師や天台大師、慈恵《じえ》大師、性空上人《しょうくうしょうにん》、役行者《えんのぎょうじゃ》、泰澄《たいちょう》大師像など枚挙にいとまがない。四天王寺所蔵の真言八祖像（南北朝～室町時代、図4）も、こうした作例として位置付けられよう。

図2　聖徳太子絵伝 第8幅（部分。鎌倉～南北朝時代、鶴林寺所蔵、重要文化財）

図3　勝鬘経見返絵（縦30.3㎝、東京国立博物館蔵、重要文化財。Image : TNM Image Archives）

三　四天王寺壁影の太子像の像容

太子三十五歳のとき、推古《すいこ》天皇に勝鬘経を講讃した際の太子の姿は、絵伝のみならず独立した絵画作例として、鎌倉期以降の遺品多数を確認できる。そうした作例では、太子の聴衆《ちょうしゅう》複数が描かれることが多く、なかでも山背大兄王《やましろのおおえのおう》、恵慈、小野妹子《おののいもこ》、馬子、覚哿の五人を聴衆とする例が多い。一方真宗《しんしゅう》系の略絵伝や光明本尊《こうみょうほんぞん》に描かれる勝鬘経講讃像では、前記した五人に日羅《にちら》を加えた六人とするが、日羅は太子三十五歳のときには亡くなっており、太子が師事した人物として象徴的に描かれている。このほか、勝鬘経講讃像に描かれる随臣《ずいしん》の人数としては、前記した五人から山背大兄王を除いた四人を聴衆とした三重・西来寺《せいらいじ》本（鎌倉時代、重文）、西来寺本から恵慈を除いた三人を配した和歌山・福琳寺《ふくりんじ》本（鎌倉時代）、そして聴衆を馬子一人のみとした四天王寺本（鎌倉時代、【第三部コラム7図11】）があり、馬子と覚哿はのちの勝鬘経講讃像においても、重要な人物として描き継がれていったことが知られる。ただし馬子と覚哿のみを聴衆とする勝鬘経講讃像は現存せず、また勝鬘経講讃像において馬子と覚哿は「聴衆」であり、三尊形式の脇侍《きょうじ》像のごとき役割は果たしていないように思われる。すなわちこの壁影における太子の姿は、勝鬘経講讃像であった可能性も捨てきれないが、ほかの可能性も考えてみるべきかと思われる。なお、保安《ほうあん》二年（一一二一）に法隆寺聖霊院《しょうりょういん》に祀られた聖徳太子坐像・四侍者坐像（国宝）には、馬子も覚哿も含まれていない。

次に三尊形式の太子像として想起されるのが、「唐本御《とうほんみ》影《えい》」と通称される太子摂政《せっしょう》像および二王子像（宮内庁所蔵）である。奈良時代に遡る現存する最古の太子像として一般には認められているが、ここでの両脇侍像は太子の二人の王子と考えられている。また平安時代後期に造立《ぞうりゅう》された兵庫・鶴林寺《かくりんじ》の三尊像以降、童形のいわゆる孝養像に二王子が随侍する三尊像が絵画・彫刻とも多数みられるようになる。そうした三尊形式の童形の太子像のうち、脇侍を二王子、あるいは二童子ではなく、俗形の二随臣を併画した作例に注意したい。いずれも南北朝期の作になる大英博物館本［大阪市立美術館　一九九六　図版172］と静岡・個人蔵本［ＮＨＫ　二〇〇一　図版132］である。持物こそ違え、両本とも袈裟を着けた童形太子坐像の下方左右に、黒の袍衣《ほうい》と白袴《しろばかま》を着けた官人が背中をみせて坐す。この二随臣は、勝鬘経講讃像の例からすると妹子と馬子かと思われる。一方、室町中期頃の兵庫・香雪美術館本（図5）では、輦《れん》内で麈尾《しゅび》を執って坐す童形太子の下方左右に、俗形の二随臣を配すが、右方の人物の短冊に「□徳博士」と記され、これが覚哿である可能性が指摘される。するともう一方の人物が馬子であれば、四天王寺壁影の太子三尊と同じ組み合わせとなる。以上の点から、四天王寺壁影の太子が、袈裟《けさ》を着けた童子形であった可能性が出てくる。そうであれば、四天王寺壁影の太子三尊像が、一乗寺十幅本中の太子十童子像に連なっていくことが素直に理解できそうである。

（石川知彦）

図4　真言八祖像のうち弘法大師像（四天王寺所蔵、教興寺旧蔵。縦79.0cm、横78.0cm）

図5　聖徳太子童形像・二臣像（香雪美術館所蔵。縦84.3cm、横42.5cm）

コラム【3】

四天王寺の阿弥陀三尊像（重文）について

一 「国宝仏」の発見

昭和九年（一九三四）五月六日、四天王寺の西門《さいもん》外にあった念仏堂《ねんぶつどう》（引聲堂《いんぜいどう》、現廃絶）の厨子から、文部省（当時）の国宝鑑査官だった丸尾彰三郎氏によって三体の仏像（図1）が発見され、平安時代まで遡る阿弥陀三尊《あみださんぞん》として注目を集めた。新聞各紙でも報道され、「素晴しい弘仁仏《こうにんぶつ》」（朝日新聞大阪版、五月十日夕刊）、「秘仏に国宝の光」（毎日新聞大阪版、五月十四日朝刊）と世間を賑わせた。翌年には古社寺保存法下で国宝に、戦後の文化財保護法下ではあらためて重要文化財に指定され、四天王寺を代表する宝物として親しまれてきた。

しかし、如来像《にょらいぞう》の両手首、菩薩像《ぼさつぞう》の両肩から先が後世の修理を経ており、本来の尊名が明らかでないこと、寺内での来歴が知られないこともあり、いまだ謎に包まれた仏でもある。発見当時は、現在の形で来迎印《らいごういん》を示す如来像は阿弥陀、菩薩像は合掌する方を観音、両手を揃えて蓮台を捧げる方を勢至とみて、往生する者を迎えに来る、来迎形の阿弥陀三尊との評価もあった。一方、三体とも顔立ちや表現に違いがあること、如来像はカヤ製、菩薩像はヒノキ製とみられるなど、使用された木材の樹種が異なることから、本来は三体一組ではなく、後世に三尊として整えられたとの見方が強い。以下、研究史を追いながら、阿弥陀三尊の制作時期や原所在について考えてみたい。

二 制作時期と作者

まず如来像（図2）について、丸尾氏による発見以来、類品として必ず言及されてきたのは、奈良国立博物館の薬師如来坐像《やくしにょらいざぞう》（図3）である。京都東山の禅林寺鎮守《ぜんりんじちんじゅ》である若王子神社《にゃくおうじじんじゃ》に伝えられたが、明治四年（一八七一）に社外へ出るまでの来歴は知られない。四天王寺像とほぼ同じ大きさで、口を強く引き結んだ厳しい表情、なで肩の体格などがよく似ている。奈良博像は、木心が含まれる一材から台座の蓮肉部までを彫出し、四天王寺像は木心を避けて木取りし、脚部の前面材を足すという違いはあるが、ともに内刳《うちぐ》りを行わない本格的な一木造りの技法を示す。両者ともビャクダンの代用材と理解されていたカヤを用い、檀木《だんぼく》を表す彩色を施して、稀少材として珍重されたビャクダン製の仏像である檀像を模すようだ。奈良博像も本来の尊名は不明ながら、ともに薬師如来とみる研究者が多い。

四天王寺では、弘仁七年（八一六）に最澄《さいちょう》が訪れ、椎宮《しいみや》境内に薬師院を建立したと『天王寺誌《てんのうじし》』（宝永《ほうえい》四年・一七〇七頃、『四天王寺史料』所収）に伝えられ、藤岡穣氏はこの時に如来像が造られた可能性を提起された。あわせて、二体の菩薩像は『上宮太子拾遺記《じょうぐうたいししゅういき》』（鎌倉時代末頃、『聖徳太子伝叢書』所収）に記録のある、五重塔《ごじゅうのとう》の初層四面に安

図1　木造 阿弥陀三尊像（四天王寺所蔵、重文、平安時代）

図3　木造 薬師如来坐像（奈良国立博物館所蔵、国宝、平安時代）

図2　木造 阿弥陀如来坐像（四天王寺所蔵、重文、平安時代）

図5　木造 薬師如来坐像（奈良国立博物館所蔵、国宝、平安時代）

図4　木造 阿弥陀如来坐像（四天王寺所蔵、重文、平安時代）

図版出典
図1・2・4：四天王寺
図3・5：奈良国立博物館（撮影：佐々木香輔）

置された仏像群のうち、西方の阿弥陀三尊に付属する「舞児」に該当するかと推測された。「舞児」は、楽器を奏で舞い踊り、仏を讃嘆する奏楽菩薩や供養菩薩とみられ、四天王寺像の片足を跳ね上げる姿勢は、浄土図などに描かれる供養菩薩にふさわしい。五重塔は承和《じょうわ》三年（八三六）に被災しており、その再建時の安置仏との指摘に従いたい。

近年の議論で注目したいのは、奥健夫氏の見解である。京都・東寺《とうじ》に伝来した聖僧文殊坐像《しょうそうもんじゅざぞう》の研究において、その類品として奈良博像や四天王寺像、大阪・清泰寺《せいたいじ》の二菩薩坐像、米国・クリーブランド美術館の菩薩坐像を挙げ、これらが東寺講堂の立体曼荼羅《りったいまんだら》として知られる群像と同じ工房の作であることを指摘された。たとえば、脚部や背面に見られる衣の襞《ひだ》や、意匠化された特異な耳の彫り方（図4・5）といった細部の彫り癖から、台座《だいざ》の蓮肉《れんにく》から膝頭がはみ出る点（図2・3）、脚部の奥行が厚い点、組上げた足首の下に衣が巻き込まれる点まで、随所に共通性が認められる。さらに、正面から見た全身が三角形構図に収まる点を、密教図像を立体化する過程で強調されたものと捉え、近時は承和十一年（八四四）と推測されている講堂諸尊の開眼後に、奈良博像など（講堂以前の制作と考えられる聖僧文殊像を除く）が造られたとみる奥氏の見解に同意したい。従来、奈良博像と四天王寺像に制作時期の差を認める見方もあったが、奥氏も指摘される通り、特徴的な耳や衣文の彫り癖の近似は、同じ工房内での担当者の違いを示すと解釈すべきだろう。

三　東寺の造仏所で制作された可能性

官寺として創建された東寺は、空海《くうかい》が経営を任されてからも、引き続きその造営事業は官立の造東寺司《ぞうとうじし》および後身の造東寺所《ぞうとうじしょ》が担った。承和年間（八三四～八四八）の著名な仏像は、作風や技法がおおむね共通することから、寺院や宗派の別を問わず、公的な造仏には官営工房の仏師が動員されたとみられるが、東寺講堂諸尊など一連の仏像はこれらと作風が異なるため、東寺を拠点に活動する官営工房もあったという奥氏の指摘は重要である。

東寺所在の像を除き、関連作はすべて原所在を明らかにできないが、いずれも密教仏ではないため、東寺の仏師が他寺の造仏を行った可能性も否定できない。なかでも、奈良博像と四天王寺像は、その基本的な形姿が共通するのに加え、寸法の計測値がほぼ一致することに注目したい。ともに、仏像の高さを測る基準であった髪際高《はっさいこう》で約一尺四寸、立像で三尺となる大きさを目指したのであろう。これだけなら珍しくないが、細部の計測値を比べると（表）、プロポーションや体の厚みに至るまで一～二㎝程度の違いしかない。ところが、膝張（両膝間の幅）には意図的とみるべき差があり、四天王寺像が強く脚を組み、奈良博像がゆったりと脚を組むという印象の違いにつながる。背景には、工房内での担当者の個性に加え、注文主や安置場所が異なるといった事情を考えるべきではないか。

さらに興味深いのは、九世紀頃の四天王寺の状況である。戦前までは天台寺院として知られるが、初代別当《べっとう》は入唐八家《にっとうはっけ》に数えられる真言密教僧の円行《えんぎょう》（七九九〜八五二）である。竹内理三氏や川岸宏教氏によると、正確な任期は不明であるものの、諸書に承和年間（八三四〜八四八）の在任が伝えられるため、その頃に別当を務めたことは認められるという。当時の史料に乏しいものの、第七代別当の三明《さんみょう》（生没年不詳）も東寺出身とされる他、榊原史子氏は真言寺院である広隆寺《こうりゅうじ》との交流も指摘しており、十世紀の中頃に天台化されるまで、真言僧の出入りもあったようだ。空海の孫弟子にあたる円行の任期中に、講堂諸尊の造仏が一段落した東寺の工房で、四天王寺像の制作があわせて行われた可能性も検討に値しよう。

四　四天王寺内での来歴

なお、阿弥陀三尊像が記録で確認できるのは江戸時代以降である。一本崇之氏が指摘されたように、文政二年（一八一九）の『開帳霊宝目録《かいちょうれいほうもくろく》』（『四天王寺古文書』二所収）にある「踊躍観音三尊　鳥仏師作」は、この三尊とみられる。中尊は観音ではないが、菩薩像の珍しい姿勢に引きずられたものか。材質も記されないが、同目録の「閻浮《えんぶ》檀金《だんごん》弥陀之三像　両脇立／鳥仏師作」は現存しており、銅造の阿弥陀像と木造の観音・勢至菩薩像からなる三尊である。作者に鞍作止利《くらつくりのとり》の名が見えるのは聖徳太子のゆかりだろうが、木造の脇侍像を止利仏師作と判断しているなら、「踊躍観音三尊」は本三尊とみて問題ない。同じ会場で展観されたのは宝蔵の宝物が多く、当時すでに所属する堂がなかったのかもしれない。

ところで、元和の再興時に新造・修造された堂塔や什宝を列挙した『天王寺御建立改渡帳《てんのうじごこんりゅうあらためわたしちょう》』（元和《げんな》九年・一六二三、『四天王寺古文書』一所収）や、『四天王寺年中法事記《してんのうじねんちゅうほうじき》』（貞享《じょうきょう》二年・一六八五、『四天王寺史料』所収）、『天王寺誌』（前出）には、念仏堂（引聲堂）を含めて安置仏は大小を問わず網羅して記録されるが、それらしい像は見当たらない。ちなみに、『天王寺誌』「地理志」によると廃絶した末寺の仏像が寺内に移されることがあったようで、文政《ぶんせい》頃まで末寺にあった可能性もあろう。原所在はこれ以上追究できないが、新史料の発見を期待したい。（西木政統）

表　四天王寺像と奈良博像の寸法比較　単位:cm

	四天王寺像　*1	奈良博像　*2
像　高	50.5	50.5
髪際高	43.0 （一尺四寸二分）	41.7 （一尺三寸八分）
頂〜顎	18.0	18.5
面　長	10.0	8.7
面　幅	9.0	9.0
耳　張	12.0	13.0
面　奥	13.0	13.7
胸　奥(左)	14.5	14.6
胸　奥(右)	15.0	14.7
腹　奥	16.7	16.7
膝　奥	31.5	28.1
肘　張	33.0	31.4
膝　張	35.0	39.6
膝　高(左)	8.0	6.9
膝　高(右)	8.4	7.0
蓮肉高	11.5	5.6
蓮肉径	37.0	33.1

*1　2014年7月17日実査　*2　2014年12月9日実査

コラム【4】

山門・寺門と四天王寺

現在、四天王寺を訪れる多くの参拝客のほとんどは、この寺が天台宗《てんだいしゅう》寺院であったことをおそらく気にしたことはないだろう。聖徳太子のお寺というイメージが強く、宗派の感覚すらないかもしれない。しかしながら、千四百年以上の歴史のなかで、少なくとも千年以上は天台宗の影響下にあったのだから、最重要の歴史項目であることに間違いはない。

さて、四天王寺と天台宗を考えるうえで、避けては通れないのが、聖徳太子の「慧思後身《えしこうしん》説」であろう。これは、太子が、天台大師智顗《てんだいだいしちぎ》（図1）の師で、法華経に造詣が深い南岳大師慧思《なんがくだいしえし》（五一五〜五七七）の生まれ変わりである、というものである。淡海三船《おうみのみふね》の謡った詩中に「南岳留禅影　東州現応身」という表現がみえることから（『経国集《けいこくしゅう》』巻一〇）、奈良時代にはすでに流布していたことである。さらに、『唐大和上東征伝《とうだいわじょうとうせいでん》』には、「大和上答

図1　絹本着色　天台大師像（四天王寺所蔵、室町時代。縦92.7cm、横39.8cm）

えて曰く、昔聞く、南岳恵思禅師遷化の後、倭国王子に託生し、仏法を興隆し、衆生を済度す」とあり、日本に天台教学の多くを伝えた鑑真《がんじん》もこのことを知っており、苦難の日本渡航の理由にあげたというのである。もしそうであるならば、その鑑真の弟子の行表《ぎょうひょう》が伝教大師最澄《でんぎょうだいしさいちょう》の近江国分寺《おうみこくぶんじ》における師であることを思えば、当然、最澄も師からこの伝承を耳にしていたことだろう。となれば日本の天台宗にとって聖徳太子は、かなりゆかりの深い重要な人物ということになるだろう。実際、最澄も弘仁《こうにん》七年（八一六）に四天王寺を訪れ、寺内にあった聖徳太子廟《びょう》（聖霊院《しょうりょういん》。現在の磯長谷《しながだに》の太子廟はこの時まだ認識されていない）を参拝しており（『伝述一心戒文《でんじゅついっしんかいもん》』）、太子と天台宗との因縁を強く意識していたと想像されるのである。

そのようなか、天長《てんちょう》二年（八二五）には、四天王寺と法隆寺《ほうりゅうじ》に安居導師《あんごどうし》として延暦寺から僧が送られており（『太政官符《だじょうかんぷ》』天長二年二月八日付）、この頃から天台宗が積極的に四天王寺とかかわりを持つようになる。また、康保《こうほ》元年（九六四）には乗恵《じょうえ》が四天王寺別当となるが、彼は『僧綱補任《そうごうぶにん》』によれば「天台宗、延暦寺、左京人。永観二年月日入滅」とあるように明らかに延暦寺僧であり、これ以降、しばらくは延暦寺僧が四天王寺別当を独占した。まさにこの頃に四天王寺周辺で成立したと考えられるのが、聖徳太子の伝記『聖徳太子伝暦《しょうとくたいしでんりゃく》』である。これは天台宗が四天王寺の運営に本格的に参画し、さらに聖徳太子信仰を作り上げたことを意味し、四天王寺と聖徳太子を天台教学のなかに組み込んでいったのである。実際、南都《なんと》の六宗《ろくしゅう》に比べて新興宗教である天台宗にとって、わが国最古の古代寺院、四天王寺を傘下に収めて天台宗化し、聖徳太子との関係を強く謳うことは、その宗教的淵源《えんげん》を正当化することにもなった。さらに、寛弘《かんこう》四年（一〇〇七）八月、『四天王寺御手印縁起《してんのうじごしゅいんえんぎ》』（『四天王寺縁起』〈根本本〉）が発見され、ますます太子信仰が興隆をみるようになったが、これも天台宗側による仕掛けと考えられている。また、この十世紀中頃には、園城寺《おんじょうじ》僧の千観《せんかん》（九一八〜九八四）が箕面山《みのおざん》や金龍寺《こんりゅうじ》（廃寺。現、大阪府高槻市）といった北摂《ほくせつ》の山寺で浄土教《じょうどきょう》の修行のために籠り、「日想《じっそう》観《かん》」を行っていたという。四天王寺で今も行われる日想観に強い影響を及ぼしたと考えられるものである。

一方、四天王寺の本寺であるその比叡山延暦寺《ひえいざんえんりゃくじ》は、かねてから良源《りょうげん》派（円仁《えんにん》派、山門《さんもん》派）と円珍《えんちん》派（寺門《じもん》派）の派閥争いが過激化しており、ついに正暦《しょうりゃく》四年（九九三）に分裂し、円珍派は園城寺を拠点にするようになった。寺門にしてみれば、良源によって延暦寺の権力を把握されるまでは、円珍門下がその中心であったという思いは強い。ゆえに延暦寺よりも優位になるもろもろの活動を行っており、古代の名刹《めいさつ》の別当就任、末寺化（崇福寺《すうふくじ》、梵釈《ぼんしゃく》寺《じ》、広隆寺《こうりゅうじ》、清凉寺《せいりょうじ》、善光寺《ぜんこうじ》などは著名）もその一つとしてあげられる。そもそも園城寺自身も天智天皇《てんじてんのう》の近江大《おうみおお》津宮《つのみや》関連の白鳳《はくほう》寺院であり、実際に延暦寺よりも古い寺院なのであるが、しきりに延暦寺よりも古く由緒があることをアピールしていくようになる。

その両門が鎬《しのぎ》を削るなか、寺門は山門との区別化のために、教義を「顕教《けんきょう》、密教《みっきょう》、修験《しゅげん》の三事」と称し、修験道を重要視し始めた。天台宗では最澄が始めた十二年籠山行《ろうざんぎょう》が重要な修行であり、山内《さんない》を闊歩する回峰行《かいほうぎょう》も行われた。が、比叡山を出た寺門としては籠山行や回峰行を比叡山内ではできず、他の霊山に行場《ぎょうば》を求めることになった。そこで重要視されたのが熊野《くまの》や葛城《かつらぎ》、大峰《おおみね》であった。この修験道と密教による験力《げんりき》をもとに修法《しゅほう》を得意とした寺門僧は、効き目がおおいに期待できる僧として天皇家や摂関《せっかん》家に人気を博すようになる。たとえば、藤《ふじ》原道長《わらのみちなが》が修験者として帰依《きえ》していた寺門僧に観修《かんしゅう》がいるが、寛仁《かんにん》四年（一〇二〇）に園城寺僧として初めて四天王寺別当に就いた定基《じょうぎ》はその弟子であった。つまり、著名な古代寺院である四天王寺も多分に漏れず、山門・寺門抗争の波にのまれその権益の一つとして別当職も争奪の対象に含まれた。この定基の別当職就任以後、数百年もの間争奪戦を繰り返すことになり、四天王寺別当職の歴史は、山門・寺門の代理戦争の歴史といっても過言ではない。

さて、白河院《しらかわいん》の護持僧《ごじそう》であった園城寺長吏増誉《ちょうりぞうよ》は、四天王寺別当を二十三年も務めた。この増誉は、白河院の熊野三山参詣《さんざんさんけい》の先達《せんだつ》をつとめ、のちに修験道の本山となる聖護院《しょうごいん》を創建したことで著名である。それを継いだ園城寺長吏行尊《ぎょうそん》は、大治《だいじ》二年（一一二七）に白河院、鳥羽《とば》院、待賢門院《たいけんもんいん》の熊野参詣の先達をつとめるが、その途中に四天王寺に立ち寄り金堂《こんどう》の舎利《しゃり》を拝見している。これ以降、院の熊野参詣のたびに四天王寺に立ち寄るようになり、とくに鳥羽院は十回以上の御幸《ごこう》で知られる。天皇の護持僧である増誉と行尊が四天王寺別当に就任することによって、四天王寺は熊野参詣の重要な要素として、皇族、貴族が厚く参詣する場所となる。そしてそれが同時に、聖徳太子信仰の鼓舞につながったのである。

そして、『四天王寺別当次第《してんのうじべっとうしだい》』行尊の条によれば、元永《げんえい》元年（一一一八）「権別当兼惣目代善光寺別当聖厳」とあり、この時の四天王寺権別当《ごんべっとう》は長野の善光寺別当聖厳が務めているのは興味深い。この善光寺は、三国伝来の阿《あ》弥陀如来《みだにょらい》及び両脇侍《りょうわきじ》像を本尊とする古代の霊場としてよく知られる。実はこの善光寺についても、平安時代から室町時代後期頃まで園城寺の末寺となっており、前述の古代寺院と同じ文脈で読むことができる。この別当聖厳はおそらく行尊に親しい園城寺僧で、行尊のもとで四天王寺と善光寺の管理運営を行っていたのであろう。

また、この行尊といえば、『寺門高僧記《じもんこうそうき》』の「観音霊所三十三所巡礼記」により、西国札所巡礼《さいごくふだしょじゅんれい》と深くかかわりを持つ僧としても著名である。霊場を斗藪《とそう》して廻る西国巡礼は、寺門僧の修験の一部として重要であった。同じく『寺門高僧記』に「観音霊所三十三所巡礼記」を残す園城寺長吏覚忠《かくちゅう》も、善光寺を訪れて善光寺如来の図像を書写しており（『覚禅抄《かくぜんしょう》』）、寺門僧の斗藪の地として善光寺があったらしい。現在、その西国巡礼の番外札所としてこの四天王寺と善光寺が含まれ（平安時代までは遡らないだろうが）、西国巡礼の札所とこの二寺との関係は、園城寺の関連寺院としてある程度意識されていたことだろう。そしてついには「善光寺は極楽浄土の西門、四天王寺は東門」と浄土思想の面でも両寺の関連がいわれるようになり、新たな価値づけがされるようになるのである。

このように古代の著名な霊場であった四天王寺は、まずは天台宗によって対南都六宗との文脈で、聖徳太子信仰の復興という面で復活する。さらに延暦寺分裂後は、対山門の方策として園城寺の論理によって霊場斗藪と浄土信仰の面で再構築されていく。これは、権門《けんもん》寺院の権力に翻弄された悲哀のようにもみえる。一方、多くが没落した古代寺院なかで、これらを利用してうまく時流に乗り、生まれ変わることができたのだから、お互いの思惑が一致した、まさしく古代からの再生の成功例と考えることができるだろう。

つまり、今我々が四天王寺の伽藍をみることができるのは、山門・寺門との関係の歴史なしでは考えられないことなのである。

（寺島典人）

図2　四天王寺 五智光院

コラム【5】

四天王寺の聖教

はじめに

ここでは、四天王寺に所蔵される聖教《しょうぎょう》について紹介したい。聖教とは、僧侶が修学・仏教活動を行うなかで著述・書写・収集等によって蓄積された書籍類のことをいう。まずは経典や古文書の類が想起されるが、そういった書籍の内容に着目するだけではなく、書籍に記された書写の経緯（奥書《おくがき》）や述懐・コメント（識語《しきご》）、訓点《くんてん》等を見ることからも様々な歴史的事実やその聖教の価値を知ることができる。

たとえば、四天王寺には十一面観音《じゅういちめんかんのん》の神呪の威力と功徳を説く『十一面神呪心経《じゅういちめんしんじゅしんぎょう》』の奈良時代写本が伝わるが（図1）、その識語には「大御輪寺経蔵／永正一乱不失／秀算記之」とあり、この識語から、本経が永正《えいしょう》年間（一五〇四～一五二一）頃には大御輪寺《だいごりんじ》の経蔵《きょうぞう》に納められていたことが確認できる。この大御輪寺とは、奈良県桜井市にあった寺院（現、大直禰子神社《おおただねこじんじゃ》）で、仏像ファンなら誰もが知る奈良時代制作の国宝・聖林寺《しょうりんじ》十一面観音像が本来安置されていた寺院である。本経は十一面観音の依拠資料であり、その伝来や書写年代の古さ、付けられた訓点の実態等を考え合わせた時、当初から尊重すべきものとして認識され、中世にはこの聖林寺十一面観音と一具のように安置されていた可能性も考えられることから、本経の価値を改めて知ることができる。

こういった視点からも四天王寺の聖教について紹介したい。

一　四天王寺を物語る聖教

四天王寺は日本仏法最初の官寺《かんじ》として推古天皇《すいこてんのう》元年（五九三）に建立されたとされる。その長い歴史上、僧侶や信仰する人々の営みと研鑽の積み重ねのなかで聖教も数多く存したものと思われる。しかし、度重なる災害や

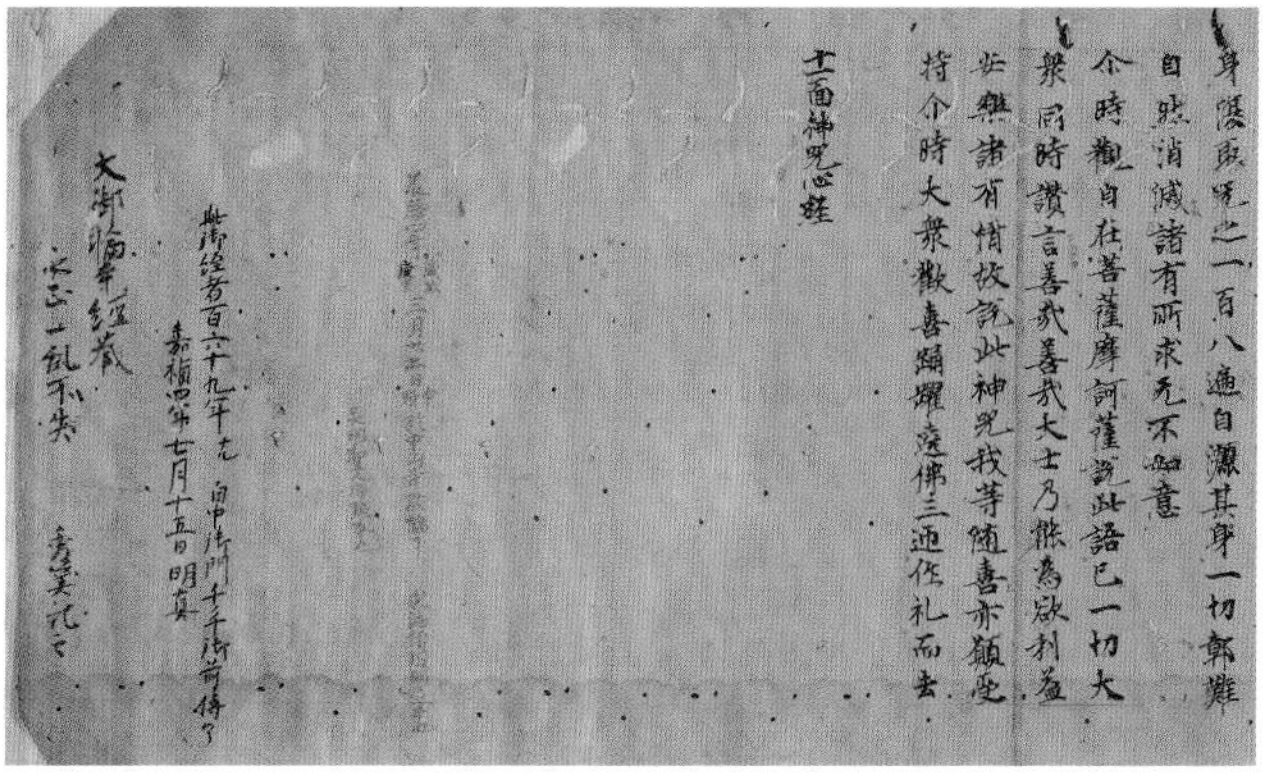

図1　『十一面神呪心経』（四天王寺所蔵、奈良時代。縦 25.8㎝、横484.1㎝）

戦禍等によって、とくに、昭和二十年（一九四五）の大阪大空襲によって伽藍《がらん》北の一部の建物を除く境内のほぼ全域が灰燼に帰し、聖教も特別に管理されていたものを除いてはその多くが消失の憂き目に遭っている。そのため、現在に至る復興のなかで現存する聖教の伝来自体も当初からでないものの多いのが実情である。

そういったなかにあって、『四天王寺縁起《してんのうじえんぎ》』と「夢来経《むらいきょう》」は、四天王寺伝来聖教として別格のものであり、そういった危難を潜り抜けて現在に至っている。僧侶達の継承への並々ならぬ想いが伝わる聖教でもある。

『四天王寺縁起』は四天王寺の歴史や由来を記すもので、聖徳太子信仰の拠点であることや、四天王寺の西門《さいもん》が西《さい》方極楽浄土《ほうごくらくじょうど》の東門（入口）として海に沈む夕陽を拝する聖地であることなど、その信仰の称揚にも大きな役割を果たしている。その写本には聖徳太子自筆として寛弘《かんこう》四年（一〇〇七）に金堂《こんどう》内で発見されたと伝わる原本「根本本《こんぽんぼん》」【第二部コラム1図1参照】や後醍醐《ごだいご》天皇自らが書写並びに巻末に手印を捺した「後醍醐天皇宸翰本《しんかんぼん》」が伝わる。

また、「夢来経」【第一部コラム6図8参照】とは、聖徳太子が前世で中国・南岳大師慧思《なんがくだいしえし》（五一五～五七七）であった時に所持していた細字法華経《さいじほけきょう》で、太子が今世で日本から中国に魂を飛ばして持ち来たり、太子薨去の後に消失したとされる経典である。これが、建保《けんぽ》二年（一二一四）に四天王寺の勘校《かんこう》（寺宝点検）の際に発見され、伝承にある「夢来経」の八つの特徴に叶うことから、真正の経典とされ、「太子伝来七種《たいしでんらいななしゅ》の宝物《ほうもつ》」の一つとして格別の什宝《じゅうほう》と見なされることとなった。そして、その発見は衝撃的な出来事として諸種の資料で大きな興奮とともに記載されている。本経は実際には十一世紀の書写であるが、「夢来経」として仮託する意図があったとは考え難いことから、純粋な信仰と太子の伝承とが本経と一体化して、現在にまで伝わったものと考えられる。

これら二書は広く世に知られているが、四天王寺所縁の聖教は多く、たとえば、次の『密教儀軌《みっきょうぎき》　遍智院《へんちいん》』（図2）の奥書のごとく、四天王寺僧の活動をうかがわせる聖教も確認できる。

以遍智院僧正自筆本書写伝受畢／思融云々

正安三年十一月三日於天王寺勝鬘院／以御本書写畢

右の勝鬘院《しょうまんいん》は聖徳太子が勝鬘経を講じたと伝わる四天王寺施薬院《せやくいん》の跡に創建された中世戒律《かいりつ》の拠点的寺院の一つ

図2　『密教儀軌』（四天王寺所蔵、正安3年・1301。縦29.9cm、横1489.6cm）

で、真言密教《しんごんみっきょう》と戒律との両面を有し、現在の愛染堂勝鬘《あいぜんどうしょうまん》院《いん》に当たる。その初代が思融とされ、彼の活動を伝える。

また、平安時代の四天王寺金堂には、現在は戦火で焼失した半跏思惟《はんかしゆい》の救世《くぜ》観音像や四天王《してんのう》像があり、それが真言僧心覚《しんがく》（一一一六〜一一八〇）編纂の五十七巻からなる密教図像集『別尊雑記《べっそんざつき》』に画像として記載され、当時の姿が偲ばれる【第一部コラム4図1参照】。その当該巻である巻第十八の元亨《げんこう》元年（一三二一）写本と前年書写の巻四十七が四天王寺に伝わる。

このような聖教の存在は、他の文化財とは異なる独自の視点から四天王寺の歴史や文化を浮かび上がらせてくれる。

二　天台系の聖教

四天王寺は、天台座主《てんだいざす》であった慈円《じえん》（一一五五〜一二二五）が別当《べっとう》であったことからもうかがわれるように、当時は天台宗に属し【第二部コラム4参照】、その聖教のなかには、天台系のものが多く存したものと思われ、実際に注目すべき聖教が存する。とくに、慈円が天台宗山門派三門跡《さんもんはさんもんぜき》の一つである青蓮院《しょうれんいん》の第三代門主《もんしゅ》であったこと、また、青蓮院門主は天台密教・三昧流《さんまいりゅう》を継承して修法《しゅほう》を行っており、それを所縁として青蓮院や三昧流の聖教類が蔵されている。

そのなかでも、大正・昭和期に古文献の蒐集・研究に活躍した猪熊信男氏の蔵書である恩頼堂《おんらいどう》文庫旧蔵の『胎《たい》蔵《ぞう》儀軌』（図3）は重要である。

本書は、表紙として十二世紀頃の藍染の唐紙《からかみ》に葦と鳥が描かれた蠟箋《ろうせん》紙が用いられており、書誌学的にも注目できるとともに、その美麗な表紙や装訂が本書の重要性を物語る（図3－1）。その素性は、天台密教の大成者である谷阿闍梨《たにのあじゃり》皇慶《こうげい》（九七七〜一〇四九）が訓点を付けた本に三昧流の祖である良祐《りょうゆう》（一〇七四〜一一一六存）が移点《いてん》（他本から訓点を写すこと）した本を、さらに、慈円の灌頂《かんじょう》の師である全玄《ぜんげん》（一一一三〜一一九二）が書写移点した本で、青蓮院、三昧流の嫡流の聖教といえる。

その奥書（図3－2）によれば、皇慶が入宋《にっそう》のために太宰府に赴いた三年後の長保《ちょうほ》五年（一〇〇三）に太宰府の東、大山寺で正観入道（または止観入道）より受学したことが知られる。この鎮西《ちんぜい》・太宰府周辺での皇慶の修行に

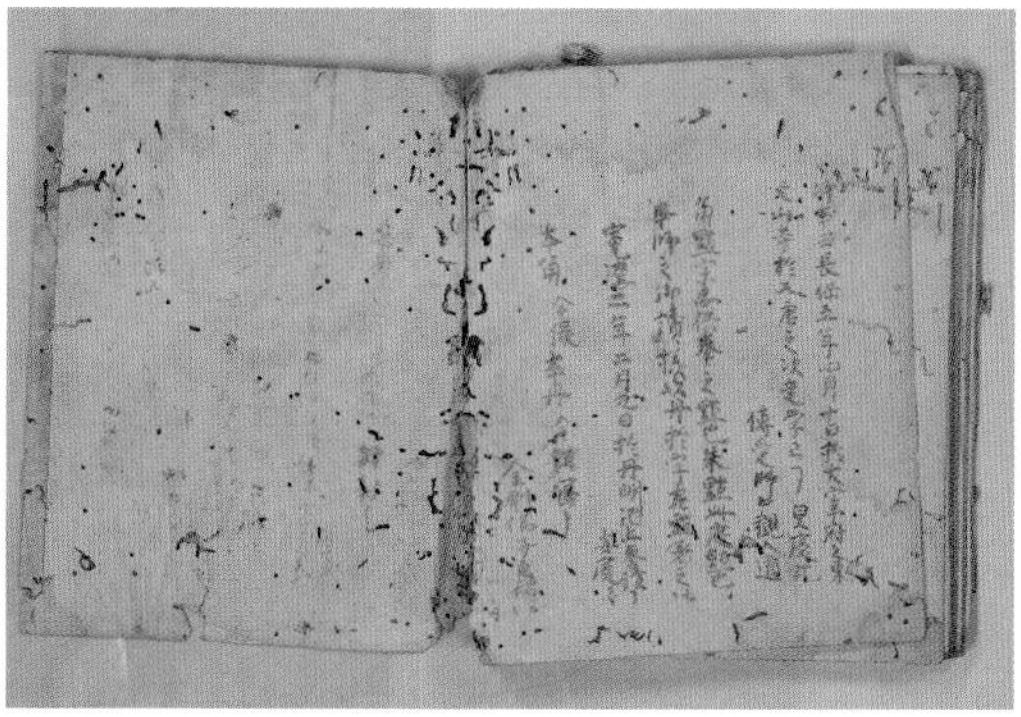
図3－2

図3－1

図3　『胎蔵儀軌』表紙・奥書（全玄筆、四天王寺所蔵、平安時代。縦19.5cm、横15.8cm）

ついては、従来知られる伝記資料等からは詳細が明らかでなく、皇慶自身が鎮西での修行の実態を伝えた具体的資料として貴重である。

　右のような天台密教の営みをうかがわせる聖教はその他にも見出される。そして、これらと合わせて、天台系以外の諸宗派にわたる聖教にも焦点を当てることが今後の課題となる。

おわりに

　四天王寺の聖教を紹介すれば、その他にも篤い信仰に基づく聖徳太子関係資料（図4）など、枚挙にいとまがない。古筆切《こひつぎれ》（古写本等の一部を切断し鑑賞用としたもの）を取り上げても、平安時代前期写本である現存最古の『日本《にほん》書紀《しょき》』を始めとして、聖武《しょうむ》天皇筆と称される古筆切第一等の「大聖武《おおじょうむ》」（賢愚経《けんぐきょう》）、慈円や貴顕の和歌・消息等、また、平安時代の美麗な装飾経の代表とされる奥州《おうしゅう》藤原氏の中尊寺経《ちゅうそんじきょう》や神護寺経《じんごじきょう》、「プラチナ経」と称される紺紙に照り輝く銀字の二月堂焼経《にがつどうやけぎょう》（奈良時代書写）、経典の文字を仏と見なして黄土で描かれた宝塔内部に一字ずつ金泥で書写した院政期書写の一字宝塔経《いちじほうとうきょう》等々の存在も見逃せない。

　さらに、漢文訓読の実態を示した訓点資料にも見るべきものは多く、平安時代前期に訓点の付けられた資料を始めとして、古代の表記や言葉遣いなど、当時の日本語がどのようなものであったかをうかがわせる国語学的に貴重な情報も提供される。

　そして、ここまでは中世以前の聖教を紹介してきたが、時代の降る聖教に目を向けても、江戸時代前期の仮名草子作家として著名な浅井了意《あさいりょうい》が道教の注釈書として記した自筆本『太上感応篇《たいじょうかんのうへん》説定《せつじょう》』がある。国文学的な視点や江戸時代における道教理解の問題としても注目できる。

　このように見てきても、四天王寺が、各時代にわたる広範な、また、質の高い聖教を蔵していることがうかがわれる。

　以上、紙幅の都合もあり、四天王寺に所蔵される聖教の若干を紹介するに留まったが、今後の調査・研究の進展に期しながら、今は筆をおくこととしたい。

（宇都宮啓吾）

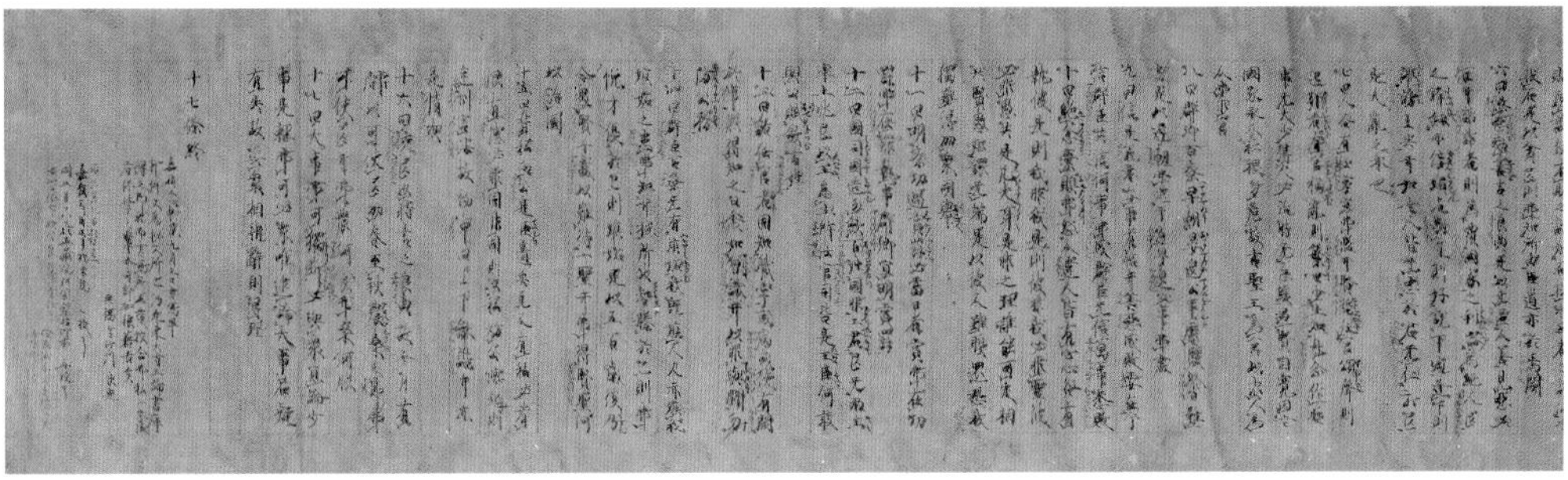

図4　『十七条憲法』（良是筆、四天王寺所蔵、重要文化財、嘉禎2年・1236。縦26.7cm、横153.8cm）

コラム【6】

四天王寺の日想観

一　彼岸中日

お彼岸の中日《ちゅうにち》、春分・秋分の日は、昼と夜の長さが同じになる、太陽が真東から出て真西に沈む、そういう日である。この日は仏教徒にとっては非常に大切な日となっている。なぜかというと、太陽の沈む「真西」十万億土《じゅうまんおくど》の地に阿弥陀如来《あみだにょらい》のおられる極楽浄土《ごくらくじょうど》がある、とされるからである。この極楽浄土では阿弥陀如来が常時説法され、その声を聴いて誰もが安楽に生活している。その地面は金銀や宝石で造られ、素晴らしく美しい花や木が生え、立派な楼閣がたくさん建っている。そして、その木々の葉の擦れる音も美しい鳥たちのさえずりもすべて仏の説法になる、というのである（図1）。そのような素晴らしい浄土に誰もが生まれたいと願う。では、どのようにしたらその極楽という素晴らしい世界に行けるのか。その方法が『観無量寿経《かんむりょうじゅきょう》』（略して『観経《かんぎょう》』）という経典に説かれている。

二　観無量寿経の日想観

『観経』は、五世紀ごろ、中国劉宋《りゅうそう》の畺良耶舎《きょうりょうやしゃ》が漢訳したとされる経典で、インド・マガダ国の阿闍世王《あじゃせおう》の悲劇と極楽往生のための観想法《かんそうほう》を説いたものである。阿闍世王の物語というのは、マガダ国の太子阿闍世が、提婆達多《だいばだった》にそそのかされ父の頻婆沙羅王《びんばしゃらおう》を幽閉、餓死させようとした《王舎城《おうしゃじょう》の悲劇》と呼ばれるもので、さらに、わが子の非道を嘆き、救いを求めた韋提希夫人《いだいけぶにん》の思いを釈迦《しゃか》は神通力で捉え、極楽浄土への往生のすべとして十六観想という阿弥陀如来とその浄土の荘厳《しょうごん》と浄土への往生の行法を説いた、劇的で壮大な経典である。この十六観想の最初に説かれているのが日想観《じっそうかん》である。本文には次のように記される。「仏、韋提希に告げたまわく。汝及び衆生まさに心を専らにして、念を一処に繋《か》け西方を想うべし。いかんが想を作《な》さむ。凡そ想を作すとは一切衆生みな日の没するを見よ。まさに想念を起して正座して西へ向ひ、諦らかに日を観ずべし。こころを堅住し、想を専

図1　極楽浄土の様子（当麻曼荼羅図〈部分〉、四天王寺所蔵、鎌倉時代）

図2　日想観（当麻曼荼羅図〈部分〉。四天王寺所蔵、江戸時代）

らにして移らざらしめて、日没せむと欲して、かたち懸鼓のごとくなると見よ。すでに日を見おわりなば、まなこを開かむに、皆明了ならしめよ。是を日想観とし名づけて初観という」（釈尊が韋提希夫人に告げておっしゃった。「汝および衆生は、まさに心を一つにして、想いを唯ひとところに集中して西方《さいほう》極楽浄土を願いなさい」と。そこで夫人は「どのようにしたら、そのような想いをなすことができるでしょうか」と質問された。釈尊は「およそ西方極楽浄土を想うとは、皆、太陽が西に沈み行くさまを見なさい。西に向かって正座して明らかに夕陽を観じなさい。心を集中して西方極楽浄土を想い、その想いを散乱させることなく、まさに沈まんとする夕日が天空に懸かる鼓のようであることを見なさい。そのようにして夕日を見終わったならば、目を閉じて、目を開けなくても真っ赤な夕日が見えるようにしなさい。是を名づけて日想観という」と）。

このように、西に沈みゆく夕日を見ること、そしてその情景が目を閉じても浮かぶようにすること、これが日想観であり、極楽往生の第一歩である、というのである（図2）。『観経』ではこれに続けて、水想観《すいそうかん》、地想観《じそうかん》、宝《ほう》樹観《じゅかん》などの十二観、つまり阿弥陀如来の姿や両脇侍《りょうわきじ》の観《かん》音菩薩《のんぼさつ》・勢至《せいし》菩薩の姿、浄土全体の情景などを想いうかべるようにしなさいと書かれている。そして、最後に、三輩観《さんぱいかん》といって、極楽往生する時、阿弥陀如来や極楽の聖衆《しょうじゅ》が迎えに来られる、これを来迎《らいごう》というが、その来迎のさまは生前の功徳のあり方により九段階あって、臨終者によって差がある、それを想いうかべよ、と説く。しかし、なかなかそういうところまで観想するのは難しいため、まずは沈みゆく夕日を観想する、あるいは、実際に西に沈みゆく夕日を眺めるという行が積極的に行われた。

三　四天王寺の日想観

四天王寺は、その日想観の道場として早くから信仰を集めた。もちろん、その理由は、四天王寺が西に海を臨む地に建てられたという立地条件が大きな要因だが、ただ海に臨むというだけではなくて、彼岸の中日には、まさにここから太陽が水平線の下に沈みゆくさまが見られるというベストスポットであったからである。北側の武庫《むこ》の山、南の淡路島《あわじしま》、その中間にしっかりと太陽が沈んでいくのである。大阪でもほかの地でもなかなかそういう場所はなく、まずはそういう立地条件があったということ、それから、いうまでもなくこの地が日本でもっとも古い由来を持つ寺院であるということ、そういう宗教的風土のなかで浄土信仰の第一歩ともいえる日想観が盛んになったと思われる。

さて、日想観の一番古い例は、実は弘法大師空海《こうぼうだいしくうかい》がはじめて四天王寺の西門《さいもん》で行ったということになっている。このことは、空海の伝記絵巻である『弘法大師行状図画《こうぼうだいしぎょうじょうずえ》』や『紀伊続風土記《きいぞくふどき》』などに記載されている。「四天王寺の西門にして、大師日想観を修し給いしに、蒼海雲につらなり、赤日波に映じて、迷悟一如の観、たちまちに朗らかに、自覚本初の源、速に開けて、五智の宝冠頭上に顕現し、三密の頓証眼前に掲げる也」これをそのまま事実であると認めるのにはいささか躊躇するところではある。平安時代には四天王寺の僧侶のトップである別当職《べっとうしき》に、円行《えんぎょう》以下、真言宗《しんごんしゅう》の僧侶が就き続けたこともあってそのような伝説が生まれた可能性がある。あるいは真言宗の祖師である空海を浄土信仰の行である日想観の創始者とするという、それほどに四天王寺の日想観は宗派を超えて盛んであったと考えることもできよう。十一世紀には天台浄土教《てんだいじょうどきょう》の隆盛と『四天王寺縁起《してんのうじえんぎ》』（根本本）に説かれる「四天王寺は極楽土の東門中心に当たる」という信仰により日想観や念仏修行の話が四天王寺を舞台に様々語られるようになる。たとえば、『栄花物語《えいがものがたり》』殿上花見の段には、長元《ちょうげん》四年（一〇三一）、藤原道長《ふじわらのみちなが》の娘である上東門院《じょうとうもんいん》彰子《しょうし（あきこ）》が四天王寺を参詣した際、西大門《さいだいもん》（極楽門《ごくらくもん》）に車を止めて西に沈みゆく夕日を拝した、とある。また、長暦《ちょうりゃく》年中（一〇三七〜一〇四〇）、四天王寺の日想観を河内往生院《かわちおうじょういん》に移したことが『拾遺往生伝《しゅういおうじょうでん》』の安助《あんじょ》伝にみえ、日想観が広く信仰を集めていたことがわかる。河内往生院の地は、四天王寺の西門石の鳥居の延長線を東にのばした生駒山《いこまやま》の中腹あたりに位置し、やはり沈みゆく夕日を拝する名所となった。河内往生院は明治の神仏習合の折に廃寺となったが戦後復興したようである。さらに、同じく『拾遺往生伝』に治暦《じりゃく》年間（一〇六五〜一〇六九）僧永快《えいかい》が百万遍念仏満行《ひゃくまんべんねんぶつまんぎょう》後、四天王寺から西の海に臨んでの入水《じゅすい》往生した。入水往生ではのちの保延《ほうえん》六年（一一四〇）の僧西念《さいねん》のそれが著名でまたダイナミックではあるが、どちらにせよ四天王寺からの西海への入水が日想観の延長線上にあると考えてよいだろう。

四　日想観から念仏へ

十二世紀にはいると四天王寺の西門周辺は日想観の道場から、念仏堂が南北両脇に建立されるなど念仏の道場という側面が強くなり、藤原頼長《ふじわらのよりなが》の日記『台記《たいき》』にみるように上皇《じょうこう》をはじめ多くの貴族たちが参詣、西門周辺にて念仏行を行った。浄土宗を開いた法然上人《ほうねんしょうにん》も四天王寺を訪れ、日想観や念仏行を修しており、四天王寺の西に位置する一心寺《いっしんじ》は法然上人日想観の旧跡として知られている。あるいは、この地に移り住み夕日を拝み続けた歌人藤原家隆《ふじわらのいえたか》は、嘉禎《かてい》二年（一二三六）、「ちぎりあれば難波の里にやどり来て波の入り日をおがみつるかな」と詠んでおり、その住居であった「夕陽庵」跡が家隆塚として遺る（図3）。さらに下って室町時代、世阿弥《ぜあみ》の能『弱法《よろぼ》師《し》』では、四天王寺の西門を舞台に日想観の信仰を取り入れ、盲目の俊徳丸《しんとくまる》の心眼《しんがん》に映る四方の景観がそのまま美しき浄土を思わせるという表現がとられる【第三部コラム1参照】。このように四天王寺の日想観、それに続く念仏信仰は、四天王寺の信仰のあり方を大きく広げたと考えられる。つまり、聖徳太子創建の国家守護の大寺、四箇院制《しかいんせい》に基づく済世利民《さいせいりみん》の道場という性格に加えて日想観、念仏を修する庶民信仰の寺という性格も加わって今日に続いているのである。

図3　家隆塚

五　今日の日想観

さて、今日、日想観はどうなったのか。平成十七年（二〇〇五）という、千四百二十余年の歴史からすればごく最近のことではあるが、彼岸の中日の夕刻、日の沈む少し前から極楽門において僧侶、参詣者が相集い夕日に向かい読経、念仏を読誦する日想観の法要《ほうよう》を復活した。晴天なればその光景は圧倒的。輝く夕日に心洗われ、喜悦の瞬間となる（図4）。今や、平安時代のように海に沈む夕日を拝むことは叶わないが、それでも落日の光景は素晴らしい。ただ、大阪の中心、都市化、ビル化の波は防ぎようもなく、ビルの谷間にかろうじて見え隠れするという状況ではあるが、なんとかこの景観だけは後世に伝えなければならないと強く願うものである。（南谷恵敬）

図4　鳥居に沈む夕日

コラム【7】

国宝「扇面法華経冊子」の史的位置

一 概要と研究史

現在、四天王寺（無量義経《むりょうぎきょう》、法華経《ほけきょう》巻一・六・七、観普賢《かんふげん》経《きょう》）及び東京国立博物館（巻八、小堀鞆音旧蔵）に所蔵される国宝「扇面法華経冊子《せんめんほけきょうさっし》」（図1）は、扇形の料紙《りょうし》を用い、その表裏に『法華経』及び開結二経《かいけつにきょう》を書写するが、表面の経文《きょうもん》の下には貴族や庶民の生活、花鳥などが、金銀箔《はく》や墨流し、紅霞《こうか》の装飾とともに描かれ、天台法華信仰が説く「諸法実相《しょほうじっそう》」「草木国土悉皆成仏《そうもくこくどしっかいじょうぶつ》」の姿をあらわすがごとくである。図様《ずよう》には、繰り返し用いられるいくつかの「型」が認められ、版木を使用した可能性が指摘されてきた。秋山光和氏は、詳細な画面観察に基づき、雲母《うんも》の地塗りを施す前に版を用いたもの、地塗りの後に用いたもの、肉筆《にくひつ》によるものの三種の技法が混在することを明らかにされた。また白畑よし氏は、下絵の図様が『万葉集《まんようしゅう》』等の和歌に基づく歌絵であり、かつ経文の内容をも反映している可能性を提案された。

この美しい扇形の料紙は、絵のある面を内側に半分に折られ、粘葉装《でっちょうそう》の形式に綴じ、全体が扇形の表紙で包まれる。表紙には、金字の経題とともに巻一を除く五帖《じょう》に和装の羅刹女《らせつにょ》があらわされている（図2）。

その制作経緯については、鈴木敬三氏により観普賢経

図1　扇面法華経冊子のうち法華経第1
（四天王寺所蔵、国宝、平安時代）

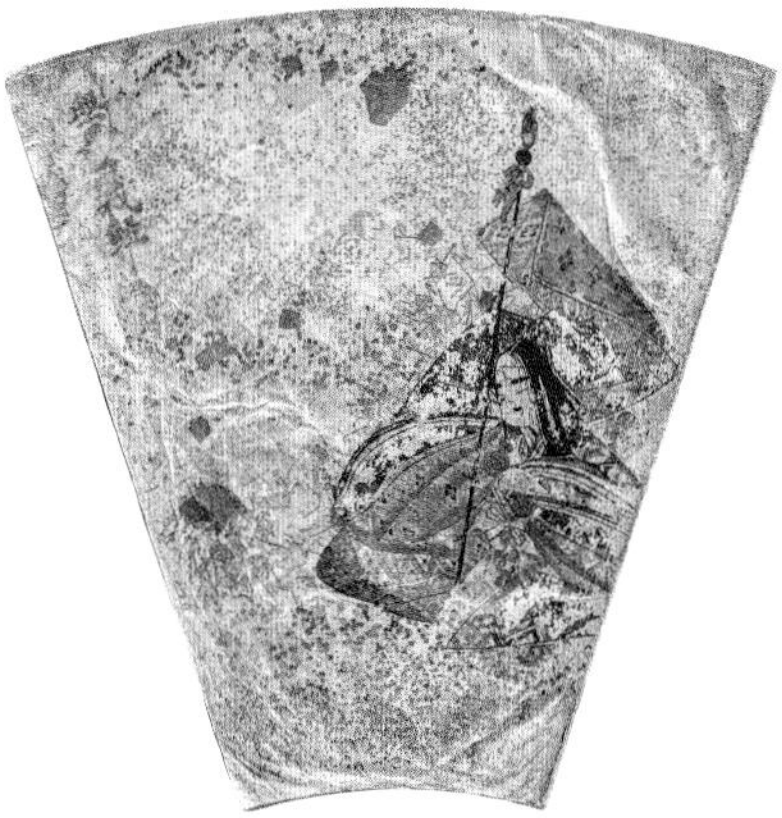

図2　扇面法華経冊子のうち無量義経表紙
（四天王寺所蔵、国宝、平安時代）

第五扇（図3）に仁平《にんぴょう》二年（一一五二）正月の左大臣《さだいじん》藤原頼長《よりなが》（一一二〇～一一五六）による大臣大饗《だいじんだいきょう》のさまが描かれているとの指摘を受け、鳥羽上皇《とばじょうこう》（一一〇三～一一五六）の后である高陽院《かやのいん》泰子《たいし(やすこ)》（一〇九五～一一五五）が発願《はつがん》、仁平二年（一一五二）九月十三日、鳥羽上皇と高陽院の弟である頼長が臨席した四天王寺における舎利会《しゃりえ》に際して供養されたとする推定が柳澤孝氏によってなされた。

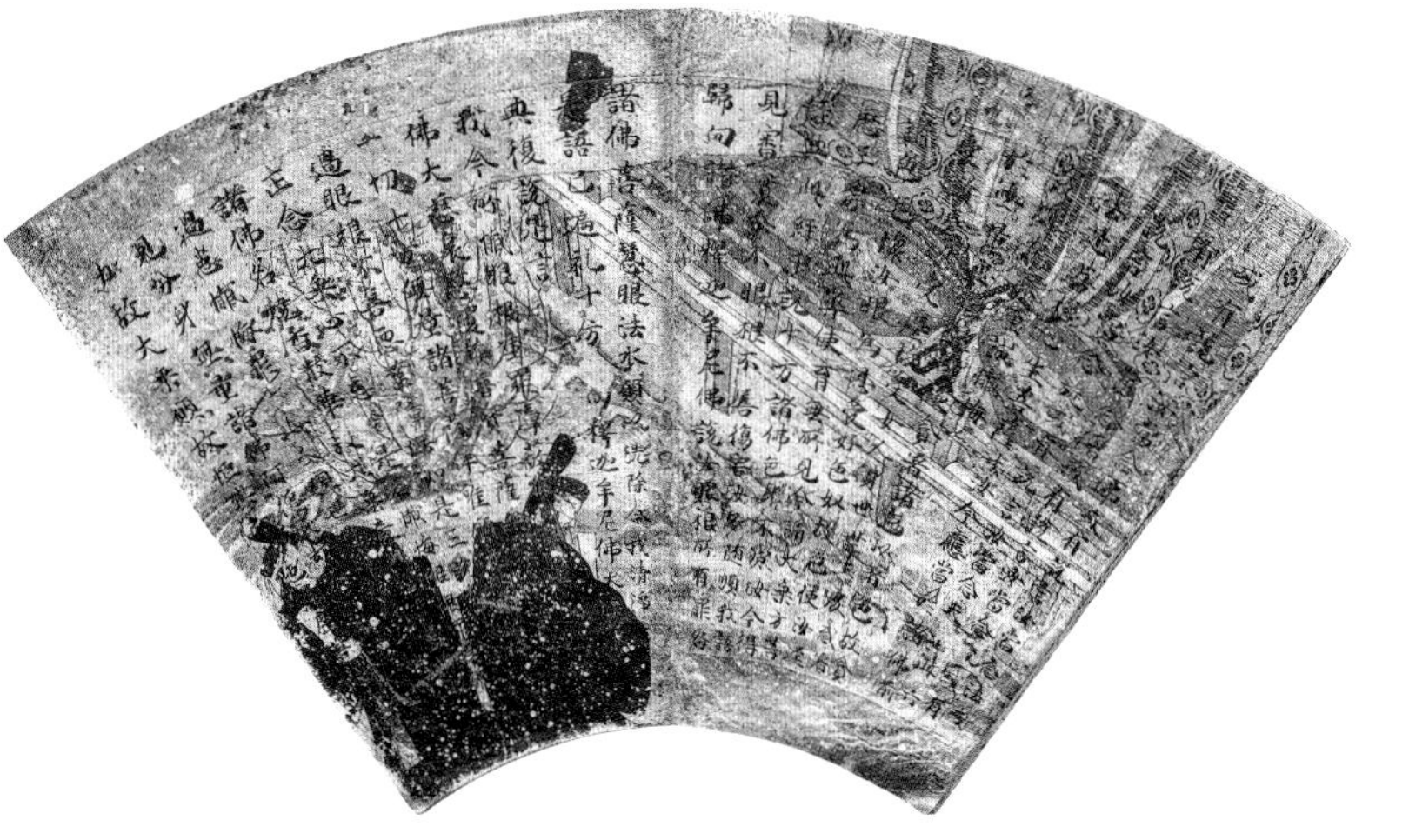

図3　扇面法華経冊子のうち観普賢経第5扇
（四天王寺所蔵、国宝、平安時代）

二　扇面の意味

では、扇面、絵画という本作が備える二つの具体的な「形象」にはどのような意味が込められているのだろうか。

扇という形に仏教的な意味があることについて、永観《えいかん》二年（九八四）、源為憲《みなもとのためのり》『三宝絵《さんぼうえ》』「僧宝《そうぼう》の二十四」に「『正法念経』にいわく、僧をみて扇をほどこして涼しくして経法を読み誦せしむるは、命終わりて風行天にむまる」とあり、『正法念処経《しょうぼうねんじょきょう》』（『大正新修大蔵経』巻一七）に僧への扇の布施《ふせ》が善行とされていたことが知られる。平安時代後期における藤原氏の最盛期を築いた藤原道長《ふじわらのみちなが》（九六六～一〇二七）は、万寿《まんじゅ》元年（一〇二四）十月、女《むすめ》である後一条天皇《ごいちじょうてんのう》の中宮威子《ちゅうぐういし(たけこ)》が行った多宝塔《たほうとう》及び法華経供養の折に、能筆《のうひつ》として知られた藤原行成《ふじわらのゆきなり》が紫の扇に法華経を書したものを僧の布施としたことが知られ（『栄花物語《えいがものがたり》』）、高陽院自身も仁平二年（一一五二）五月、僧に「扇廿五枚」を与えている（『兵範記《へいはんき》』）。

さらに、平安時代において扇は対外的に特別な意味を有した。北宋《ほくそう》十一世紀の郭若虚《かくじゃっきょ》『図画見聞誌《とがけんもんし》』巻六や南《なん》宋《そう》十二世紀の鄧椿《とうちん》『画継《がけい》』巻一〇に記されるように、我が国の扇は「倭扇《わせん》」と呼ばれ、宋の地において貴重で愛玩すべきものとされ、承安《じょうあん》元年（一一七一）に入宋した園城寺《おんじょうじ》・覚阿《かくあ》の帰国後、その師である覚忠《かくちゅう》が杭州《こうしゅう》霊隠寺《れいいんじ(りんにんじ)》の恵恩に対し「綵扇《さいせん》二十」を贈ったこと（『嘉泰普灯録《かたいふとうろく》』巻第二〇）は、宋と日本の仏教交流の場に扇があらわれたものとして注目される。

三　『法華経』と歌絵

「扇面法華経冊子」の絵画については、白畑氏によって、経文の内容を反映し、同時に『万葉集』を中心とした和歌の判《はん》じ絵《え》ともなる複雑な構造を持つことが指摘されている。その指摘の当否については、今後の研究に俟たれるところが多いが、和歌は『法華経』と我が国の風俗を描いた絵画を結びつける働きをした。

藤原有国《ふじわらのありくに》（九四三～一〇一一）「法華経二十八品《にじゅうはっぽん》を賛ずる和歌の序」（『本朝文粋《ほんちょうもんずい》』）によれば、我が国における法華経を詠じた和歌の濫觴《らんしょう》は、十一世紀初頭、道長の周辺において法華経二十八品を詠じたことにある。また、寛弘《かんこう》九年（一〇一二）には選子内親王《せんし(のぶこ)ないしんのう》『発心和歌集《ほっしんわかしゅう》』が成立し、これには法華経歌二十九首が含まれる。そして、この法華経各品に因んで詠まれた和歌、すなわち一品経《いっぽんぎょう》和歌の内容が、法華経の経文に代わり、一品経見返絵《みかえしえ》の画題となったことが知られ、経文の内容の絵画化が和歌を媒介に我が国の風俗へ開かれていったさまをうかがうことができる。たとえば、藤原俊成《ふじわらのとしなり》（一一一四～一二〇四）『長秋詠藻《ちょうしゅうえいそう》』の法華経薬草喩品《やくそうゆほん》第五を詠じた「春雨はこのもかのもの草も木もわかずみどりに染むるなりけり」が「久能寺経《くのうじきょう》」薬草喩品（個人蔵）の見返絵の内容とよく一致することが知られている。このように「扇面法華経冊子」の絵画は、道長以来の一品経和歌を通じた法華経と世俗画の交流が生み出したものといえる。

四　下絵と宋代絵画

そして、「扇面法華経冊子」には中国絵画の摂取も認められる。

たとえば、巻六第四扇の柏の木にとまる鷹と二羽の兎を描いた図（図４）は、北宋・嘉祐《かゆう》六年（一〇六一）の崔白《さいはく》「双喜図《そうきず》」（台北・故宮博物院）の構成を想起させる。その

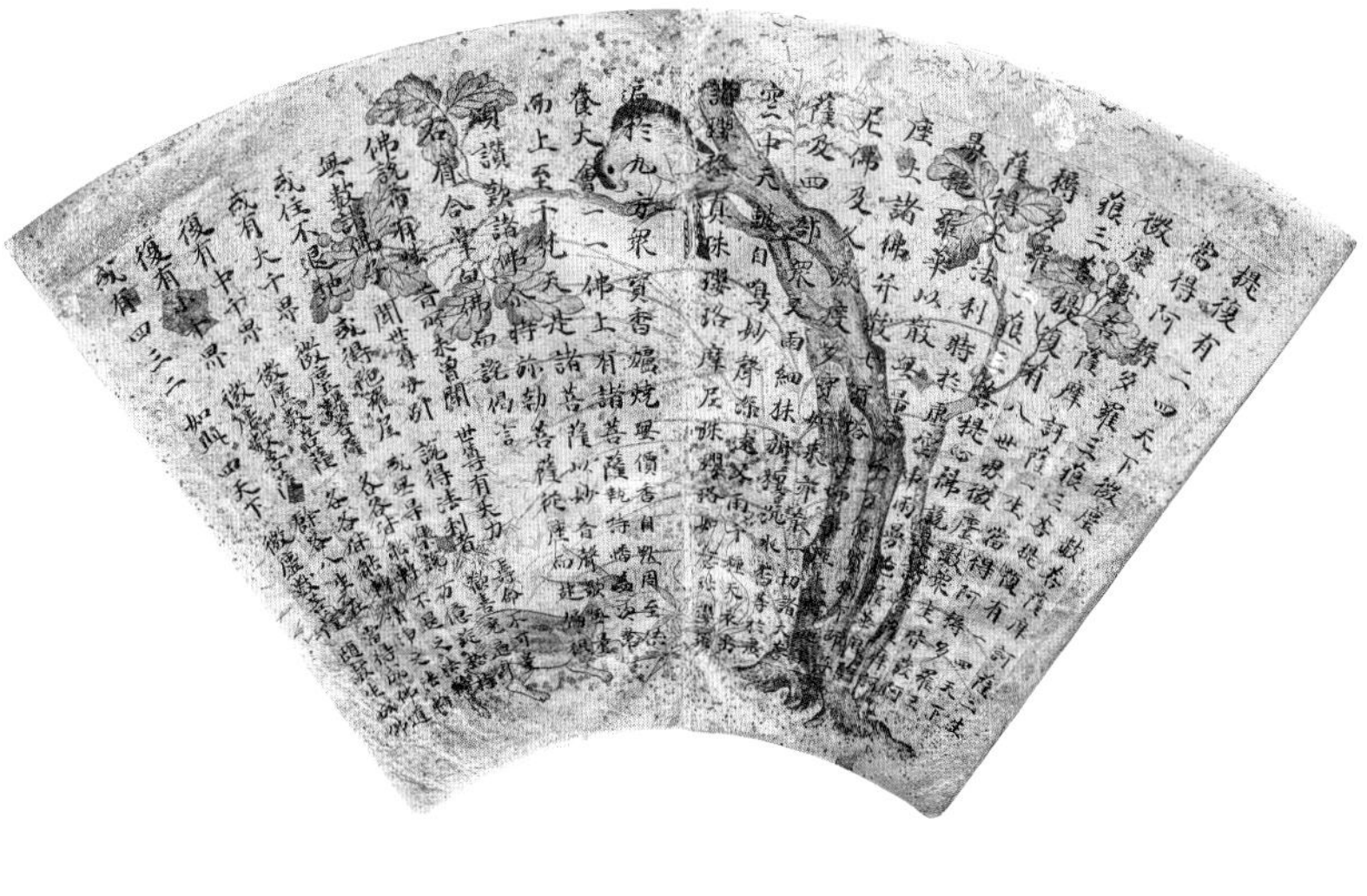

図4　扇面法華経冊子のうち巻6第4扇
（四天王寺所蔵、国宝、平安時代）

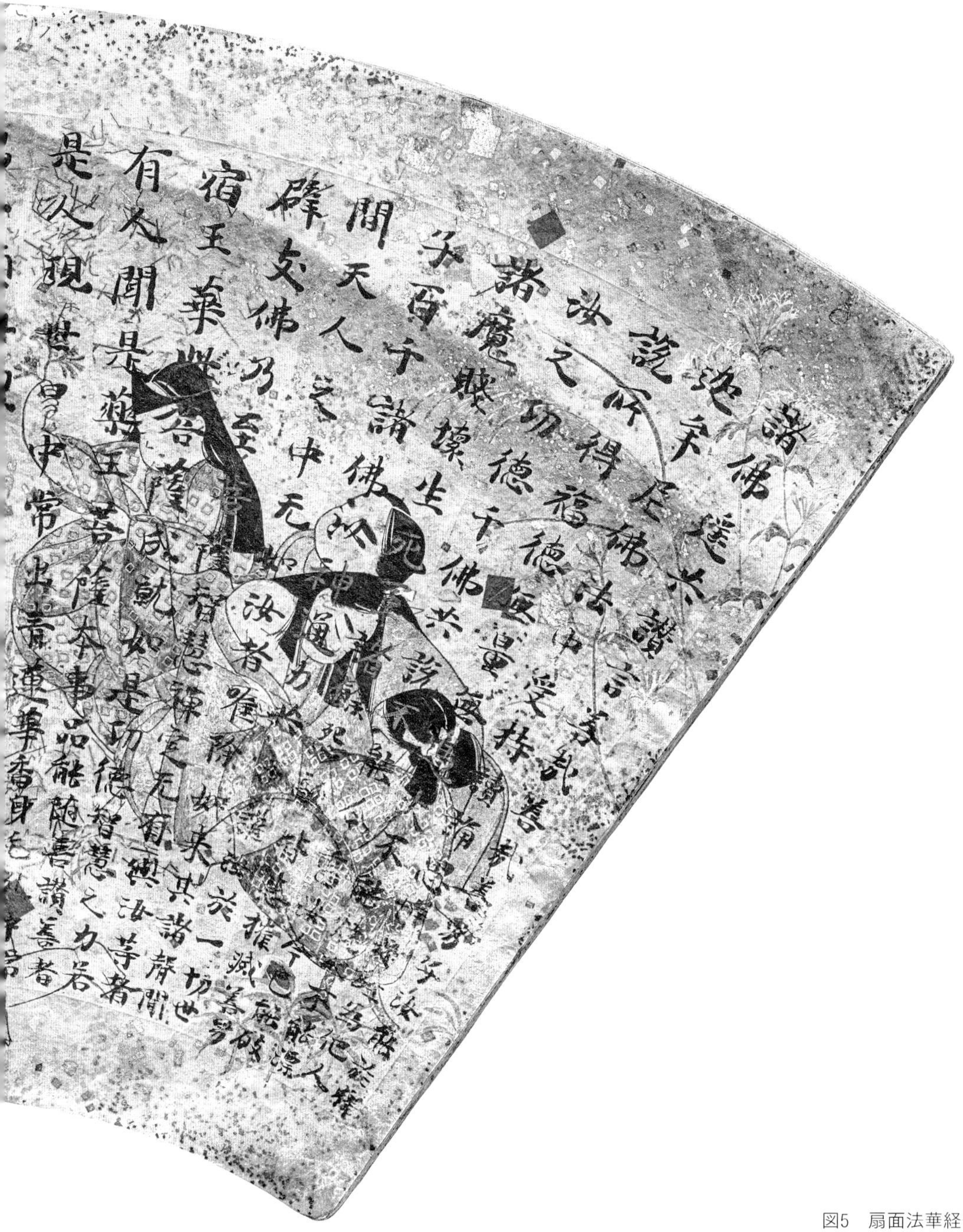

図5　扇面法華経冊子のうち巻7

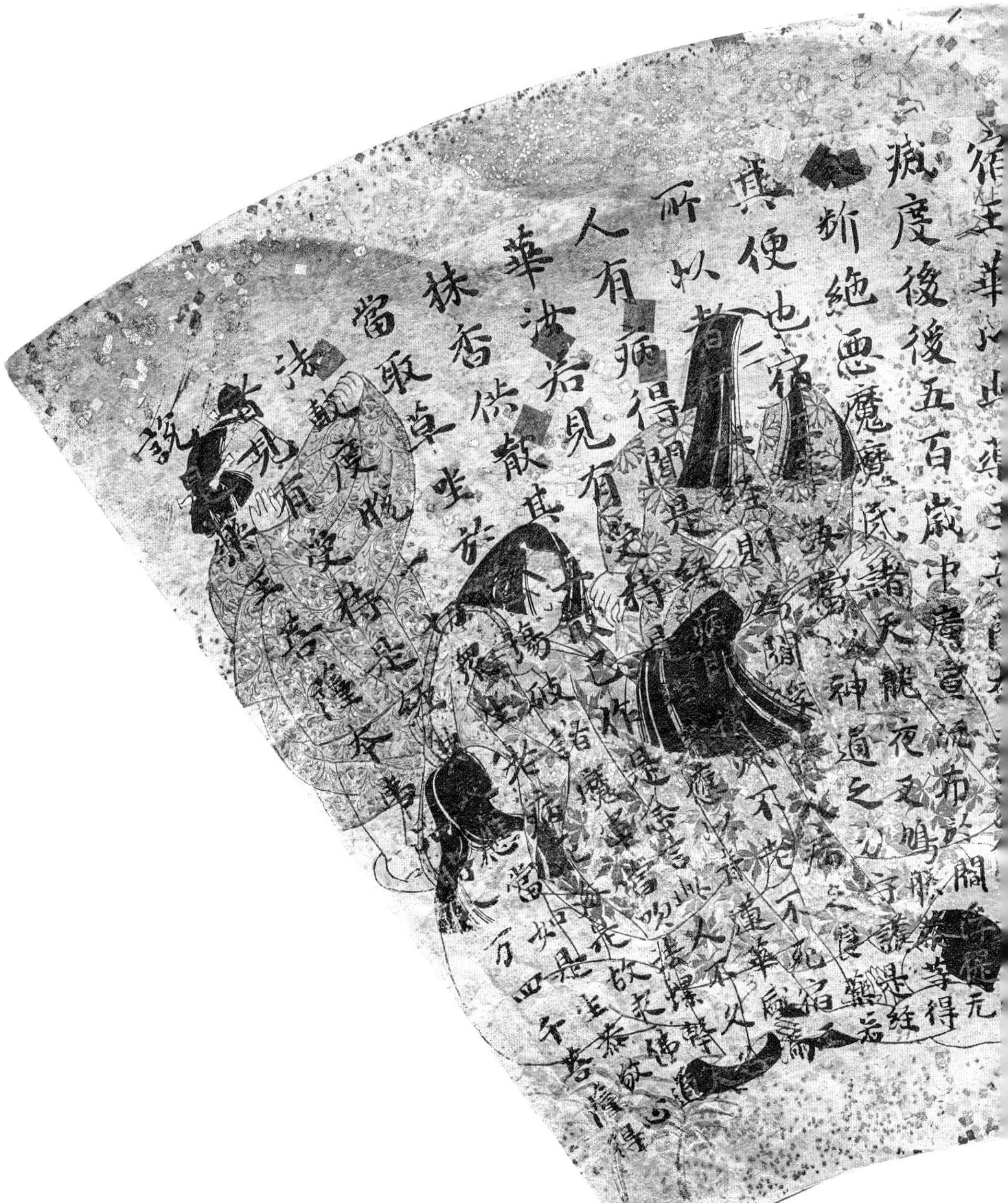

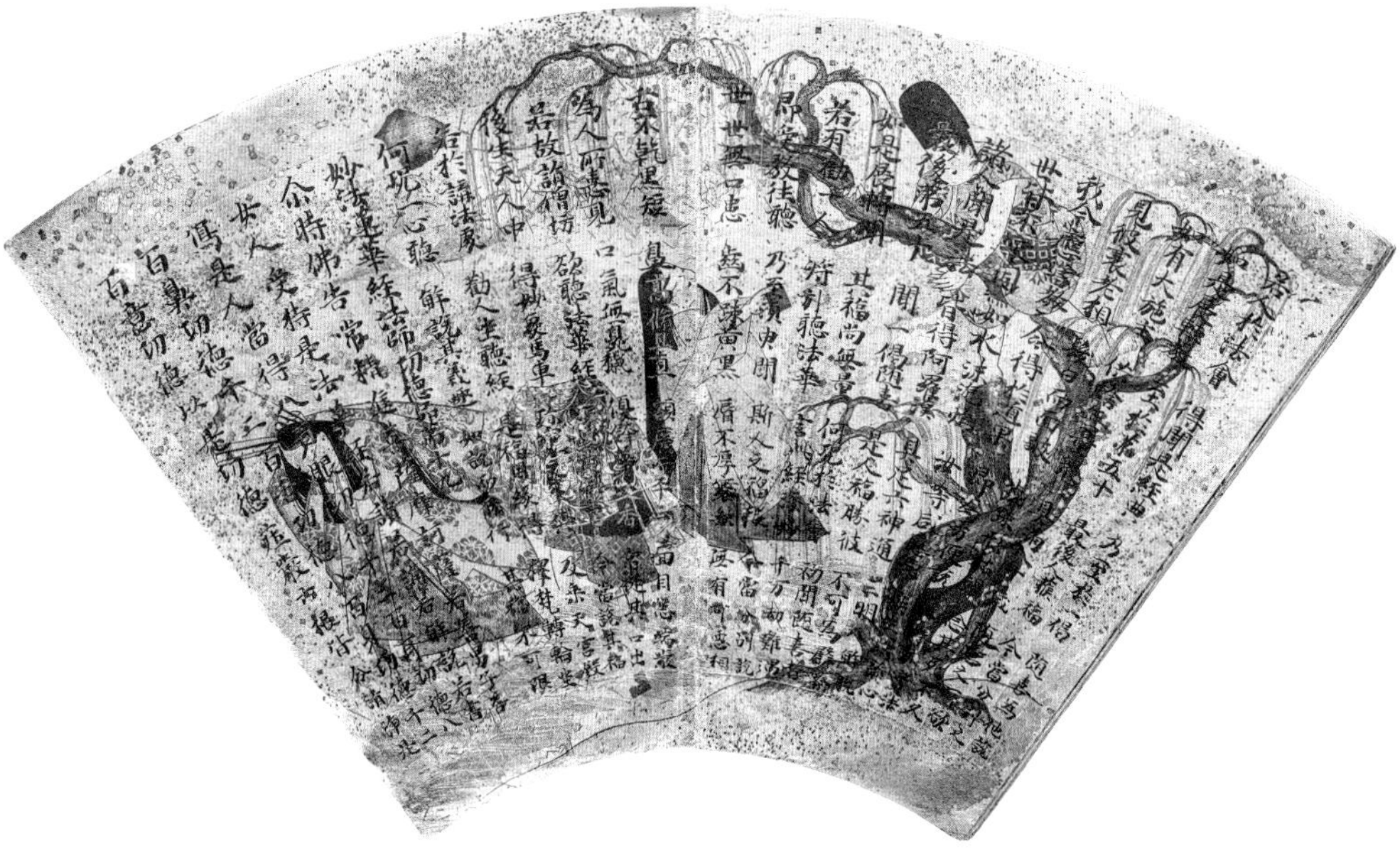

図6　扇面法華経冊子のうち巻6

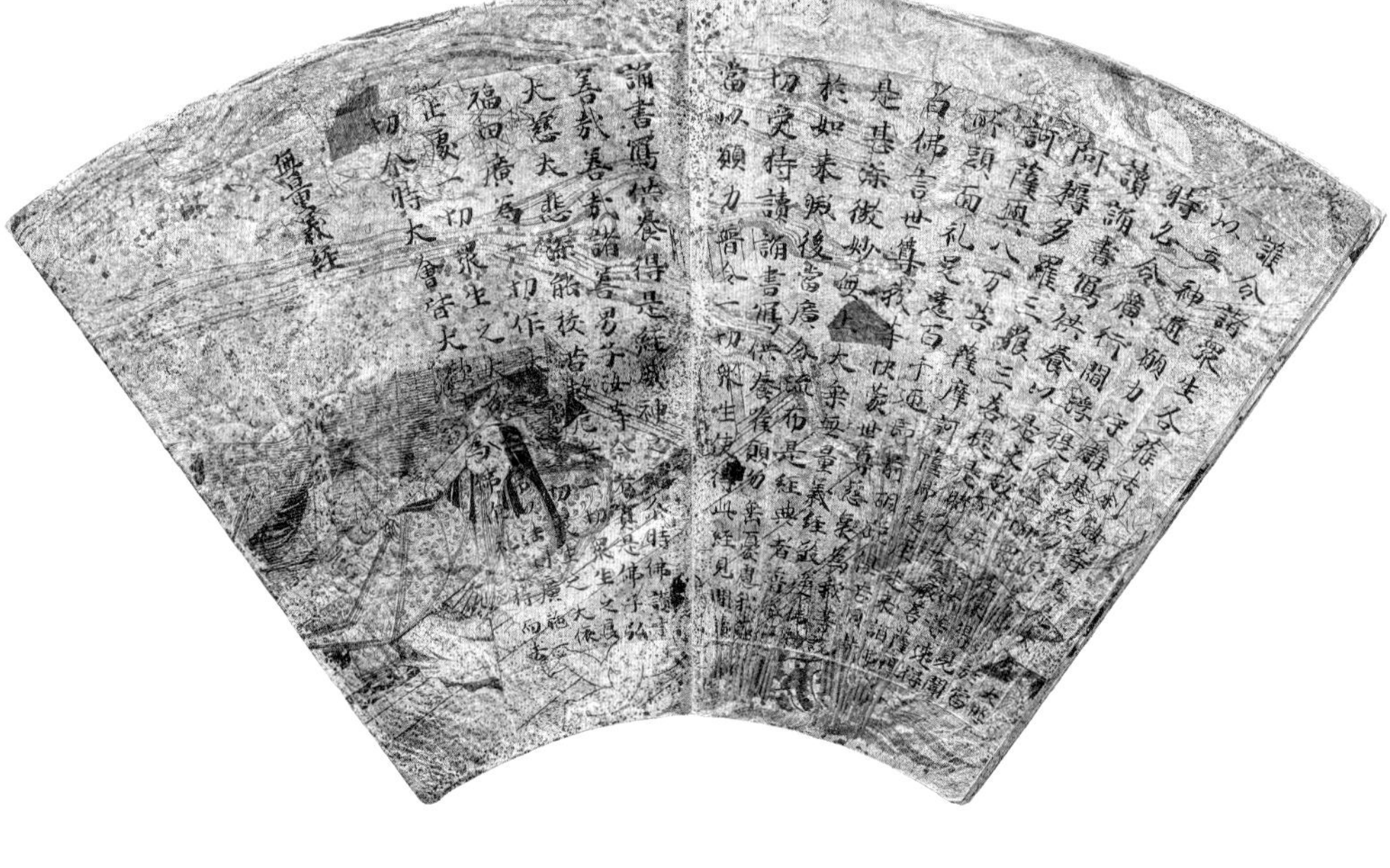

図7　扇面法華経冊子のうち無量義経

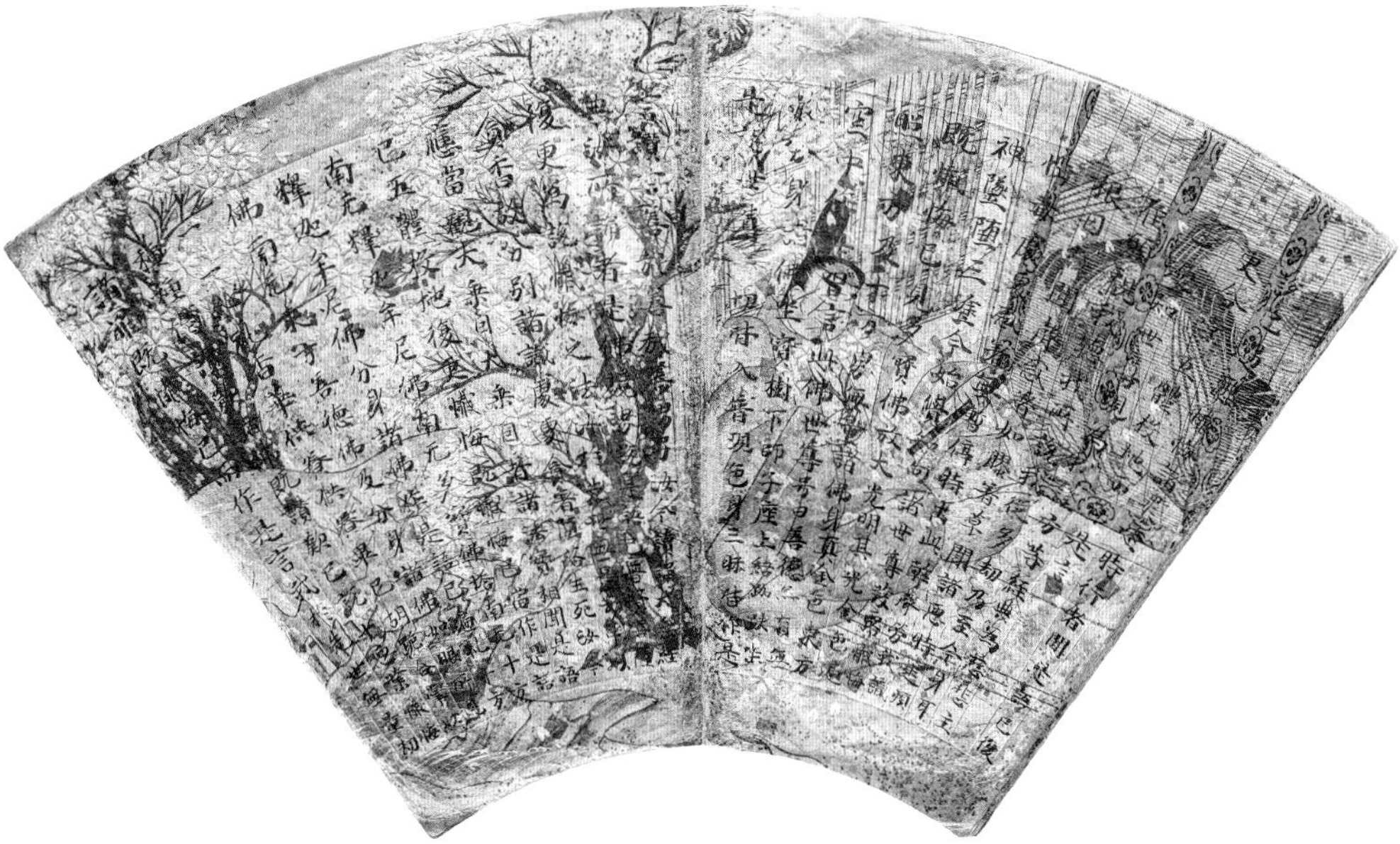

図8　扇面法華経冊子のうち観普賢経

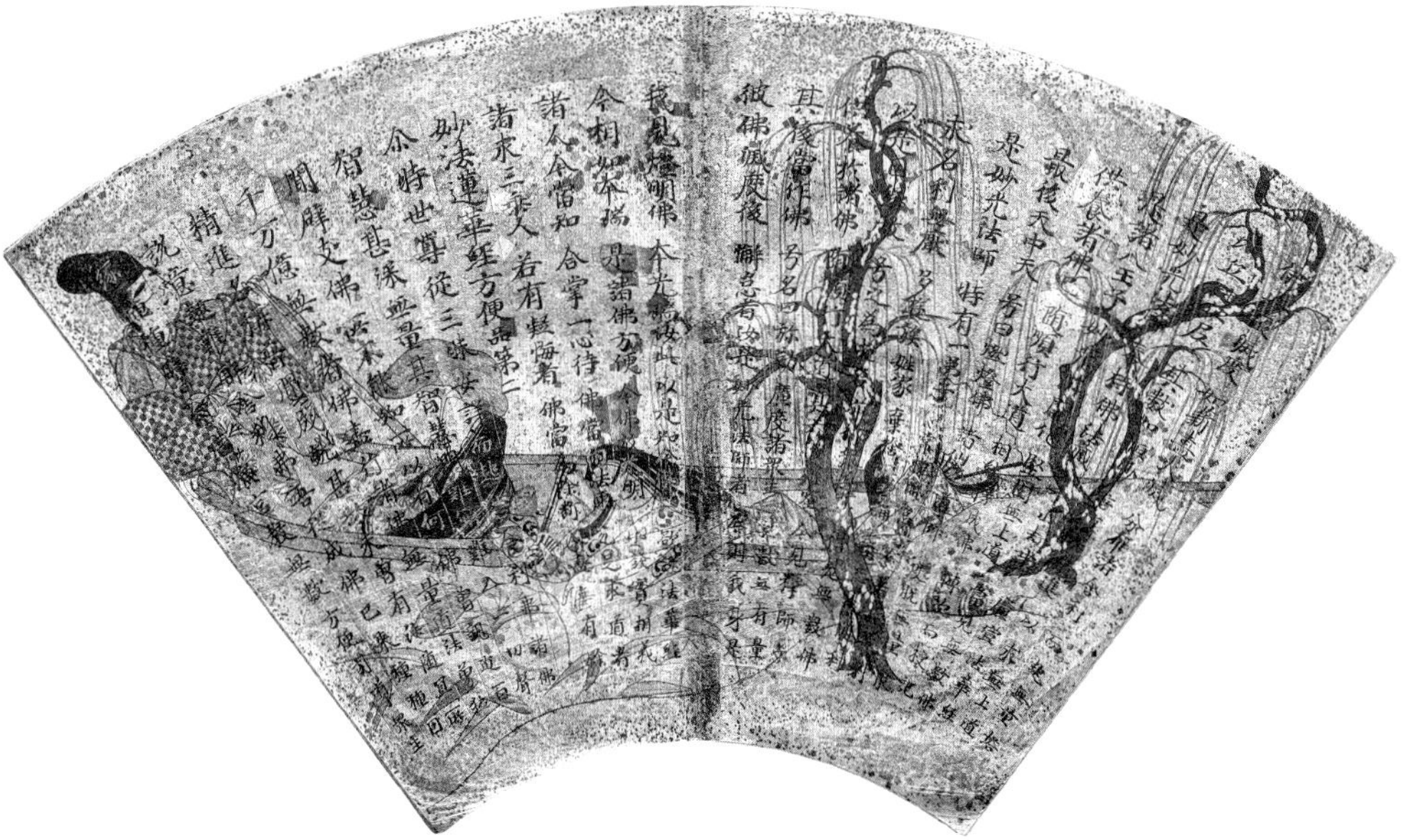

図9　扇面法華経冊子のうち巻1

ような視点に立って「扇面法華経冊子」を概観すると、同巻第一〇扇の雪中の蘆に二羽の白鷺を配した図様についても、作品は現存しないが、『宣和画譜《せんながふ》』に著録された崔白の弟・崔慤《さいかく》の二点の「寒蘆雪鷺図」やさらに遡って五代《ごだい》・南唐《なんとう》の徐熙《じょき》の三点の「寒蘆双鷺図」といった作例とその図様がまったく無関係とは思えない。一方で、先にあげた観普賢経第五扇の雪の中での大臣大饗を描いた場面には、雨落ちの溝に薄氷の張るさまが薄い雲母片を貼り、あたかも実際の氷があるかのようにあらわされている。このように雲母片《うんもへん》を氷に見立てる即物的な表現は宋代絵画には見られないものである。寡聞にして中国絵画にこのような例があるかわからないが、唐代には地に映える月光を細かな銀箔であらわしていたことが知られ（北宋・米芾《べいふつ》『画史《がし》』）、どちらかというとこちらに近いより古様な感覚とみられる。

このように「扇面法華経冊子」の絵画には、中国絵画への関心が認められ、それらは扇面という和の表象のなかに巧みに包摂されている。

五　形と意味

以上で概観したように、「扇面法華経冊子」の扇と絵画という「形」には、布施としての扇、和歌の詠題としての『法華経』等、藤原道長以来の藤原摂関家の法華経信仰を回顧しようとする内的な視線と宋を意識した外的な視線の二者が存在する。前者について、道長は「日本国に法華経のこれほど広まり給ふ事は我が力なり」と自負したことが知られる（平康頼《たいらのやすより》『宝物集《ほうぶつしゅう》』）。そして、後者を生み出したものとして、道長の法華経信仰の背後には、呉越《ごえつ》国・北宋を中心とした天台宗優遇政策があることが指摘されている。

つまり「扇面法華経冊子」を生み出した二つの視線は、いずれもが、藤原道長の営為を照射している。

六　制作背景

さて、先に述べたように「扇面法華経冊子」制作については、柳澤孝氏により高陽院の発願によるものと推察されているが、以上の二つの視線の存在を確認することでそのイメージを具体的に指示したのは、和漢の学に秀でた藤原頼長であったように思われる。頼長は、道長所縁の仏事を次々と復興しているとともに、その日記である『台記《たいき》』には、自らと道長とを一体視する記述も認められる。

そして、柳澤氏が「扇面法華経冊子」の制作契機に想定された仁平二年（一一五二）九月の四天王寺参詣は、頼長執政後初めてのものであった。このような場は、以上でみてきたような二つの視線がひとつの造形イメージに収斂するのにもっとも適した場であったように思われる。

（増記隆介）

本コラムの図版撮影者・東京文化財研究所（城野誠治）

コラム【8】

四天王寺の両界曼荼羅

はじめに

四天王寺所蔵の両界曼荼羅図《りょうかいまんだらず》（図1。以下四天王寺本《してんのうじぼん》とする）は、金剛界《こんごうかい》が縦一八三・七cm、横一六三・一cm、胎蔵界《たいぞうかい》が縦一八四・三cm、横一六四・六cmで、縦長の絹を横に三枚継いだ、両界曼荼羅図としては小幅の作例である。

部分的に彩色が剥落するものの、調和のとれた豊麗な色彩が美しく、和様化《わようか》の進んだ穏やかな表情が印象的な、両界曼荼羅屈指の名作である。その表現様式から、四天王寺本の制作年代は平安時代末期から鎌倉時代初期頃の制作と考えられている。また四天王寺本は、天台宗《てんだいしゅう》の両界曼荼羅にみられる特有の図像を持つ、いわゆる天台系曼荼羅の最古例として重要な存在である。

ここでは、まず両界曼荼羅、とくに天台系曼荼羅の概要を紹介することで四天王寺本の図像的な特徴について触れ、次に、四天王寺本が制作された背景について若干の考察を述べてみたい。

一　天台系両界曼荼羅の最古例

両界曼荼羅（以下曼荼羅とする）は、金剛界と胎蔵界の二種類の図が一セットになった密教《みっきょう》絵画である。密教は中国から日本に伝えられ、平安時代初期の最澄《さいちょう》と空海《くうかい》によって天台宗と真言宗が開かれた。空海が師である恵果《けいか》の言葉として「真言秘蔵の経疏は隠密にして図画を仮らずんば相伝することあたわず」（密教の教えは難解なので絵に表さなければ正確に伝えることができない）と記している通り、絵画に限らず彫刻や法具《ほうぐ》など様々な密教美術が、形や色に意味を与えられ造形化された。

なかでも曼荼羅は密教経典の内容が多数の仏の姿で図示されたもので、密教寺院になくてはならない絵画である。胎蔵界は中央に描かれた胎蔵界大日如来《だいにちにょらい》（密教の宇宙仏）から真紅の蓮華が花開き、様々な性格を持つ多くの仏が生み出される様子が示される。金剛界は九つの区画に分かれていて、中央の成身会《じょうじんね》という区画には金剛界大日如来を中心として金剛界の仏たちが配置される。周囲の区画はこの成身会の内容を諸尊《しょそん》の持ち物や文字（音）などで象徴的に変化させた様子が示される。

このように曼荼羅には多数の仏が描かれるが、すべての仏がそれとわかる特徴（手の形、持ち物など）を備えている。曼荼羅が傷むなどして新しく作られる時には、手本となる図像が細部に至るまで正確に写される。このようにして継承されてきた曼荼羅だが、天台宗と真言宗では異なる図像が使われたことがわかっている。空海が中国から持ち帰った曼荼羅は七幅一丈六尺（約四・八m）という巨大なもので、その転写本はその後「現図《げんず》」（現在流布の図という意味か）と呼称されるほど曼荼羅の原本として広まった。この現図は真言宗のみならず天台宗でも使

図1－1　胎蔵界

図1　両界曼荼羅図(四天王寺本)
(写真提供:京都国立博物館)

図1－2　金剛界

用されている。一方、一部の天台宗寺院に伝わる曼荼羅に現図とは異なる図像がみられ、平安時代の曼荼羅比較書である『諸説不同記《しょせつふどうき》』のなかで、「山図《さんず》」（山王院《さんのういん》図。山王院＝天台宗の円珍《えんちん》）と呼ばれるものと図像が一致する場合がある。

さて四天王寺本は、現図とは異なり山図と共通する図像が多くみられ、天台宗特有の曼荼羅であることがわかっている。金剛界は現図と同じだが胎蔵界に違いがあり、まずは大日如来の上下左右に座る四如来のうち、上と左の如来の位置が入れ替わっている。これは天台宗の円仁《えんにん》が中国から持ち帰った図像が尊重されたからだと考えられている。また、馬頭観音《ばとうかんのん》が現図では二本の腕なのに対して（図2）四天王寺本では四本であること（図3）、日天《にってん》の馬上に現図（図4）にはない御者（小天）が描かれること（図5）、ダキニ天が現図では女神形であるのに対して四天王寺本では甲冑姿の男神形に描かれることなど、現図との図像の異同は三十数ヵ所に及ぶ。これらの特徴は山図の記述と約半数が一致するが異なる場合もあり、天台系の曼荼羅には複数の系統があったことが想像される。

現図とは異なる特徴を持ち、天台系の曼荼羅と考えられるのは、根津美術館《ねづびじゅつかん》本、太山寺《たいさんじ》本、芦浦観音寺《あしうらかんのんじ》本、法海寺《ほうかいじ》本などが知られるが、なかでも根津美術館本と太山寺本は、金剛界を九つの区画で表さず、中央の成身会だけを取り出して大きく描いていて、四天王寺本とも異なっている。このように天台系の曼荼羅に多種類あるのは、現図として権威のある真言系の曼荼羅に対して、異なる特徴を持つ図像を探った結果ではないかと想像されている。またこれらの図像は典拠のないものを無理やり作ったのではなく、現図に表された図像が経典とは異なるという場合において、経典に即して曼荼羅をより正確に表現しようとした態度の表れであったとも考えられている。四天王寺本はこうした天台系の曼荼羅のなかで最古の作例として知られる。

二　伝来の謎

四天王寺本は、長年倉に保管されてきたらしく、発見された昭和四十年（一九六五）に重要文化財の指定を受けた時には損傷が激しかったとされる。その後昭和四十三～四十四年（一九六八～一九六九）にかけて修理が行われ、現在のように展覧会などで見ることができる姿になった。修理の際に取り外された旧中軸には寛永《かんえい》十二年（一六三五）の修理銘が書かれ、さらに本紙には質の異なる補絹《ほけん》（本紙である絹が欠失した部分に補われた修理のための絹）が何重にも折り重なって貼り付けられていて、四天王寺本が何度も修復されながら伝えられてきたことがわかる。こうした修復歴は、四天王寺本が実際に使用されてきたことを物語るが、具体的にはどのような場面で使用されたのであろうか。

曼荼羅を用いた代表的な儀式に灌頂《かんじょう》というものがある。灌頂とは「頂き（頭頂）」に水を「灌《そそ》ぐ」ということで、大日如来の五智《ごち》（五種類の知恵）を象徴する水を頭に注いで、師から弟子へ教えが伝えられることを意味している。

そのため曼荼羅が新造される時には、灌頂堂という建物が専用の道場として作られることがあった。

四天王寺では五智光院《ごちこういん》という建物が灌頂堂として使われていて、現在は毎年五月に結縁《けちえん》灌頂（曼荼羅中の一尊と縁を結ぶ一般に開かれた儀式）が行われる。この五智光院は江戸時代元和《げんな》年間（一六一五～一六二四）に再建されたも

図2　現図、馬頭観音（「大悲胎蔵大曼荼羅　仁和寺版」『大正新脩大蔵経　図像部』第1巻）

図3　四天王寺本、馬頭観音

図4　現図、日天（図2と同じ）

図5　四天王寺本、日天

ので、境内の東北隅、本坊《ほんぼう》と接する形で建てられているが、本来は西門《さいもん》の右にあり、治承《じしょう》元年（一一七七）、後白《ごしら》河法皇《かわほうおう》によって建てられたと伝わる。その後文治《ぶんじ》三年（一一八七）八月二十四日、後白河法皇は三井寺《みいでら》の公顕僧正《こうけんそうじょう》を伴い四天王寺を行幸し灌頂を受けたとされる。一説によればそれは九月二十日のこととされ、それ以降同日が四天王寺における結縁灌頂の日と定められてきた。

後白河法皇は天台宗と深いつながりがあり、元比叡山《ひえいざん》安楽谷勅封蔵伝来の「阿弥陀聖衆来迎図《あみだしょうじゅらいごうず》」（有志八幡講十《ゆうしはちまんこうじゅう》八箇院《はっかいん》所蔵、国宝）の発願《はつがん》者だとされる。四天王寺本の制作年代である平安末期から鎌倉初期と、後白河法皇が四天王寺で灌頂を受けた文治三年は時期的に一致しており、四天王寺本の制作が後白河法皇の御願だという考えは魅力的である。しかし「阿弥陀聖衆来迎図」が大幅（九副）であるのに対し、四天王寺本が少幅（三副）であること、また面相《めんそう》部の描き方など細かな表現様式に違いがあることなど、共通点が見出しにくいことから後白河法皇との関係については検討が必要である。

いずれにせよ、四天王寺本が平安末期から鎌倉初期という院政期に作られ、五智光院という曼荼羅専用の灌頂堂もこの頃作られたとするならば、四天王寺本は五智光院で使用するために制作されたと考えるのが自然であろう。

おわりに

両界曼荼羅は、百花繚乱《ひゃっかりょうらん》に描かれる仏たちを見ているだけでも楽しいが、それぞれの姿は細部に至るまで意味があるので、曼荼羅を見比べてみて違うところを発見し、それぞれになぜその姿に描かれたのかを調べることもまた興味がつきない。

四天王寺本は平安末期から鎌倉初期という変革期に作られた天台系曼荼羅の最古例として、図像的にも表現様式的にも貴重な曼荼羅である。四天王寺宝物館の展示や、その他特別展などに出陳される際にはぜひ実物をご覧いただき、その魅力を体感していただきたい。（竹下多美）

コラム

【9】

四天王寺の神像

四天王寺にどのような神像が祀られていたのかについては、ほとんど知られていないのが現状である。たとえば、寛政《かんせい》八〜十年（一七九六〜一七九八）頃刊行の『摂津名所図会《せっつめいしょずえ》』によれば、天照太神宮《てんしょうだいじんぐう》をはじめとして天皇宮《てんのうぐう》、守屋《もりや》、十五社、山王権現社《さんのうごんげんしゃ》、稲荷社、如来荒神社《にょらいこうじんしゃ》、三宝荒神社《さんぼうこうじんしゃ》、乾社《いぬいのやしろ》、安井天神《やすいてんじん》（安居天神）などが記され、多くの鎮守社があったことがわかる。また、四天王寺の鎮守として聖徳太子によって祀られたという「天王寺七宮《しちみや》」も周囲にあり、他の大寺院と同様、神仏習合《しんぶつしゅうごう》の様相が色濃くあったことと考えられるが、それらに安置されていた神像についての詳細は不明と言わざるを得ない。一方、四天王寺宝物館《ほうもつかん》には三軀《く》の神像が現在伝来しており、ここではそれらを紹介したい。

まず、図1の武将神坐像《ぶしょうしんざぞう》をみていこう。姿を見ると、頭部に兜をかぶり、眉根を寄せて瞋目《しんもく》とし、口をへの字に結ぶ形相である。体軀には内側に衣をつけ、その上に着甲する。両手を膝上にのせ、左手は掌を下にして第二、三指を上方にたて（先端欠失）、右手は持物（刀。亡失）を握り、右足を外にして安坐《あんざ》する。構造は、頭体幹部を針葉樹（ヒノキか）の竪一材より彫出し、内刳《うちぐ》りは施さない。さらに両肩先から外の体側材を矧《は》いでいる。表面は白土地《はくどじ》に彩色とし、肉身は肉色で、眉毛やまぶたのアイラインを墨線とし、目の中央に金箔を貼る。兜には朱線で細かく小札綴《こざねしころ》を描くなど、当初と思われる彩色文様も多く確認できる。

さて、本像のこの特徴的な姿と近似する像といえば、京都市・大将軍八神社《だいしょうぐんはちじんじゃ》の五十軀の大将軍神像や、城陽市・旦椋神社《あさくらじんじゃ》の七軀の大将軍神像、奈良国立博物館やメトロポリタン美術館所蔵の同像などが知られる。いずれも平安時代後期、十二世紀頃の造立《ぞうりゅう》で、片足を下げる像が多いが、本像のように下げてない像もある。これらの像は陰陽道《おんみょうどう》の神である大将軍神として知られており、同じ姿の本像も大将軍神像である可能性が高い。猫背の姿勢や、

図1　木造武将神坐像〈大将軍神坐像〉
（大阪・四天王寺所蔵、平安時代、像高45.3cm）

胸の奥行きがあまりない体軀、全体に穏やかな作風は、いかにもこの時代のものであり、同じ頃に造立されたものとして問題ない。

なお、『神像神器図録』（日本美術協会、昭和五年・一九三〇）を見ると、本像は実業家で古美術蒐集家の野田吉兵衞氏の所蔵として掲載されている。さらに、京都市の大将軍神社（東山区三条大橋東三丁目下る長光町）に安置されていたといい、その後近くの若王子社《にゃくおうじしゃ》に移されたのちに巷間に流れ、氏の所有に帰したという。これを信じれば、京都に鎮座する由緒正しき大将軍神のご神体として、貴重な作例とすることができるだろう。

図2　木造童形神坐像（大阪・四天王寺所蔵、平安～鎌倉時代、像高18.3cm）

次に、図2童形神《どうぎょうしん》坐像は、寺伝では聖徳太子神像とされるものである。童子形で髪を左右に分け、耳上で束ねる美豆良髪《みずらがみ》とし、盤領《まるえり》の袍《ほう》と表袴《うえのはかま》を着けて坐る姿である。左手は膝上にのせ、右手は屈臂《くっぴ》して胸前に掲げているが、両手は袍で包まれて隠している。なお、右手の上には小さな窪みがあり、笏《しゃく》などの持物を執っていた可能性がある。構造は、針葉樹（ヒノキか）の一木《いちぼく》造りで内刳りはなく、木心《もくしん》を左後方に外している。表面は黒色（墨塗りか）を呈する頭髪以外は、現状素地《きじ》仕上げとなっている。しかしよく見ると表面には薄く黄土《おうど》（白土？）、が所々に見受けられることから、本来は肉身部と着衣部には彩色が

図3　『摂津国四天王寺図』部分　熊野三社

施されていた可能性がある。袍の合わせ目を彫刻していないことからも、それを感じさせるだろう。右肘の修復箇所に現代の描き木目が確認できるので、近年の修復の際、彩色が剝がされたのだろう。丸い面相《めんそう》に、抑揚のあるまぶたは目尻が少し上がり、小さめの唇は少し尖り気味であり、やや厳しい相貌を見せている。とはいえ、張りのある頬のふくらみは可愛らしい童子の面相である。頭部がきわめて大きく、脚部がほとんど表されない表現は、平安時代後期の神像に近い表現である。眠そうな相貌や、凹凸が少なく、彫りが浅めで、穏やかな作風も同様である。一方、意志的な面相や写実的なまぶたの表現は、鎌倉時代の様式を感じさせる。よって、平安時代後期から鎌倉時代初期頃の造立と思われる。ちなみに本像は熊野権現社《くまのごんげんしゃ》旧蔵という伝承がある。『摂津国四天王寺《せっつこくしてんのうじ》図《ず》』には「熊野三社」（現、守屋祠）が描かれ（図3）、熊野三山の三柱の主神のまわりに、五所王子《ごしょおうじ》の神像が安置され、本像はそのうちの一柱であったのかもしれない。とはいえ、この社内にあったという確証はなく、詳細は不明である。

最後の図4男神坐像は、頭部に巾子冠《こじかん》をかぶり、着衣は袍を着け、両手を胸前で拱手《きょうしゅ》して正笏《しょうじゃく》し坐るという、通例の男神坐像の姿である。構造は頭体すべてを針葉樹（ヒノキか）の一材から彫出する一木造りで、内刳りはない。像底は少し彫りくぼめ、木心はやや左方に籠めている。詳しく見ると、巾子冠の巾子はかなり高く、表面が全体に磨滅しているが後方の上部には黒色（墨）を多く残し、おそらく当初は巾子冠全体が黒色を呈していたことだろう。また、頭髪は頭部側面の耳前に墨で表すのみ

図4　木造男神坐像（大阪・四天王寺所蔵、平安・室町時代、像高54.2cm）

で、それ以外は不明である。面相は素地仕上げで、やや面長で、眉毛の稜線を少しうねらせ、その上に墨線を描く。そしてまぶたは山形に稜線を彫り、その下面を平らに彫り、その平面に墨線でアイラインと黒目を描いている。さらに鼻の下はやや長めで、唇は立体的で抑揚があり、上唇の両端を上げ、顎鬚《あごひげ》を墨線で描いている。これらからなる表情は、少し微笑みを感じさせるものがあり、いわゆる「笑相《えみそう》」を表しているのかもしれない。また、耳は輪郭のみで、詳細を彫らず省略されている。一方、袍は盤領で、首周りの襟を高くし、首はみえない。さらに打ち合わせを彫刻せず、彩色で描いていたと思われる。袍の表面彩色は、白土地に黄土色が確認できるが、これが当初の彩色かどうかはあやしく、注意が必要である。両手を胸前で屈臂して、袖の中に入れたままで笏を正面で持つが、笏は太く短めである。下半身は楕円形に表すのみで、表面が白土地に明灰色《めいはくしょく》を施す以外は省略されている。本像の上半身の奥行きが浅く厚みがあまりないところや、後頭部が斜めにつよく表現されるところ、全体に穏やかな作風は、平安時代後期、十二世紀頃のものをうかがわせる。一方、やや諧謔的な面持ちや、厚ぼったい楕円形の脚部の表現は、中世以降の雰囲気を感じさせる。ゆえに造立年については、プリミティブな作風の平安時代後期の像なのか、もしくは平安時代後期を模した室町時代頃の像であるのか、現段階では両方の可能性を持たせておきたい。

なお、背面の腰から下に、「東二　三」と読める墨書銘が認められ、南面の社殿の内陣内において、東側、つまり向かって右方の二番目の三列目、もしくは、二列目の三番目、という意味だろうか。もしそうであれば、少なくともこの社殿内には東西六体ずつ、計十二体以上の神像が林立していたと想像できる。本像の頭体が細長い作風は、多数の神像がひしめき合う状況に相応しい造形といえるだろう。

以上、四天王寺に現存する神像をみてきた。飛鳥時代から綿々と続く本寺の長い歴史の中で、三軀という数字は心もとないと言わざるを得ない。しかもいずれも造立当初から四天王寺に安置されていたかどうかは不明で、後世に移されてきた可能性が高い。とはいえ、中世以前の神像が一般に目にできることは珍しく、今まで情報の少なかったこれらの像が今回紹介されることはとても有意義なことである。この紹介が、神像研究に資することがあれば幸いである。

（寺島典人）

第3部

中世の四天王寺

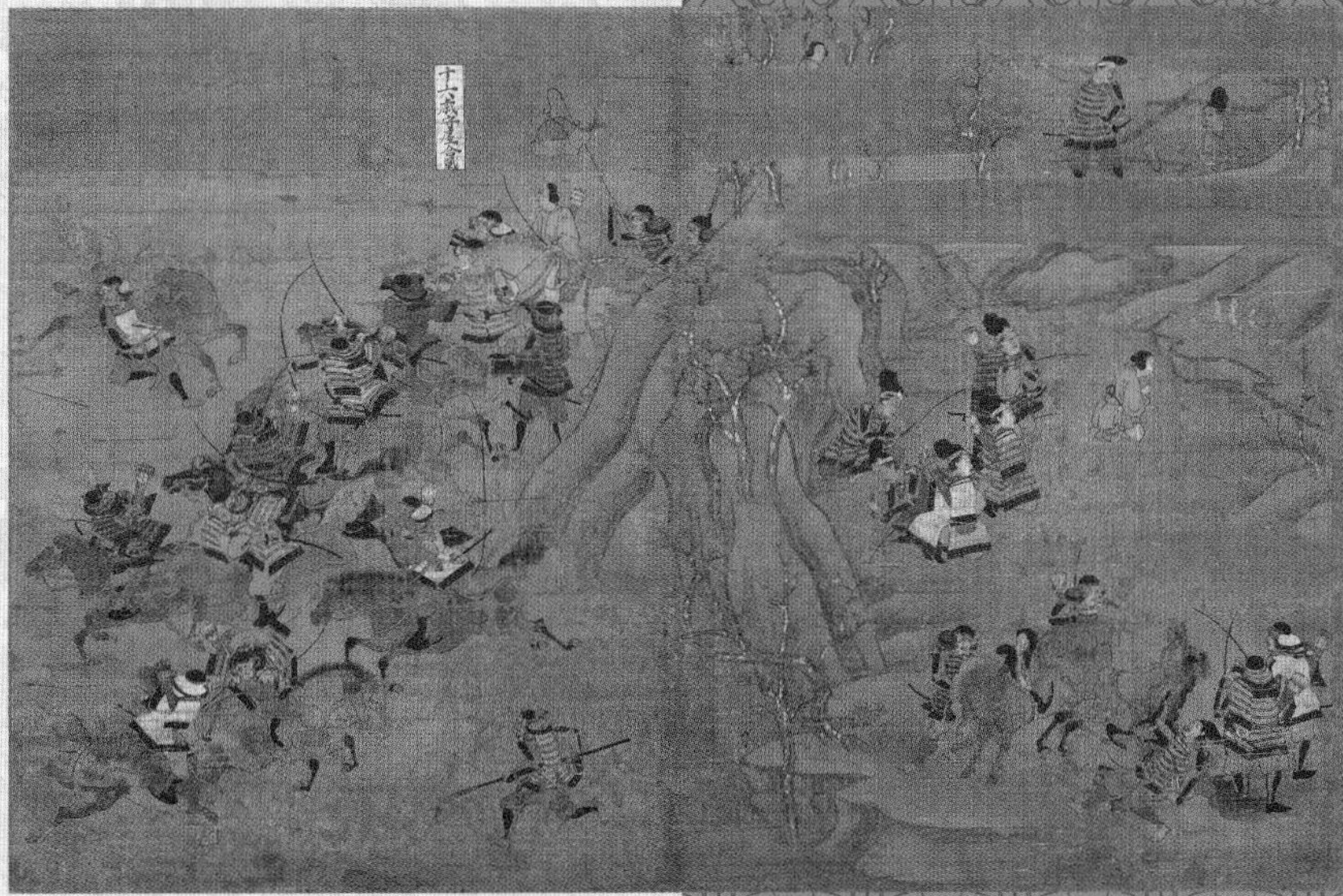

聖徳太子絵伝（遠江法橋筆、四天王寺所蔵、重要文化財、元亨3年・1323。画像提供：奈良国立博物館〈撮影：佐々木香輔〉）

第一章

鎌倉〜室町時代の四天王寺

一　貴顕民衆の参詣と信仰

図1　木造 伝源頼朝寄進行道面「阿修羅」（四天王寺所蔵、鎌倉時代。縦41.3cm、横29.0cm）

源頼朝《みなもとのよりとも》が鎌倉幕府を開き、武家が大きな社会勢力となる時代が到来した。頼朝は朝廷との間に良好な関係を築く必要から、建久《けんきゅう》元年（一一九〇）と同六年（一一九五）に二度の上洛《じょうらく》を果たした。とくに二度目の上洛は後白河法皇《ごしらかわほうおう》亡きあと、頼朝が後継者である嫡子頼家《よりいえ》を披露し、長女大姫《おおひめ》を後鳥《ご》羽《と》天皇《ばてんのう》のもとへ入内《じゅだい》させる地ならしを意図したものだった。この時頼朝は妻政子《まさこ》・頼家・大姫を帯同しており、上洛の間に一行は四天王寺へも参詣した。後白河の皇子で園城寺長吏《おんじょうじちょうり》だった別当定恵《べっとうじょうえ》が灌頂堂《かんじょうどう》で頼朝を待ち受け、一行は聖霊院《しょうりょういん》を巡り銀蒔絵装《ぎんまきえそう》の剣などを奉納して翌日京へ戻った（図1）。この参詣は大姫の健康と入内を祈願するものだったと考えられている。

鎌倉時代は諸宗の祖師《そし》が活発に活動したが、彼らの多くは「日本仏法最初の地」である四天王寺に心を寄せた。全国を遊行《ゆぎょう》した時宗《じしゅう》の祖一遍《いっぺん》は貴賤老少男女隔てなく極楽往生《ごくらくおうじょう》を保証する念仏札《ねんぶつふだ》を配ったが、その行状を絵画化した『一遍上人絵伝《いっぺんしょうにんえでん》』（『一遍聖絵』）では四天王寺を訪れた一遍のもとに多くの人々が集まり、念仏の教えを聴聞する様子が描かれている（図2）。鎌倉時代後期、八宗兼学《はっしゅうけんがく》と称された僧無住《むじゅう》も参詣すべき霊寺のひとつとして太子建立の日本最初の大寺四天王寺を掲げている（『雑談集《ぞうだんしゅう》』）。

庶民や身体に障碍《しょうがい》をもった人々も多く足を運んだ。目が不自由となったが四天王寺の石鳥居《いしのとりい》から沈む太陽に日想観《じっそうかん》を拝した俊徳丸《しゅんとくまる》が、息子の身の上を案じながら四天王寺で施行《せぎょう》をおこなっていた父親との再会を果たす姿を描き出した謡曲《ようきょく》「弱法《よろ》師《ぼし》」（十五世紀）は多くの人々の共感を集めた【第三部コラム1参照】。こうした芸能の誕生の背景には、四天王寺がさまざまな苦しみや悩みを持つ人々が救済される場として認知されている実態があった。

四天王寺には中世の信仰を物語る遺品も少なくない。鎌倉時代の太子信仰にかかわるものが細字《さいじ》法華経《ほけきょう》（重要文化財、四天王寺所蔵。図3）である。この法華経は平安時代のものであるが、中国天台宗《てんだいしゅう》第二祖慧思《えし》の御持経で、しかも太子が前世に中国の南岳衡山《なんがくこうざん》で修行していた折りに所持していたものとされた。それを太子自らが魂を飛ばして将来したことから「夢来之経」と呼ばれていた。

図2　絹本着色『一遍上人絵伝』巻2（法眼円伊筆。神奈川・清浄光寺所蔵、国宝、鎌倉時代、正安元年・1299。縦37.9cm、横136.9cm）

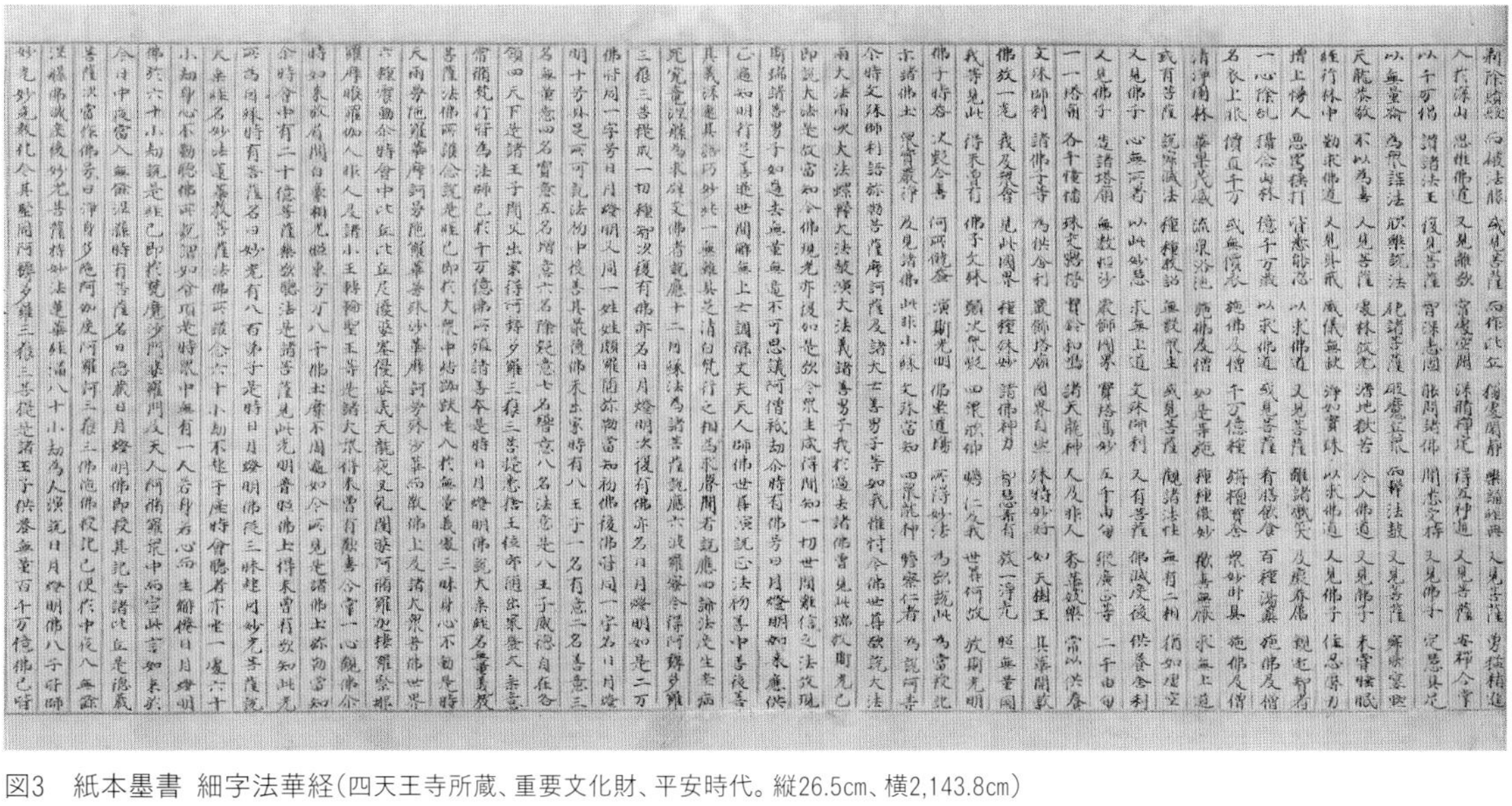

図3　紙本墨書 細字法華経（四天王寺所蔵、重要文化財、平安時代。縦26.5cm、横2,143.8cm）

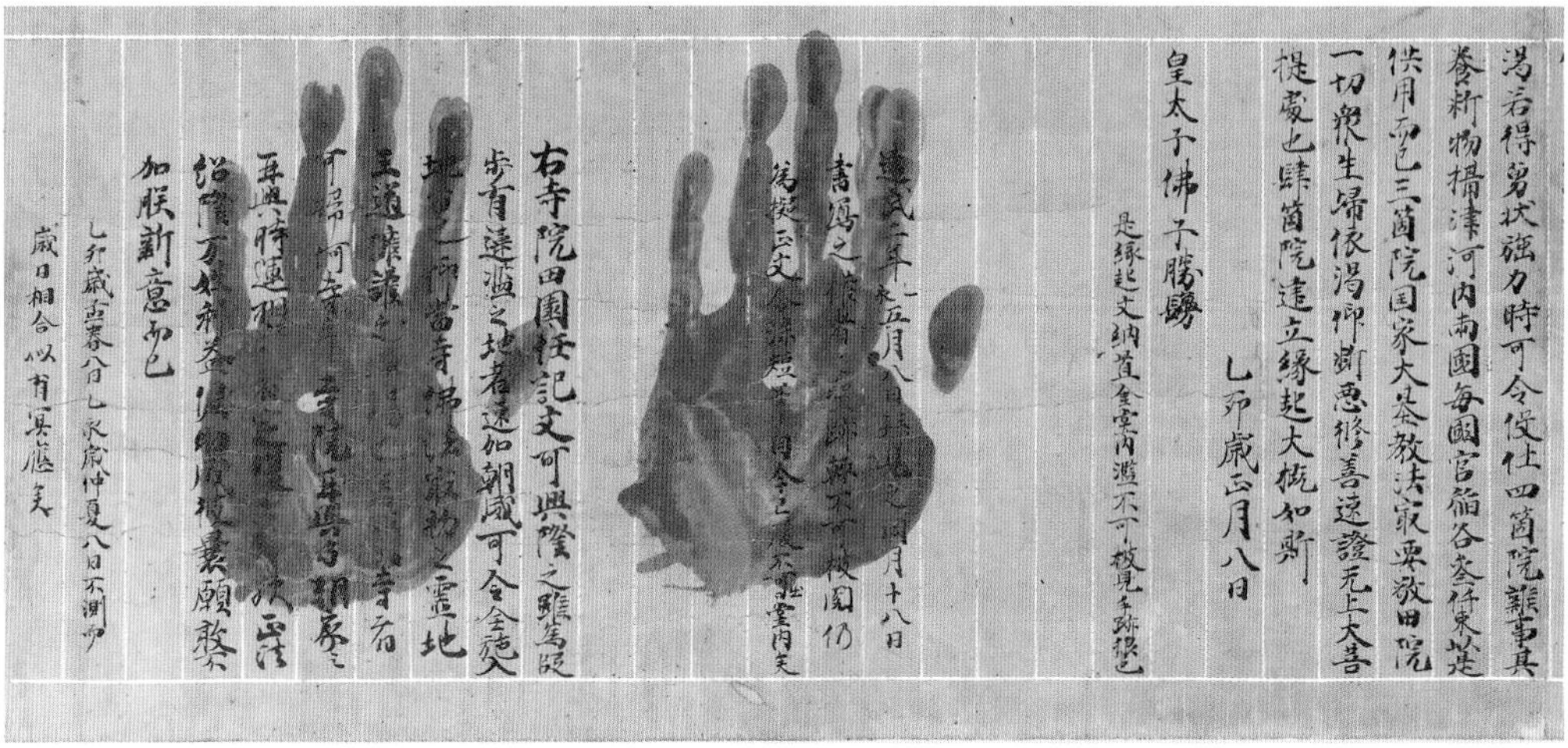

図4　紙本墨書『四天王寺縁起』（後醍醐天皇宸翰本）（四天王寺所蔵、国宝、南北朝時代、建武2年・1335。縦24.4㎝、横461.0㎝）

しかし太子が没すると六二七年、本経は忽然と姿を消す。それが建保《けんぽ》二年（一二一四）に四天王寺宝蔵《ほうぞう》から突如出現したのである。この一件はただちに順徳《じゅんとく》天皇に報告され、四天王寺が太子ゆかりの寺院であることを改めて各方面に印象づけたのであった。

　元弘《げんこう》三年（一三三三）五月、鎌倉幕府が崩壊した。その後親政《しんせい》を開始した後醍醐《ごだいご》天皇は『四天王寺縁起』（根本本。国宝、四天王寺所蔵）の書写をおこなった。建武《けんむ》二年（一三三五）五月十八日のことである。本文に続けて記した自身の奥書には堂内からの持ち出し禁止と四天王寺への強い帰依、王法興隆の願いが述べられており、その上に二つの手印が捺されている（『四天王寺縁起《してんのうじえんぎ》』宸翰《しんかん》本。国宝、四天王寺所蔵。図4）。書写された十八日は観音《かんのん》の縁日であり、天皇は観音の化身《けしん》と認められていた聖徳太子の遺徳に連なる意志を表明し、新たな政権の主宰者たろうとしたのであろう。

　なお鎌倉時代から南北朝時代にかけて、動乱を予兆するように聖徳太子が未来を予言した文言を刻んだ「未来記《みらいき》」ないし「御記文《ごきもん》」と呼ばれるものが四天王寺や太子ゆかりの地でしばしば出現したという（『明月記《めいげつき》』『太平記《たいへいき》』）。後醍醐天皇はそうした「未来記」に自らの存在を重ね、太子への追慕心を高めた可能性がある。

二　続く山門・寺門の争い

　平安時代にはじまった四天王寺別当をめぐる山門《さんもん》・寺門《じもん》の争いは鎌倉時代に入っても続いた【第二部コラム4参照】。長寛《ちょうかん》二年（一一六四）にはいったん仁和寺《にんなじ》出身の覚性《かくしょう》が別当に就き、対立が落ち着くかに見えたがほどなく再燃した。そのため承元《じょうげん》元年（一二〇七）には鎌倉幕府に近い九条兼実《くじょうかねざね》の弟慈円《じえん》が天台座主《ざす》となり、四天王寺別当を兼任することになったのである。なお慈円は別当を二度務め、再任中に入寂《にゅうじゃく》したが、亡くなる前年の貞応《じょうおう》三年（一二二四）に転倒していた聖霊院の絵堂《えどう》を再建し、絵師尊智《そんち》に太子絵伝《たいしえでん》と九品往生図《くぼんおうじょうず》を描かせた。往生図の讃《さん》として和歌を九人に依頼しており、前太政大臣公経《さきのだじょうだいじんきんつね》と右大将実氏《うだいしょうさねうじ》が詠んだ歌を記した慈円の書状が伝わっている（重要美術品、四天王寺所蔵。図5）。

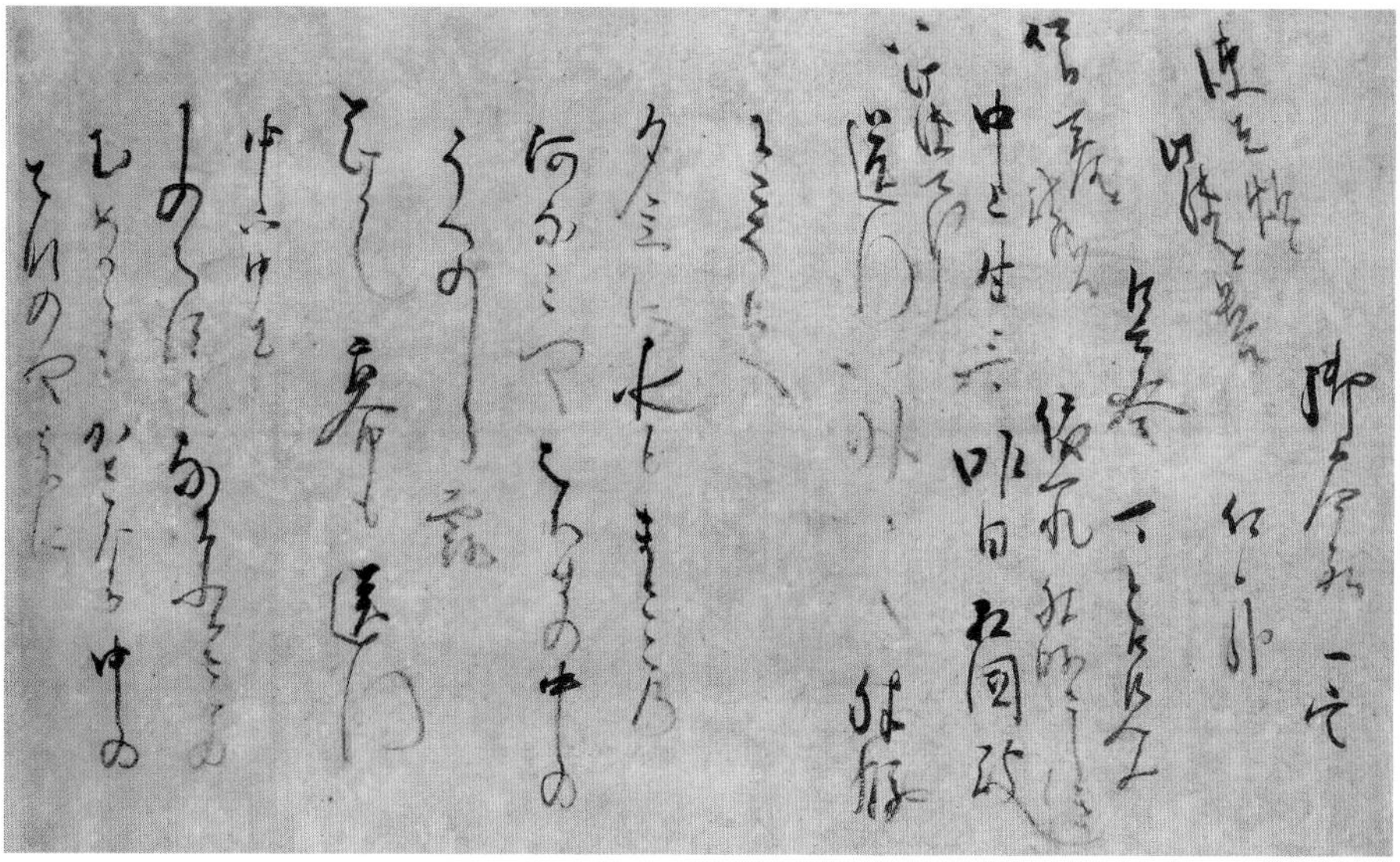

図5　紙本墨書 慈鎮和尚歌入消息文（四天王寺所蔵、重要美術品、鎌倉時代。縦31.0cm、横51.9cm）

慈円の別当就任は結果的に約半世紀にわたる山門の別当独占を招くことになった。そしてそれに異を唱える寺門がふたたび別当位を奪還したため、事態を重くみた幕府は太子草創で仏法最初の地である四天王寺を諸寺の末寺に置くことを止め、浄行持律《じょうぎょうじりつ》の人物を別当に選ぶ必要性を主張した。そして弘安《こうあん》七年（一二八四）、南都西大寺長老《なんとさいだいじちょうろう》の叡尊《えいそん》を別当とする院宣《いんぜん》が下されたのである。

叡尊はそれまでにもしばしば四天王寺を訪れていた。文永《ぶんえい》五年（一二六八）夏には蒙古襲来《もうこしゅうらい》に際して異国降伏の祈祷《きとう》をおこない、建治《けんじ》元年（一二七五）七月・八月には四天王寺薬師院《やくしいん》を拠点に諸堂供養や菩薩戒の授与、非人施行をおこなった（『感《かん》

図6　銅造 石鳥居扁額（四天王寺所蔵、重要文化財、鎌倉時代、嘉暦元年・1326。縦165.0cm、横110.0cm）

身学正記《じんがくしょうき》』）。薬師院は西大寺末となり、叡尊弟子の禅海《ぜんかい》が長老に就いている。なお弘安《こうあん》三年（一二八〇）に制作された叡尊寿像《じゅぞう》（西大寺蔵）に納入された「授菩薩戒弟子交名《じゅぼさつかいでしきょうみょう》」には叡尊から直接菩薩戒を受けた弟子（比丘衆《びくしゅう》）として「静弁　理覚房」と「宣海　浄覚房」の二名の「天王寺人」が含まれている。

しかし叡尊が去ると別当をめぐる抗争が再燃した。そのため永仁《えいにん》二年（一二九四）に別当位についたのが鎌倉極楽寺《ごくらくじ》長老の忍性《にんしょう》である。忍性は非人救済活動を発願《はつがん》し、四天王寺に悲田院《ひでんいん》・敬田院《きょうでんいん》を再興するなど積極的な活動を展開した。また四天王寺のシンボルである石鳥居を建立し、その名を遺すこととなった（図6。【第四部コラム7参照】）。

三　執行をめぐる争い

文暦《ぶんりゃく》元年（一二三四）四月、執行《しぎょう》の明順が円順に殺害される事件が起きた（『百錬抄《ひゃくれんしょう》』）。発端は円順が執行を務めていた時にさかのぼる（別当は尊性《そんしょう》）。その時、明順が円順に狼藉を働き遠流の刑に処せられたが配所に赴かなかった。そして尊性が別当に再任されるや明順は赦されて執行に就いたことから円順が蜂起したのであった。明順の縁者はこの一件を黙認できず、六月、二百騎あまりを動員し円順を襲う事態へ発展したのである。その後の詳しい状況は不明だが、円順はのちに執行に再任され、執行秋野坊《あきのぼう》の第二十二代に位置づけられた（『秋野家譜《あきのかふ》』、四天王寺所蔵。以下『家譜』）。一方、明順は秋野坊第十九代弁順の三男でありながら秋野坊の歴代には数えられていない。円順の立場が優位だったことがうかがわれる。

嘉禎《かてい》三年（一二三七）八月には執行一族の覚順と渡辺党《わたなべとう》が戦い、四天王寺が被災する事態が発生した（『百錬抄』）。覚順は秋野坊第二十三代増順の弟とされる人物である（『家譜』）。増順は尊性・慈源《じげん》（以上、山門出身）、仁助《にんじょ》（寺門出身）の三名の別当にわたって執行を務め、寺領知行《ちぎょう》や諸坊舎修理に尽力したとされる有力者であった。覚順と渡辺党の確執の背景は不明だが、秋野坊には前述のように渡辺党遠藤氏の流れが及んでいる。ただし渡辺党には氏名の違う渡辺氏もいるため、この時は渡辺氏の方の介入だったかもしれない。ともあれ四天王寺の執行は寺内のみならず地域の抗争に巻き込まれるほどの立場だったことは重要である。

こうした事件と秋野坊の俗権は無関係ではなかったと思われる。たとえば秋野坊は興国《こうこく》元年（一三四〇）に摂津国《せっつのくに》新開庄領主職の知行を（「後村上天皇綸旨《ごむらかみてんのうりんじ》」）、正平《しょうへい》二十年（一三六五）には藤原氏女から安井天神《やすいてんじん》別当職を寄進されている（『秋野家伝証文留』、四天王寺所蔵。以下、『証文留』）。新開庄（図

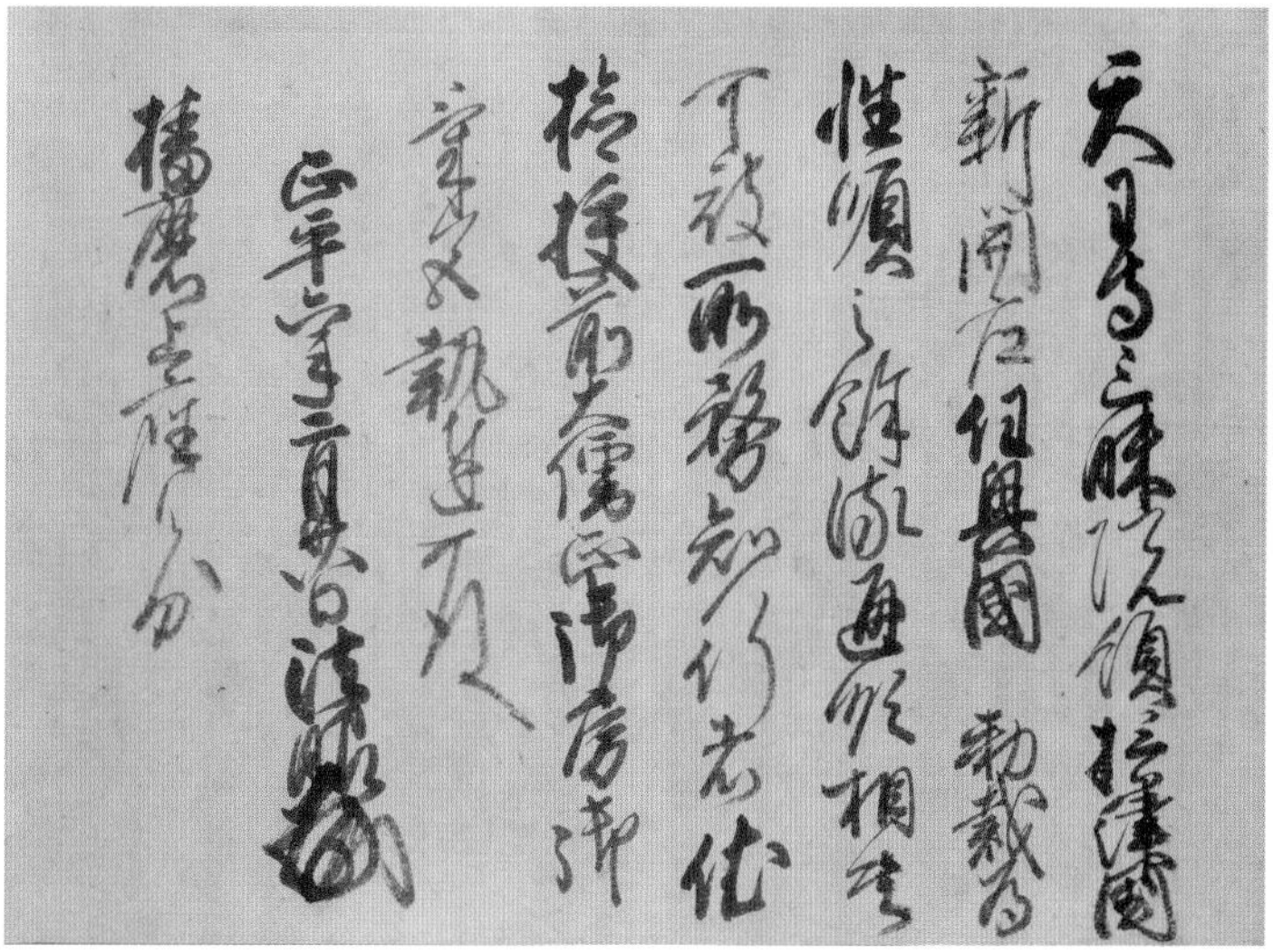

図7　紙本墨書 四天王寺検校御教書（四天王寺所蔵、大阪市指定文化財、南北朝時代、正平6年・1351。縦29.8cm、横45.8cm）

7）はもともと鳥羽法皇《とばほうおう》発願の念仏三昧院《ねんぶつざんまいいん》に施入された荘園であり、安居《やすい》天神は西園寺公経の遠忌のため子息の実氏が建長《けんちょう》八年（一二五六）に建立した堂舎がもとになっているが、これらにかかわる権益が秋野坊に寄進され、事実上私領へと編成されていったのである。執行という立場の秋野坊のもとにはこのように経済的諸権益が集まり、それが秋野坊一族内あるいは外部勢力との対立を招く一因になったと推測される。

四　四天王寺を支えた職人たち

四天王寺は大寺院であったことから多彩な職人集団をともなっていた。とくに太子以来という由緒をもつ番匠《ばんしょう》（大工）や檜皮《ひわだ》大工・瓦大工など建築関係の職人が著名である。彼らは日々の補修や諸堂の造替《ぞうたい》に携わる一方、江戸時代初めにかけて広く西日本で他の寺社や城郭の建設に関与した点が注目される。文治《ぶんじ》三年（一一八七）に勝尾寺鎮守《かつおじちんじゅ》宝殿・本殿の檜皮を葺いた「天王寺」の檜皮大工十名や、豊臣秀吉《とよとみひでよし》の肝煎りで築城された肥前名護屋城《ひぜんなごやじょう》（佐賀県）出土の天正《てんしょう》十八年（一五九〇）銘瓦に名を刻んだ四天王寺住人藤原朝臣美濃など、多くの工人たちの活躍が確認できる。

職人集団の活動が偲ばれる痕跡は四天王寺周辺でも確認されている。四天王寺の南側に接する大道《だいどう》一丁目の発掘調査では中世の井戸から金槌《かなづち》が出土した。これには柄に五分刻みの目盛りが刻まれており、屋根葺き用と推定されている。また瓦を焼成した、中世末にさかのぼりうる達磨窯《だるまがま》の遺構もみつかっている。さらにはこの一帯では鍛冶・鋳造遺構も発見されており、四天王寺を支えた各種工房が集中する場所だった可能性が高い。

図8　四天王寺周辺出土陶磁器（大阪市文化財協会保管、平安時代～室町時代）

五　中世都市「天王寺」

平安時代後期に四天王寺の寺域は「西門」を含む範囲に拡大した。そしてその南側地区には前述のように職人たちが工房を構える一方、鳥居の西側一帯（門前）には商人たちが居住することになった。門前は逢坂《おうさか》を西へくだった一帯にまで及んでおり、浜市《はまいち》という市が立ったことも知られている。逢坂に面した「字魚小路」の発掘現場からは、十二世紀の白磁碗《はくじわん》・瓦器碗《がきわん》、十三世紀の瓦器碗、十四世紀の中国龍泉窯系青磁碗《りゅうせんようけいせいじわん》・同安窯系青磁碗、常滑焼甕《とこなめやきかめ》、十五世紀の備前焼擂鉢《びぜんやきすりばち》などが出土しており、門前の賑わいが彷彿とさせられる（図8）。

また十五世紀の記録によれば、四天王寺に税を納める職人としては金物師・壁塗・土器作、商人については菰《こも》・米・麹《こうじ》・唐物《からもの》・藍物・雑菜・紙・笠・竹・苧《からむし》・塩などを取り扱う者がいた。商人は特定の商品の売買を独占する座をつくる場合もあった（『天王寺執行政所引付』）。なお「西門」には「常住ノ小物売屋」四軒のほか「屋敷」（借家か）などがあったこともわかっている。「西門」は聖俗交じり合う場所だったのである。

西側の門前に対し、北・東・南側には天王寺七カ村と呼ばれる諸村が隣接していた（北村・花園村・東門村・国分村・川堀村・南村・土塔村）。明応《めいおう》八年（一四九九）には「天王寺」に七千軒もの家があったと記録されているが（『大乗院寺社雑事記《だいじょういんじしゃぞうじき》』）、ここでいう「天王寺」とは四天王寺門前、そして七ヵ村の範囲を指したものとみてよい。ここは四天王寺の末寺・末社が展開する範囲でもあり、四天王寺を中核とした「天王寺」は当時わが国有数の規模の都市だったのである。

四天王寺の信仰を経済面で支えた人々の居住地はさらに広く分布した。舎利講《しゃりこう》が催される際に供《く》養料《ようりょう》を納入した村や庄は三十九に及んでいた。それらは北が摂津中島《せっつなかじま》（大阪市の淀川《よどがわ》北側）、東が河内《かわち》若江《わかえ》（東大阪市）、西が木津（大阪市浪速区）、南が和泉深井荘（堺市中区）という範囲に達したのである（『天王寺金堂舎利講記録』）。このように四天王寺は膝下地域に寺院経済の基盤をもっている点が、寺院経営面での大きな強みになっていた。

ところで、四天王寺の北側・東側では発掘調査により寺を囲むように幅二～五ｍの堀がいくつも確認されている。これらは室町時代の遺構と考えられており、戦争から寺を守ったり、寺の領域を明示したりする目的があったと推定される。この堀は正方位地割に沿ったものであるが、豊臣期～徳川初期には埋められ、それ以降、四天王寺周辺の遺構は東にやや傾く上町台地《うえまちだいち》の方位に沿ったものとなる。古代以来四天王寺自体の正方位に変化はないが、豊臣という大きな権力がこの地を覆ったのちは周辺に及ぼす四天王寺の影響力が大きく制限されたのであった。

第二章

戦国時代の四天王寺

一　たび重なる地震と復興

康安《こうあん》元年（一三六一）六月二十四日、南海地震が発生した。上町台地の西側低地には津波が押し寄せ、四天王寺では金堂《こんどう》が転倒し、五重塔《ごじゅうのとう》は傾いて危険な状況となった（『後愚昧記《ごぐまいき》』）。永正《えいしょう》七年（一五一〇）八月八日にも大地震が襲った。この時は石鳥居が倒壊し、金堂如意輪観音《にょいりんかんのん》像の首が破損するなどの被害が発生した。そこで永正九年（一五一二）、秋野坊宗順は金堂本尊修復の勧進状《かんじんじょう》を捧げて再建に乗り出した。嘉慶《かきょう》二年（一三八八）以降、四天王寺は諸国の寺領へ賦課《ふか》される課役を室町将軍により免除されていたが、勧進状の翌永正十年（一五一三）にも細川高国《ほそかわたかくに》から摂津国内の寺領に武家方が賦課する臨時課役・段銭《たんせん》・棟別銭《むねべつせん》の免除が認められた（『証文留』）。復興に向け四天王寺から積極的に働きかけをおこなった可能性があろう。石鳥居については同年に修造に着手し、同十三年（一

図9　紙本墨書 四天王寺聖霊院修造勧進帳（尊鎮法親王筆。四天王寺所蔵、室町時代、天文7年・1538。縦26.9cm、横267.8cm）

五一六）には如意輪観音像の修復が完了した。

二　他寺院との交流

浄土真宗では聖徳太子が本朝仏法の祖として大いに崇敬されている。宗祖親鸞《しんらん》の著作に『聖徳太子和讃《わさん》』があり、真宗寺院には多くの太子像・太子絵伝・太子伝が伝来している。浄土真宗の本山のひとつ本願寺《ほんがんじ》は天文《てんぶん》二年（一五三三）、京都山科から現在の大阪城の地へ移転した（大坂本願寺）。それを機に宗主証如《しゅうしゅしょうにょ》の一族実従《じつじゅう》らはしばしば四天王寺を訪れて聖霊会《しょうりょうえ》や舎利会を見物し、諸堂に参銭《さんせん》をおこなった。証如自身も土塔会を訪れるなど（『天文日記《てんぶんにっき》』）、本願寺関係者の四天王寺に寄せる関心は高かった。

そうしたなか天文七年（一五三八）正月二十日に地震が発生した。余震は三日間続き、石鳥居が崩れたとの情報が本願寺へも届いた。被害は聖霊院にも及び、その修復に向け別当の尊鎮法親王《そんちんほっしんのう》が認めたのが『聖霊院修造勧進帳』（四天王寺所蔵。図9）である。本勧進帳は翌八年（一五三九）十一月に戊亥坊が本願寺に持参し、奉加《ほうが》協力を求めている。尊鎮は翌九年（一五四〇）正月にも本願寺を訪問しており、二月には執行（秋野坊）が訪れ、両者の交流がはかられている（『天文日記』）。

三　織田信長の上洛

永禄《えいろく》十一年（一五六八）、織田信長《おだのぶなが》は足利義昭《あしかがよしあき》を奉じて上洛を遂げた。そして畿内の主要な都市の掌握に乗り出した。その一環として信長は四天王寺境内に宛てて撰銭令《えりぜにれい》を発した（四天王寺所蔵。図10）。この当時流通していた銭貨には良貨と悪貨が混じっており、経済混乱を招く要因となっていた。そのため、この撰銭令では悪銭を三段階に分けて交換比率を定め、物品流通の円滑化をはかろうとしたのであった。四天王寺がこの一帯の商業・物流拠点であったことで、信長が当地での商取引秩序に介入しようとしたのである。

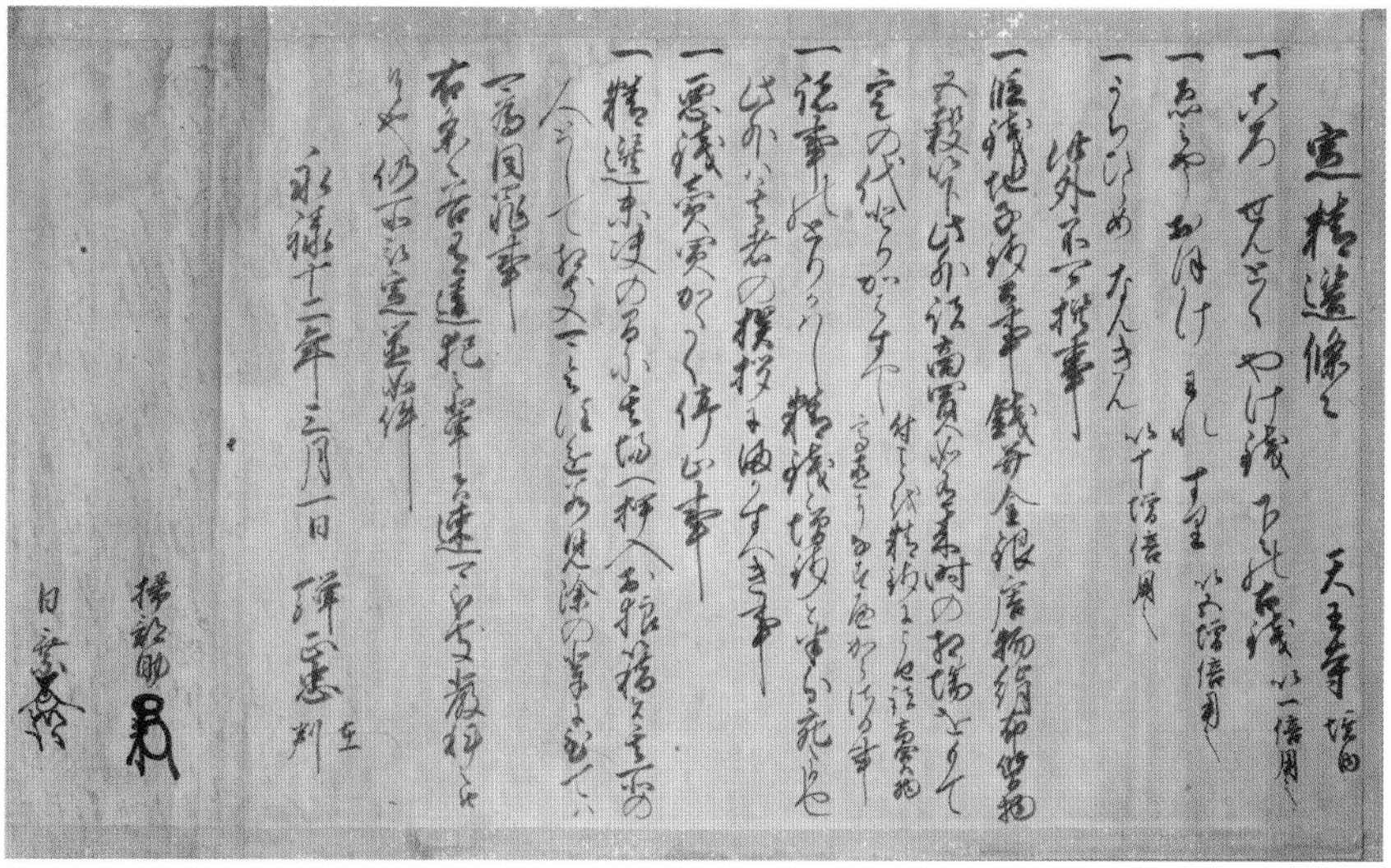

図10　紙本墨書　織田信長撰銭令写（四天王寺所蔵、大阪市指定文化財、室町時代、永禄12年・1569。縦33.4cm、横60.8cm）

織田信長は元亀《げんき》元年（一五七〇）から大坂本願寺および一向一揆《いっこういっき》との戦争を開始した。この戦争は天正《てんしょう》八年（一五八〇）まで続き、周辺地域はその災禍に巻き込まれたが四天王寺も例外ではなかった。緒戦となった野田・福島の戦いの直前、敵対する三好三人衆と信長がともにいったん四天王寺に陣を置いた。そして天正四年（一五七六）四月には信長が荒木村重《あらきむらしげ》・細川藤孝《ほそかわふじたか》・明智光秀《あけちみつひで》・塙直政《ばんなおまさ》に大坂本願寺を包囲させた。この時、明智光秀・佐久間信栄《さくまのぶひで》らは天王寺砦（四天王寺の北西部月江寺《げっこうじ》一帯に比定される）に陣を張ったが、出撃してきた一揆軍が取り囲んで大激戦となった。そして近接する四天王寺は焼け落ちたのである。この惨状を嘆いた正親町《おおぎまち》天皇（一五一七～一五九三）は同五月、広く奉加を募って復興に取り組むよう綸旨を発した（「正親町天皇綸旨《りんじ》」、四天王寺所蔵。図11）。しかし復興はなかなか進まず、次の豊臣氏の時代を待た

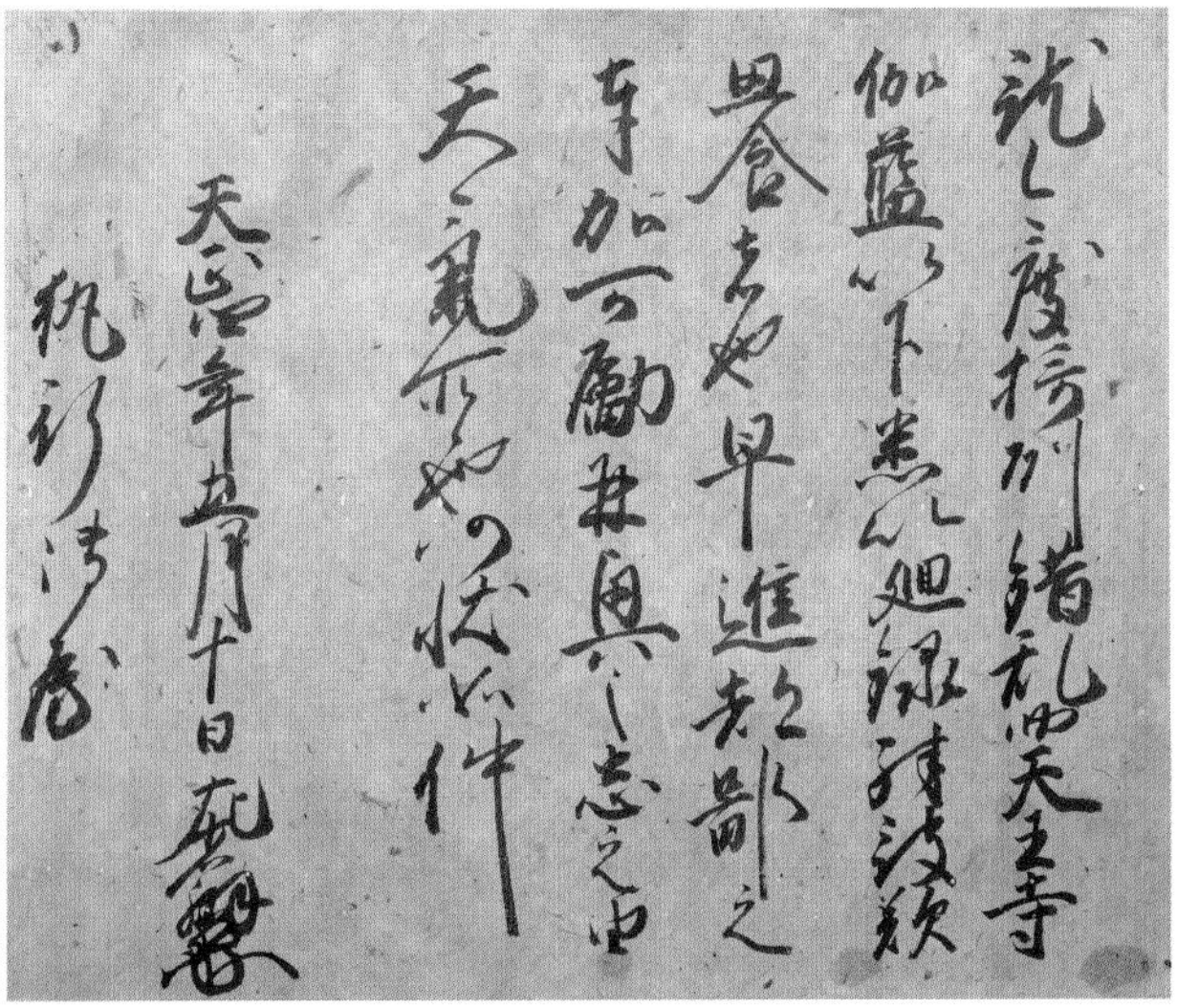

図11　紙本墨書 正親町天皇綸旨（四天王寺所蔵、大阪市指定文化財、安土桃山時代、天正4年・1576。縦31.2㎝、横42.0㎝）

ねばならなかった。

なお信長は天正六年（一五七八）四月、四天王寺境内の安全を保障する禁制を発している（「織田信長禁制」、四天王寺所蔵）。信長が本願寺包囲網を狭め、本願寺を支援する毛利軍との再度の戦いが避けられない状況となったなかでのことだった。四天王寺は戦争に巻き込まれないよう、武家に保護を求める必要があったのである。

第三章 豊臣政権下の四天王寺

一 大坂城下町の建設と四天王寺

織田信長の後継者としての地歩を固めつつあった豊臣秀吉は天正十一年（一五八三）、居城大坂城と四天王寺、堺を結ぶ大城下町の建設に臨んだ。四天王寺とその門前はすでに都市化を遂げていたため、秀吉はここを新たな城下町のなかに組み込み、短期間での城下町建設を目論んだのである。この計画のうち、四天王寺～堺間についてはほどなく断念されたが、大坂城と四天王寺の間は近在の中世都市平野《ひらの》の住人を動員し、上町台地の尾根道とその東に新設した南北道（平野からの移住者はこちらが中心）を利用して平野町が建設され、両者は連結されたのだった（『兼見卿記《かねみきょうき》』）。

二 復興への動き

こうして新たに都市大坂の一角を占めるようになった四天王寺であるが、天正四年（一五七六）の焼失以来、堂宇復興が大きな課題として残されていた。そこで天正十一年（一五八三）、秋野坊亨順《きょうじゅん》が再建資金を得るため、秀吉の了解のもと諸国への勧進活動を始めた（『天王寺再建勧進状』）。秀吉は

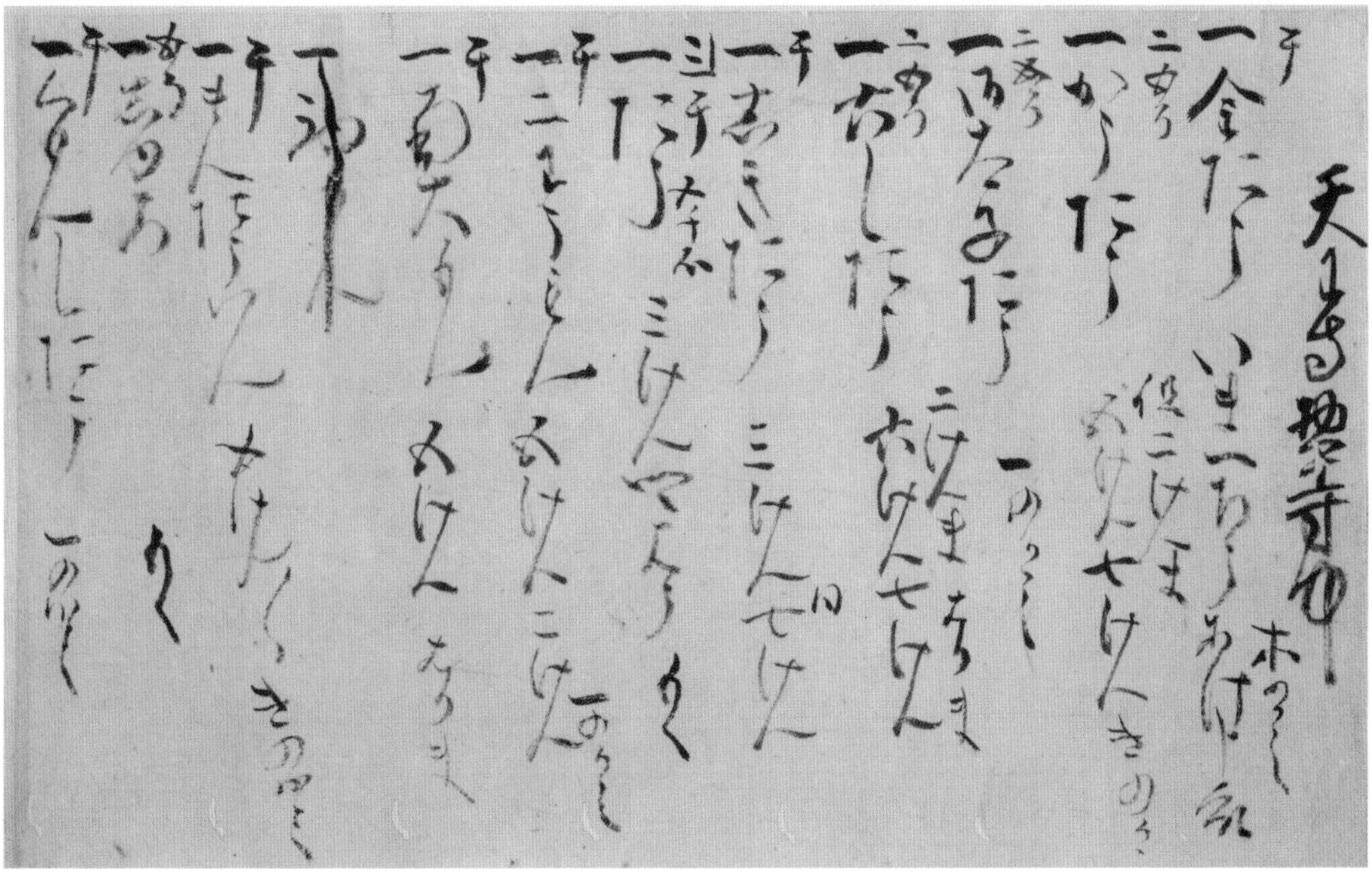

図12　紙本墨書 四天王寺造営目録(豊臣秀吉筆。大阪市指定文化財、安土桃山時代、縦27.7cm、横75.8cm)

これに先だって堺の地子銭《じしせん》の寄進を堺代官松井友《まついゆう》閑《かん》に命じ、四天王寺の再建を支援しようとした(『羽柴秀吉判物《はしばひでよしはんもつ》』、四天王寺所蔵)。

復興への具体的な動きはいくつか確認できる。天正十二年(一五八四)五月の「金堂ハ立」てるは仮堂のことであろう(『多聞院日記《たもんいんにっき》』)。天正十七年(一五八九)四月にも、北政所《きたのまんどころ》が五重塔建立のため番匠を法隆寺《ほうりゅうじ》へ派遣し、五重塔の指図を写させている(『多聞院日記』)。さらにこの頃と推定される秀吉朱《しゅ》印状《いんじょう》では、秋野坊に対し四天王寺に五千石を遣わし、造営に精を入れるべき旨が指示されている(豊臣秀吉朱印状、四天王寺所蔵)。また、天正二十年(一五九二)にも四天王寺門前で勧進能の興行がおこなわれている。これは金春大夫《こんぱるだゆう》が演じたもので(『天王寺誌』、四天王寺所蔵。以下、『寺誌』)、この興行は豊臣秀吉の重臣で大坂の町を支配する小出秀政《こいでひでまさ》が保護した(「小出秀政禁制」、大阪歴史博物館所蔵)。

そうしたなか、文禄《ぶんろく》三年(一五九四)に諸国勧進を終えた秋野坊亭順は伽藍再建に着手することを秀吉に告げた。それをうけて秀吉は修造の命を下し、担当奉行を定めた(『寺誌』)。それに対応するとみられるのが秀吉自筆の『四天王寺造営目録《してんのうじぞうえいもくろく》』(大阪市指定文化財、四天王寺所蔵。図12)である。この目録では再建すべき堂舎の名と規模・担当奉行が書き上げられている。

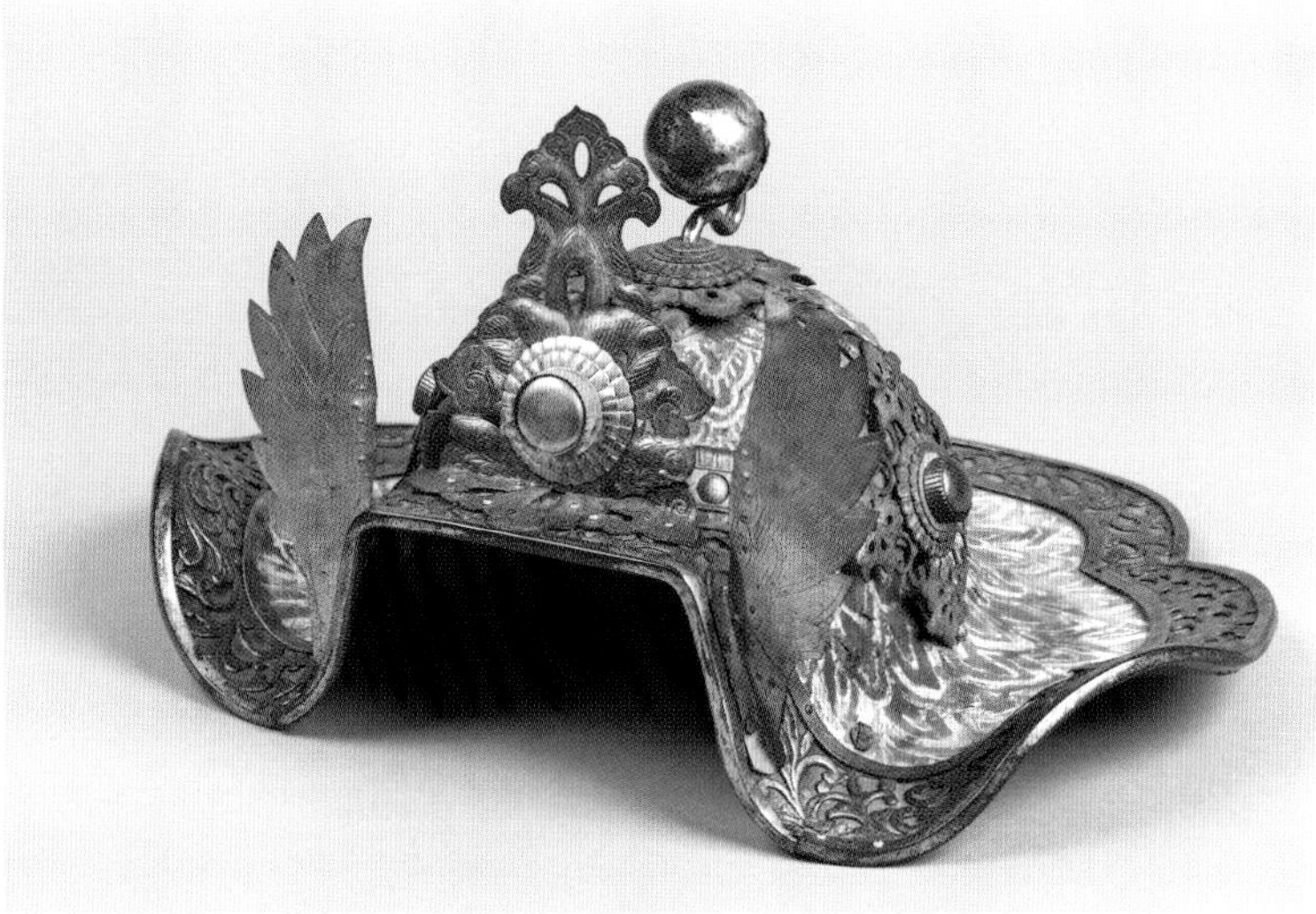

図13　太平楽　兜（四天王寺舞楽所用具のうち。豊臣秀頼寄進。四天王寺所蔵、重要文化財、安土桃山〜江戸時代。長51.5㎝）

こうしてようやく普請が本格化した。秀吉は五重塔を担当した石田正澄《いしだまさずみ》に対し「平群郡《へぐりぐん》ぬかたべの塔」（奈良県大和郡山市額安寺《がくあんじ》）の移築を命じた（豊臣秀吉判物、四天王寺所蔵）。秀吉は各奉行にすべてを委ねるのではなく、主体的に再建に臨んだのである。

三　復興の完成

慶長《けいちょう》三年（一五九八）、秀吉が没した。秀吉が主導してきた復興はその子秀頼《ひでより》に継承され完成を迎えることとなった【第四部コラム1参照】。慶長四年（一五九九）十一月に参詣した醍醐寺三宝院《だいごじさんぽういん》の義演《ぎえん》は仏法最初の霊寺が復旧したとして大いに喜び、こたびの再建は太子の威光によるものと書き記している（『義演准后日記《ぎえんじゅごうにっき》』）。絵堂も再建を遂げ、狩《か》野山楽《のうさんらく》が腕をふるった太子絵伝が堂内を彩った【第四部コラム2参照】。復興成った伽藍のなかで金堂の朱甍が輝く様子は眼を驚かすに十分だったとされ（『鹿苑日録《ろくおんにちろく》』）、復興伽藍の出来映えのすばらしさが偲ばれよう。秀頼は装束など舞楽《ぶがく》所用具（図13。【第四部コラム6参照】）のほか、慶長六年（一六〇一）十月には四天王寺に寺領千石を贈り、これをもって復興は完了した。

なお慶長五年（一六〇〇）三月、完工を告げる法要が執行されたが、そのなかで天台宗・真言宗《しんごんしゅう》が行列・座列において左右どちらにつくのかをめぐる争いが生じた。最終的にそれぞれの言い分を折中し、行列の際は真言が左、座列の際は天台を左とすることで決着がはかられた。衰えることのない四天王寺の存在感の大きさがうかがわれよう。

第四章　豊臣の世から徳川の世へ

一 寺僧の動向

豊臣氏のもとで復興を遂げた四天王寺だが、慶長五年（一六〇〇）九月十九日の関ヶ原戦い《せきがはらのたたかい》直後には徳川家康《とくがわいえやす》の禁制を、また同二十二日にも福島正《ふくしままさ》則《のり》・池田輝政《いけだてるまさ》・浅野幸永《あさのよしなが》の連署による禁制を確保して寺中の安全をはかった（ともに四天王寺所蔵。図14）。四天王寺は豊臣氏の保護を仰ぎながらも変化する政治状況のなかで存続をはかる努力を怠らなかったのである。

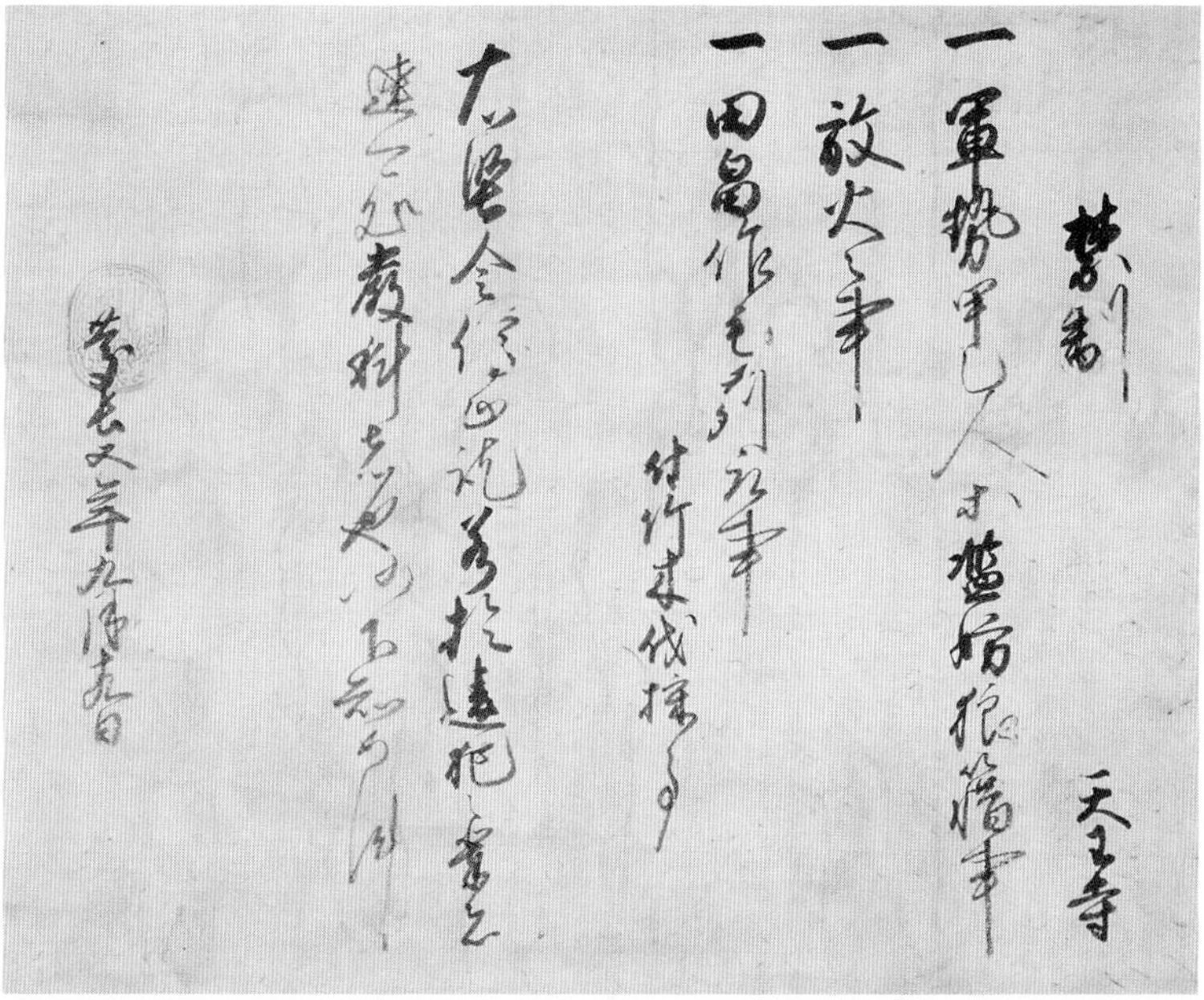

図14　紙本墨書 徳川家康禁制（四天王寺所蔵、安土桃山時代、慶長5年・1600。縦35.8cm、横53.0cm）

堂宇再建がおこなわれたことを契機に、天正四年（一五七六）の焼失後に退いていた多くの寺僧が帰寺の意向を示し、一貫して再建に尽力してきた秋野坊との間に誓詞《せいし》が交わされた。この誓詞は秋野坊を「中興開山《ちゅうこうかいさん》」と位置づけ、今後秋野坊が寺内の万事を取り計らうとともに永代別当職と執行政所を担うことが確認された。この内容は慶長六年（一六〇一）に秀頼の承認も得、秋野坊の実権は増大の方向へ向かった。

しかしながらこの動きを受け、法儀を担う衆徒の立場は逆に引き締められた。衆徒の人数をみると慶長六年（一六〇一）では二十六名を数えたが（『四天王寺坊領并諸役人配分帳』、四天王寺所蔵）、慶長十六年（一六一一）には十二（秋野は除く）へと減少している（「天王寺衆徒中連判状」大阪歴史博物館所蔵。図15）。この変化だけをみると勢力の減退にもみえよう。しかし十二という数はこれ以降固定となるので、慶長年間は衆徒の新体制が発足した時期といえよう。また衆徒中連判状のなかで、衆徒は自分たちこそが天下の祈祷を執行する立場にあると院家衆《いんげしゅう》に対し強く主張している。院家衆は太子堂で勤行《ごんぎょう》をおこなう役職であり、この主張

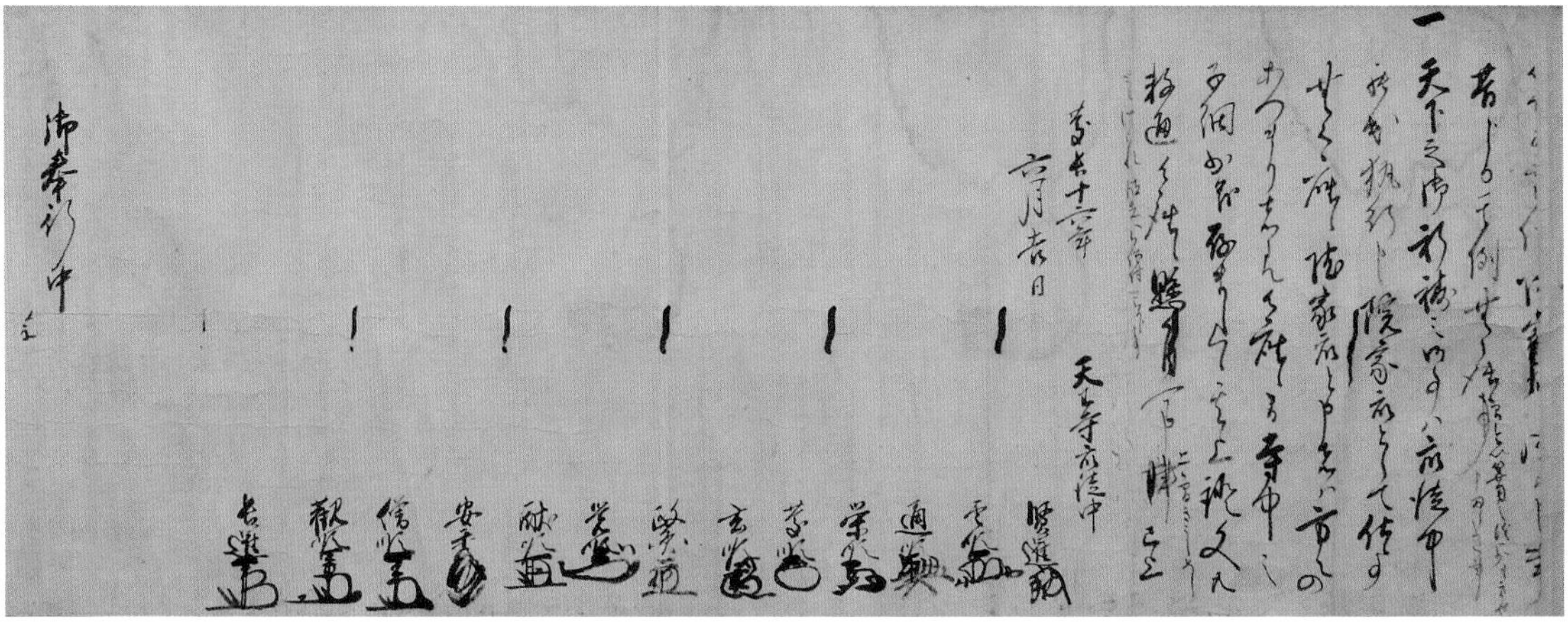

図15　紙本墨書 天王寺衆徒中連判状（前欠。大阪歴史博物館所蔵、安土桃山時代、慶長16年・1611。縦31.3cm、横92.2cm）

の背景は明らかでないが、先の秋野坊の動向も含め、寺内で何らかの確執があった可能性は高い。そうしたなかで衆徒は内部の結束を強め、寺内における衆徒の役割を明確にする動きに出たのであろう。慶長年間は四天王寺寺僧のありかたにとって大きな画期だったと考えられる。

二　大坂冬の陣での回禄

しかし、復興した伽藍も豊臣氏と徳川氏の最終決戦となった大坂の陣でまた回禄の憂き目に遭うこととなった。慶長十九年（一六一四）秋の方広寺《ほうこうじ》鐘銘《しょうめい》事件をきっかけに徳川方が強硬な姿勢に出たことから、両者の緊張が高まった。十月に入ると大坂城へ真田信繁《さなだのぶしげ》ら浪人たちが集結し、武力衝突が避けられなくなり、十一月になると徳川家康・秀忠《ひでただ》が軍勢を率いて京都に入ったため、豊臣軍は示威行動に出た。そして平野で火を放ち、同六日には四天王寺が炎上する事態となったのである。これは豊臣軍による直接放火とも、周辺の在家に放たれた火が折節激しい風にのって太子殿から中心伽藍へと燃え広がったともいわれている。戦乱の世が終結する前年のことであった。

（大澤研一）

コラム【1】

四天王寺と熊野

一 熊野信仰の隆盛と熊野街道

四天王寺の南大門と中門の間に「熊野権現礼拝石《くまのごんげんらいはいせき》」（図1）がある。

図1 四天王寺の南大門と中門の間にある「熊野権現礼拝石」

「熊野」とは本宮《ほんぐう》・新宮《しんぐう》・那智《なち》で構成される紀伊半島深奥の熊野三山《くまのさんざん》のことで、人々はここから遥か彼方《かなた》の熊野三山を伏し拝んだ。

熊野三山は現在、本宮は熊野本宮大社《くまのほんぐうたいしゃ》（図2）、新宮は熊野速玉大社《くまのはやたま》、那智は熊野那智《くまのなち》大社となっていて、那智にわずかに青岸渡寺《せいがんとじ》（西国三十三所《さいごくさんじゅうさんしょ》第一番札所《ふだしょ》）を残すのみであるが、かつては三山とも神仏習合《しんぶつしゅうごう》で、熊野本宮大社の主神家津御子《けつみこ》神の本地仏《ほんじぶつ》は阿弥陀如来《あみだにょらい》、熊野速玉大社の速玉大神《はやたまのおおかみ》、熊野那智大社の夫須美《ふすみ》神は、それぞれ薬師《やくし》如来、千手観音《せんじゅかんのん》が本地仏とされた。

図2 熊野本宮大社（和歌山県田辺市本宮町）

熊野信仰は平安時代後期から隆盛をみ、院政期の上皇たちは憑《つ》かれたように熊野御幸《ごこう》を繰り返した。鳥羽上皇《とばじょうこう》は二十一度、後鳥羽《ごとば》上皇は二十八度、後白河《ごしらかわ》上皇にいたっては三十四度も熊野参詣を果たしている。

京都から熊野へと向かう参詣路《さんけいみち》は、京都から伊勢に向かい、伊勢神宮に参拝したあと、紀伊半島の東側を南下する「伊勢路《いせじ》」と、京都から淀川を下って渡辺津《わたなべのつ》で上陸し、四天王寺・住吉大社《すみよしたいしゃ》を経て和泉《いずみ》・紀伊《きい》とたどる「紀路《きじ》」の二つがあった。『梁塵秘抄《りょうじんひしょう》』巻第二には「熊野へまゐるには　紀路と　伊勢路の　どれ近し　どれ遠し　広大慈悲の　道なれば　紀路も　伊勢路も　遠からず」という今様《いまよう》が収録されているが、上皇たちがたどったのは「紀路」の方で、「紀路」には途中に、俗に「九十九王子《くじゅうくおうじ》」と呼ばれるたくさんの王子社が設定された。王子社とは、熊野権現の御子神を祀る小祠のことである。

「紀路」の熊野街道は四天王寺西門の石鳥居の西側を通り、かつては渡辺津と四天王寺の間に窪津王子《くぼつ》・坂口王子《さかぐち》・郡戸王子《こうと》・上野王子《うえの》が存在した。今はいずれも姿を消してしまったが、四天王寺の南に位置する阿倍王子は当時と同じ場所に健在である。

二　「小栗街道」と説経『小栗判官』

「紀路」の熊野街道は「小栗街道《おぐりかいどう》」（図3）の別名でも知られる。この街道を舞台にした説経《せっきょう》『小栗判官《おぐりはんがん》』が広く世に知られたからである。

小栗判官は京都の公家二条大納言兼家の息子であったが、その粗暴な振る舞いを父にとがめられ、常陸国玉造《ひたちのくにたまつくり》（現在の茨城県行方市）に流される。

それでも懲《こ》りない判官は、家臣十人を連れて、相模《さがみ》の郡代横山邸に押し入り、息女照手《てるて》と強引に契《ちぎ》りを結ぶ。

これを知った横山は大いに怒り、判官と家臣全員を毒殺するが、家臣十人が閻魔大王《えんまだいおう》に嘆願して、判官一人が物言わず目も見えない餓鬼《がき》の姿でこの世に蘇《よみがえ》る。藤沢の遊行上人《ゆぎょうしょうにん》のはからいで、「此くるまを引くものは、ひとひき引けば千僧供養、万僧供養に成るべし」と書いた札を胸にかけ、土車《つちぐるま》に乗せられた判官は、多くの人々にかわるがわる車を引いてもらい、やがて熊野・本宮の湯《ゆ》の峯《みね》温泉（図4）へとたどり着く。

> 湯の峯につけ給へと、ゑいさらゑいと引く程に、堺の浜を引き過ぎて、和泉の国に車つく。急ぐに程なく紀の国に聞へたる、かぶろの宿につきにけり。是より車にてはかなはじとて、籠に入れ負い、程なく湯の峯に御出ありて、小栗を介錯《かいしゃく》し給ふ。一七日お入りあれば、耳も聞へ、眼も見ゆる。三七日と申すには、本《もと》の小栗と成り給ふ。小栗夢のさめたる心地にて、是はまさしく熊野の三つの御山と覚へたり。

図3　「小栗街道」道標（大阪府和泉市府中町）

図4　小栗判官が湯治をしたと伝える湯の峯温泉の「つぼ湯」(和歌山県田辺市本宮町)

ありがたやと伏し拝み給ふ。

湯の峯温泉の湯を浴びた判官は二十一日間の湯治で、すっかりもとの体に蘇る。都に戻って父と対面した判官は、帝《みかど》から常陸国など数ヵ国を拝領し、美濃国青墓宿《あおはかのしゅく》(現在の岐阜県大垣市)で遊女屋の下働きをしていた照手とも再会して夫婦となった。

この説経『小栗判官』の物語から、熊野が「蘇りの聖地」として信仰されたことがわかる。

三　説経『さんせう太夫』と四天王寺

近代の文豪森鷗外の代表作品の一つに『山椒大夫《さんしょうだゆう》』があるが、これは説経『さんせう太夫』をもとにした作品で、その説経『さんせう太夫』には重要な場面で四天王寺が登場する。

丹後国《たんごのくに》由良《ゆら》(現在の京都府宮津市)のさんせう太夫(図5)のもとに売られてきた安寿《あんじゅ》とづし王の姉弟は、厳しい労役を課され、苦難の日々を過ごすが、ある日、山での仕事を言い付けられたのを機会に脱出を試み、姉の安寿は自らを犠牲にして、弟づし王を逃すことに成功する。さんせう太夫の屋敷を逃れ出たづし王は丹後国の国分寺《こくぶんじ》に身を寄せてかくまってもらい、やがて住僧に背負われて京都の朱雀権現堂《すざくごんげんどう》にやって来る。ここで住僧と別れたづし王は、足腰の立たぬ身となっていたため、土車に乗せられて、四天王寺にたどり着く。

あらいたわしや、づし王殿は石の鳥居に取りついて、えいやっと言うて御立ちあれば、御太子の御はからいやら、またづし王殿の御果報やら、腰が立たせ給いける。

図5　山椒大夫(三庄太夫)屋敷跡(京都府宮津市字由良)

四天王寺西門の石鳥居に手をかけ、身を委ねたづし王は、ものの見事に力を回復し、やがて都でも屈指の貴族である梅津院《うめづいん》に見出されて、父祖の地である奥州五十四郡の主に返り咲き、さんせう太夫一族に復讐《ふくしゅう》を遂げる。

『小栗判官』では、土車に乗せられた小栗判官が熊野・湯の峯温泉の湯につかることで蘇るが、『さんせう太夫』では、土車に乗せられたづし王が四天王寺西門の石鳥居に身を委ねて復活を遂げる。『小栗判官』における熊野・本宮の湯の峯温泉が、『さんせう太夫』の四天王寺西門の石鳥居に相当するのである。

四　説経『しんとく丸』における熊野と四天王寺

そうした熊野と四天王寺の関係は、説経『しんとく丸』でいっそう明瞭になる。

しんとく丸は河内国高安郡《かわちのくにたかやす》の信《のぶ》よし長者のひとり息子であったが、生母が亡くなり、長者が迎えた後妻はわが子を後継ぎとするため、しんとく丸のことを長者に讒言《ざんげん》する。父に追放され、継母の呪《のろ》いによって業病《ごうびょう》に苦しむしんとく丸は四天王寺に捨てられる。霊夢のお告げを受けたしんとく丸は、熊野・本宮の湯の峯めざして、ひとり旅立つが、途中、和泉国近木庄《こぎのしょう》（現在の大阪府貝塚市）のとある館《やかた》に立ち寄り、施しを乞う。しんとく丸は、その醜悪な容貌を館の人たちに笑われるが、それが許嫁《いいなずけ》の乙姫《おとひめ》の館であることを知り、愕然《がくぜん》とする。よりいっそうの恥《ち》辱《じょく》を味わったしんとく丸は、熊野行きを断念して四天王寺に戻り、堂の縁の下で餓死することを決意する。一方、乙姫は、親の制止をふりきり、巡礼姿に身をやつして諸国を放浪し、しんとく丸を探し求める。四天王寺にたどり着いた乙姫は、そこでしんとく丸と劇的な対面を果たす。

> 乙姫かっぱと起き給ひ、あらありがたの御夢想や、と御前三度伏し拝み、御下向なさるれば、一の階に鳥箒《とりぼうき》のありけるを、たばかりて下向申し、はにふの小屋に下向あり。しんとく丸をひったて、上から下、下から上へ、せんさいなれ、と三度撫でさせ給へば、百卅五本の釘はらりと抜け、もとのしんとく丸にお成りある。

乙姫が鳥箒で体を三度撫でてやると、しんとく丸はもとの姿に蘇り、二人は長者夫婦として末永く幸せな日々を送った。

説経『しんとく丸』では、熊野での蘇りを断念したしんとく丸が、結局、四天王寺で蘇るのである。

説経は、各地の霊山・霊場の霊験譚《れいげんたん》などを説いた唱導《しょうどう》文芸で、中世後期の室町時代に流行した。その頃熊野信仰は大衆化が進み、「蟻の熊野詣」（『杜詩続翠抄《としぞくすいしょう》』）、「蟻の熊野参り」（『日葡辞書《にっぽじしょ》』）といわれるほど、たくさんの人々が熊野を目指したが、その熊野と熊野街道で結ばれた四天王寺は、ともに「蘇りの聖地」、再生の場として、同質の信仰を集めたのである。

（北川　央）

コラム【2】

西国巡礼と四天王寺

一　西国巡礼の歴史

こんにちの西国巡礼《さいごくじゅんれい》につながる観音霊場《かんのんれいじょう》三十三ヵ所の史料的初見は『寺門高僧記《じもんこうそうき》』巻第四「行尊伝《ぎょうそんでん》」に載せられる「観音霊所三十三所巡礼記」で、一番長谷寺《はせでら》から三十三番千手堂《せんじゅどう》（三室戸寺《みむろとじ》）までの三十三ヵ寺の名が列記される。番付こそ異なるものの霊場寺院の顔ぶれは現行の西国巡礼と完全に一致する。行尊はこれらを「日数百廿日」で巡礼したとするが、彼は天喜《てんぎ》三年（一〇五五）に生まれ、長承《ちょうしょう》四年（一一三五）に亡くなっており、百二十日間かけての巡礼はあまり高齢で行ったとは考えられないので、およそ十一世紀末〜十二世紀初頭にはこんにちの西国巡礼と同じ霊場を巡る観音巡礼が成立していたことになる。

図1　西国巡礼第一番札所那智山青岸渡寺（和歌山県東牟婁郡那智勝浦町那智山）

次に確認できる史料は同じ『寺門高僧記』の巻第六「覚《かく》忠伝《ちゅうでん》」で、覚忠は応保《おうほ》元年（一一六一）に三十三ヵ所巡礼を果たしたと伝える。その番付は一番那智山《なちさん》（青岸渡寺《せいがんとじ》。図1）から三十三番御室戸山（三室戸寺）に至るもので、現行と同じ那智山が一番札所《ふだしょ》になったことが特筆される。

それが享徳《きょうとく》三年（一四五四）成立の『撮壌集《さつじょうしゅう》』になると、現行とまったく同じ、那智山から谷汲寺《たにくみでら》（華厳寺《けごんじ》）に至る番付が記され、以降はこれに固定して現在に至る。ちょうどこの番付が現れた十五世紀中頃は、『竹居清事《ちっきょせいじ》』に「永享《えいきょう》（一四二九〜一四四一）上下之交。巡礼之人。道路如織」と記されたように、巡礼が大衆化し、都に巡礼者が満ち溢れた時期でもあった。そして、この巡礼が「西国」を冠して呼ばれるようになるのもこの時期であり、それは大衆化の担い手が東国の人々であったことに起因する。一番那智山から三十三番谷汲山に至る現行のルートは、東国の人々が東海道を通ってまず伊勢神宮に参拝し、そこから紀伊半島の東側を南下して熊野に至り、那智山から谷汲山まで三十三ヵ所を巡礼したあと、東山道《とうさんどう》（中山道《なかせんどう》）を通って信濃《しなの》の善光寺《ぜんこうじ》に参拝し、故郷へと戻っていくコース設定になっているのである。

二　西国巡礼開創縁起

西国巡礼にはこうした史実としての歴史とは別に、「開《かい》創縁起《そうえんぎ》」ともいうべき物語が伝えられる。

奈良時代の養老《ようろう》年中（七一七～七二四）に大和・長谷寺の開山徳道上人《とくどうしょうにん》が頓死《とんし》した。亡くなった徳道は冥府《めいふ》に行き、閻魔大王《えんまだいおう》の前へと連れ出されるのであるが、閻魔大王は、日々たくさんの人々が生前に犯した罪により地獄に堕《お》ちて来て困っている、と打ち明ける。ついては、霊験あらたかな観音霊場三十三ヵ所の巡礼を果たした者は、その罪障が消滅することとし、地獄に堕とさず、極楽浄《ごくらくじょう》土《ど》へと往生させると約束するので、この巡礼を教え広めよと告げ、閻魔大王は徳道上人に三十三個の宝印を授けて現世に蘇《よみがえ》らせた。ところが、徳道の努力にもかかわらず、三十三ヵ所の観音巡礼は人々に受け入れられず、あきらめた徳道は機が熟するのを待つこととし、摂津国中《せっつのくになか》山寺《やまてら》の「石の唐戸《からと》」の中に宝印を納めた。

それから二百六十年余りの時を経た寛和《かんな》年中（九八五～九八七）、ときの帝《みかど》・花山天皇《かざんてんのう》は藤原為光《ふじわらのためみつ》の娘忯子《しし》を弘徽殿《こきでん》に住まわせ寵愛していたが、天皇があまりにも彼女一人を愛しすぎるため、他の女性たちから恨みを買い、嫉妬を一身に受けた忯子は、その精神的苦痛が原因で、十七歳の若さでこの世を去る。世の無常を感じた天皇は、即位後わずか三年にもかかわらず宮中を出奔して、京都郊外の山科《やましな》で出家し、ともに出家・剃髪した二人の公卿と一緒に熊野に赴く。熊野本宮《くまのほんぐう》で参籠した花山法皇はそこで熊野権現《くまのごんげん》の託宣《たくせん》を受け、その昔、徳道上人が閻魔大王に教えられたという三十三ヵ所観音巡礼の存在を知り、その再興を命ぜられる。経文を読誦《どくじゅ》するたびに目から光明を放つという河内国《かわちのくに》石川郡の仏眼上人《ぶつげんしょうにん》を先達《せんだつ》として、花山法皇は無事巡礼を果たした。これ以降、多くの人々が巡礼をするようになったといい、現在、各札所で詠まれる御詠歌《ごえいか》も、花山法皇が巡礼の際に詠んだ御製《ぎょせい》だと伝えられるのである。

西国巡礼開創縁起に語られた物語からわかるように、西国巡礼は堕地獄《だじごく》を回避し、極楽往生を遂げるための作法であった。

そのため、現在も、人が亡くなると、生前に西国巡礼

図2　西国巡礼番外札所花山院菩提寺境内にある花山法皇墓所（兵庫県三田市尼寺）

を行った際に各霊場の朱印を捺《お》した笈摺《おいずる》や掛軸・朱印帳などを遺体とともに棺《ひつぎ》の中に入れてやったり、遺体の前で御詠歌講《ごえいかこう》の人たちが三十三ヵ所の御詠歌をあげてやるという習俗が各地で伝えられている。御詠歌をあげてもらうと、生前に西国巡礼を果たしていない人でも、巡礼を行ったのと同じ功徳《くどく》が得られ、極楽往生できると信じられているのである。

三　西国巡礼と善光寺・四天王寺の信仰

ところで、西国巡礼の札所会は、三十三ヵ寺の札所以外に、奈良県桜井市の法起院《ほっきいん》、京都市山科区の元慶寺《がんけいじ》、兵庫県三田市の花山院を公式の番外札所として認定している。いずれも開創縁起にかかわる寺院で、法起院は徳道上人の墓所、元慶寺は花山法皇出家の地、花山院は花山法皇の墓所である（図2）。

ところが、巡礼者向けに市販されている朱印帳や掛軸には、三十三ヵ寺とこれらの番外札所以外に、高野山奥の院や四天王寺、東大寺二月堂、善光寺（図3）などの欄が設けられているものが多く、実際、これらの寺院では西国巡礼者に朱印を授けているのである。なかでも善光寺と四天王寺は西国巡礼にとって格別の存在となっている。

善光寺の本尊善光寺如来は、一つの光背の前に阿弥陀《あみだ》如来《にょらい》・観音菩薩《かんのんぼさつ》・勢至《せいし》菩薩が並び立つ「一光三尊《いっこうさんぞん》」の形式で表され、欽明《きんめい》天皇の時代に百済《くだら》の聖明王《せいめいおう》からもたらされたわが国最初の仏像とされる。蘇我《そが》氏と物部《もののべ》氏とのいわゆる「崇仏《すうぶつ》戦争」の過程で、いったん「難波《なにわ》の堀江《ほりえ》」に棄《す》てられるが、大化改新ののちに海中からふたたび姿を現し、信濃の豪族本多善光《ほんだぜんこう》に背負われて信濃に遷《うつ》った。善光の自宅で祀られることとなった如来は、幼くして亡くなった善光の息子善佐《ぜんすけ》、さらには皇極《こうぎょく》天皇をも地獄から救い出し、現世に蘇らせたと伝えられる。生き返った

図3　善光寺（長野県長野市元善町）

皇極天皇は重祚《ちょうそ》して斉明《さいめい》天皇となり、立派な伽藍《がらん》を建て、如来の恩に報いた。これが善光寺だというのである。

御詠歌講は遺体の前で御詠歌をあげるとき、三十三ヵ所に続けて、必ず善光寺の御詠歌をあげる。善光寺本堂の床下には「戒壇《かいだん》」と呼ばれる真っ暗闇の通路が設けられていて、参詣者はこれを巡ることで、地獄からの生還を疑似体験する。善光寺に伝わる「御印文《ごいんもん》」は地獄に堕ちた亡者《もうじゃ》を釈放して極楽へ送る証《あかし》とされ、参詣者は列を成してこの「御印文」を額に捺《お》してもらう。

一方、四天王寺は、平安時代から「浄土信仰の聖地」として衆庶の信仰を集め、西門の石鳥居には「釈迦如来《しゃかにょらい》　転法輪所《てんぽうりんしょ》　当極楽土《とうごくらくど》　東門中心《とうもんちゅうしん》」の扁額が掲げられ（図4）、極楽の東門として信仰の対象となった。境内の「亀井《かめい》」の水は極楽に通ずるといわれ、亡くなった人の戒名を経木《きょうぎ》に書いて流すと、その魂が極楽にたどり着くとされ、こんにちも経木流《きょうぎなが》しをする人の姿が絶えない（図5）。また、北鐘堂《きたがねどう》は「引導《いんどう》の鐘」と呼ばれ、西門の石鳥居《いしのとりい》の脇にある「引導石」の上に棺を置いて、この鐘を鳴らすと、僧侶の力を借りることなく、死者を極楽往生させることができるとされた。

このように、西国巡礼と善光寺・四天王寺は「堕地獄回避」「極楽往生」という信仰内容が共通するのである。だからこそ、西国巡礼者は、三十三ヵ所の巡礼とともに、四天王寺・善光寺にも参詣を果たした。とりわけ、大阪では、西国巡礼を始める前には四天王寺へ挨拶に行き、巡礼を終えたら善光寺にお礼に行かねばならない、といわれ、西国巡礼と四天王寺・善光寺の参詣はワンセットになっているのである

（北川　央）

図4　四天王寺西門石鳥居扁額

図5　経木流しが行われる四天王寺亀井堂
（撮影：広瀬達郎〈芸術新潮〉）

コラム【3】

四天王寺の中世仏画

災害の多かった四天王寺には残念ながら仏画は多く遺らない。そのなかで平安時代の天台密教《てんだいみっきょう》絵画である両界《りょうかい》曼荼羅図《まんだらず》については以前より注目され、論考も多く今回も別途紹介されている【第二部コラム8参照】。ここではあまり注目されていないが、特色ある中世期の四天王寺の仏画二例を紹介しておきたい。

一　千手観音二十八部衆像　絹本着色

縦九九・四cm　横五四・〇cm

まず、千手観音二十八部衆像《せんじゅかんのんにじゅうはちぶしゅうぞう》である（図1）。縦長の絹本掛幅画《けんぽんかけふくが》で、中央に立像《りゅうぞう》の千手観音、その足元左に十一面観音《じゅういちめんかんのん》、右に聖観音《しょうかんのん》を配し、その三体を囲むように二十八部衆が位置する。二十八部衆のうち風神と雷神は千手観音の上方両脇に配される。また千手観音足元には波の表現、上方には紅葉を含んだ山の表現が認められ、いわゆる観音の補陀落浄土《ふだらくじょうど》を表したものと解される。この図で特徴的なのは、まず千手観音像の図様が『別尊雑《べっそんざっ》記《き》』（心覚《しんかく》編　仁和寺《にんなじ》）巻一七所収の「唐本　私造加之」という記載のある千手観音図像や京都三十三間堂《さんじゅうさんげんどう》の千手観音像胎内摺仏《たいないすりぼとけ》とほぼ同じで、頭上十面が仏面であること、脇面を備えることなどの特徴を持っている。『別尊雑記』の「唐本」という記述は唐時代ではなく唐末から宋代の仏画のことをいうと思われ、中国の十二～十三世紀の新しい様式の尊像《そんぞう》表現であろうと考えられる。両脇の十一面観音像や聖観音像については、裳裾《もすそ》の両端を瓔珞《ようらく》でたくし上げるような表現が唐代檀像《だんぞう》様式の観音像の特徴を持つ点で特異である。二十八部衆については、功徳天《くどくてん》、婆藪仙《ばすせん》、梵天《ぼんてん》、帝釈天《たいしゃくてん》、四天王、風神・雷神などは像容《ぞうよう》がわかりやすく比定しうるが他の尊については他の作例と比較してもその像容が一致せず尊名は確定しがたい。山景や水景は、『華厳経《けごんきょう》』などに説かれる補陀落浄土の表現と思われ、千手観音像では奈良国立博物館本や大清寺《たいせいじ》本、細見家《ほそみけ》本など、他の観音像でも太山寺《たいさんじ》蔵十一面観音像、宝厳寺《ほうごんじ》蔵如意輪観音像《にょいりんかんのん》などにも認められる。このように本図は、おそらく十二世紀後半から十三世紀にかけて中国からもたらされた図像の千手観音二十八部衆像に聖観音、十一面観音を加え補陀落浄土の表現を施した新しい千手観音像の仏画と考えられる。しかし、このような図様は広くいきわたることはなく図像集や摺仏にとどまったものと解してよいだろう。

画面全体に剝落や補修が多く、とくに千手観音をはじめ各尊に施された煩わしいほどの金泥《きんでい》線はほとんどが後補である。したがってこの金泥線を除外して考察しなければならない。その手段として赤外線写真を用いた（図2）。それによると、中尊千手観音像や十一面観音像、聖観音像の表現は、鉄線描《てっせんびょう》ともいうべき謹直な墨線を用い、彩色を抑えた表現であり、金具などに若干金泥は使用さ

図2　千手観音二十八部衆像、赤外線写真

図1　千手観音二十八部衆像(四天王寺所蔵、鎌倉時代)

れるが、截金《きりかね》等の使用は認められない。二十八部衆についてもあまり肥瘦《ひそう》のある描線は用いず控えめで荒々しさは感じられない。

制作年代としては、『別尊雑記』や三十三間堂千手観音像胎内摺仏の同図用の千手像が認められることや、墨線の確かな表現などから鎌倉時代前期、十三世紀の中頃まで遡る制作と考えてよいだろう。

二　十王図　十幅　各縦九五・四cm　横五四・〇cm

十王《じゅうおう》とは冥界《めいかい》にあって亡者《もうじゃ》の生前の罪業《ざいごう》を追及し、死後に行くべき所を定める裁判官の役割を持った十人の王である。日本においては、亡くなった日、あるいはその前の日から数えて七日目を初七日《しょなのか》といい裁判の最初とし、その後七日ごとに七回行い、続いては百ヵ日、一年目の一周忌、二年目の三回忌まで行われることとなっている。初七日の秦広王《しんこうおう》を一人目として、二七日初江王《しょこうおう》、三七日宋帝王《そうていおう》、四七日五官王《ごかんおう》、五七日閻羅《えんら》（魔《ま》）王《おう》、六七日変《へん》成王《じょうおう》、七七日太《たい》（泰）山王《ざんおう》、百ヵ日平等王《びょうどうおう》、一周忌都市王《としおう》、三回忌五道転輪王《ごどうてんりんおう》の十王である。これら十王を画いた絵画が十王図で、その典拠となる経典として『閻羅王授記《えんらおうじゅき》四衆逆修七斎功徳往生浄土経《ししゅうぎゃくしゅうしちさいくどくおうじょうじょうどきょう》』（通称『預修十王四生七経』）と『地蔵菩薩発心因縁十王経《じぞうぼさつほっしんいんねんじゅうおうきょう》』（略して『地蔵十王経』）の二つがある。いずれも中国唐《とう》時代に成立した偽経とされている。絵画としては中国の唐時代から宋《そう》時代にかけて多く制作されたが、中国本国には遺品はなく、敦煌《とんこう》で発見、将来された図巻や絹絵がフランスやイギリスに、また、十四世紀ごろ日宋貿易によって日本に将来された江南浙江《こうなんせっこう》の寧波《にんぽー》の画家、陸信忠《りくしんちゅう》や金大受《きんたいじゅ》（金処士《きんしょし》）などによる十王図が相当数遺されている。日本においては画面上部に十王の本地《ほんじ》諸尊を配置したり、和装の人物を配するなど独特の展開をみせた。

四天王寺に遺る十王図は、金大受の十王図とほぼ同じ図様をとる（図3）。金大受の十王図の最初期例は現在ボストン美術館に四幅、メトロポリタン美術館に五幅、それぞれ所蔵される十王図である。これらには「大宋明州東橋西金処士家画」という款記《かんき》があり、金処士とは南宋《なんそう》時代に活躍し東京国立博物館蔵の十六羅漢図の筆者としても知られる金大受のことである。この款記のうち「大宋明州」が「慶元府」に改称されるのは慶元《けいげん》元年（一一九五）のことであるので、それ以前の制作であることがわかる。ちなみに陸信忠本の款記には「慶元府車橋石板巷陸信忠筆」とあり、改称以後の制作で、金大受画とさほど隔たりはないだろうが少し後の作であると考えられる。金大受様の十王図は、このボストン美術館本とメトロポリタン美術館本以外にも日本では岡山・宝福寺《ほうふくじ》本、愛知・崇福寺《そうふくじ》本、佐賀・万寿寺《まんじゅじ》本などがあるが、崇福寺本や万寿寺本には本地仏が描かれるなど和様化が進んでいる。四天王寺本、宝福寺本、ボストン美術館・メトロポリタン美術館本の三例では、画面を、上部の十王と取り囲む冥官《みょうかん》たち、中央部の調べを受ける亡者、下部の地獄の情景、の三部構成となっており、同時期の陸信忠画のように十王と亡者に大きく場面を割く構図とは異なっ

図3　十王図（四天王寺所蔵、室町時代）

図3-2　秦広王

図3-1　宋帝王

図3-3　平等王

図3-4　閻魔王

ている。陸信忠画の方が十王の扱いが大きくダイナミックで、金大受様が地獄の情景まで描きこもうとしたため煩雑な感を与えることは否めない。年代的にみれば金大受様が先行し、陸信忠が画面をより凝縮させたものに改変したと解してよいだろう。金大受様の十王図は、京都禅林寺《ぜんりんじ》の地蔵十王図の十王ともやや近い表現が認められ、日本に十三世紀終わりから十四世紀初めにもたらされた図様ではないかと考えられる。

　ところで、この同じ図様の三例を比較すれば、四天王寺本と他の二本には異なった点も多い。まず尊名が統一されていないということである。同じ図様でありながら見事に三例で尊名が異なったものとなっている。四天王寺本には画面左右どちらかに尊名を記した題箋《だいせん》が描かれておりそれを基準とすると、たとえば四天王寺本の五官王はボストン美術館本では秦広王とされ、宝福寺本では平等王とされる。四天王寺本の平等王はボストン美術館本は五道転輪王、宝福寺本は秦広王、というようにすべての尊で尊名が異なっているのである。なぜそのようなことが起こったのか不明であるが、十王の図像的な根拠が曖昧であったことによるものかと思われる。さらに構図はまったく同じであるが、十王やその他の人物の衣服、十王の坐る壮座に懸かる布の色、机に懸けられる布の色、背景の屏風や樹木の色など、色付けがほとんどといってよいほど三例で異なったものとなっている。ボストン美術館・メトロポリタン美術館本が原本的な遺品とするならばそれを写す段階で色付けに変化がもたらされたのであろうか。さらに画面の縦横の比率が異なる。ボストン美術館本やメトロポリタン美術館本では縦が一二九・五cm、横が四九・五cmであるのに対して四天王寺本では縦が九五・四cm、横が五四・〇cmと縦の長さがかなり短くなり、その分横に広がった印象がある。それは陸信忠本にも通じるものがあり、画面の比率においては陸信忠本などを基にしたのかもしれない。四天王寺本の描法は、十王や冥官などの人物表現は金大受本を忠実に模しているが、衣文線《えもんせん》など宋画の影響を受けるもののやや硬く、宝福寺本などと同様室町時代初期の制作と考えてよいだろう。

（南谷恵敬）

大久保良峻著
伝教大師　最澄
2750円

六度集経研究会訳
全訳　六度集経
仏の前世物語
3850円

中前正志著
寺院内外伝承差の原理
縁起通史の試みから
4400円

藤丸　要著
華厳法界義鏡講究
13200円

松本史朗著
仏教思想批判
14300円

永沢　哲編著
チベット仏教の世界

下坂　守著
祇園祭千百五十年記念
中近世祇園社の研究
19800円

内田啓一著
仏教美術史展望
内田啓一論集
7700円

安川如風の本

京の宮絵師 安川如風の描く
こころのぬりえ
1430円

現代に生きる宮絵師
京の宮絵師 安川如風の半生と親鸞聖人の歩まれた道
1980円

重版出来

越智淳仁著
密教概論
空海の教えとそのルーツ【2刷】
4400円

伊吹　敦著
禅の歴史

新刊

親鸞とマルクス主義

——闘争・イデオロギー・普遍性

近藤俊太郎著

近現代日本において、マルクス主義と交差した局面で構築された親鸞論に注目し、「親鸞を語る」という営為の思想史的意義を検証する。　8250円

婆《ば》藪《す》槃《ばん》豆《ず》伝

——インド仏教思想家ヴァスバンドゥの伝記

船山　徹著

ヴァスバンドゥの最古にして最も詳しい伝記の、基礎的で平易な、そして詳細な訳注書。世親伝研究百年の歴史を画する最重要成果。　2750円

神智学と仏教

吉永進一著、碧海寿広解題

神智学やスウェーデンボルグ思想といった〈秘教〉と〈仏教〉を架橋し、近代仏教研究へさらなる展望を与えた著者による待望の単著!　4400円

好評辞典シリーズ

総合佛教大辞典 新装版 全1巻

〈日本図書館協会選定図書〉 3刷

井ノ口泰淳、櫻部 建、薗田香融他編

■内容見本呈 30800円

新版 仏教学辞典 11刷

多屋頼俊、横超慧日、舟橋一哉編 6160円

新・梵字大鑑 全二巻

種智院大学密教学会編 44000円

真宗新辞典 机上版【本文新字体】 13刷

金子大榮他監修 20350円

華厳経入法界品 梵蔵漢対照索引

長谷岡一也著 68200円

密教大辞典 縮刷版 12刷

密教辞典編纂会編 27500円

密教辞典 14刷

〈日本図書館協会選定図書〉

佐和隆研編

350000

ーご注文方法ー

●お求めの際には、お近くの書店を通じてご注文下さい。十日から二週間程度でお手もとに届きます。

●送料ご負担で、直接ご注文をうけたまわります。詳細は、お問い合わせください。

●ウェブショップ

https://pub.hozokan.co.jpでは、他社の仏教書もご注文いただけます。ぜひご覧ください。

価格はすべて税込(10%)です。

法蔵館ホームページ

〈送料・代引手数料〉

ご購入金額合計

・16500円(税込)未満
送料…450円
代引手数料…330円

・16500円(税込)以上

コラム【4】

四天王寺収蔵の銅鏡

一　日本の銅鏡

四天王寺には、施入時期は詳らかにしないが、日本をはじめとする東アジアの銅鏡が多数収蔵される。なかでも日本製の銅鏡には秀逸な品が多く、しかも古墳時代から江戸時代にわたる各時代の鏡の特徴を通覧することができる。なかでももっとも古いものは、大阪府高槻市慈願《じがん》寺山《じやま》古墳から出土した内行花文鏡《ないこうかもんきょう》（大阪府指定文化財、図1、径二一・七cm）である。古墳時代前～中期、四～五世紀の有力者の古墳からは、中国から舶載《はくさい》された後漢《ごかん》時代の鏡を模倣した仿製《ほうせい》鏡が少なからず出土する。それらは原型の鏡の鏡胎《きょうたい》・文様《もんよう》の形式を比較的忠実に踏襲したものと、文様に独自の解釈を加え大きく改変したものに大別され、本鏡は前者に属する。鈕《ちゅう》の四葉座《しようざ》に「長・宜・子・孫」の文字を陽鋳《ようちゅう》する漢代《かんだい》内行花文鏡を模倣したもので、四葉座の文字が蕨手文《わらびてもん》に入れ替わり、内行花文の間地《まじ》の蕨手の根元が乳《にゅう》となって、雲雷文《うんらいもん》内外の櫛歯文《くしばもん》が幅広く、平縁《ひらぶち》の上面が斜縁《しゃえん》気味になるなどの違いを生じている。なお箱の蓋《ふた》裏に「昭和参拾五年拾月拾五日／慈願寺山出土」と墨書され、発見年月日が判明するのが貴重である。高槻市内の個人所蔵家名も墨書され、のちに四天王寺へ入った。

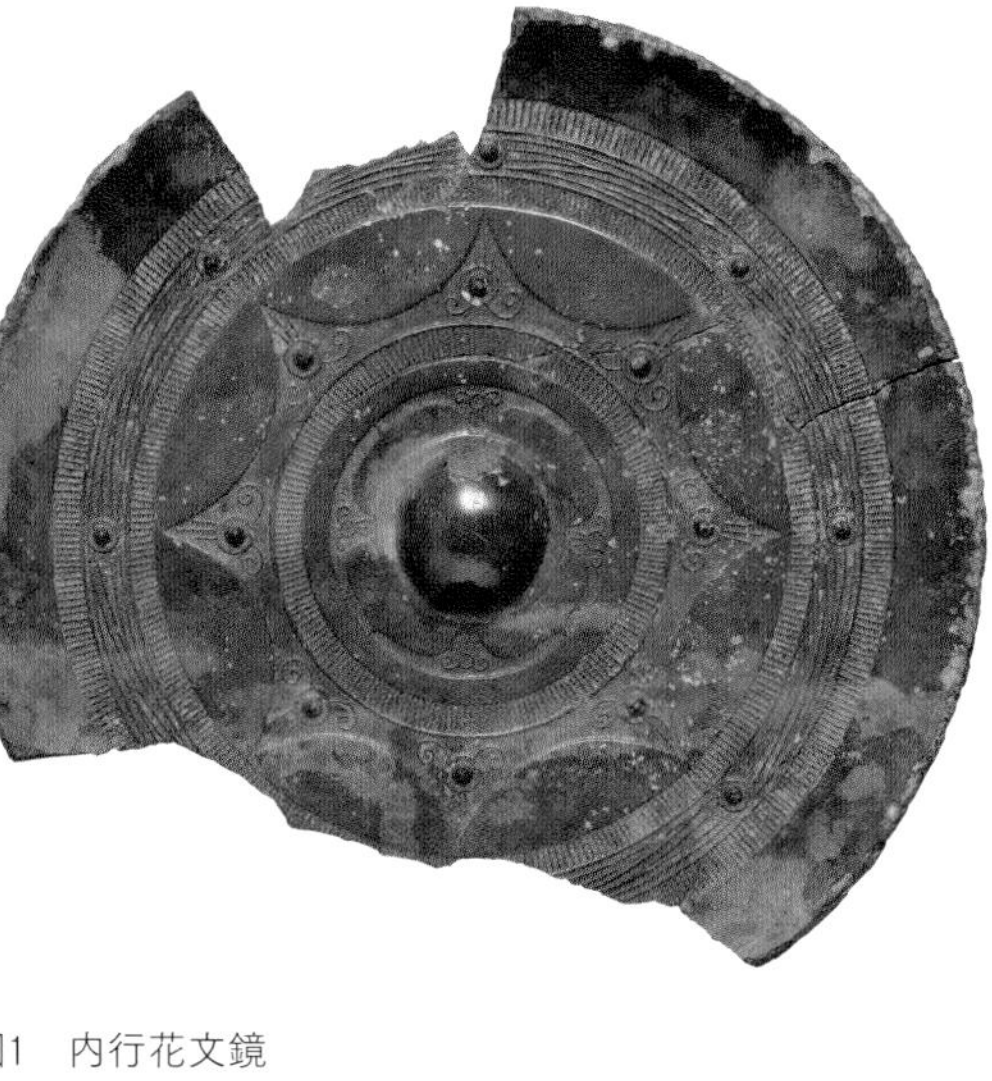

図1　内行花文鏡

平安時代の日本では、中国・唐から舶載された瑞花双《ずいかそう》鸞八稜鏡《らんはちりょうきょう》を換骨奪胎した瑞花双鳳文八稜鏡《ずいかそうほうもんはちりょうきょう》がほとんど唯一の鏡式として、十、十一世紀を通じ様々に形式変化を遂げながら盛行した。清少納言《せいしょうなごん》が『枕草子《まくらのそうし》』で「こころときめきするもの、唐鏡のすこしくらき見たる」と述べた唐鏡《からかがみ》がこの鏡式だったのは間違いない。鏡の主たる需用者である貴族たちにとって、日本製であっても文様が唐風であればそれは「唐物《からもの》」としての意味をもった。瑞《ずい》花鴛鴦八稜鏡《かえんおうはちりょうきょう》（図2、径九・六cm）は、そのような瑞花双鳳文八稜鏡のもっとも新しい形式として、十一世紀末から十二世紀初めを前後する平安時代後期に製作されたものである。この種の八稜鏡は、主文《しゅもん》の向き合う鳳凰《ほうおう》の形が次第に崩れ、最終的に本鏡のような鴛鴦文に至る。鏡胎が厚く、鈕座《ちゅうざ》と界圏《かいけん》が八稜形をなすのも新様の特徴である。鈕を中心に鴛鴦文と直交位置にくる瑞花文も極度に繁褥《はんじょく》になり、唐草の展開図様がほとんど分からない。

これとほぼ同時期に製作されたのが網代双鳥鏡《あじろそうちょうきょう》（図3、径七・五㎝）である。鳳凰や瑞花とちがい実在する自然の花や鳥を文様として表すいわゆる和鏡《わきょう》のなかでも早い時期にみられた鏡式で、鈕は座をもたない素鈕とし、界圏をめぐらさず、周縁も蒲鉾《かまぼこ》形や山形の断面を呈する。このような鏡胎形式は、同時期の中国・江南《こうなん》の湖州《こしゅう》を中心に量産された素文鏡《そもんきょう》（湖州鏡と通称される）の影響を受けたものと理解されるので、筆者は宋鏡式《そうきょう》と呼んでいる。ちなみに、鏡背《きょうはい》に表されるようになった花鳥の文様も、研究史の上では国風文化のなかで成立したやまと絵の表現を鏡背文様に取り入れたものと考えられてきたが、表現性はむしろ北宋《はくそう》の花鳥画の小品のそれに近いものがある。したがって、純然たる日本風の文様鏡、という意味で和鏡という言葉を用いるのは正しくないと考えている。本鏡の鈕を中心に向き合って飛翔する小鳥の表現は至って躍動的であり、網代の細隆線《さいりゅうせん》も硬さをまったく感じさせない。鋳型《いがた》の真土《まね》が柔らかいうちに鉄箆《てつへら》で墨線を引くように文様を施刻《せこく》する独自の技法が、このような絵画的表現を可能にしたのである。

菊楓双鳥鏡《きくかえでそうちょうきょう》（図4、径九・一㎝）は、花蕊座《かずいざ》をもつ鈕と、直立に立ち上がる周縁、界圏をめぐらすという、十二世紀に一般化した日本鏡の鏡胎形式になる。菊と楓の折れ枝、そして二羽の小鳥が鈕を中心に対称して配置される

図2　瑞花鴛鴦八稜鏡

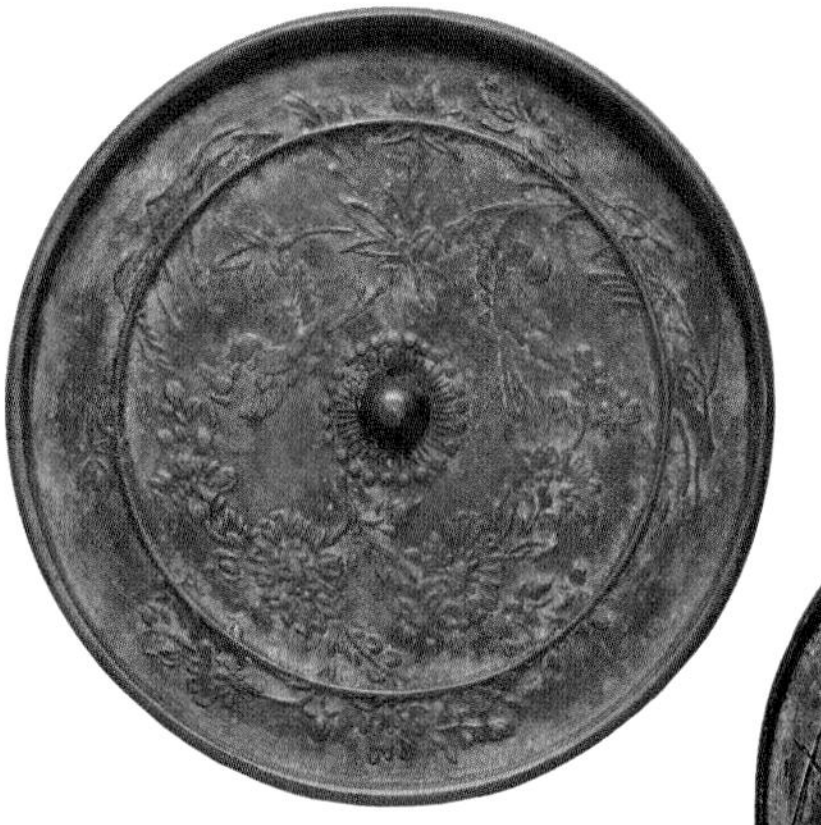

図4　菊楓双鳥鏡

図3　網代双鳥鏡

古い構図をとる。しかも文様が界圏を渡って外区《がいく》にまで展開し、鳥の尾羽が長く伸びるなどの古様さが随所にみられ、平安時代後期のうちに製作された優品である。

十二世紀には、右にみたような求心的構図の鏡がみられる一方で、天地の定まった絵画的構図の文様鏡が定着をみて近世まで長く続いた。鎌倉時代に入ると、鏡胎・周縁ともに厚い造りのものが多くなり、文様も高肉《たかにく》化、繁褥《はんじょく》化の傾向が目に付くようになる。秋草双鳥鏡《あきくさそうちょうきょう》（図5、径一一・〇cm）はそのような特徴が顕著にみられる鎌倉時代中期、十三世紀後半頃の作例である。下方にわずかに描かれる流水が、刷毛《はけ》で引いたように描かれるのがこの時期の特徴である。水辺から上方、そして左方へと風になびくように描かれる花卉文《かきもん》は鏡文様としてはきわめて珍しい石榴《ざくろ》とみられ、外区に萩や薄《すすき》まで表し総体として秋草の意匠になる。双鳥が鈕の左下の空間に配置されるのもこの種の文様構図の必然で、中世鏡文様の常套となった。

四天王寺所蔵鏡の白眉が洲浜牡丹尾長鳥鏡《すはまぼたんおながどりきょう》（重要文化財、図6、径二一・四cm）である。寺社奉納品にしばしばみる大型の面径で、前段の秋草双鳥鏡にも見られた刷毛で描いたごとき流水表現がより強調され、おそらく四本の松葉を束ねた原体を鋳型に押して礫《れき》を表現した洲浜を大きく描いて、そこから牡丹が上半一杯に咲き誇るという、大画面ならではの匂うがごとき図様である。本鏡と作行きをほぼ同じくする牡丹双鳥鏡が鹿児島県新田《にった》神社奉納鏡中に知られ、永仁《えいにん》二年（一二九四）の奉納刻銘を有

図5　秋草双鳥鏡

図6　洲浜牡丹尾長鳥鏡

するので、本鏡の製作年代もこの辺りに絞り込めるであろう。なお、本鏡に添う江戸時代後期と思しい牡丹蒔絵《まきえ》鏡箱の蓋裏に、金蒔絵銘で「奉納／摂津國四天王寺／御寶藏唐鏡一面／山田氏三喜」とある。箱じたいは法量が鏡よりひと回り大きく合わせ箱の可能性もあるが、幕末頃までには四天王寺に入った公算が大きい。それ以前は、ほかの寺社に伝存していたものであろうか。

中世鏡に必ず二羽（おそらくは番《つが》い）表される小鳥の表現は、次第に尾羽が短くなり羽も小さく雀様の表現になる。また二羽が向き合い接嘴《せっし》する図様が流行をみせる。三ツ鱗草葉地双鳥鏡《みつうろこくさはじそうちょうきょう》（図7、径七・五cm）の地文を四つ割りで描く構図法は平安時代後期にすでにみられる一方で、小鳥が上端で接嘴し、外区の形式化が進んだ流水などの図様は、南北朝《なんぼくちょう》時代の特色である。

室町時代には、二羽の鶴が接嘴する文様が流行した。洲浜松樹双鶴鏡《すはましょうじゅそうかくきょう》（図8、径一〇・九cm）のように、亀形の鈕とも接嘴する図様も多い。洲浜や流水、松樹も南北朝時代頃の特徴を踏襲しているが、界圏を二重にめぐらすのが新しい要素である。同趣の図様の鏡が蓬莱山《ほうらいさん》信仰の盛んだった名古屋市・熱田《あつた》神宮に何面も伝来し、天正《てんしょう》年間（一五七二〜一五九二）の刻銘をもつので、本鏡も同時期の製作とみてよい。なお、二重界圏で亀形鈕と双鶴が接嘴する双鶴鏡（図9、径一八・九cm）も天正十五年（一五八七）の年紀を陽鋳する基準作であるが、亀形鈕の甲羅が前掲鏡と異なり中心に花菱を表すだけで、双鶴以外を素文として代わりに文字を大きく陽鋳するなど、以前の

図7　三ツ鱗草葉地双鳥鏡

図8　洲浜松樹双鶴鏡

図9　双鶴鏡

中世鏡にない特徴をみせる。これは少し後の慶長《けいちょう》十二年（一六〇七）に豊臣秀頼《とよとみひでより》が北野天満宮《きたのてんまんぐう》本殿の造営に際して奉納した大型懸鏡《かけかがみ》などを製作した京都の鏡師《かがみし》、木瀬浄阿《きせじょうあ》弥《み》の作風に通じ、本鏡も浄阿弥工房で製作された可能性を考えうる。

四天王寺には江戸時代の鏡も数面収蔵されるが、そのなかで抜きんでた優品が、江戸初期一七世紀前半に製作された菊水入隅方鏡《きくすいいりすみほうきょう》（図10、縦九・二cm、横八・六cm）である。中国の菊慈童《きくじどう》の故事に由来する長寿を含意した菊水文様を、ごく細かい砂目地に繊細な篦押しで表している。中右寄りに「天下一中嶋和泉守」と作者銘を陽鋳する。中嶋和泉守は、江戸初期から尾張《おわり》徳川家、岡山池田家などの大名調度中の鏡や神社への奉納鏡など、有力武家の誂えた白銅質の精良鏡を製作し、木瀬浄阿弥と並ぶ京都の有力鏡師として名を馳せた。本鏡にも、その技量がいかんなく発揮されている。

二　大陸の銅鏡

中国をはじめとする大陸の銅鏡のうち、ここでは製作の時代が確かな四面を紹介しておく。内行花文鏡（図11、径一七・七cm）は、後漢時代の製作になり、四葉座に「長・宜・子・孫」の銘を陽鋳したもので、現存部分に「長」の字が確認できる。内行花文の間地に配される蕨手文や外区の横長の雷文《らいもん》などを特徴とし、図1のような仿製内行花文鏡の手本となった鏡式である。鉄器が銹着《しゅうちゃく》しており何処《いずこ》かの墳墓から出土したものと思われる。

図12　双鸞走獣八花鏡

図11　内行花文鏡

図10　菊水入隅方鏡

双鸞走獣八花鏡《そうらんそうじゅうはっかきょう》（図12、径二一・五cm）は唐時代の大型鏡で、向き合う二羽の鸞と、上下に疾走する麒麟《きりん》・獅子《しし》を雲気文《うんきもん》を交えて表している。前述した図2のごとき平安時代の八稜鏡にみる鳳凰文の遡源がこのような鸞である。箱書に「大和都祁出土／瑞花麟凰八花鏡」とあるが詳細は詳らかでない。奈良時代に日本に舶載された唐鏡とそれを踏み返した同型鏡が各地で少なからず出土しており、それらを唐式鏡と呼んでいる。大型で精良な作例として興福寺金堂須弥壇《こうふくじこんどうしゅみだん》下から出土した鎮壇具《ちんだんぐ》の瑞花双鳳八花鏡がよく知られるが、本鏡はそれと文様を異にしており、国内での同型鏡も報告されていない。双鸞飛禽《そうらんひきん》鏡《きょう》（図13、径一七・七cm）も唐時代の鏡であるが、上下に接嘴しながら飛翔する二羽の小鳥を表す珍しい図様で、鋳出が著しく模糊《もこ》としていることからも、晩唐《ばんとう》頃に製作され中国国内で出土したものと思しい。

中国の銅鏡は、晩唐頃から鏡胎が相対的に薄くなり、銅質、文様ともに粗さが目立つようになった。しかしそれでも、異民族により北部に建てられた王朝である遼《りょう》や金《きん》では、漢文化への関心もあってか、花卉や動物、故事・人物など、むしろ唐鏡以上に多彩な図様の鏡が製作され、朝鮮半島を含む東アジア北半に広く流通した。波涛龍文《はとうりゅうもん》鏡《きょう》（図14、径一〇・〇cm）もそのような作例だが、波涛逆巻く海原を泳ぎゆく龍の図様はきわめて珍しく、中国で報告されている資料の管見にない。細隆線を幾重にも重ねて波を描くのは金代の鏡に通有の表現であり、本鏡もこの時代の製作とみてよいであろう。

（久保智康）

図14　波涛龍文鏡

図13　双鸞飛禽鏡

コラム【5】

中世の四天王寺仏師について

中世四天王寺に絵所《えどころ》があったことは広く知られており、そこで描かれた絵画作例と関わって多くの論考が提出され、本書においても絵所に関するコラムが掲載されている【第三部コラム9参照】。それに対して「四天王寺大仏師《だいぶっし》」を名乗る仏師については、現存する作例があるにもかかわらず、その存在について触れられる程度で、あまり問題にされていない。加えて「四天王寺大仏師」はその活躍が近世にまで続いていることが知られている。ここでは確実に存在していた四天王寺の仏師について、問題提起ができればと考える。

一　「四天王寺大仏師」を作者銘とする作例

和歌山県有田市の広利寺《こうりじ》に所蔵される四臂《しひ》の十一面観音立像《じゅういちめんかんのんりゅうぞう》（重要文化財。以下「重文」）は、胎内の銘文から四天王寺大仏師を名乗る頼円《らいえん》らが正平《しょうへい》八年（一三五三）に造立したことが知られる。もと河内国若江《かわちのくにわかえ》（大阪府東大阪市または八尾市）の西大寺末西方寺《さいだいじまつさいほうじ》の本尊で、「二二天王寺大仏師／式部頼円」と「舎弟尾張頼基」そして「子息駿河實円」が制作したことが記される。一方その八ヵ月後に頼円らが造立したのが、大阪府羽曳野市の壺井八幡宮《つぼいはちまんぐう》に祀られる僧形八幡神《そうぎょうはちまんしん》および諸神坐像（重文）である。五軀のうち束帯《そくたい》姿の男神坐像と女神（神功皇后《じんぐうこうごう》）坐像の像底に「正平九年三月」の制作年が、女神像に「作者頼円法眼　子息實円」の作者銘が墨書される。この八ヵ月の間に「式部頼円」が法眼《ほうげん》に叙任されたことが知られる。頼円や実円が「円」字を冠し、また作風が京都の「三条法印憲円」と類似することから、円派《えんぱ》仏師が地方へ活躍の場を求めた結果と解されている。

その後室町時代の初期、四天王寺の仏師が再登場する。それが大阪府河内長野市河合寺《かわいでら》の役行者倚坐像《えんのぎょうじゃいざぞう》（図1）で、像底に三ヵ所にわたって制作銘が墨書される。「河内國／河合寺／天王寺□／頼助作」「應永三□子□／阿闍梨／勧進□／金剛資頼□」、以下別筆ながら「頼暹敬白」と

図1　重要美術品 木造 役行者倚坐像（頼助作、室町時代・応永3年・1396、像高54.0cm、大阪・河合寺所蔵、大阪市立美術館寄託・写真提供）

記され、応永《おうえい》三年（一三九六）に「天王寺」の仏師「頼助」が制作したことが想定される。加えてここには「頼□」と「頼暹」の名が記され、四天王寺関係の僧侶かと思われる。ただしここには「頼円」「實円」にあった「円」字はなく、「頼円」「頼基」の「頼」字を、頼助が受け継いだと想像される。すると南北朝期に四天王寺大仏師を名乗った際には、「円」字を冠していたおそらくは円派仏師の傍流が、四天王寺界隈に定着して「頼」字を冠していったと想定できようか。造像銘に四天王寺仏師を冠した仏師が、十四世紀末に実際に作例を残していたことだけは確かである。

こうした四天王寺仏師の出自について、円派（三条仏師）の地方への進出という意見がある一方で、信貴山《しぎさん》住僧である仏師との関わりを説く見解もある。すなわち羽曳野市の誉田八幡宮《こんだはちまんぐう》が所蔵する鎌倉期の舞楽面《ぶがくめん》十一面（重文）のうち七面に作者銘を記す行円《ぎょうえん》と円信《えんしん》である。二《に》ノ舞咲面《のまいえみめん》・腫面《はれめん》、貴徳《きとく》、散手《さんじゅ》を安貞《あんてい》二年（一二二八）に制作・奉納した行円と、陵王《りょうおう》、還城楽《げんじょうらく》、退走徳《たいそうとく》を弘安《こうあん》七年（一二八四）に制作し、「太子御廟」へ奉納した円信で、行円は「信貴山行円作」と朱漆銘に記している。南北朝～室町期の四天王寺仏師が、いずれも河内国内での造像に携わっていたことからも、鎌倉期の信貴山住僧の仏師たちとの関連が想像されるところであろう。

二　江戸時代に存続していた「四天王寺仏師」

近世大坂で活躍していた仏師の家系である田中主水《たなかもんど》家に伝わっていた史料が、二〇二〇年度一括して大阪市指定文化財となった。田中主水家は、定朝《じょうちょう》以来の正系を名乗る仏師の家系で、京都七条左京《しちじょうさきょう》家の第二十代康正《こうしょう》の孫・康英《こうえい》が、四天王寺の造仏に際して大坂へ移住し、延享《えんきょう》三年（一七四六）以来「田中主水」を名乗ることを許されている。そして寛政《かんせい》三年（一七九一）には「四天王寺仏師職」を四天王寺から補任《ぶにん》され、同九年（一七九七）には第二十八代康寛《こうかん》が法橋《ほっきょう》に叙位されている。今回指定された史料には、こうした補任状や許状といった古文書のほか、「日域大仏師正統系図」や「本朝大仏師正統系図《ほんちょうだいぶっしせいとうけいず》」といった仏師系図、「釈迦《しゃか》」「大仏」の細部寸法図、そして「四天王寺／佛師職」と刻まれた寛政九年（一七九七）の駒形《こまがた》（木札、図2）なども含まれている。また康寛が享和《きょうわ》二年（一八〇二）に記した『四天王寺諸堂再興録《してんのうじしょどうさいこうろく》』も残され、田中主水家が四天王寺の再興造仏に確かに携わっていたことを示している。これら以外の史料からも、元禄《げんろく》十六年（一七〇三）には二十四代康意《こうい》が高野山大門《こうやさんだいもん》の金剛力士《こんごうりきし》

図2　大阪市指定文化財 四天王寺仏師職駒形（江戸時代・寛政9年・1797、大阪・法音寺〈寄託管理〉。堺市博物館『仏を刻む－近世の祈りと造形－』より転載）

立像《りゅうぞう》・阿形《あぎょう》（康意書付を含めて重文）を造立していたことが知られ、延享五年（一七四八）の『難波丸綱目《なにわまるこうもく》』には心斎橋筋《しんさいばしすじ》に工房を構えていたことが記される。

田中主水家が四天王寺に造立した仏像としては、明治四十四年（一九一一）に「田中主水源康国」が造った太子勝鬘経講讃《しょうまんぎょうこうさん》像が唯一現存しており、「四天王寺仏師」を名乗った田中主水家が、四天王寺で造仏にあたっていたことを確実に知ることができる。この家系は三十四代目が逝去された近年まで続いていたが、中世後期に現れた「四天王寺仏師職」の伝統が、現代まで命脈を保っていたのである。それではその始まりはいつ頃まで遡ることができるのであろうか。「四天王寺仏師職」は現存作例からは南北朝時代までしか辿れないが、四天王寺絵所については鎌倉末期にはその存在が確認できるので、それ以前の四天王寺周辺での造仏活動を振り返っておきたい。

三　鎌倉時代における四天王寺での造仏活動

聖徳太子六百回遠忌を経た貞応《じょうおう》三年（一二二四）、別当《べっとう》慈円《じえん》が聖霊院《しょうりょういん》に絵堂を再興し、南都絵師尊智《そんち》が太子絵伝と九品《くぼん》往生図を描いた。その二年後の嘉禄《かろく》二年（一二二六）、四天王寺五重塔心柱《ごじゅうのとうしんばしら》の断片をもって、三尺の阿弥陀《あみだ》如来《にょらい》立像が造立された。桃山期以降、真宗大谷派東京本《しんしゅうおおたにはとうきょうほん》願寺《がんじ》の本尊として安置される像がそれで、胎内の銘札に「四天王寺寶塔之心柱切／三尺阿弥陁佛御衣木／嘉禄二年九月十二日奉請之」と記される。檜材の寄木造《よせぎづくり》、漆箔《しっぱく》、玉眼嵌入《ぎょくがんかんにゅう》の像で、作風としては運慶《うんけい》風、それも四男康勝《こうしょう》の作例に近いことが指摘されており、南都仏師の制作と想定される。

次に四天王寺での造仏の確認される作例が、アメリカ・クリーヴランド美術館に所蔵される三尺阿弥陀如来立像である。こちらも檜材の寄木造、漆箔、玉眼嵌入の像で、着衣の截金文様《きりかねもんよう》がよく残り、堅実な作風に強い装飾性を兼ね備えた像である。この像は胎内納入の「仏師貞舜消《ぶっしじょうじゅんしょう》息《そく》」「結縁交名《けちえんきょうみょう》」「阿弥陀経《あみだきょう》」の記載から、大仏師法橋幸舜、小仏師勝順房貞舜、春聖房幸真《しゅんしょうぼうこうしん》が文永《ぶんえい》六年（一二六九）に制作したことが知られる。まず「天王寺薬師院」にて木造りを開始し、その後三十三日間で天王寺と八尾で完成させている。そもそも四天王寺薬師院《やくしいん》は、摂津国《せっつのくに》における叡尊教団の拠点の一つで、仏師「春聖房」は、叡尊寿像《じゅぞう》（西大寺《さいだいじ》所蔵、国宝）を弘安三年（一二八〇）に制作した四人の仏師のうちの一人とされている。その後この像

図3　木造 如意輪観音坐像、像底墨書銘（奈良国立博物館所蔵。撮影：佐々木香輔）

がどのような事情で海外へ流出したかは不明ながら、のちに四天王寺別当を務める叡尊との関わりのなかで制作された造像として貴重である。

もう一件四天王寺を舞台とした鎌倉期の造像が、現在奈良国立博物館に所蔵される如意輪《にょいりん》観音坐像【第三部コラム6図1参照】である。像高一尺余りの通形の六臂坐像で、像底の墨書銘（図3）から「□天王寺蓮花蔵院本尊」として造立されたことが知られる。また像内納入の般若心経《はんにゃしんぎょう》の奥書から、僧乗信《じょうしん》らが建治《けんじ》元年（一二七五）に、自らの親族らの「福智円満」と「蔵華蔵院」の興隆を願って造立したと記す。ここに記す「蔵華蔵院」が、「蓮華蔵院」の誤記であるとするならば、中世太子伝が書写された四天王寺の山内寺院「蓮華蔵院」であったと考えられる。すなわち栃木・輪王寺《りんのうじ》本『太子伝』は応永《おうえい》十二年（一四〇五）「於四天王寺蓮華蔵院之内護摩堂」にて、愛知・万徳寺《まんとくじ》本『聖徳太子伝』は寛正《かんしょう》三年（一四六二）「於四天王寺東門村蓮華蔵院護摩堂書写之」にて書写されたことが奥書に記される。とすると、その本尊とされたこの如意輪観音は、太子の本地仏《ほんじぶつ》として造立された可能性を想定できよう。檜材の寄木造、漆箔、玉眼を嵌入し、表面は素地仕上げで着衣には截金文様が施される。高い宝髻《ほうけい》、切れ長の眉目と小ぶりな鼻・口で理知的な相貌を表し、両膝を覆う腰衣の端が波打つ表現など、宋風《そうふう》を随所に取り入れている。

以上三件の彫像が、鎌倉期十三世紀における四天王寺をめぐる造像であるが、ここには「四天王寺仏師」の痕跡は看取できない。同じ十三世紀とはいえ前半と後半と制作年代が異なることからも、それぞれの作風は三種三様であるが、クリーヴランド美術館像がやや俯きぎみで陰鬱な表情を湛える点が、頼円の広利寺像に通じるところは留意しておきたい。ただし叡尊や忍性が別当を務め、太子七百年遠忌を控えた十三世紀末から一三二一年にかけて、四天王寺に関わる造仏活動を具体的に追うことはできないが、この時期周辺も含めて造仏活動が活発化していたことは想像に難くない。そうした時期の四天王寺の遺品として、南無仏《なむぶつ》太子像【第三部コラム7図6参照】や十一面観音立像【第三部コラム6図2参照】、清凉寺《せいりょうじ》式釈迦如来立像（図4）があげられるが、銘文等は確認されていない。一方、四天王寺絵所の史料上の初見が嘉暦《かりゃく》元年（一三二六）であることからも、「絵所」に相対する「仏所」までは及ばないものの、「四天王寺仏師」を名乗る仏師が登場していたのが、この太子七百年遠忌前後であったのではなかろうか。

（石川知彦）

図4　清凉寺式釈迦如来立像（鎌倉～南北朝時代、像高83.0㎝、四天王寺所蔵）

コラム
【6】
中世の仏像

中世に遡る仏像が、その造立《ぞうりゅう》当初どのような堂宇《どうう》に安置され、その後どのように祀られてきたかについては、思いのほか明らかとなっていない。長い歴史のなかで寺院は災害や戦火に見舞われることも多く、堂宇が失われたり寺院の継続がままならないことも少なくなかった。そのなかでも仏像は、僧侶や檀信徒《だんしんと》により守られ異なる堂宇に安置されたり、あるいは他の寺院に移されることにより、いわば奇跡的に今日まで伝えられてきた。つまり仏像は時代の流れのなかで、その安置と礼拝《らいはい》の場を変え続けている。ここでは度重なる被災のたびに復興を遂げ、千四百年以上にわたり法灯を護り続けている四天王寺に関わる中世の仏像について、「移動する仏像」という側面を踏まえながらその代表的な像を示したい。

一　木造如意輪観音坐像　鎌倉時代・建治元年(一二七五)(奈良国立博物館所蔵)

落ち着き払った穏やかな表情を浮かべる六臂《ろっぴ》の如意輪《にょいりん》観音坐像《かんのんざぞう》(図1)。ヒノキ材を赤く染め赤栴檀《しゃくせんだん》のような木肌とし、着衣に切金《きりがね》を施す繊細な像である。今にも開きそうな口元や、こめかみに垂れるゆるいウェーブの髪の毛、そして細くしなやかな腕が、なまめかしさを醸し出している。

本像の底部には「天王寺蓮花蔵院御本尊也」の墨書《ぼくしょ》があり、像内からは経典や骨片など多くの納入品が発見されている。なかでも紙本墨書般若心経《しほんぼくしょはんにゃしんぎょう》の奥書には、鎌倉時代建治《けんじ》元年に僧乗信を願主として如意輪観音を蔵華蔵院にて造立したとあり、この「蔵華蔵院」は蓮華蔵院《れんげぞういん》を指すと解されている。このほかの納入品には、百七十世天台座主《てんだいざす》となった良恕法親王《りょうじょほっしんのう》による江戸時代寛永《かんえい》二年(一六二五)の修理墨書などもある。なおこの蓮華蔵院については、いわゆる文保本《ぶんぽうぼん》聖徳太子伝の奥書に「四天応寺蓮花蔵院之護摩堂」において書写したとあるのと同一の坊と考えられている。このように中世の四天王寺内において、堂宇の本尊として安置されていたことが判明する貴重な仏像である。

図1　木造 如意輪観音坐像(奈良国立博物館所蔵、建治元年・1275。像高32.7cm。撮影:佐々木香輔)

図2　木造 十一面観音立像（四天王寺所蔵、鎌倉時代。像高180.7cm）

本像に関連する類例として、同じく木肌を赤くしたうえで截金を施す鎌倉時代（十四世紀）の木造如意輪観音坐像（東京国立博物館所蔵）がある。同像はX線CT撮影により、頭部内に舎利《しゃり》容器および舟形光背《ふながたこうはい》と二菩薩立像《ぼさつりゅうぞう》が発見されたが、これらは善光寺式阿弥陀三尊像《ぜんこうじしきあみださんぞんぞう》を表した可能性があり、造立の背景には聖徳太子信仰との関わりがあったと指摘されている。なお奈良・法隆寺《ほうりゅうじ》に伝わる唐《とう》時代（八世紀）の重要文化財・木造如意輪観音坐像も六臂であるが、同像は鎌倉時代正嘉《しょうか》二年（一二五八）に叡尊《えいそん》を願主として着衣に截金が施され台座・光背・天蓋《てんがい》が補われたことで知られる。さらに叡尊は文永《ぶんえい》十一年（一二七四）および翌建治元年に四天王寺で法会《ほうえ》を執り行い、弘《こう》安《あん》八年（一二八五）には四天王寺別当《べっとう》に補任《ぶにん》されており、想像をたくましくするならば本像はこうした叡尊による聖徳太子信仰の影響下で造立された可能性もあるだろう。

二　木造十一面観音立像　鎌倉時代（十三世紀）

丸顔の優しい表情が印象的な、やや等身をこえる十一面《じゅういちめん》観音《かんのん》立像（図2）。面部の流れるような木目が美しく、彩色を施さずに素地《そじ》仕上げとする檀像に倣った像である。また頭上面が十面を数え本面を含めて十一面とする点は奈良〜平安時代の十一面観音立像に一般的であった形式を踏襲しており、総じて中世以前の像にその祖型を求めている感がある。一方で、着衣は全体的に厚ぼったく表現され、腹部で折り返した裙《くん》がハの字に広がるのが特徴的で、肥後定慶《ひごじょうけい》らが鎌倉時代貞応《じょうおう》三年（一二二四）に造立した京都・大報恩寺《だいほうおんじ》の六観音のうち、重要文化財・木造十一面観音立像の作風を受け継ぐと指摘されている。

近年、明治時代に奈良・興福寺《こうふくじ》で撮影された古写真の分析が進み、本像がかつて同寺に所在していたことが明らかとなった。この古写真は明治三十九年（一九〇六）、興福寺境内の土蔵前に整然と並べられた大小様々な仏像を撮影したもので、このうちもっとも大きな像の一つが本像であった。これにより、撮影当時つまり明治時代の本像は、頭上面そして左腕、右手首先を欠失あるいは外れた状態であることも判明した。なお、同じ古写真には本像とほぼ同じ大きさと思われる多臂の菩薩立像が写っている。両像はプロポーションや衣文《えもん》の表現が似通っており、古文書の記載も踏まえ、一具の十一面観音と不空《ふくう》羂索観音《けんさくかんのん》として造立され安置されてきた可能性が指摘されている。本像を含め、撮影された仏像群は同年のうちに寺外へ譲渡されたといい、この後に欠失部が補われ、四天王寺の所蔵に帰したのは一九七〇年代初頭頃と考えられている。

図3　木造 大日如来坐像（四天王寺所蔵、鎌倉時代。像高103.2㎝）

三　木造大日如来坐像　鎌倉時代（十四世紀）

高さのある髻《もとどり》に施された装飾的な毛筋彫《けすじぼ》りが印象的な、智拳印《ちけんいん》を結ぶ金剛界《こんごうかい》の大日如来《だいにちにょらい》坐像（図3）。緊張感のある端正な顔立ちであり、腕のしなやかさも相まって均整のとれたすがたといえるだろう。体軀《たいく》に対してやや頭部が大きく、また衣文が比較的平板に彫出されるといった特徴から、制作年代は鎌倉時代末頃と考えられている。構造はヒノキ材による寄木造《よせぎづくり》で、頭部から体幹部は左右二材、さらに髻や両腕、脚部などを寄せ、玉眼《ぎょくがん》を嵌《は》めている。

本像は、木造薬師如来《やくしにょらい》坐像（平安時代／重要文化財）（図4）および木造阿弥陀如来坐像（平安時代／重要文化財）（図5）とともに、和歌山・広川町《ひろがわちょう》に所在する明王院《みょうおういん》から四天王寺に移置されたものである。元来、この明王院は隣接する広八幡神社《ひろはちまんじんじゃ》の神宮寺のひとつであった。江戸時代天保《てんぽう》十年（一八三九）の『紀伊続風土記《きいぞくふどき》』巻五九「在田郡《ありだ》」には、広八幡神社の別当寺は仙光寺《せんこうじ》と称し六坊からなったが、明王院（真言宗《しんごんしゅう》）と薬師院《やくしいん》のみが現存すると記されている。その後明治時代に入ると薬師院も廃絶したため、明王院には同院伝来の仏像も移されたという。現在、明王院には像内から鎌倉時代元徳《げんとく》元年（一三二九）の紀年を有する墨書が発見された木造十一面観音立像が安置されており、和宗《わしゅう》すなわち四天王寺の末寺となっている。

（齋藤龍一）

図6　木造 地蔵菩薩坐像（四天王寺所蔵、鎌倉時代。像高66.9cm）

図5　木造 阿弥陀如来坐像（四天王寺所蔵、重要文化財、平安時代。像高135.4cm）

図4　木造 薬師如来坐像（四天王寺所蔵、重要文化財、平安時代。像高143.7cm）

四　木造地蔵菩薩坐像　鎌倉時代（十三世紀）

極端な表現を控え、全体に安定感のある穏やかな作風を特徴とする地蔵菩薩《じぞうぼさつ》坐像（図6）。着衣形式や衣文構成などは京都・六波羅蜜寺《ろくはらみつじ》地蔵菩薩坐像を踏襲し、上底式の像底などは運慶《うんけい》周辺の作例との共通点をみせる。運慶作品にみる豊満な量感は減じているものの、それでも佐賀・東妙寺釈迦如来《とうみょうじしゃかにょらい》坐像などに通じる充実した体軀をみせており、運慶の流れを汲む第二世代の作品として位置づけられる。一方で、本像の胸飾は、快慶《かいけい》作東大寺公慶堂《とうだいじこうけいどう》地蔵菩薩立像のそれと酷似しており、快慶工房との深い関わりをうかがわせる。このように、作風としては運慶の流れを汲みながら、快慶一門とも緊密な関わりを示す点に本像の特質が認められる。

また、本像にみる独特な形状の耳のつくりが、快慶工房作になる京都・大報恩寺十大弟子《じゅうだいでし》立像の迦旃延《かせんえん》像と近似している点は、作者を考えるうえで参考になる。運慶第二世代の作風に通じ、大報恩寺像に近い時期の造像と考えれば、その制作時期は十三世紀前半が想定されるだろう。

なお、本像は四天王寺の伝来品ではなく、もと個人蔵であったものが、戦後になって四天王寺に施入されたものである。それ以前の来歴は詳らかではないが、昭和十四年（一九三九）三月入札の日本美術協会主催『東洋古美術展覧図録』に掲載されていたことが確認されている。

（一本崇之）

コラム【7】

中世四天王寺の聖徳太子像について

平安時代末期の久安《きゅうあん》四年（一一四八）、四天王寺に参詣した藤原頼長《ふじわらのよりなが》の日記『台記《たいき》』に、当時聖霊院《しょうりょういん》に「霊像《れいぞう》」と「童像《どうぞう》」の二軀の聖徳太子像が祀られていたことが記される。このうち「童像」は、成人前の太子を表した像で、いわゆる孝養像《きょうよう》や童形像《どうぎょう》を指し、かつ法会《ほうえ》の際に他の堂宇《どうう》へ移安される「行像《ぎょうぞう》」としての性格を有する像もある。一方「霊像」は、成人後の太子を表した像で、いわゆる摂政像《せっしょうぞう》もしくは勝鬘経講讃像《しょうまんぎょうこうさんぞう》と想定されている。残念ながら四天王寺には、平安時代に遡る太子像は現存しないが、鎌倉期以降の現存作例を「童像」と「霊像」に分けて概観しておきたい。

図1　木造 聖徳太子孝養坐像（四天王寺所蔵、南北朝時代。像高28.2cm）

一　「童像」の現存作例

四天王寺における「童像」そして「行像」の役割を果たしてきたのが、左足を踏み下げて椅子に坐す小ぶりな孝養太子坐像（図1）である。角髪《みずら》を結って両手で柄香炉《えごうろ》を執り、袍衣に袴《はかま》を着け、左肩から袈裟《けさ》を、右肩を袒《かたぬ》いで横被《おうひ》を懸ける。太子七百回忌前後の作と想定される広隆寺桂宮院《こうりゅうじけいきゅういん》本尊の太子像と、像容がほぼ一致するが、こちらは若干降って十四世紀半ば頃の制作かと思われる。聖霊会《しょうりょうえ》に際し、椅子に坐ったまま輦《れん》に載せられて、聖霊院から六時堂《ろくじどう》へ遷座《せんざ》される「行像」で、やはり左足を垂下させることで移動時の像の安定を図っている。

このほか近世の作ではあるが孝養像タイプでは、宝永《ほうえい》三年（一七〇六）に大坂の仏師・宮内法橋《くないほっきょう》宗慶の作になる孝養立像（図2）がある。右手で柄香炉を持ち、左手小指に袈裟の一端を懸ける姿で、表面の彩色がよく残る。

図2　木造 聖徳太子孝養立像（四天王寺所蔵、江戸時代・宝永3年・1706、宗慶作。像高85.2cm）

図5　絹本着色 文殊菩薩・聖徳太子相見図（四天王寺所蔵、室町時代。本紙縦81.4cm、横41.8cm）

図4　刺繍 青面金剛像（四天王寺所蔵、江戸時代・延宝5年・1677、杉山吉左衛門作。本紙縦152.2cm、横40.6cm）

図3　刺繍 聖徳太子孝養像（四天王寺所蔵、江戸時代。本紙縦101.1cm、横42.1cm）

一方、刺繍で表された太子孝養立像（図3）がある。戸張《とばり》のもと、褥上《しとねじょう》で角髪を結って両手で柄香炉を執る一般的な孝養像で、叡福寺《えいふくじ》と法隆寺《ほうりゅうじ》に伝わる摂政像の繡仏《しゅうぶつ》との類似から、十七世紀末頃の製作と考えられる。叡福寺・法隆寺両本は、ともに四天王寺の常圓が願主《がんしゅ》となり、貞《じょう》享《きょう》三年（一六八六）・元禄《げんろく》三年（一六九〇）に作られ、四天王寺の繡仏と合わせてこの時期の繡仏の盛行を示している。なお四天王寺には、延宝《えんぽう》五年（一六七七）に杉山吉左衛門が製作した青面金剛《しょうめんこんごう》と諸眷属《しょけんぞく》を表した繡仏（図4）が伝わり、またこれとほぼ同時期の四幅本法然上人絵伝《よんぷくぼんほうねんしょうにんえでん》の繡仏が一心寺に残されている。

絵画作例の孝養像としては、室町中期頃の作ながら、「文殊菩薩《もんじゅぼさつ》・聖徳太子相見図《そうけんず》」（図5）という類例のない掛幅《かけふく》が伝わる。獅子に左足を踏み下ろして坐す五髻《ごけい》文殊と、角髪を結って両手で柄香炉を執る孝養太子立像が一幅に描かれ、両者の頭上には三星の輝く山並みが雲の彼方に表される。この両者は叡尊《えいそん》が著した三段本『聖徳太子講式』の三段目に、太子と文殊が達磨《だるま》を介して強い結びつきのあったことが記され、この絵は真言律《しんごんりつ》の立場からの制作と想定される。上方の山並みを中国天台山《てんだいさん》と三《さん》台星《たいせい》とみなす意見もあるが、明確にはできない。三段本太子講式【第三部コラム10参照】を琳恵が書写した永享《えいきょう》七年（一四三五）頃が、本図制作の目安となろうか。このほか笏と柄香炉を持つ童形太子像二幅については後述する。

図6　木造 南無仏太子立像（四天王寺所蔵、鎌倉時代。像高68.0㎝）

孝養像タイプ以外の「童子形像」としては、太子二歳の「南無仏《なむぶつ》太子像」（図6）があげられる。像高六八㎝とほぼ通常の大きさで、合掌して袴を履く。前後二材を矧ぐ寄木造《よせぎづく》りで、玉眼《ぎょくがん》を嵌入《かんにゅう》、彩色仕上げとし、頭頂部は淡墨を掃いて髪際では毛筋を細かく墨描きする。大きめの頭部に眉目を吊り上げた大人びた相貌は、奈良・大久保町像（一三〇二年）に通じ、量感豊かな体躯や袴に刻まれた衣褶線の彫り口は、奈良・円成寺《えんじょうじ》像（一三〇九年）に近く、十四世紀初頭頃に真言律の影響下で制作されたと考えられる。

このほか南無仏太子を含む絵画

作例として、入胎と二歳の場面を描いた南無仏太子図（太子曼荼羅）が伝わる。室町後期の作ながら、父・用明《ようめい》天皇を描く類例のない一幅である。

二　「霊像」の現存作例

中世以降、四天王寺で「霊像」の役割を果たしてきたのが、「楊枝御影《ようじのみえい》」と呼ばれる絵画の太子摂政像（図7）である。漆紗冠《しっしゃかん》を被り、佩刀《はいとう》して両手で笏《しゃく》を執る成人後の俗形の太子像である。この太子像は聖霊会の本尊となり、戸張のもと褥上に趺坐《ふざ》する。燻染《くんせん》と画絹《がけん》の剥落が目立つが、威厳に溢れた表情を的確に表現した鎌倉後期の作と推定される。四天王寺にはもう一幅、若干制作は降って南北朝時代になるが、同じ像容の太子摂政像が伝わる。こちらは右上に色紙型を備え牀座《しょうざ》に趺坐する。

そして摂政太子を描く作例が、もう一点四天王寺に所蔵される。それは釈迦三尊十六羅漢《しゃかさんぞんじゅうろくらかん》を一幅に描いた画面下方に、太子が弘法大師《こうぼうだいし》とともに併画される作例である。こうした図様は鎌倉後期以降、真言律の環境下で南都を中心に制作された作品群で、四天王寺の釈迦三尊十六羅漢図（図8）では、画面下方中央に摂政太子が、その左右下方に弘法大師と興正菩薩《こうしょうぼさつ》叡尊が小さく配される。こうした作品群で、太子は童形像から孝養像、摂政像、勝鬘経講讃像と様々な姿で表されるが、弘法大師に加えて叡尊が描かれるのは、室町中期の作になる四天王寺本が唯一の作例である。

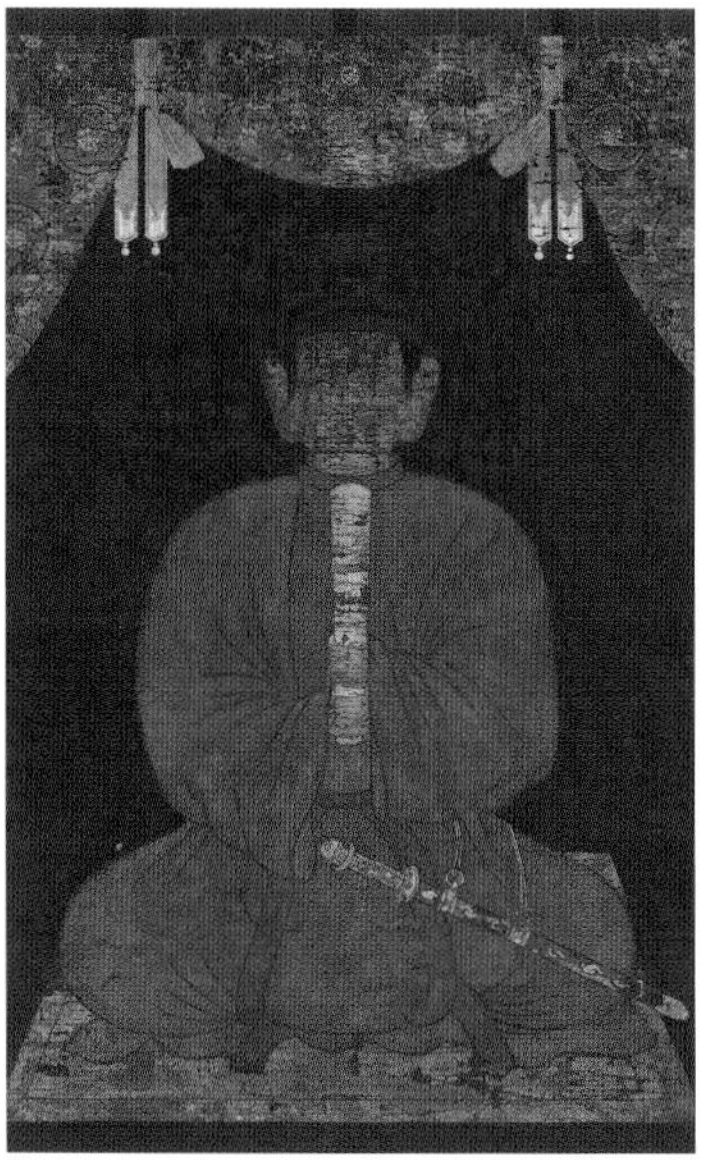

図7　絹本着色　聖徳太子摂政像（楊枝御影。四天王寺所蔵、鎌倉時代。本紙縦105.4㎝、横79.3㎝）

また近世の作ながら、髭を蓄えた成人後の太子が両手で柄香炉を執って椅子に腰掛ける太子像（図9）が伝わる。画面右側の金泥《きんでい》の款記《かんき》から、文化《ぶんか》十一年（一八一四）に江戸の狩野家《かのうけ》・素川彰信《そせんあきのぶ》が描いたことが知られる。また安永《あんえい》七年（一七七八）の写本ながら、「唐本《とうほん》御影」の伝統を唯一中世に引き継いだ奈良・薬師寺《やくしじ》本聖徳太子摂政像の模本（図10）が伝わる。これは「唐本御影」の三尊のうち、中尊のみを写した独尊の摂政像で、画中の銘から聖徳太子ではなく、太子の舎人《とねり》であった「秦川勝《はたのかわかつ》」像として写されたことが知られる。

成人後の太子像として次にあげられるのが、太子三十五歳の折りの勝鬘経講讃像である。通常の勝鬘経講讃像では、太子の聴衆として五随臣を描く作例が多いが、四天王寺本（図11）では縦長の画面に太子のもと、笏を執って聴聞する蘇我馬子《そがのうまこ》のみを小さく配す。太子の威厳に満ちた表情、色暈を併用し朱の丸文を散らした丹地《たんじ》の袍衣、麈尾《しゅび》や褥の細部表現など描写は的確で、鎌倉後期の

図8　絹本着色 釈迦三尊十六羅漢図（四天王寺所蔵、室町時代。本紙縦143.5cm、横65.7cm）

図9　絹本着色 聖徳太子像（狩野彰信筆、四天王寺所蔵、江戸時代・文化11年・1814。本紙縦91.5cm、横33.9cm）

図10　紙本墨摺着色 伝聖徳太子像（秦河勝像。四天王寺所蔵、江戸時代・安永7年・1778。本紙縦93.8cm、横35.6cm）

図12　絹本着色 聖徳太子略絵伝（聖徳太子勝鬘経講讃曼荼羅。四天王寺所蔵、室町時代。本紙縦91.8cm、横37.4cm）

図11　絹本着色 聖徳太子勝鬘経講讃像（四天王寺所蔵、鎌倉時代。本紙縦113.7cm、横52.0cm）

図13　黒漆塗 聖徳太子像厨子（東京国立博物館所蔵、鎌倉時代。厨子高22.0cm。Image : TNM Image Archives）

優品と評価される。別に同じ図様の版本の存在が知られており、「法隆寺足勝曼講（後略）」の注記と文永《ぶんえい》二年（一二六五）の年紀があり、本図制作時期の目安となろう。

勝鬘経講讃を描いた中世に遡る作例が、四天王寺にもう一幅（図12）所蔵される。画面上方の讃銘帯には『聖徳太子伝暦《しょうとくたいしでんりゃく》』太子二十六歳と十二歳条からの抄文を記し、中央に聴衆を六人とする勝鬘経講讃太子を大きく表し、下方に日輪とともに太子二歳の南無仏像を配す。前述した五随臣（小野妹子《おののいもこ》、馬子、覚架《かくか》、恵慈《えじ》、大兄皇子《おおえのみこ》）に、この時すでに亡くなっている日羅《にちら》を加える点からも、真宗《しんしゅう》系の遺品と判断され、わずか二場面だけの太子略絵伝と考えられる。素朴な面貌表現の室町後期の作で、後世四天王寺に施入されたのであろう。

なお永仁《えいにん》三年（一二九五）に四天王寺聖霊院にて造立《ぞうりゅう》、供養されたと記す太子像を納める厨子《ずし》（図13）が、東京国立博物館に所蔵されている。扉四面の内側には、勝鬘経講讃を聴聞する五随臣が描かれており、当初は勝鬘経講讃太子坐像が安置されていたかと想像される。年号等を記す底面の朱漆銘には「願主西方行人聖戒」、「仏師忍性」とも記され、追銘《ついめい》かと考えられるが、扉絵自体は中世に遡るかと判断される。

三　年齢を特定しない太子像の作例

最後に太子の年齢を特定できない、すなわち時空を超えた聖徳太子像についてみておきたい。四天王寺で「孝養御影」（図14）と呼ばれる画幅で、笏と柄香炉を執る垂髪《すいほつ》の童形太子を大きく描き、足元には妹子、馬子、日羅、覚哿、阿佐太子《あさたいし》、恵慈の六随臣を小さく添える。華麗な彩色がよく残る桃山期の作で、戸張を懸けた殿舎内の背障には、邪鬼を踏む四天王を雲上に表す。四天王の前に描かれた太子は、京都・藤井有鄰館《ふじいゆうりんかん》本の場合と同様、如意輪観音《にょいりんかんのん》の化身として象徴的に表したのであろう。四天王は描かないものの、これと同様の太子六随臣を描いた桃山期の作例が、奈良・法輪寺《ほうりんじ》、京都・六角堂頂法寺《ろっかくどうちょうほうじ》、滋賀・百済寺《ひゃくさいじ》と、太子縁《ゆかり》の寺院に伝わることは重要である。ただし、笏と柄香炉を執る童形太子は、真宗系の

図14　絹本着色 聖徳太子孝養像六臣像
（四天王寺所蔵、桃山時代。本紙縦119.6cm、横60.4cm）

図15　絹本着色 阿弥陀如来像・三国浄土高僧連坐像（四天王寺所蔵、室町時代。中幅：本紙縦86.2cm、横28.8cm、左右幅：各112.1cm、横各38.2cm）

図16　絹本着色 聖徳太子孝養像四臣像（四天王寺所蔵、室町時代。本紙縦114.4cm、横55.5cm）

「真俗二諦像《しんぞくにたいぞう》」に先例があり、また柄香炉のみを執る「孝養太子」の足元に六随臣を配す例は、鎌倉末期以降の初期真宗の太子を含む絵画にやはり先例がある。戦後に四天王寺に寄進された三幅本「阿弥陀如来《あみだにょらい》・三国浄土高僧先徳連坐像《さんごくじょうどこうそうせんとくれんざぞう》」（図15）がその一例で、右幅下方に孝養太子と六随臣を配している。中幅の「方便法身尊像《ほうべんほっしんそんぞう》」と左右幅が本来一具であったかどうかは、慎重に考える必要があろうが、三幅とも制作は室町後期で、愛知・妙源寺《みょうげんじ》三幅本光明本尊《こうみょうほんぞん》（重要文化財）の変容形とも理解されよう。

四天王寺にはもう一幅、笏と柄香炉を執る童形太子の画幅（図16）が伝わる。こちらも戸張を懸けた殿舎内に、正面を向いて直立する太子を大きく描くが、太子は角髪を結い、随臣は妹子と阿佐太子の二人が減って、四人が小さく添えられている。こちらは若干遡って室町中期頃の作になり、四随臣の人選は前に触れた愛知・妙源寺本や福島・康善寺《こうぜんじ》本連坐像といった初期真宗の遺品とは異なる。いずれにせよ、笏と柄香炉を執る童形の太子は、「真俗二諦像」より遡る広隆寺上宮王院《じょうぐうおういん》立像（平安時代、一一二〇年）以来の伝統があり、四または六人の随臣は、太子の近くに同時に存在し得ない人選であることから、年齢を特定しない象徴的な太子であったことは間違いない。

（石川知彦）

コラム【8】

四天王寺の中世太子絵伝

聖徳太子絵伝《しょうとくたいしえでん》とは、太子の生涯を描いた伝記絵のことで、中世の太子信仰の高まりにともない多種多様な太子絵伝が生み出された。その淵源はまさに四天王寺に求められる。奈良時代後期にはすでに太子絵伝（建築に付随する障子絵《しょうじえ》だったとされる）と、それを祀る「絵堂《えどう》」が建立《こんりゅう》され、以後多くの道俗が太子絵伝を拝見するため四天王寺に集った。現存最古の太子絵伝、法隆寺絵殿本《ほうりゅうじえどのぼん》（東京国立博物館所蔵、秦致貞《はたのちてい》筆、延久《えんきゅう》元年・一〇六九）が成る実に三百年も昔から、四天王寺は太子絵伝とともに歩んだのである。絵堂はその後、幾度も焼失と再興を繰り返し、現在は杉本健吉氏による「聖徳太子御絵伝《しょうとくたいしごえでん》」（昭和五十八年・一九八三　奉納）が安置され、堂内を鮮やかに荘厳《しょうごん》している。

さて四天王寺には、このほかにも中～近世の貴重な太子絵伝が複数所蔵されている。ここでは四天王寺が所蔵する中世太子絵伝のうち、掛幅《かけふく》本と断簡《だんかん》本について概説する。

一　掛幅本

掛幅の太子絵伝では、六幅本と二幅本がある。

①六幅本　遠江法橋筆　元亨三年（一三二三）（図1）

全六幅のうちに約七十の事蹟を収める。保存状態はきわめて良好で、堅実で繊細な筆致と清々しい色彩が美しく、中世を代表する太子絵伝のひとつにあげられる。内容は基本的に『聖徳太子伝暦《しょうとくたいしでんりゃく》』（以下、『伝暦』）に依拠するが、十八歳条「牛飼いに穀蔵の鍵を授ける」（第三幅）や二十七歳条「芹を摘む娘と出会う」（第四幅）など、『伝暦』にない逸話も含む。基本的に時系列で展開し、他本と同様に建築や土坡《どは》・樹木、すやり霞《がすみ》などを用いて画面を区画し、事蹟を配置する。一方、第二・三幅の十六歳条「守屋《もりや》合戦」、第四・五幅の三十三歳条「楓野巡見」では、絵伝を掛け並べた時の効果を活かし、幅を跨いで一連の場面を形成している。

さて本作には、各幅に旧肌裏墨書《はだうらぼくしょ》とされる資料が伝わり（現在は巻子装《かんすそう》。図2）、これによれば太子七〇〇回忌

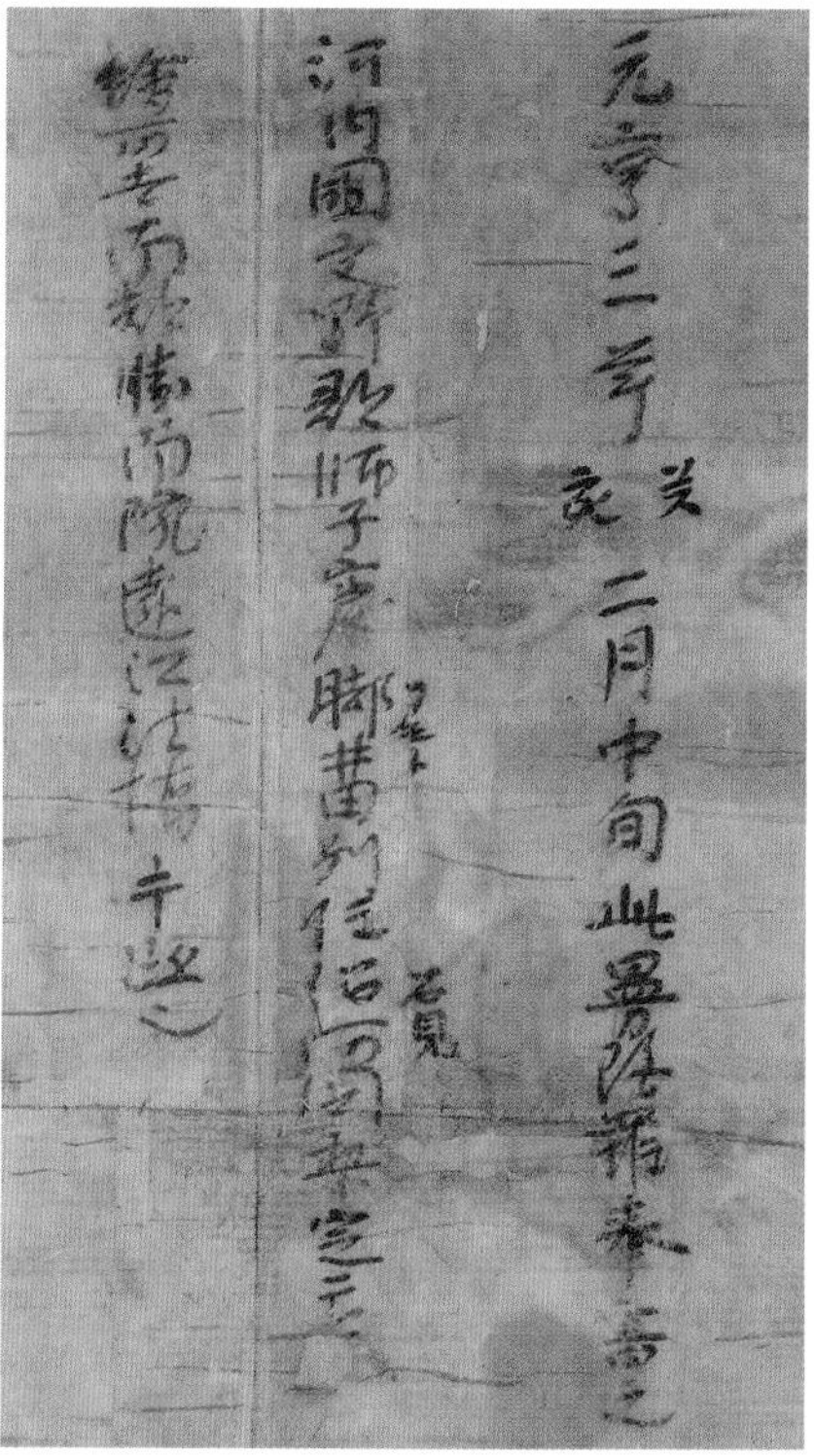

図2　六幅本太子絵伝、旧肌裏墨書

図1　聖徳太子絵伝（遠江法橋筆、四天王寺所蔵、重要文化財、元亨3年・1323。各縦150.3cm、横83.5cm。画像提供：奈良国立博物館〈撮影：佐々木香輔〉）

図1-2　第2幅

図1-1　第1幅

図1-4　第4幅

図1-3　第3幅

図1-6　第6幅

図1-5　第5幅

直後の元亨《げんこう》三年の二月中旬、「河内国交野郡師子窟脚井田別所」の住僧・定慧の発願《ほつがん》により、南都絵所勝南院座《なんとえどころしょうなみざ》の絵師、遠江法橋《とおとうみのほっきょう》によって描かれたという。松南院座といえば、貞応《じょうおう》三年（一二二四）に松南院座の祖とされる尊智《そんち》が四天王寺絵堂の太子絵伝を手掛けた件が想起され（『法然上人行状絵《ほうねんしょうにんぎょうじょうえ》』）、同じ絵所の絵師を起用したのはいかにも蓋然性が高いように思われる。しかし九州国立博物館所蔵の「仏涅槃図《ぶつねはんず》」（元亨三年、命尊《みょうそん》筆）など、同時代の松南院座の作例と比較すると、濃厚で鮮明な賦彩《ふさい》や、肥瘦《ひそう》の強い筆致、金泥《きんでい》の多様といった南都絵所の特徴はみられない。さらに四天王寺伽藍《がらん》（第三幅）の描写が他本と比べて極端に小さいことも留意される。当初は別の寺院に所蔵され、後年に四天王寺へ施入《せにゅう》されたのかもしれない。

このように六幅本は、制作年代のみならず発願者、絵師の情報をともなう太子絵伝として絶大な価値をもつが、同時に今後検討すべき課題も山積している。

②二幅本　鎌倉時代（図3）

インド・中国を舞台とした物語を展開する一幅と、太子の略伝を収めた一幅が対をなす、きわめて個性的な構成の太子絵伝である。前者は太子初生《しょしょう》であるインド舎衛《しゃえい》国《こく》の勝鬘夫人《しょうまんぶにん》の伝承を中心に、中国の仏教濫觴譚《らんしょうたん》「白馬《はくば》寺道士《じどうし》勝負記」と「康僧会三蔵《こうそうえさんぞう》の仏舎利《ぶっしゃり》出現」の物語が展開する。後者は太子の誕生と二・三・十二・十六（「守屋合戦」と「六角堂《ろっかくどう》建立」の二事蹟）、二十二・二十七・三十六・三十七歳・薨去《こうきょ》と葬送を一幅に集約する。

この二幅本は戦後に四天王寺の所蔵となり、それ以前の来歴は分かっていない。ただし採録される説話の内容が、愛知・満性寺《まんしょうじ》（真宗高田派《しんしゅうたかだは》）所蔵の『聖徳太子内因曼《しょうとくたいしないいんまん》荼羅《だら》』（正中《しょうちゅう》二年・一三二五）と共通し、また個々の図像が真宗の太子絵伝と類似する部分が多いことから、もとは真宗寺院に伝来した可能性が高く、さらに山梨・万福寺《まんぷくじ》（浄土真宗本願寺派《ほんがんじは》）の旧蔵という説も提示されている。全体的に顔料の剝落《はくらく》が進み、下書き線が露出した箇所が多いが、当初部分には闊達で柔軟な筆致が見て取れる。制作年代は六幅本と同じ頃の、十四世紀前半と判断したい。

二　断簡本

四天王寺には太子絵伝の断簡本が計六幅伝わる。いずれも掛幅本からの断簡で、①のA～Dは八尾市の教興寺《きょうこうじ》（真言律宗《しんごんりっしゅう》）の旧蔵であったことが知られる。②・③は伝来不詳である。

①教興寺旧蔵本　鎌倉時代

A　誕生・一歳条「厩《うまや》の前で出産・産湯」（図4）

B　二・三歳条「南無仏《なむぶつ》と称える・桃花より青松を賞する」

C　十歳条「蝦夷《えみし》鎮撫」

D　十五・十七歳条「用明《ようめい》天皇の玉体を相する・百済《くだら》より仏舎利将来」

教興寺旧蔵本は嘉元《かげん》三年（一三〇五）銘をもつ法隆寺献

図3　聖徳太子絵伝(四天王寺所蔵、鎌倉時代。
縦134.0cm、横98.7cm)

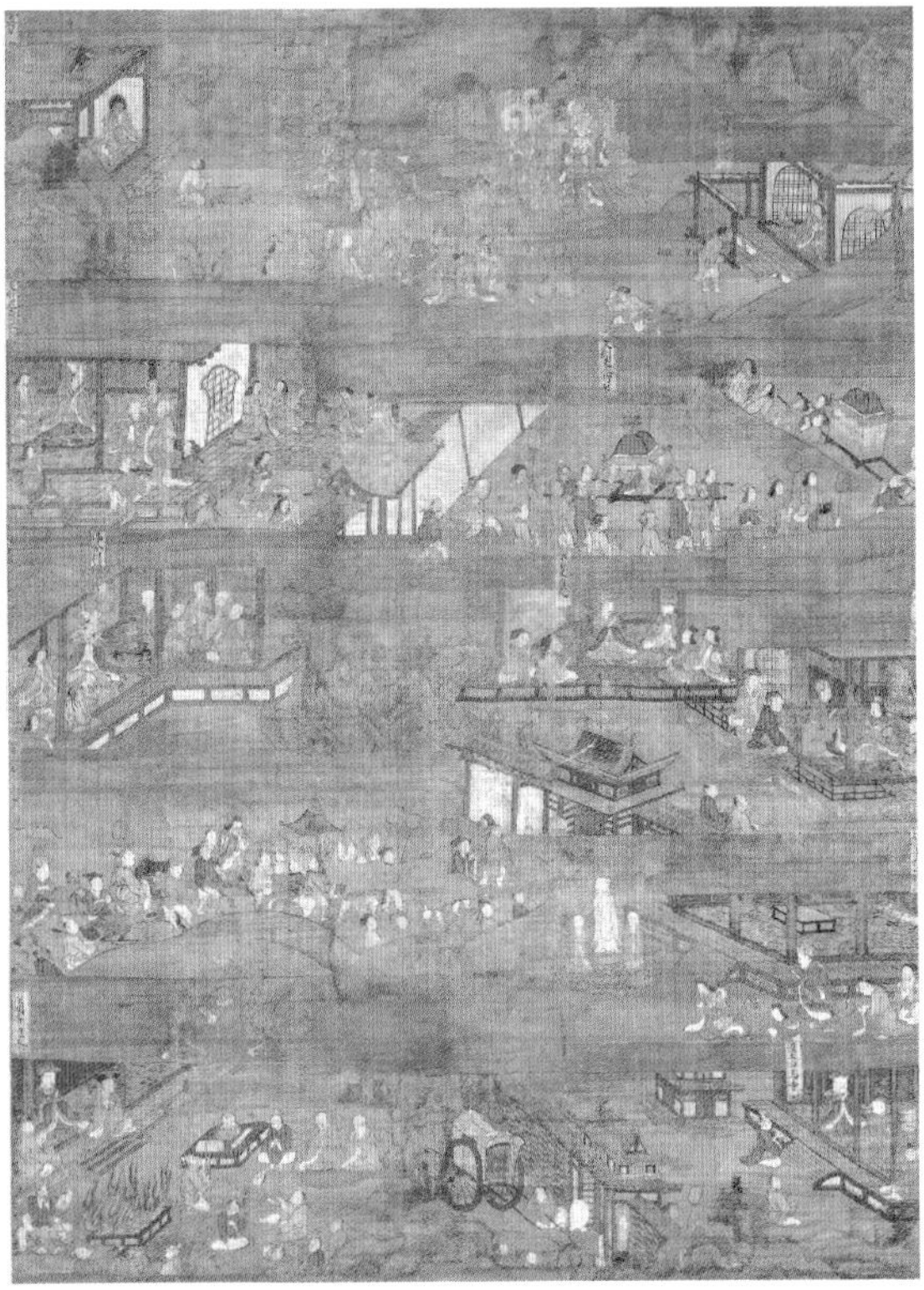

図3-1　第1幅(インド・中国の物語)

図3-2　第2幅(太子略伝)

図4　聖徳太子絵伝 断簡（教興寺旧蔵）、誕生・1歳条（四天王寺所蔵、鎌倉時代。縦34.8cm、横56.3cm）

納宝物四幅本（上野法橋《こうずけのほっきょう》・但馬房筆《たじまぼう》）と画風・図像ともにきわめて近い。筆致や賦彩（たとえば着衣の輪郭を金泥でなぞるなど）に強い共通性が認められ、ほぼ同時期に同じ工房で制作されたと考えれる。法隆寺四幅本は南都周辺の太子絵伝の一規範となって複数の模本が制作された。本断簡はその最古例に位置付けられる、注目すべき存在といえる。

②二十二歳条「四天王寺建立」　南北朝～室町時代（図5）

③二十六・二十九歳条「阿佐太子の来朝・新羅出兵」　南北朝～室町時代（図6）

②は二十二歳条「四天王寺建立」の一事蹟で、鳥居《とりい》から聖霊院《しょうりょういん》、亀井堂《かめいどう》までを含む四天王寺伽藍を正確に描く。これは愛知・本證寺《ほんしょうじ》本（鎌倉時代）など真宗伝来の作例にみられる特徴的な図像であり、関連がうかがえる。また画面左下には、緑色の色紙型の痕跡があるが、墨書は読み取れない。なお②は神奈川県立博物館所蔵の太子絵伝断簡（「守屋合戦」を描く）と、樹木や建築などの描写が酷似し、元来同じ太子絵伝であった可能性がある。

③は画面左に二十六歳条「阿佐太子《あさたいし》の来朝」、中央から右に二十九歳「新羅討伐」の二事蹟を描く。二十六歳条では、百済の王子・阿佐太子（赤衣の人物）が殿上の太子に向かい、端坐《たんざ》して礼拝《らいはい》する様子を表す。二十九歳条では、太子が派遣した阿陪臣《あべのおみ》、穂積臣《ほづみのおみ》らの軍勢が海を越え、新羅兵と戦を交える場面が展開する。またそれぞれの事蹟に色紙型が設けられ、二十六歳条は『伝暦』記載の「敬

図5　聖徳太子絵伝 断簡、22歳条「四天王寺建立」（四天王寺所蔵、南北朝〜室町時代。縦36.1cm、横77.0cm）

図6　聖徳太子絵伝 断簡、26・29歳条「阿佐太子の来朝・新羅討伐」（四天王寺所蔵、南北朝〜室町時代。縦30.1cm、横78.4cm）

礼救世大悲観音菩薩」からはじまる阿佐太子の礼拝文が部分的に残っている。二十九歳条は剝落が進んで判読できない。

②・③は、ともに断簡になる前に複数回の修復がなされ、織目の異なる補絹《ほけん》や粗略な筆致による補彩《ほさい》を施したため、画趣を大きく損ねている。本證寺本のような鎌倉後期の作と比べると、顔料の発色がやや鈍く、描線もシャープさに欠け、幾分時代が下る印象がある。ともに南北朝から室町前期、十四世紀後半の作とみておきたい。

このほかにも四天王寺には、絵巻を画帖に仕立てた太子絵伝（室町時代、元禄《げんろく》四年・一六九一　寄進）も伝わるが紙数の都合で解説は略する。ところで、ここにあげた中世太子絵伝は、いずれもきわめて高い価値をもつが、ほとんどが後年の寄進あるいは購入品であり、中世当時から四天王寺に伝来したのではないことは注意を要する。四天王寺への奉納を目的に制作した太子絵伝の現存例は、近世初頭の狩野山楽《かのうさんらく》による板絵《いたえ》太子絵伝（元和《げんな》九年・一六二三）の登場をまたねばならない。

（村松加奈子）

コラム【9】

「四天王寺絵所」の謎

「絵所《えどころ》」とは、宮廷や寺社におかれた絵画制作工房のこと。鎌倉時代には東大寺《とうだいじ》や興福寺《こうふくじ》などの南都《なんと》寺院に設置され、絵師たちが仏画制作や仏像の彩色、寺院内の堂内荘厳《しょうごん》に携わった。そして四天王寺も中世に「絵所」を擁していたことが判明し、近年では四天王寺絵所が聖徳太子絵伝《えでん》や太子尊像《そんぞう》の制作・流通に関与したという見方が定説となりつつある。ただし四天王寺絵所の作と断定できる作品は今のところ確認されず、絵所の活動の実態や絵師たちの画業については、いまだ不明な部分が多い。ここでは、これまでの研究史をたどりつつ、謎多き「四天王寺絵所」の実態を探ってみたい。

一　四天王寺絵所と浄土真宗

「四天王寺絵所」の資料上の初見は、神奈川・清浄光寺《しょうじょうこうじ》（遊行寺《ゆぎょうじ》）所蔵『聖徳太子伝暦《しょうとくたいしでんりゃく》』（嘉暦《かりゃく》元年・一三二六）巻下である（図1）。奥書《おくがき》には四天王寺絵所上座《じょうざ》（頭領《とうりょう》の意か）の「弁芳《べんほう》」からの相伝本《そうでんぼん》を、真宗門徒《しんしゅうもんと》の「寂静《じゃくじょう》」が書写した旨が記されている。

嘉暦元年丙寅十二月廿四日以四天王寺
絵所上座弁芳相伝之本奉授之訖
短筆寂静

寂静は当時、三河《みかわ》（愛知県）和田《わだ》門徒のリーダーであった。和田門徒は古くから太子信仰に篤《あつ》く、徳治《とくじ》二年（一三〇七）には本願寺第三世の覚如《かくにょ》（一二七〇～一三五一）が三河に下向し、和田道場に伝わる親鸞《しんらん》自筆の太子伝『上宮太子御記《じょうぐうたいしぎょき》』を書写している。また十三世紀半ばには親鸞高弟《こうてい》の高田派《たかだは》第三世顕智《けんち》（一二二六～一三一〇）が、文保《ぶんぽう》元年（一三一七）には覚如と長子の存覚《ぞんかく》（一二九〇～

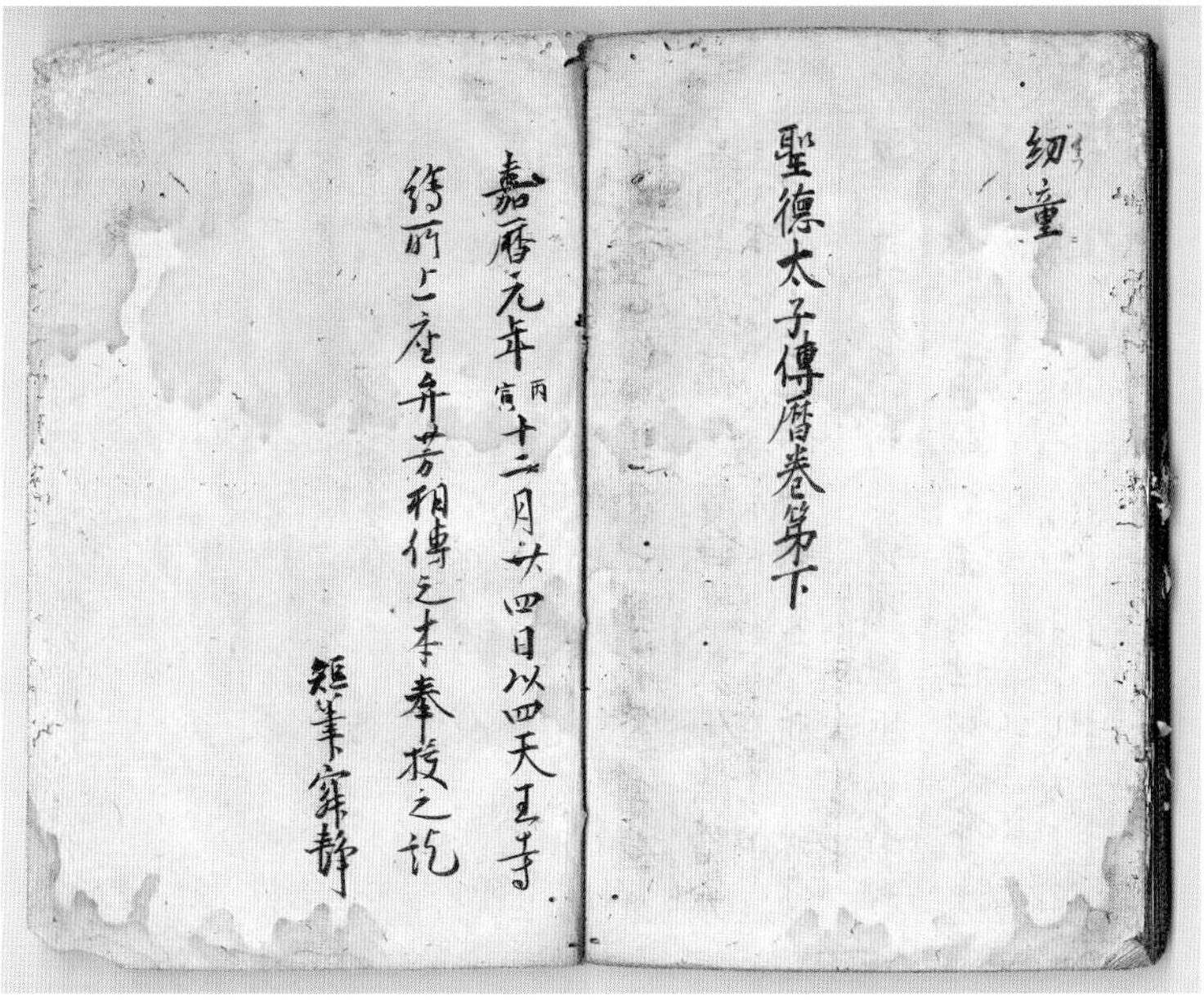

図1　『聖徳太子伝暦』（神奈川・清浄光寺所蔵、嘉暦元年・1326）

図2　聖徳太子絵伝 第6幅（部分）（愛知・本證寺所蔵、重要文化財、鎌倉時代。画像提供：安城市歴史博物館）

一三七三）が四天王寺を参詣したという記録がある。（『聖徳太子遺品拝領記録《しょうとくたいしいひんはいりょうきろく》および拝領品《はいりょうひん》』・『存覚一期記《ぞんかくいちごき》』）。寂静も最先端の太子信仰文化に触れるべく、四天王寺絵所へ赴いたのだろう。

実際に真宗では、太子七〇〇回忌（元亨《げんこう》元年・一三二一）前後の太子の画像・彫像《ちょうぞう》、そして太子絵伝の優品が多数伝わる。これらは真宗が独自に制作したのではなく、四天王寺や南都の太子ゆかりの寺院や、太子信仰を牽引した真言律宗《しんごんりっしゅう》の影響のもとで生み出されたと考えられている。

真宗寺院に伝来する太子絵伝は、四天王寺の伽藍《がらん》を大きく描く傾向が強い。その代表格である愛知・本證寺《ほんしょうじ》本（鎌倉時代）は、西門の鳥居から回廊・五重塔・金堂・講堂、そして絵堂、聖霊院《しょうりょういん》と亀井堂《かめいどう》まで壮大かつ詳細に描く（図2）。この四天王寺伽藍の図像は、三河や北陸の高田派の系譜に連なる真宗寺院の太子絵伝に頻出するものである。

やや話が逸《そ》れるが、中世の四天王寺周辺の子院《しいん》（蓮華蔵院、芹田坊《せりたぼう》、乾坊《いぬいぼう》、地弥院《じみいん》など）では、さまざまな系統の太子伝が生成・書写された。その中に『正《しょう》（聖）法輪蔵《ぼうりんぞう》』と題される一群がある。本文中に「〜処、即是也」「〜御躰是也」と、絵伝を前提にしたと思しき文言を含むのが特徴で、真宗高田派を中心に流布した。こうした子院での太子伝書写は、四天王寺絵所の営みと連動するものであったに違いない。

二　秘伝相承の場としての四天王寺絵所

(一)野中寺所蔵『上宮太子御遺言記注』

「河内《かわち》三太子」のひとつ、大阪・野中寺《やちゅうじ》(真言宗。通称中ノ太子《なかのたいし》)にも、四天王寺絵所に関わる興味深い資料が残されている。『上宮太子御遺言記注《じょうぐうたいしごゆいごんきちゅう》』(応永《おうえい》三十年・一四二三)(図3)は、四天王寺絵所に伝わる〝秘伝の書〟というべき一巻で、大鳥部文松子《おおとりべあやのまつこ》の撰述とされる。松子は調子丸《ちょうしまる》と並ぶ太子の舎人《とねり》で、太子伝の秘伝「松子伝」を著したと伝えられる架空の人物である。

本書はまず太子二十五・三十五・三十六・三十七・三十二・三十一歳と「恵慈《えじ》法師曰」の「七大事」を述べ、さらに三十・三十六・三・四十八歳と「弘法大師《こうぼうだいし》曰」を載せる。続いてこの〝秘伝〟相承《そうしょう》の系図を示し、最後に「七大事」については安倍晴明《あべのせいめい》の子孫ひとりに相伝すべし、と結んでいる。書写者の「覚慶」は、先の清浄光寺所蔵『伝暦』の授与者と同じく、四天王寺絵所の上座を務めた人物である。どうやら四天王寺絵所は単なる工房の範疇を超え、太子伝の〝秘伝〟を相承する場としても機能していたようだ。

(二)橘寺旧蔵『聖徳太子伝』

もうひとつ、四天王寺絵所と〝秘伝〟の関係を考える上で注目される資料に、四天王寺が所蔵する『聖徳太子伝』(室町時代)がある(図4)。全十八帖《じょう》からなる大部の太子伝で、かつては奈良・橘寺《たちばなでら》に伝わった。その第一帖の冒頭には、「天王寺絵所」について、次のような記述がある。

次天王寺之絵所ニ習伝タル一巻之伝アリ。是又余之四十六ヶ之寺々ニハ不レ用レ之。其故ハ依天王寺ノ奇特計ヲ註一シタル也

四天王寺絵所には「一巻之伝」とよばれる太子伝が相承されたが、あまりに特殊な内容であるため、他の太子ゆかりの寺院では用いられない、という。本書の書写者は橘寺の僧と想定されるが、中世の橘寺では太子伝研究が盛んに行われ、『聖徳太子平氏伝雑感文《しょうとくたいしへいしでんざっかんもん》』(正和《しょうわ》三年・一三一四)や『上宮太子拾遺記《じょうぐうたいししゅういき》』(鎌倉後期)といった注釈書が撰述された。そんな太子伝に精通した橘寺の学僧たちにとっても、四天王寺絵所の〝秘伝〟は独特で不思議な

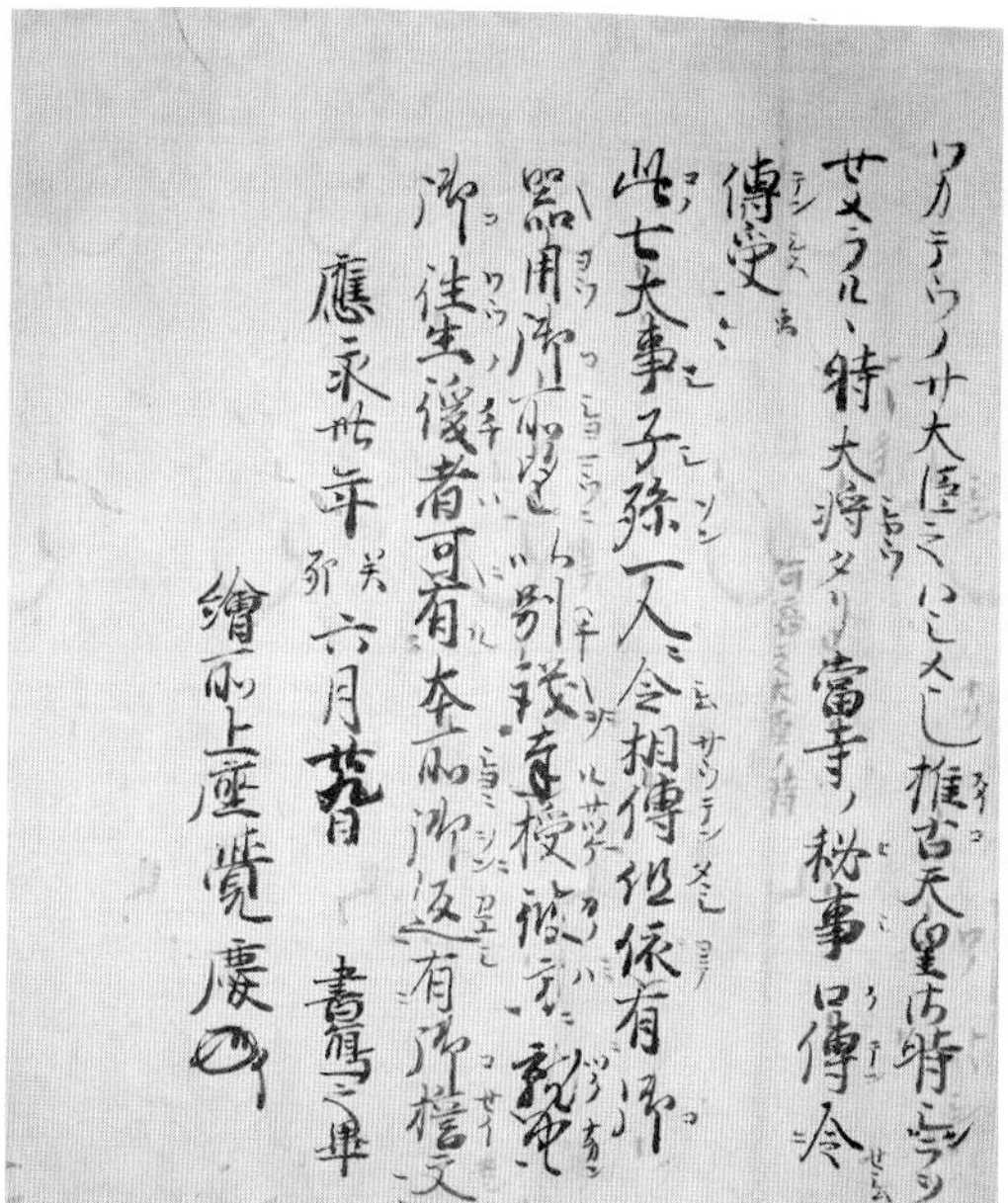

図3　『上宮太子御遺言記注』(大阪・野中寺所蔵、応永30年・1423)

ものに映ったようだ。

三　四天王寺絵所のはじめとおわり

これ以降の四天王寺絵所に関わる資料は、今のところ見つかっていない。この三つの資料から推測できるのは、四天王寺絵所は少なくとも鎌倉後期から室町時代、すなわち太子七〇〇～八〇〇回忌の頃までは存続していたということだ。四天王寺絵所はいつ頃から組織され、いつ頃に解体したのだろうか。

遡《さかのぼ》れば貞応《じょうおう》三年（一二二四）、四天王寺絵堂は当時別当《べっとう》であった慈円《じえん》によって再興されているが、この時に新たな太子絵伝を手掛けたのは、四天王寺絵所の絵師ではなく、興福寺一乗院松南院座《いちじょういんしょうなみざ》の尊智法眼《そんちほうげん》であった（『法然上人行状絵図《ほうねんしょうにんぎょうじょうえず》』）。そして室町末期から江戸初期にかけて、相次ぐ争乱によって四天王寺が壊滅的な被害を受けた後、慶長《けいちょう》五年（一六〇〇）と元和《げんな》九年（一六二三）の二度にわたり、絵堂の太子絵伝を制作したのは、京狩野《きょうがのう》の祖・狩《か》野山楽《のうさんらく》（一五五九～一六三五）であった。くしくも太子六〇〇回忌・一〇〇〇回忌頃に絵堂が再建されていたわけだが、いずれも四天王寺絵所が起用されなかったことは注意を要する。

絵堂再興を記念して、また為政者の権威を示すために、あえて寺外の高名な絵師を招いたとも考えられようが、貞応三年の段階ではまだ四天王寺絵所が組織化されていなかった、また慶長五年頃には衰退し、すでに絵所として機能していなかったのかもしれない。

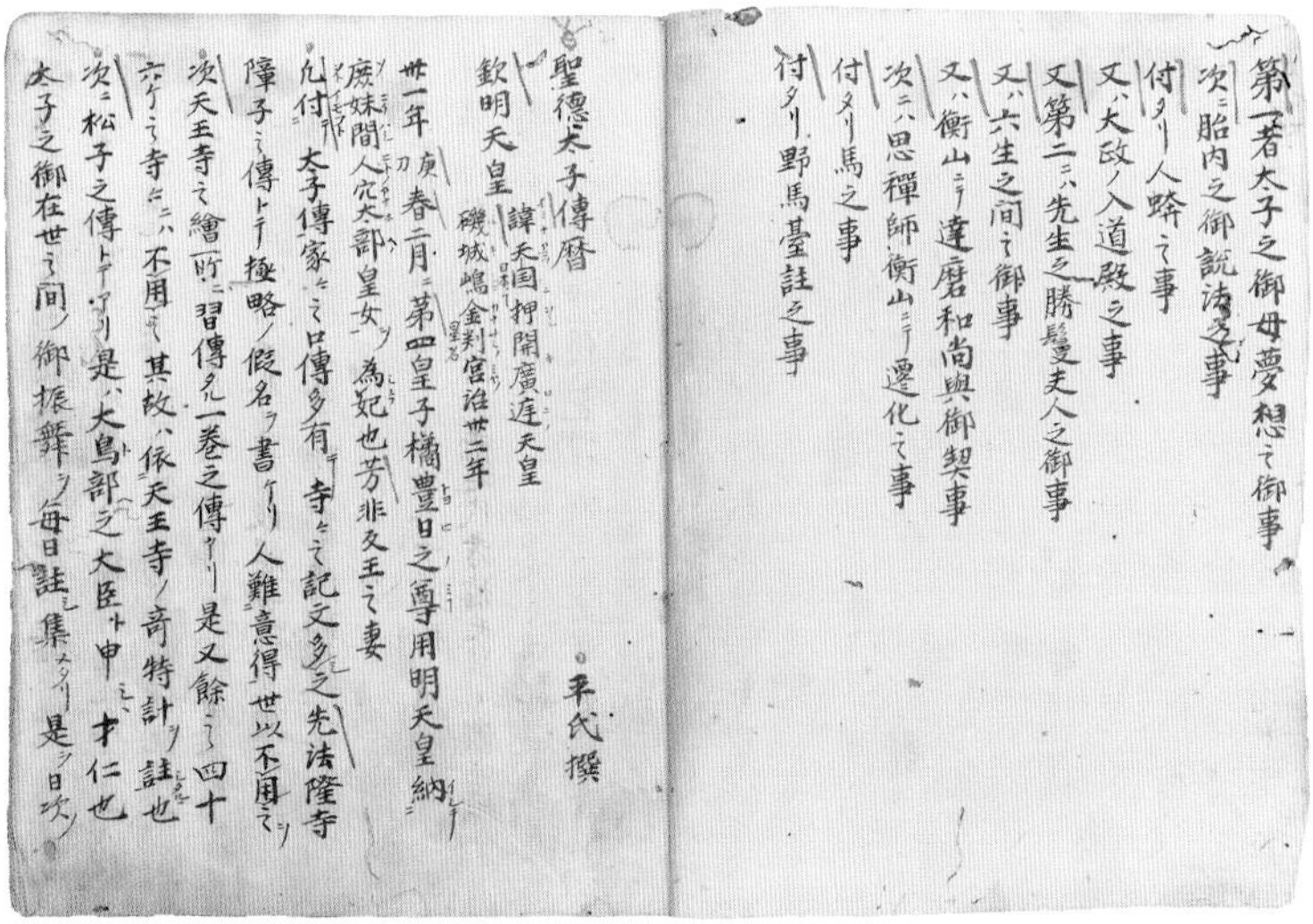

図4　橘寺旧蔵『聖徳太子伝』（大阪・四天王寺所蔵、室町時代。各縦28.2cm、横22.5cm）

そして鎌倉後期には旺盛に制作された太子絵伝（とくに真宗伝来の作例）も、十六世紀頃を境に減少の一途を辿《たど》ってゆく。さまざまな理由が想像されるが、四天王寺絵所の衰退がその一因にあるように思われてならない。さらなる謎の解明には新資料の発見をまつしかないが、四天王寺絵所が中世の太子信仰の一隅を鮮やかに彩ったことは疑いない。

（村松加奈子）

コラム
【10】

四天王寺の講式

はじめに

講式《こうしき》は、中世を代表する仏教儀礼テクストである。多くは表白《ひょうびゃく》と廻向《えこう》を首尾《しゅび》に配し、間に数段からなる式文《しきもん》の詞章と、偈頌《げじゅ》と本尊名号《ほんぞんみょうごう》を加え、法則《ほっそく》の次第に沿って式師が読みあげる台本の形式をもつ。本文は漢文だが、全て訓読されるため訓（読み仮名）や博士《はかせ》（節付《ふしづ》け）が付されている。信仰を同じくする結衆《けっしゅ》が本尊の許でその功徳を讃え、祈願する講会《こうえ》に用いる式であるゆえ、講式と称される。

講の始まりは、平安中期の叡山横川《えいざんよかわ》で恵心僧都源信《えしんそうずげんしん》らによる二十五三昧会《にじゅうござんまいえ》とされ、その式中の六道《ろくどう》講式は現在も横川で修される。また源信の弟子で結衆の中心であった覚超《かくちょう》自筆の『修善《しゅぜん》講式』は、今も生家の池辺家（大阪府和泉《いずみ》市）に伝えられている。平安後期には、浄土信仰の高まりとともに講会も盛んに営まれ、作法を定めた唱導《しょうどう》家の故実も生まれた。密教と浄土思想を融合させた覚鑁《かくばん》も舎利《しゃり》講式はじめ多くの式を作り、信源《しんげん》『順次往生講式《じゅんじおうじょうこうしき》』のように、舞楽《ぶがく》と式が一体となり、段毎に催馬楽《さいばら》の曲で極楽声歌《ごくらくしょうが》を詠ずる式まで生まれた。

平安末から鎌倉初期が講式の黄金時代であった。当時の仏教界をその教学と実践から主導した貞慶《じょうけい》と明恵《みょうえ》は、自らの信仰表明を講式に託して多数の式を制作した。貞慶は己の繋属すべき諸尊とともに聖徳太子《しょうとくたいし》や春日明神《かすがみょうじん》の式を草し、明恵は釈尊《しゃくそん》追慕のために壮大な四座講式を作り、今も高野山の常楽会《じょうらくえ》に読誦《どくじゅ》されている。

四天王寺もまた講式の舞台となった。西門《さいもん》の極楽東門《とうもん》信仰の拠《よりどころ》となった念仏堂《ねんぶつどう》には、鳥羽院《とばいん》も参じた出雲聖人《いずもしょうにん》による念仏講が営まれたが、そこには何らか式が用いられたことであろう。後白河院《ごしらかわいん》の時代、長寛《ちょうかん》二年（一一六四）に四天王寺南の土塔《どとう》で書写された『舎利供養式《しゃりくようしき》』（国立歴史民族博物館所蔵）は、金堂《こんどう》の舎利や舎利会と直接は関わらない、大規模な舞楽法会と併せて修せられ、三世仏《さんぜぶつ》の讃歎《さんだん》を中心に舎利和讃《わさん》を加えた、平安朝最大規模の講式といえよう。四天王寺の舎利と舞楽を主題として太子を讃歎するのは、鎌倉前期に別当をつとめた尊性法親王《そんしょうほっしんのう》の作とされる『聖徳太子講式』六段式である（大屋徳城編『聖徳太子講式集』所収）。

一　四天王寺と講式

四天王寺に伝わる、もっとも重要な講式は、その最盛期である鎌倉初期に、当時の別当であった天台座主慈円《てんだいざすじえん》（一一五五〜一二二五）によって作られた、今も聖霊院《しょうりょういん》において毎月の太子講で読まれている『皇太子五段嘆徳《こうたいしごだんたんどく》』である。これが慈円作であることは、紹介された多賀宗隼《たがむねはや》氏により論証された（『慈円の研究』）。現用のテクストは『上宮太子講式《じょうぐうたいしこうしき》』と題して五段の『舎利講式』とともにその訓《よ》みと節博士を整えてあるが、写本としては元文《げんぶん》三

年（一七三八）一舎利《いっしゃり》西順の書写になる『聖霊院太子講式』一巻がある（図1）（多賀氏の紹介した本文はこれと等し

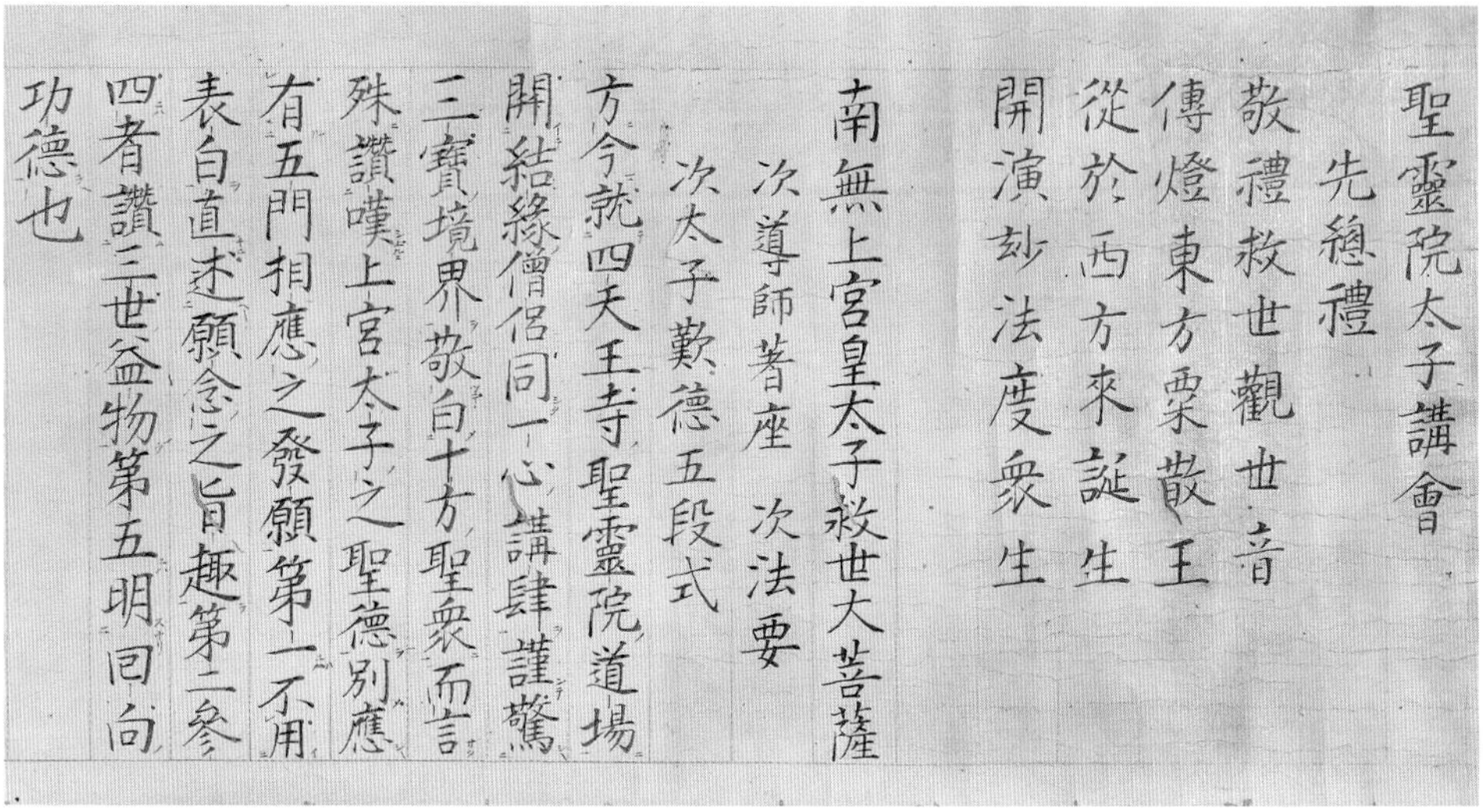
聖靈院太子講會
先總禮
敬禮救世觀世音
傳燈東方粟散王
從於西方來誕生
開演妙法度衆生
南無上宮皇太子救世大菩薩
次導師著座　次法要
次太子歎徳五段式
方今就四天王寺聖靈院道場
開結縁僧侶同一心講肆謹驚
三寶境界敬白十方聖衆而言
殊讃嘆上宮太子之聖徳別應
有五門相應之發願第一不用
表白直述願念之旨趣第二參
四者讃三世益物第五明回向
功徳也

図1　『聖霊院太子講式』（西順、大阪・四天王寺所蔵、元文3年・1738。縦34.6cm、横815.2cm）

く、現用本とは少異が認められる）。

慈円は承元《じょうげん》元年（一二〇七）に四天王寺別当《べっとう》に補任《ぶにん》され、一旦辞したが、ふたたび建保《けんぽ》元年（一二一三）に還補された後は、嘉禄《かろく》元年（一二二五）に入滅《にゅうめつ》するまでその地位に留まった。彼にとって聖徳太子と四天王寺は格別な尊崇の対象であり信仰の場としてあり続けた。その消息は歌人として慈円が太子の夢告を得て建保六年（一二一八）に聖霊院へ奉納した『難波百首《なにわひゃくしゅ》』によく表現されているが、『皇太子五段嘆徳』は、その聖霊院に祀られる太子を本尊として祈るにあたり、通例の表白を用いず、じかに願念《がんねん》の旨趣を述べて、「仏子」慈円自身が「一生之行業」を失い、「三世之思慮」に疲れ、「六趣之旧里」に休らう己の迷いを太子に告白し指南を求める、切実な当時の状況から発せられた祈りを捧げている。本文は、太子の過去（前生《ぜんしょう》）、現世（当生《とうしょう》）、未来の三世《さんぜ》にわたる益物《やくもつ》を讃歎する三段からなり、とくに滅後の利生《りしょう》を述べる第四段には、「当寺」が西方極楽の東門にあたり、「南無念仏之直道」を開いて「今世衆生之機縁」を諮《はか》り、念仏道場の場であり、その念仏は「西天西門之往詣」が太子の善巧《ぜんぎょう》による易行《いぎょう》として「我等」涯分《がいぶん》の修行の方便だとする。これは『難波百首』にも「我寺の浄土詣《まい》りの遊びこそ浅きものから真なりけれ」と詠まれた四天王寺独特の参詣習俗として、『一遍聖絵《いっぺんひじりえ》』や聖徳太子絵伝に描かれる、目隠しして西門から鳥居へ歩む日想観《じっそうかん》の戯れを称揚することが注目される。最後の廻向段では「上一人」天皇と並び「太上皇」後鳥羽院《ごとばいん》に言及することから、承久《じょうきゅう》乱以前に草されたものであろう。この講式が七百年の時を経て今もなお四天王寺で太子宝前に読まれ続けていることこそは、慈円がそこに籠めた願いの期するところであったろう。

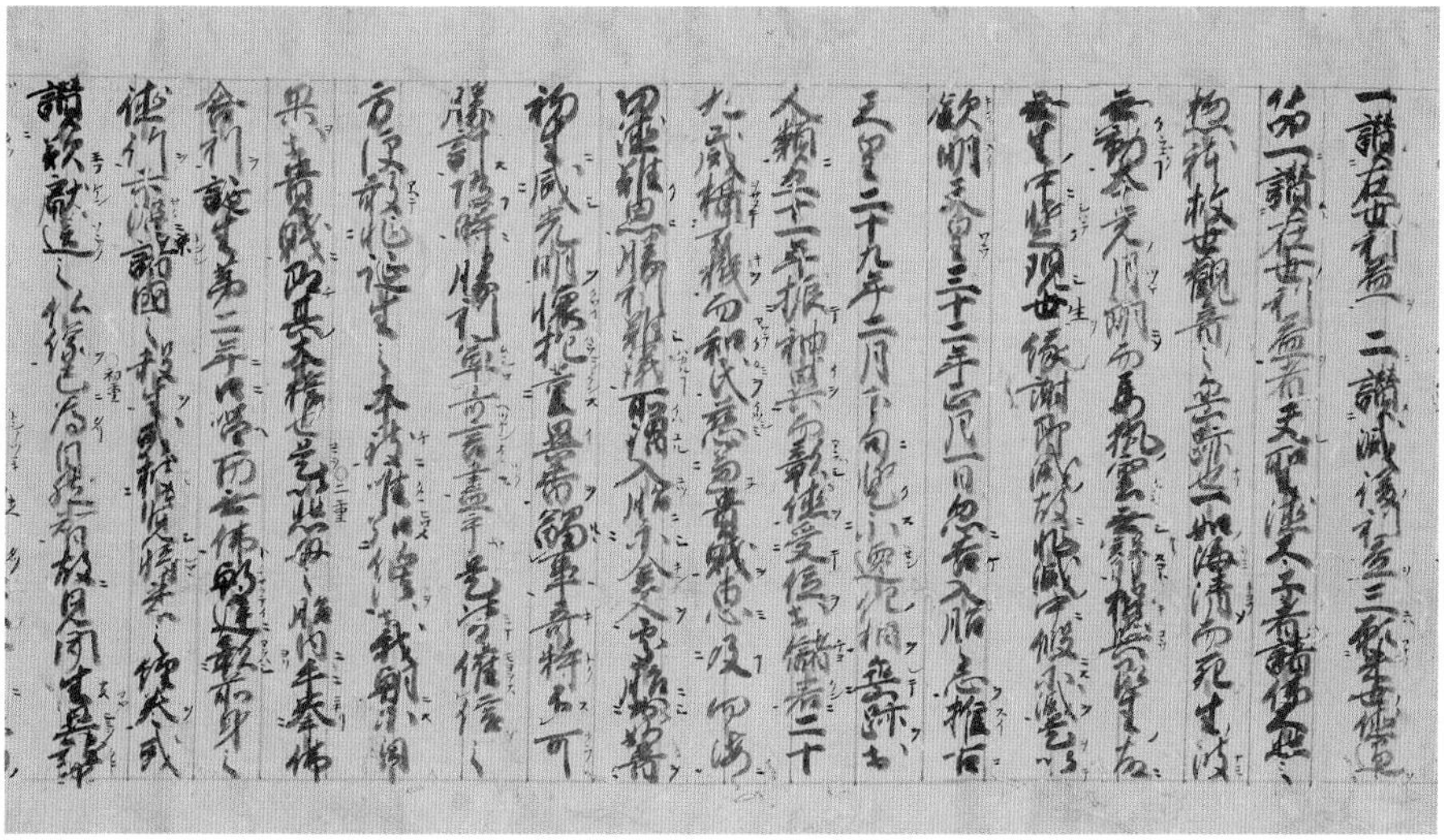

図2 『聖徳太子講式』(大阪・四天王寺所蔵、永享7年・1435。縦26.0cm、横453.5cm)

二 四天王寺に伝えられた太子講式

永享《えいきょう》七年(一四三五)に琳恵《りんえ》により書写された奥書をもつ『聖徳太子講式』一巻は、西大寺叡尊《さいだいじえいそん》が建長《けんちょう》六年(一二五四)に制作した三段の太子講式である(図2)。戒律《かいりつ》の復興に努めた叡尊は、釈尊や舎利とともに深く太子を崇敬し、太子墓をはじめ畿内各地の太子遺跡寺院で授戒《じゅかい》を行い、弘長《こうちょう》二年(一二六二)に鎌倉へ赴いた際には執権時頼《しっけんときより》の許で太子像を供養した(『関東往還記《かんとうおうかんき》』)。その晩年には、幕府の要請もあり、朝廷から四天王寺の別当に任命され、弘安《こうあん》八年(一二八五)には金堂舎利出現の奇瑞を示すのである(『感身学正記《かんじんがくしょうき》』)。叡尊の太子信仰が集約されたこの講式は、表白で六趣《ろくしゅ》に流転《るてん》する衆生を仏法へ導く太子の恩徳に報謝すべく、初段に在世の利益《りやく》として生涯にわたる仏法興隆の事蹟を述べ、二段に滅後の利生を四天王寺本願縁起(『四天王寺縁起』根本本《こんぽんぼん》)や磯長《しなが》の廟窟偈《びょうくつげ》をあげて示し、三段は来世の値遇《ちぐう》を、ことに太子が推古天皇《すいこてんのう》に殺生《せっしょう》を誡め殺生禁断を説くところに重きを置いて、総じて叡尊が興法《こうぼう》利生のために戒律を興行し慈善救済の理想を太子に託し、その先蹤《せんしょう》にならって成し遂げようとする念《おも》いに溢れている。この講式はおそらく彼が活動した太子ゆかりの寺院のみならず、新たに太子像を造り顕す場においても、すべて用いられたであろう。それはまた、四天王寺に写し伝えられるにふさわしい講式であった。

もう一本、従来その内容が紹介されることのなかった太子講式が、叡尊の門流に連なる西大寺《さいだいじ》十一世長老とも

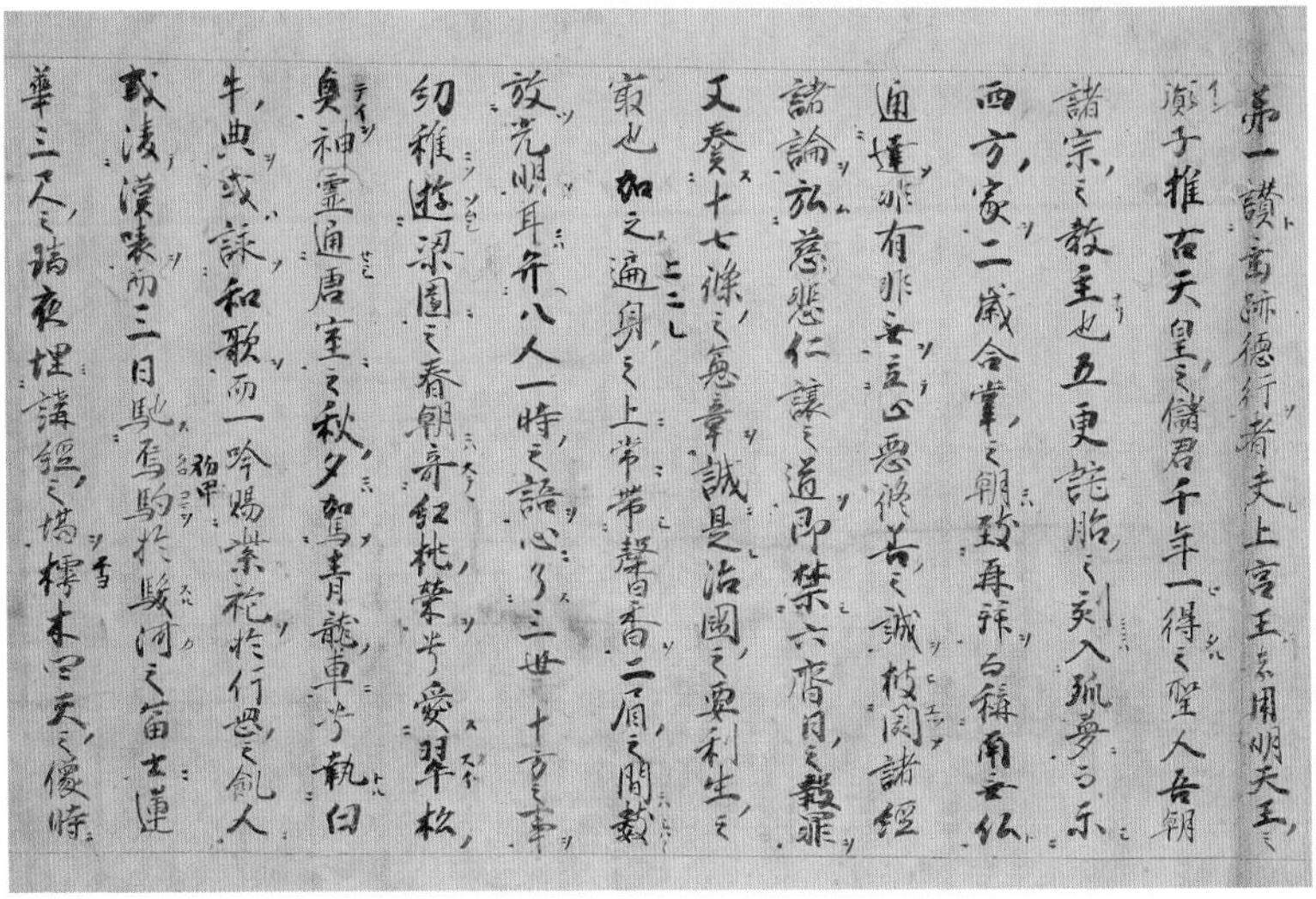

図3　『太子講式』（覚乗、大阪・四天王寺所蔵、永享3年・1431。縦30.5cm、横532.5cm）

なった覚乗《かくじょう》の作になると奥書に記す永享三年（一四三一）に稲生社神宮寺《いのうしゃじんぐうじ》（三重県四日市市）で写された『太子講式』五段式である（図3）。覚乗は伊勢岩田円明寺《いせいわたえんみょうじ》に住し、大《だい》神宮《じんぐう》への参詣や神道説に深く関与し、中世神道の秘説を『天照大神口決《てんしょうだいじんくけつ》』を著して伝えた律僧《りっそう》で、文観《もんかん》とも交流があった人物である。式は、表白に続き、初段に対し垂迹《すいじゃく》の徳行を讃え、二段に本地の利益を歎じ、三段に伝法の利益をあげ、四段に弘宣一乗の益を唱え、終段に廻向発願という構成である。その前半三段は、鎌倉中期の文永《ぶんえい》元年（一二六四）に、園城寺《おんじょうじ》の唱導僧定円《しょうどうそうじょうえん》が草した『太子《たいし》曼荼羅講式《まんだらこうしき》』、すなわち中宮寺《ちゅうぐうじ》の信如尼《しんにょに》による法隆寺《ほうりゅうじ》の天寿国曼荼羅《てんじゅこくまんだら》（繍帳《しゅうちょう》）発見による修覆、模本供養のために制作された講式（『太子講式集』所収）と本文が一致し、本書の奥書にいう「本三段、今広五段、奥二段覚乗大徳之御草也」というのを裏付ける。その三段式のうち、表白と太子の本地垂迹、伝法利生《でんぽうりしょう》を説く段をそのままに用いて、最後の天寿国曼荼羅の図相を述べる段を省き、以下は覚乗自身の導師としての供養対象である法華経の功徳を述べることに代えたのであろう。その所説には、とくに律僧としての覚乗の信仰や事蹟が反映されているとはいえないが、廻向段には現世当生の祈りに一天の泰平と「震儀惟穏《これおだやか》」に長生し「聖筭無彊《きわまりなく》」して「再政之大椿」を願うとの詞が見え、それは覚乗の生きた南北朝の伊勢という地政学上の立場からすれば明らかに南朝側の天皇を本願施主とする、太子前世所持の法華経にちなむ如法経供養を太子に捧げての皇統回復の祈りであった。そのような特殊な太子講式が、四天王寺に伝来した歴史的背景も興味深い。

以上、四天王寺に伝えられる三種の太子講式は、いずれも中世における聖徳太子信仰の諸相を鮮やかに映しだし、またその信仰を担う主体が自ら草し、実践する事蹟とも呼応する、まさに太子信仰を説きうながす核心的な祈りのテクストなのであった。

（阿部泰郎）

第4部

近世の四天王寺

四天王寺・住吉大社図屏風（部分。四天王寺所蔵、江戸時代、17世紀）

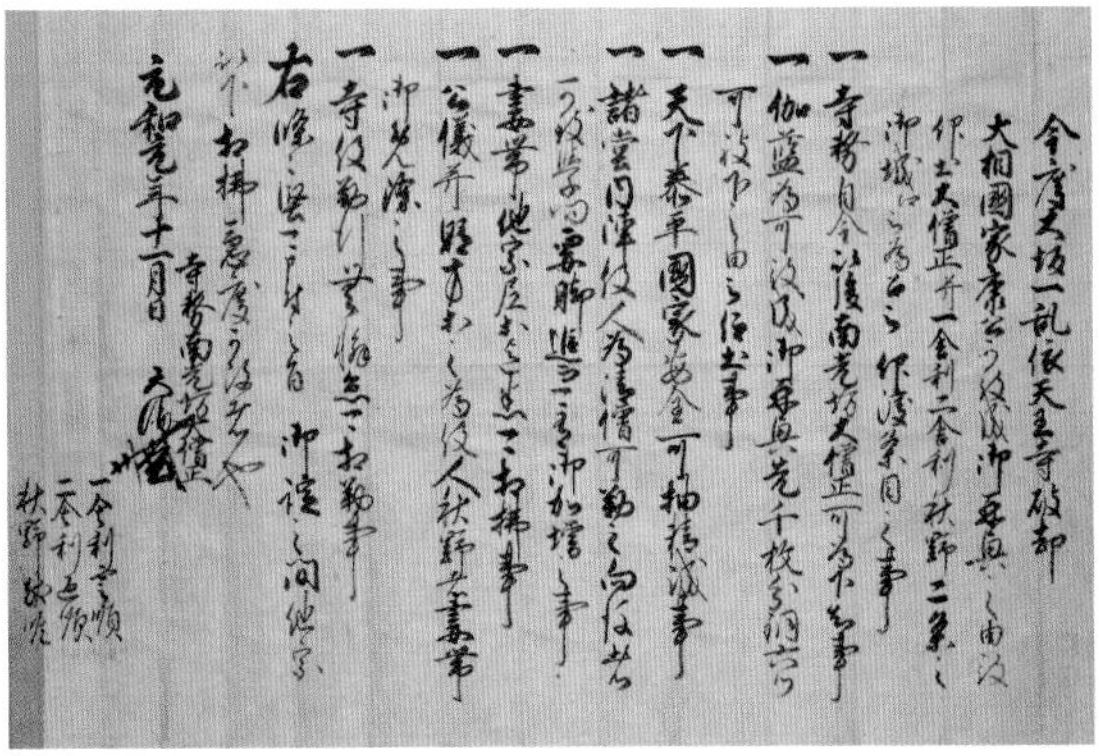

図1　紙本墨書 四天王寺法度（四天王寺所蔵、大阪市指定文化財、江戸時代、元和元年・1615。縦39.1cm、横61.4cm）

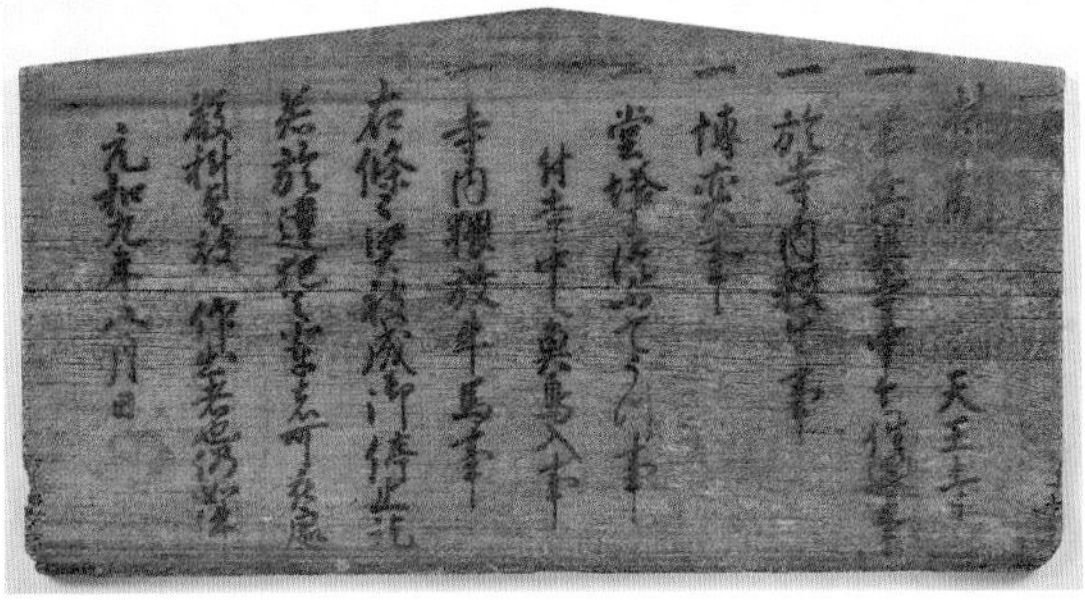

図2　木造 制札（四天王寺所蔵、江戸時代、元和9年・1623。縦42.7cm、横81.7cm）

第一章

元和の復興

一　新たな時代の幕開け

慶長《けいちょう》二十年（一六一五）五月七日、豊臣秀吉《とよとみひでよし》の築いた大坂城が落城した。豊臣氏は滅亡して大坂《おおさか》夏《なつ》の陣《じん》は終結を迎え、名実ともに徳川の治世へ移行することになったのである。翌六月になると、徳川家康《とくがわいえやす》は二条城《にじょうじょう》に天海《てんかい》と四天王寺一舎利《いっしゃり》・二舎《にしゃ》利《り》・秋野坊《あきのぼう》を召し出し、復興を命じた（『天王寺誌《てんのうじし》』、四天王寺所蔵。以下『寺誌』）。そして十一月には家康の意をうけた天海の名で七ヵ条の条目《じょうもく》が発せられた（「四天王寺法度《してんのうじはっと》」、四天王寺所蔵。図1）。

天海は慶長十七年（一六一二）、関東天台の本山となった川越喜多院《かわごえきたいん》の住持を務めた天台僧で、家康は「相見ることの遅きを恨む」と述べたほど強く帰依した。この法度は天海が四天王寺の寺務を総覧する旨から書き出され、さらに四天王寺が天下太平・国家安全のため丹誠を尽すべきこと、寺内僧の秩序を確立するため法儀に関与する僧は清僧《せいそう》に限ること、幕府との諸交渉や寺の財務面を担当する秋野坊には妻帯が認められること、それ以外の妻帯僧徒・他宗僧・尼僧は退去すべきと、条文が続く。この法度により、新たな時代へと船出する四天王寺の基本指針が示されたのである。なお天海が寛永《かんえい》二年（一六二五）に上野寛永寺を建立すると四天王寺はその末寺に位置づけられ、天台寺院となった。そして文化十年（一八一三）には寛永寺末のなかの「大寺」の寺格《じかく》に列せられた（「大寺引直につき達」、四天王寺所蔵）。

なお四天王寺自身の末寺としては、天王寺村に清光院《せいこういん》と真光院《しんこういん》・地蔵院《じぞういん》・施行院《せぎょういん》、摂津国《せっつのくに》西成郡に宝泉寺《ほうせんじ》、川辺郡に容住寺《ようじゅうじ》、河内国新町村に地蔵《じぞう》寺《じ》、京八坂に金剛寺《こんごうじ》、大和国小泉に金輪院《こんりんいん》、佐渡《さどの》国相川《くにあいかわ》に万福院《まんぷくいん》の計十ヵ寺があった（天明《てんめい》六年・一七八六「摂州四天王寺末寺改帳《せっしゅうしてんのうじまつじあらためちょう》」、四天王寺所蔵）。このうち真光院・地蔵院は四天王寺の寺僧の葬儀を執りおこなった（『寺誌』）。

二　徳川家による伽藍復興

徳川家康は元和《げんな》二年（一六一六）四月に没したが、翌三年から復興に向けて動き出し、同四年（一六一八）九月には釿始《ちょうなはじ》めがおこなわれた。この年は徳川大坂城の再築の指示が出された年でもあり、徳川による大坂再興の重要工事が時を同じくして開始されたのである。

普請《ふしん》は片桐貞隆《かたぎりさだたか》・赤井忠泰《あかいただやす》・甲斐庄正房《かいのしょうまさふさ》・小沢《おざわ》休務《きゅうむ》の四名が奉行《ぶぎょう》となり、すべての堂宇《どうう》を金堂《こんどう》組・五重塔《ごじゅうのとう》組・六時堂《ろくじどう》組・太子堂《たいしどう》組の四組で分担する形で進められた（「天王寺御建立堂宮諸道具改渡帳《てんのうじごこんりゅうどうみやしょどうぐあらためわたしちょう》」、四天王寺所蔵）。そして同九年（一六二三）九月二十一日、五年におよぶ普請が完成をみた（『寺誌』）。

完成に先立つ八月には、三代将軍位に就いたばかりの徳川家光《いえみつ》が、寺内での軍隊の往来や殺生・博奕《ばくち》等を禁じる禁制を発した。寺側はその内容を四枚の木札に引き写し、門前四ヵ所に掲げた（四天王寺所蔵。図2）。再築された絵堂《えどう》には慶長復興時にも腕をふるった狩野山楽《かのうさんらく》がふたたび聖徳太子《しょうとくたいし》絵伝《えでん》（重要文化財、以下「重文」）を描いた。なおこの時の再建建造物では六時堂・五智光院《ごちこういん》・元三大《がんさんだい》師《し》堂（もと普門院《ふもん》）・本坊方丈《ほんぼうほうじょう》・本坊西通用門《にしつうようもん》（図3）・石舞台《いしぶたい》（以上、重文）、中之門《なかのもん》（大阪市指定文化財）が現存している。

寛永五年（一六二八）三月、曼殊院良恕法親王《まんしゅいんりょうじょほっしんのう》は京都から厳島《いつくしま》への参詣に向かう途中で四天王寺に立ち寄った。そこで目の当たりにした復興後の四天王寺（図4）はかつての姿を凌ぐものであり、「申すもおろか」（口に出すこともできないほどすばらしい）だったという（『厳嶋参詣道記』）。

図3　丸瓦〔五智光院所用〕（四天王寺所蔵、江戸時代、元和6年・1620。縦34.5㎝、横17.0㎝）

第二章　徳川幕府と四天王寺

一　将軍の位牌所

図4　紙本着色 摂津国四天王寺図（橘守国筆、四天王寺所蔵、江戸時代、18世紀。〈各〉縦189.8cm、横123.6cm）

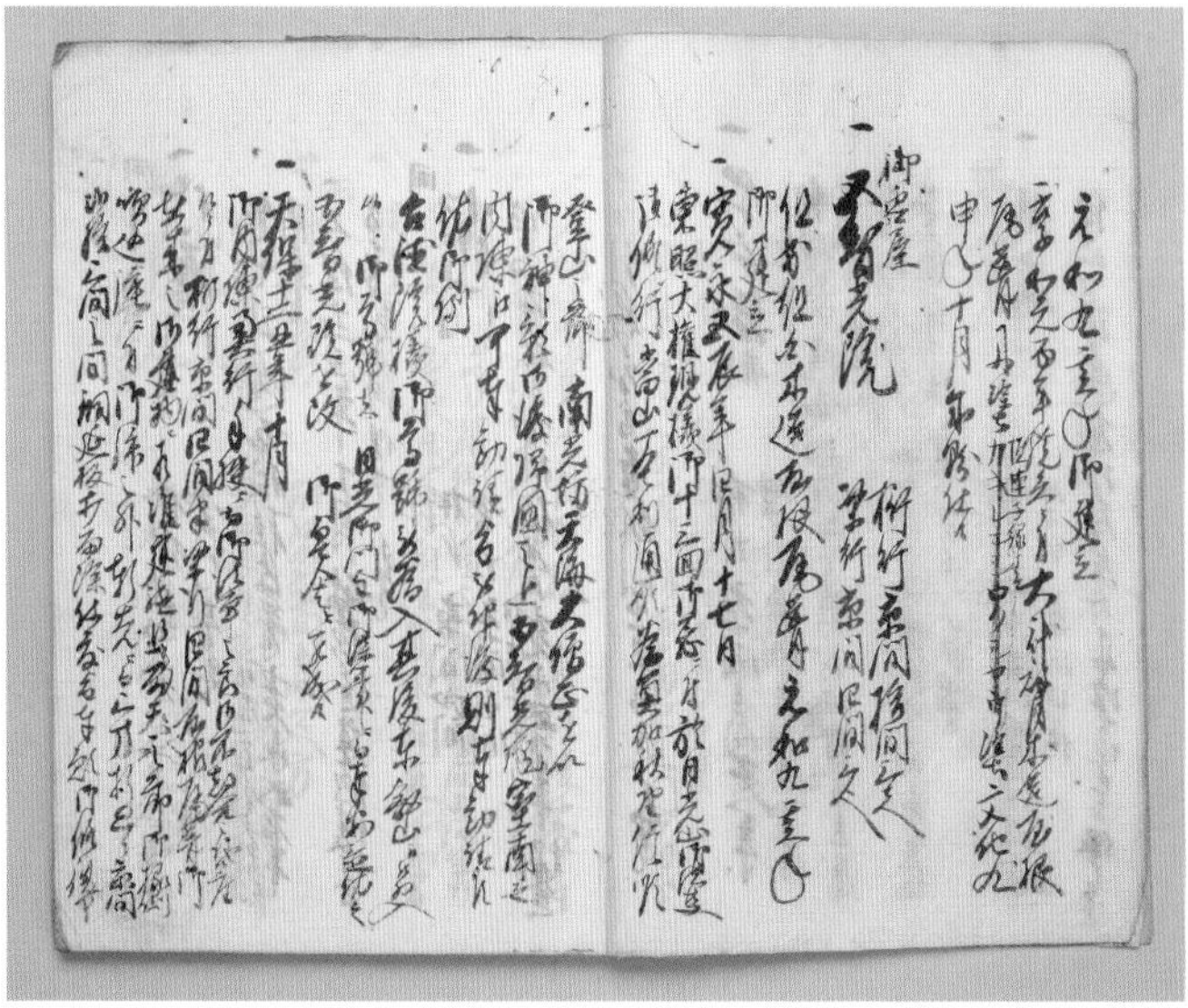

図6　紙本墨書 新古建物間数書（四天王寺所蔵、江戸時代、天保12年・1841頃。縦29.3cm、横21.0cm）

図5　絹本着色 徳川家康像（四天王寺所蔵、江戸時代、17世紀。縦97.6cm、横41.0cm）

徳川家康・秀忠《ひでただ》によって復興が推し進められた四天王寺は、その後将軍家との関係を深めていく。まず寛永五年（一六二八）四月の家康十三回忌に合わせて五智光院へ家康神影《しんえい》（肖像画。図5）の勧請がおこなわれた。これは天海の指示によるものだったが、同九年（一六三二）に没した秀忠の尊号も追って安置されることになり、五智光院は将軍家の御霊屋《おたまや》として位置づけられた（「新古建物間数書」、四天王寺所蔵。図6）。五智光院では正月十日に歴代将軍すべての法楽法事《ほうらくほうじ》が、またそれぞれの祥月《しょうつき》命日《めいにち》には忌日法会《きじつほうえ》が修められた。

ただし江戸において将軍霊廟《れいびょう》は天台宗寛永寺と浄土宗増上寺《ぞうじょうじ》に分けて設けられたため、大坂でも承応《じょうおう》二年（一六五三）以降、それに対応する形で位牌《いはい》が天台宗の四天王寺と浄土宗の天満専念寺《てんませんねんじ》に分置されることとなった。大坂城代は各将軍の年忌《ねんき》や祥月命日にあわせて参詣をおこなったが、元《げん》禄《ろく》八年（一六九五）、祥月命日の正月二十四日にあわせて執行される秀忠の法事に際し、四天王寺は大坂城代《おおさかじょうだい》の参詣を専念寺から自寺に戻すよう願い出ている（「口上書」、四天王寺所蔵）。秀忠の江戸での墓所が増上寺だったのにあわせ、大坂では専念寺が墓所とされていたためであった。

二　東照宮の造営と再興

慶安《けいあん》四年（一六五一）六月に家光が死去すると、神（東照大権現《とうしょうだいごんげん》）となった徳川家康をそれ以降の将軍と同じ五智光院に祀るのは憚られるとされ、大《おお》坂城代《さかじょうだい》仙石越前守《せんごくえちぜんのかみ》の指示により、家康神影を五智光院から用明天皇社《ようめいてんのうしゃ》に移し合殿することとなった。家康についてはすでに寛永十四年（一六三七）、天海より毎月十七日に東照宮法楽法事の執行が命じられていた経緯もあり、家康を祀る東照宮が事実上誕生を迎えたのである。なお慶安四年（一六五一）には五智光院の正面に定番《じょうばん》（保科弾正忠・安部摂津守）、大坂町奉行（曽我丹後守・松平隼人正）・堺奉行（石河土佐守）・大坂船手《ふなて》（小浜民部）の六名が石灯籠（図7）を献じた。幕府の大坂在番衆《ざいばんしゅう》が揃って五智光院を荘厳《しょうごん》することで、幕府が当院を護持する姿勢を明確に示したのであった。

その後、用明天皇社・東照宮は享和《きょうわ》元年（一八〇一）の火災で焼亡したが、文化《ぶんか》十年（一八一三）に聖霊院《しょうりょういん》の北に再建された。その遷座《せんざ》・鎮座《ちんざ》の法要勤仕は広く大坂市中に告げられている（「草間貴之見《くさまたかゆきけん》聞録《ぶんろく》」）。なおこの時に新造されたとみられる東照宮の扁額《へんがく》が現存している（四天王寺所蔵。図8）。この再建された東照宮では文化十二年（一八一五）四月、大坂在番衆の援助を受けて家康二百回神忌《しんき》が執行された（「東照宮二百回御神忌記録」、四天王寺所蔵）。

図7　石灯籠（四天王寺所蔵、江戸時代、慶安4年・1651。高259.0㎝）

図8　木造　東照宮扁額（四天王寺所蔵、江戸時代、19世紀。縦65.2㎝、横70.5㎝）

第三章

近世寺院としての四天王寺

一　寺域と周辺空間

近世の四天王寺は天王寺村のなかに存在した。天王寺村は七千三百十三石余の村高《むらだか》があり、徳川秀忠は元和《げんな》五年（一六一九）九月、復興工事にあわせてそのなかから千百七十七石余を朱印地《しゅいんち》として四天王寺に与えた（内、十五石一斗は今宮戎社《いまみやえびすしゃ》領）。そして同九年（一六二三）、秀忠は寺域を火災類焼から守るため、寺の周囲に住む住民を移転させ、そこを幅五十間の火除地《ひよけち》として確保させた（『寺誌』）。こうして近世の寺域が確立したが、その空間構造をよく伝えているのが「元和再興四天王寺図」（四天王寺所蔵。図9）である。この図に描かれた寺域は中世の寺中と「西門《さいもん》」に該当しており、火除地分を勘案すれば中世から近世にかけて寺域に変化がみられなかったことがわかる。なお寛文《かんぶん》四年（一六六四）には検地《けんち》打ち出し分（増加分）四百二十石が寺の修理料にあてることが認められた。

この図によれば、寺域の周りには飛地のように南に庚申堂《こうしんどう》、北西に勝鬘院《しょうまんいん》、西に安居《やすい》天神社・今宮戎社が描かれている。これらは寺域には含まれないが、中世「天王寺」以来存在した四天王寺支配下の有力堂社である。また天王寺村内には四天王寺に接する位置に「中町」「泥堂横町」「東小儀町」「土塔町」など多数の「町」を称する門前町《もんぜんまち》が存在し、都市化を遂げていたことがうかがわれる。

四天王寺は寺域・門前町、そしてその外側には寺領と、同心円の空間構造を構成していたのである。なお宗教空間である寺域では、法会が執行される際に場銭《ばせん》を支払うことで諸商人の商売が認められていた。その取り仕切りは惣職事の俗人が担い、後述する年預《ねんよ》と秋野坊が支配した（安永《あんえい》八年・一七七九「御請書之事《おうけしょのこと》」、四天王寺所蔵）。

二　寺内の組織

近世四天王寺を構成した人々の中枢に位置したのは衆徒《しゅと》と秋野坊である【第四部コラム2参照】。衆徒は出家後の年数順に一﨟《ろう》（一舎利）・二﨟（二舎利）が決められ、全体数は十二坊に固定された。一舎利・二舎利は金堂や太子殿での諸法会および聖徳太子の年忌法要など重要な法会での導師や大坂城代および町奉行への年礼《ねんれい》を勤めた。また三﨟以下から年預一名が選ばれ、一年任期で幕府への願い出や法要を勤め、末寺・寺中の清僧を支配した（『天王寺楽所史料《てんのうじがくそしりょう》』）。

　一方、財務・幕府関連など寺務の俗的部分を担い、唯一妻帯が認められたのが秋野坊である。ただし秋野坊の振舞には問題がみられたようで、慶安五年（一六五二）に本寺寛永寺から発せられた掟によれば、秋野坊は一年間の財務報告を一舎利・二舎利の管理のもとでおこない、確認の書判を据える方式を採るよう指示されている。また寛文《かんぶん》八年（一六六八）の追加掟でも、将軍からの朱印状《しゅいんじょう》や太子の宝物・記録類は一舎利・二舎利・秋野の三者が立ち会って帳簿の管理を執りおこなうことが規定されている（『御条目御達書写《ごじょうもくおたっしがきうつし》』、四天王寺所蔵。以下、『達書写』）。

　なお衆徒・秋野坊以下の寺役人が寺領から配分された石高を記した記録が慶長六年（一六〇一）および慶安五年（一六五二）と残されている（『四天王寺坊領并諸役人配分帳』『摂州天王寺坊領并諸役人配分帳』、ともに四天王寺所蔵。図10）。両者を比較すると、秋野坊が突出している状態は変わっていないが、十

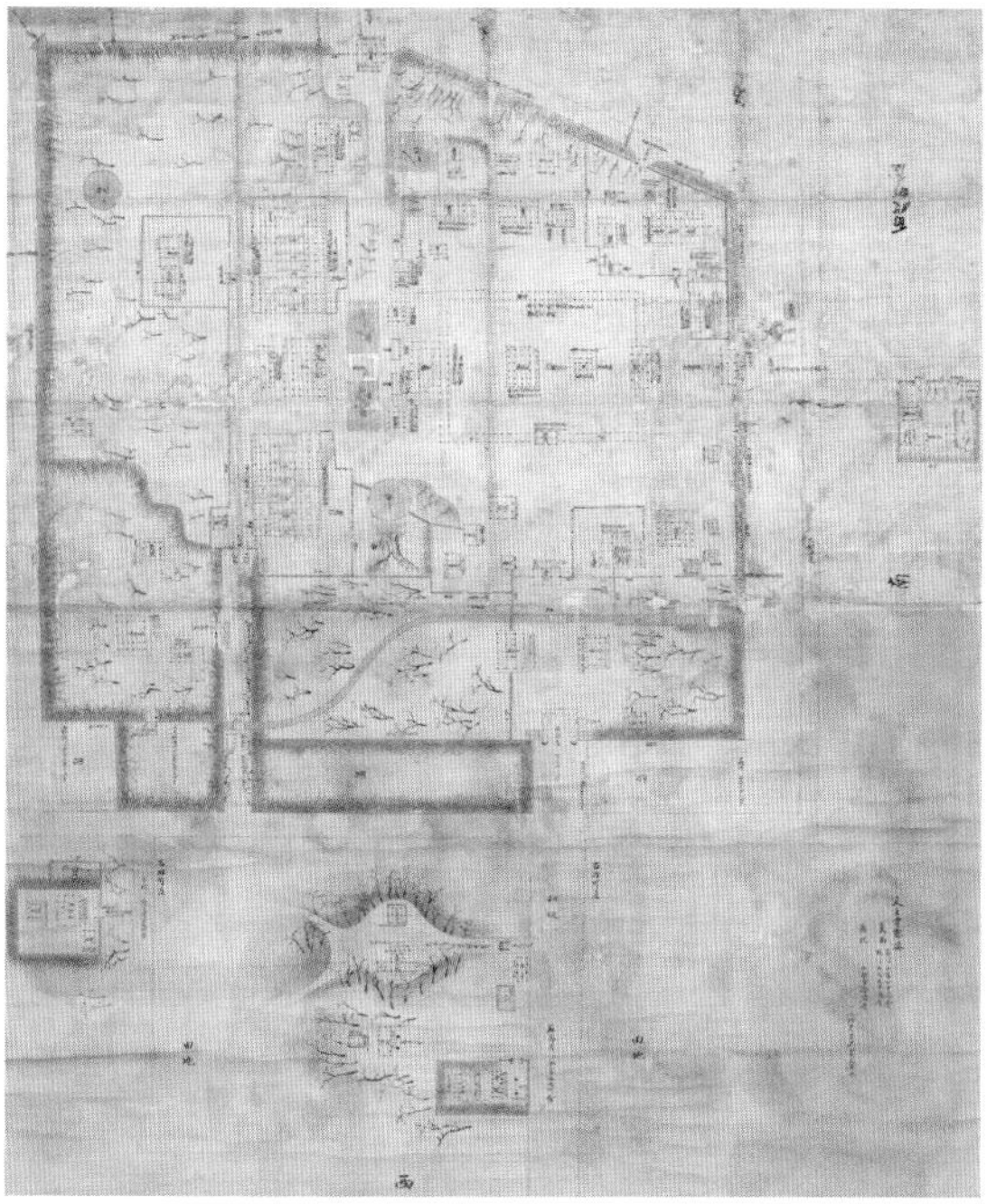

図9　紙本淡彩　元和再興四天王寺図（四天王寺所蔵、江戸時代（一部昭和時代）。縦174.1cm、横147.4cm）

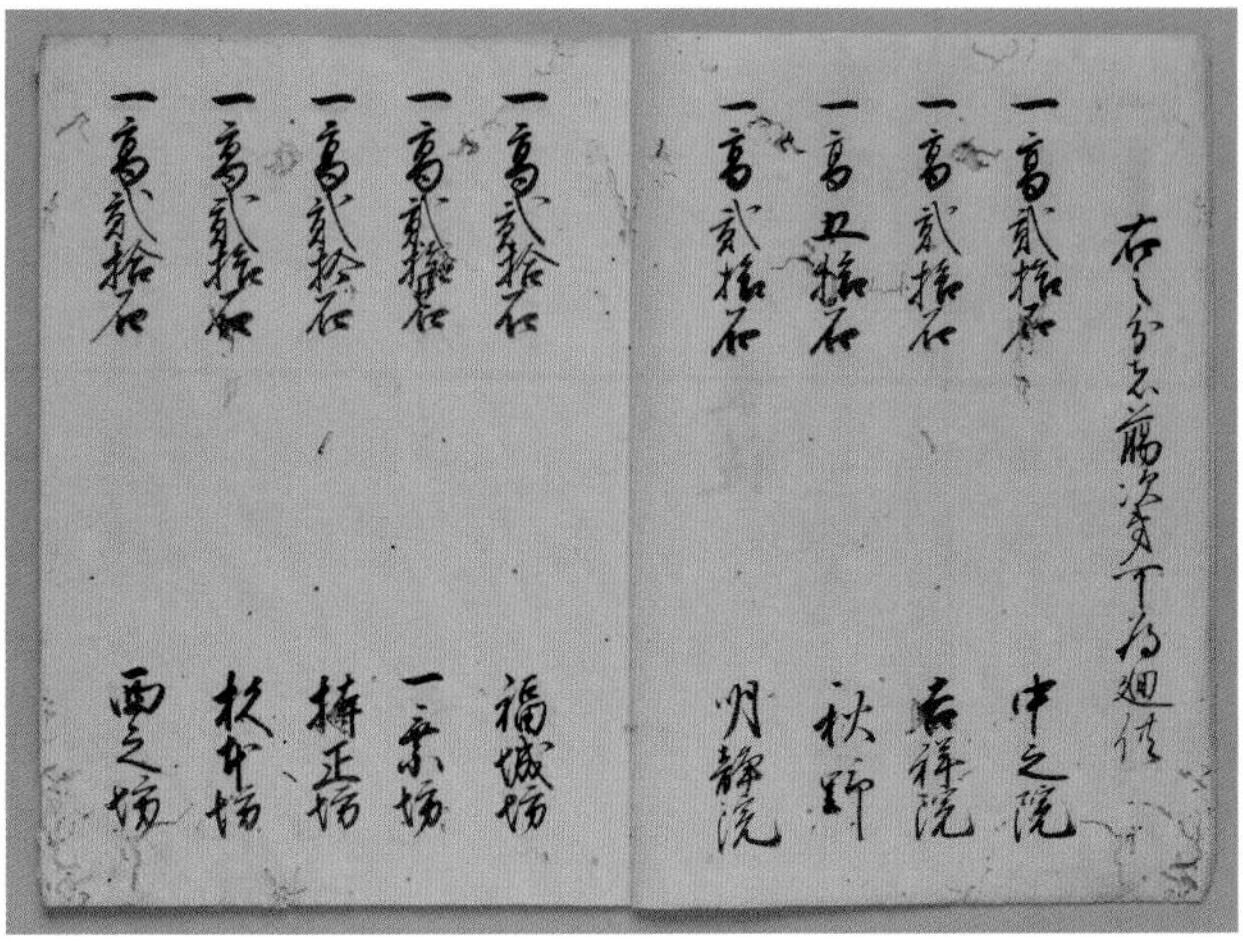

図10　紙本墨書 慶安五年四天王寺坊領并諸役人配分帳（四天王寺所蔵、江戸時代、慶安5年・1652。縦27.8cm、横21.1cm）

二の衆徒では当初みられた配分額のばらつきがなくなるとともにそれぞれが増額されている。そしてこの両者以外の寺役人のほとんどは配分額に変化がみられない。この衆徒の待遇上昇は寺内での位置づけの高まりを反映したものとみられる。

　このほか寺の内外には多数の僧俗が居住し、さまざまな寺《じ》役《やく》を勤仕した。たとえば堂司は法事の際に堂内荘厳に携わり、聖《ひじり》は香花灯明《こうげとうみょう》と堂掃除を務め、院家《いんげ》・院家下職は太子堂での勤行や番を執りおこなった。また公人《くにん》は涅槃会《ねはんえ》や聖霊会《しょうりょうえ》・念仏会《ねんぶつえ》で太子像が御幸する際に輿を担ぐなど供奉する役であるが、彼らは寺域ではなく門前など周辺に居住した。彼らは中世の寺領荘園が所在した地名を苗字として名乗っており、四天王寺とのかかわりの深さが想定されている。身分も寺領百姓でありながら公人として寺役人を兼ねていたのであり、寺領からの配分に預かるとともに法事ごとに役料として香奠の配分を受けていた。なお寛永十四年（一六三七）の掟書によれば、寺域には依然他宗および妻帯の人々の姿がみられた模様である。

　彼岸などの行事で多くの参詣人を迎える際、警備を担ったのが悲田院《ひでんいん》・鳶田垣内《とびたかいと》の非人だった。彼らの多くは転びキリシタンとその一族であったが、悲田院の由緒によると聖徳太子が建てた四箇《しか》院《いん》のうち悲田院に住んだ者が自分たちの先祖であり、悲田院の系譜を引き聖徳太子が施行をおこなった場である施行院が自らの居住地であると主張した。四天王寺もこうした彼らの主張を認めつつ雑事にかかわらせたのである（『四天王寺施行院略縁《してんのうじせぎょういんりゃくえん》起《ぎ》』、施行院所蔵）。

　こうした俗人でありながら法儀に関与する人々は当初秋野坊の単独支配におかれたが、享保《きょうほう》十五年（一七三〇）以降は寺僧（衆徒）も加わって両支配とされている（『達書写』）。

第四章

享和の火災と復興

一　享和元年の出火

享和元年（一八〇一）十二月五日暁、落雷により五重塔から出火した（図11）。この火災により金堂・六時堂など寺域の東半分にあった諸堂社四十二ヵ所が焼失するという甚大な被害が発生した。そうしたなかで太子尊像や舎利《しゃり》はからくも持ち出された。

こうした事態から復興を遂げるには多額の資金が必要とされたことから、寄付金を集めるために

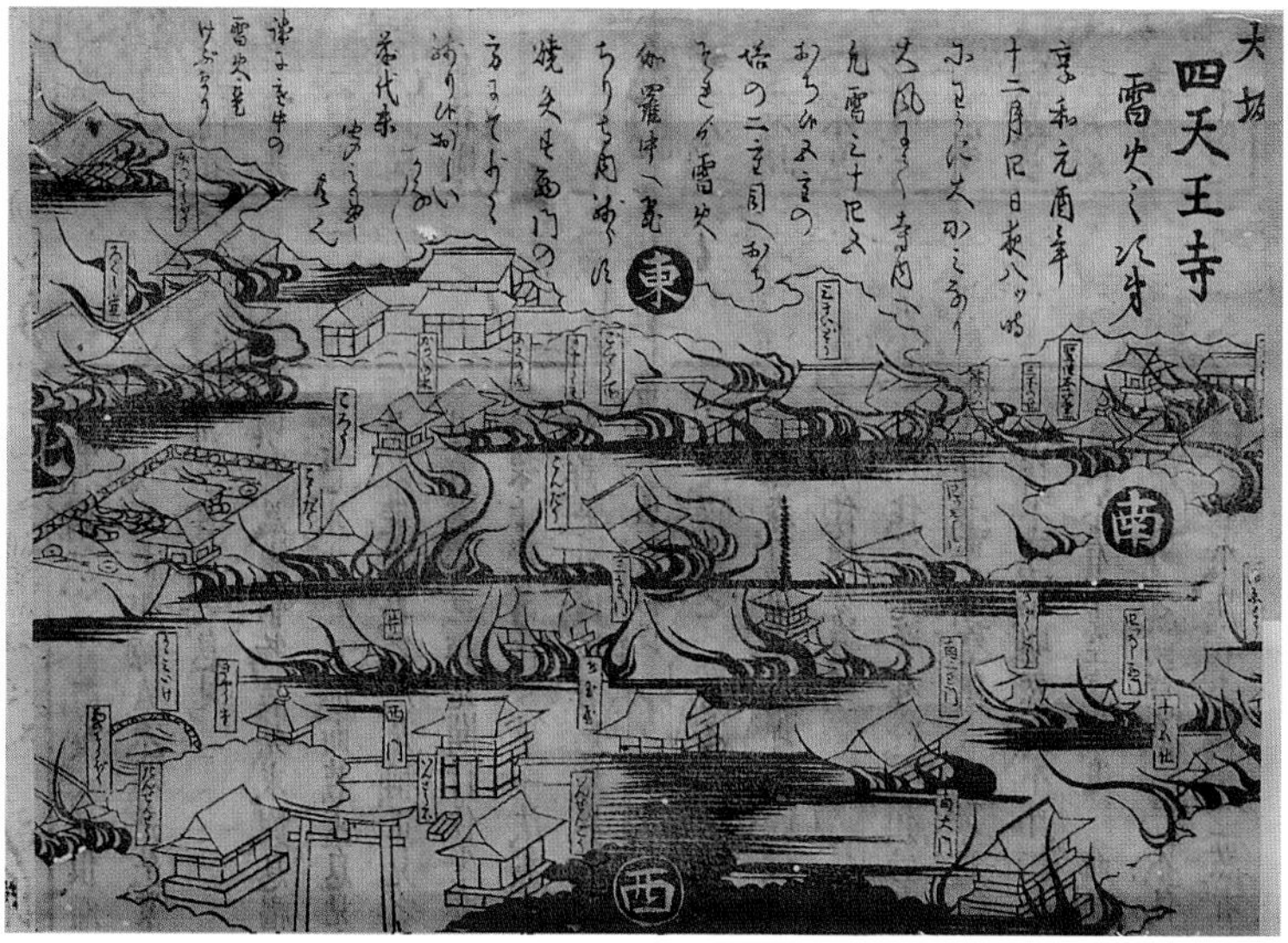

図11　紙本木版 大坂四天王寺雷火之次第（大阪歴史博物館所蔵、江戸時代、享和元年・1801。縦23.3cm、横31.5cm）

さまざまな手段が講じられることになった。大規模な運動としては、寺社奉行に対し翌年三月に日本全国へ勧化《かんげ》をおこなう許可申請がおこなわれ、文化二年（一八〇五）十一月十八日に寺社奉行大久保《おおくぼ》安芸守忠真《あきのかみただざね》より金二千両の寄付と、諸国・京・大坂における三ヵ年の勧化が許された。全国での活動が認められたわけだが、勧化は自力でおこない、再建は贅沢な造りとならないよう注意が与えられている（「四天王寺再建《してんのうじさいけん》につき御下知書写《ごげちがきうつし》」、八尾市立歴史民俗資料館所蔵）。この全国勧化では諸大名や江戸の主要寺院などから合計金六百四十四両余が寄せられ、大坂市中・兵庫・西宮でも金百四十二両ほかが集められている（「寺社御奉行所江《じしゃごぶぎょうしょへ》御取集御《おとりあつめお》渡之扣《わたしのひかえ》」、四天王寺所蔵）。

大坂の町人が復興普請に参画した事例も知られている。文化二年（一八〇五）三月に実施された二十日間の砂持《すなもち》である（「砂持中寄進物幷諸勘定書《すなもちちゅうきしんぶつならびにしょかんじょうがき》」、八尾市立歴史民俗資料館所蔵）。砂持とは建設工事の前に実施する地ならしのことである。この砂持には瓦屋町《かわらやまち》の人々が参加したようだが、これにあわせて寄付金も集められたのであった。

復興に尽力した著名な人物に島之内大宝町（現中央区）の町年寄《まちどしより》淡路屋太郎兵衛《あわじやたろべえ》がいる（「草間貴之見聞録」）。淡路屋は周囲の人望が厚く、また篤信の人で資金寄付も惜しまなかったことから評判と

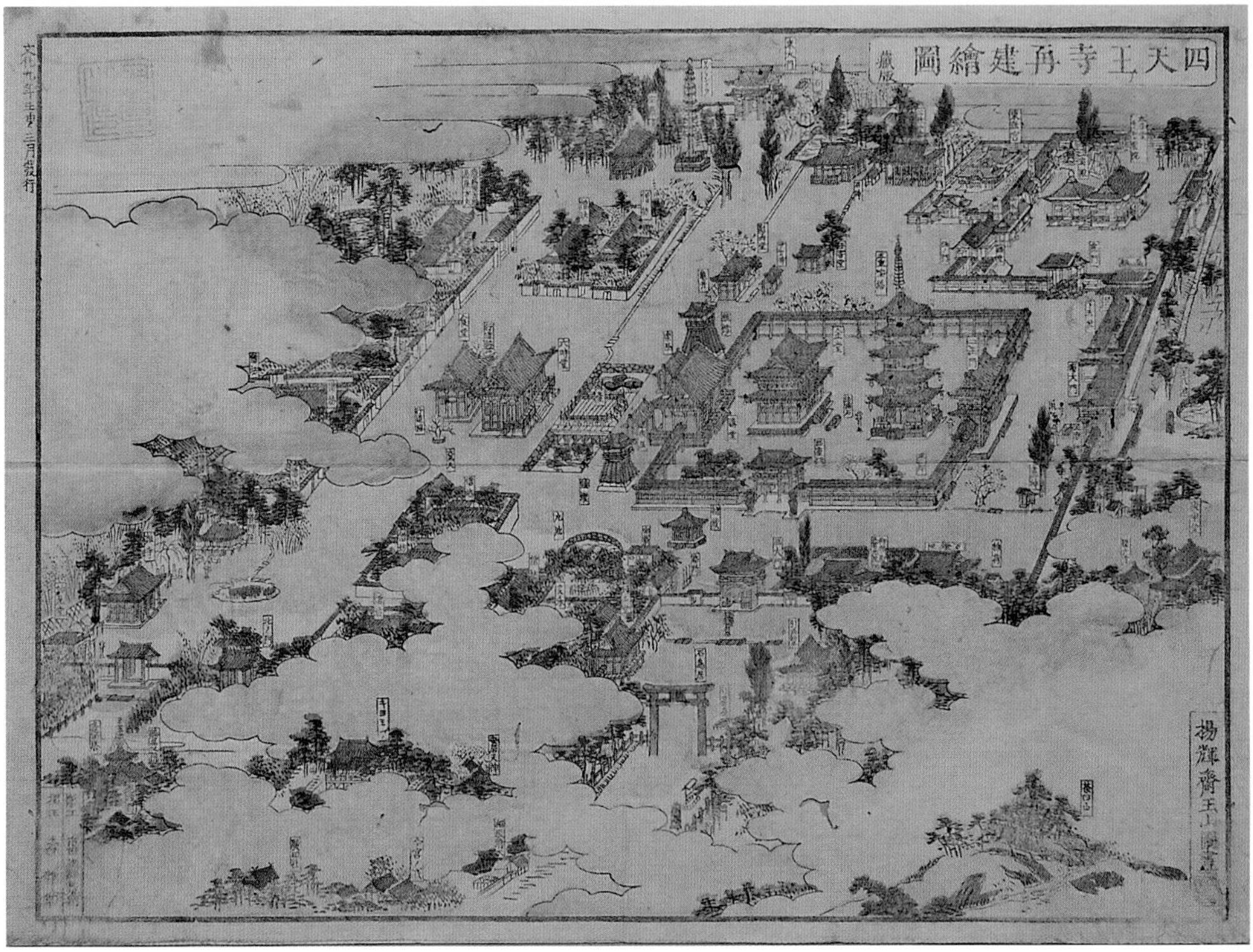

図12　紙本木版 四天王寺再建絵図（大阪歴史博物館所蔵、江戸時代、文化9年・1812。縦36.1cm、横48.9cm）

なり、四天王寺は再建世話方に依頼することとなった。淡路屋は経費節減に努め、焼け残った堂舎《どうしゃ》を当座仮の講堂《こうどう》として使用するなどのアイディアをみせたため、寺の復興は急速に進展した。そしてこれがきっかけとなって大坂の町人や町、さらには同業者仲間などから資金が寄せられるようになっていく。

その寄付者一覧が現在に残っている。それをみると市中の町名や綿屋中・塩魚仲買中・三味線屋中などの仲間が名を連ねており、競いあうように大坂の人々が寄付を重ねた様子がうかがわれる。その甲斐あって復興は軌道に乗り、文化十年（一八一三）十月までに金堂・五重塔・太子堂といった主要な堂舎は復興を遂げることができた（図12）。そして淡路屋はその様子を見届けて同年十一月に亡くなった。享年五十四歳。その功績により、境内回廊には本人の木像が設置されたという（『摂陽奇観《せつようきかん》』）。

二　復興された伽藍

このたびの復興では聖霊院のように同所に焼失前と同じ姿で再建される建造物もあれば、場所が移転して再建された事例もあった。たとえば六時堂の東西に分かれてあった僧房は中軸線をはさんで対称的に存在するという古くからの伝統を保ってきたが、今回は同地に再建されることはなかった。

僧房に住した衆徒たちは六時堂の北側に東西方向に並ぶように支院を建てたのである。ただしもともと十二坊を数えた衆徒は大火時にすでに五坊へと減少していたようである。この場所移転にともなって、もともと新たな支院地にあった湯屋方丈はかつての東僧坊の場所へと移動したのであった。

幕末の文久《ぶんきゅう》三年（一八六三）七月には、聖霊院が宝殿からの失火により焼失した。この火災は幸い延焼が最小限に食い止められ、さっそく大坂町奉行所あて再建の願いが提出された。そして慶応《けいおう》元年（一八六五）五月から三年間摂津・河内・和泉・播磨四ヵ国での勧化巡行が認められた。この再建工事が完工したのは明治維新をはさんだ明治十二年（一八七九）のことである。

第五章 さまざまな信仰

一 太子の遠忌

江戸時代、太子の遠忌は五十年ごとにおこなわれたとみられるが、詳しい記録が残る回は少ない。そのなかで寛文十年（一六七〇）は千五十回忌の年だったが、この時はあわせて施行院が取り立てられ、伽藍《がらん》の修復で外された鳥居《とりい》の材を用いて聖観《しょうかん》音菩薩立像《のんぼさつりゅうぞう》や太子立像が彫刻されたという。また文政《ぶんせい》二年（一八一九）の千二百回忌法事については享和の火災から復興を遂げたタイミングにあたり、太子崇敬の念が盛り上がる絶好の機会となった。法事は二月十二日から三月三日までおこなわれ、翌四日からは諸堂において霊宝の開帳《かいちょう》が実施された。御忌《ぎょき》にあわせて二月二十二日からは石鳥居《いしのとりい》北に設けられた仮屋にて籠細工が陳列公開され、門前はおおいに賑わいをみせた（『摂陽奇観』）。すで

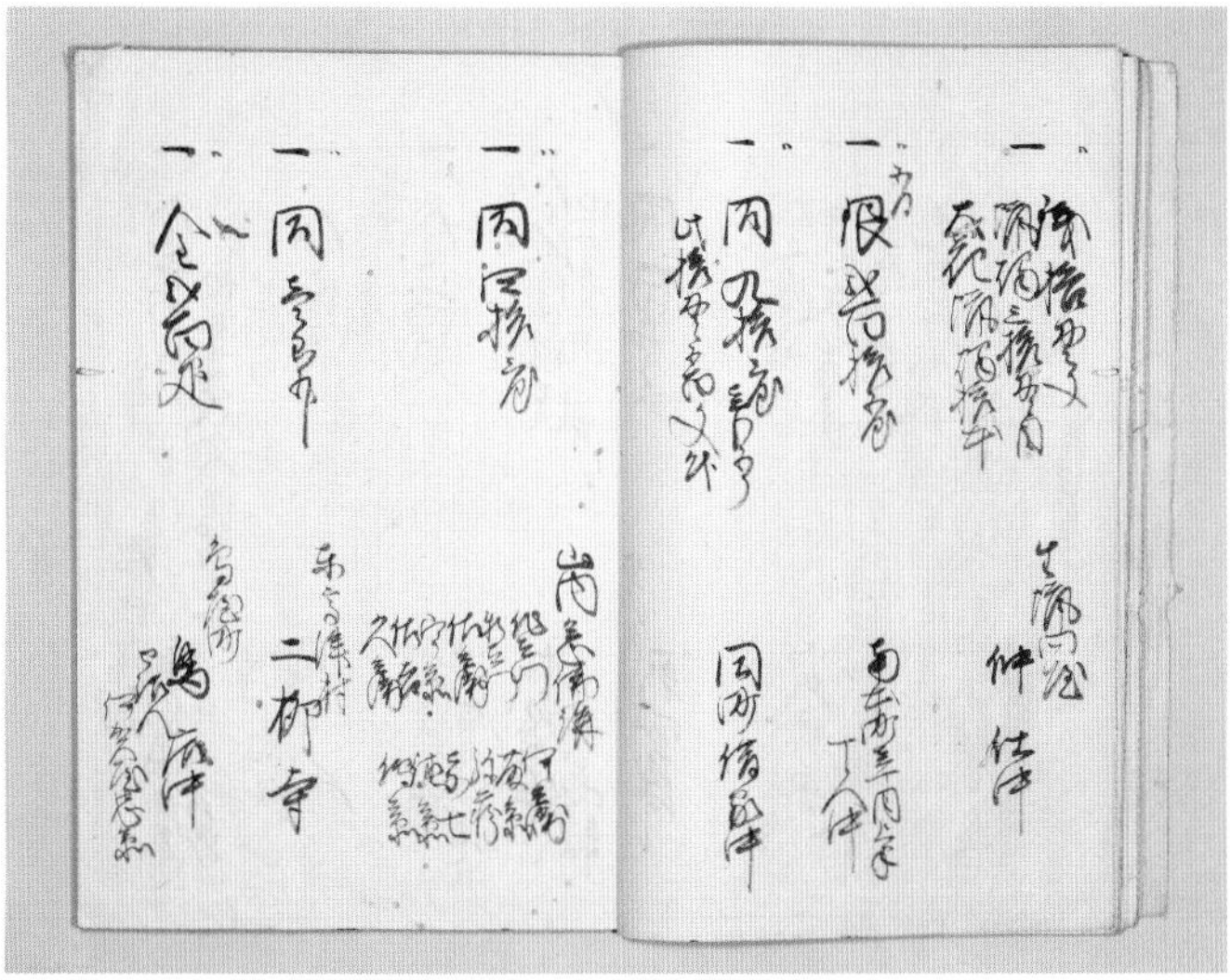

図13　紙本墨書 千弐百回御聖忌奉納帖（四天王寺所蔵、江戸時代、文政2年・1819。縦24.4cm、横17.0cm）

に前年から大坂城大番衆《おおばんしゅう》より奉納金が寄せられたが、御忌の直前からは大坂市中をはじめ各所から個人のみならず町単位・借家人単位・同業者の仲間単位・講単位・村単位で多数の奉納金が寄せられた（「千弐百回御聖忌奉納帖」、四天王寺所蔵。図13）。結願《けちがん》法要を終えたのは四月二十七日だった。

二　開帳と巡礼

近世には都市部でしばしば他所の社寺の法宝物《ほうほうもつ》を公開する出開帳《でがいちょう》が催された。四天王寺では元禄七年（一六九四）九月から約二ヵ月間、信州善光寺《しんしゅうぜんこうじ》の本尊《ほんぞん》や霊宝が出開帳された。「元禄七年信州善光寺本尊開帳記録」（大阪歴史博物館所蔵）によれば、善光寺は本尊の善光寺如来が難波の海で出現したことや聖徳太子の崇敬を受けたという歴史を語り、四天王寺での開帳を望んだという。聖徳太子信仰が取り結んだこの開帳には多くの大坂の人びとが詰めかけた。

四天王寺自身の出開帳もおこなわれた。文政六年（一八二三）には江戸での実施となり、四月に「聖徳太子御出立」した。本所回向院にて五月十六日から六十日間実施され、九月十日に還幸している。これにあわせ、江戸の大工中や左官中・塗師中・建具屋中・石工中などから多くの奉納金・供米《くまい》が献納されている（『摂陽奇観』）。

近世は都市部で手軽な巡礼コースが生まれ、その参拝は信仰を交えた行楽として親しまれる時代でもあった。そのひとつが三十三所観音霊場《さんじゅうさんしょかんのんれいじょう》である【第三部コラム2参照】。本来の西国《さいごく》三十三所観音霊場は広域におよぶものだったが、それになぞらえて大坂や京都では霊場が設定されたのである。延宝《えんぽう》七年（一六七九）刊の『難波雀《なにわすずめ》』によれば、大坂三十三所の札所《ふだしょ》として、二十番に四天王寺の六時堂、二十一番に経堂《きょうどう》、二十二番に金堂、二十三番に講堂、二十四番に万燈院《まんとういん》、二十五番に清水《きよみず》（新清水寺《しんきよみずでら》＝清光院《せいこういん》）があてられている。六つもの札所が四天王寺に設定されていたのである。

四天王寺は大坂所在の空海《くうかい》（弘法大師《こうぼうだいし》）ゆかりの地を巡る大師巡《だいしめぐ》りの地ともなった。「大坂大師巡り行程図」（大阪歴史博物館所蔵）をみると五重塔が六番札所となっている。空海は延暦《えんりゃく》六年（七八七）、四天王寺西門で日想観《じっそうかん》を修したと伝えている。

第六章

名所・遊興の場

一　大坂の代表的名所

十七世紀中頃になると、名所・名物を紹介する地誌書が出版されるようになる。全国の主要寺社

図14　紙本木版 浪花百景より　四天王寺（南粋亭芳雪画、四天王寺所蔵、江戸時代末期、19世紀。縦24.3cm、横18.0cm）

の由来をまとめた寛文七年（一六六七）刊の『本朝《ほんちょう》寺社物語《じしゃものがたり》』では四天王寺の開創から石鳥居建立までの縁起を簡潔に紹介し、石鳥居から中心伽藍を遠望する挿絵を添えている。都市大坂の代表的な景観や見どころを紹介する初期の絵入り名所記としては延宝三年（一六七五）刊の『芦分船《あしわけぶね》』があげられる。ここで四天王寺は寺の歴史、諸堂の縁起、年中行事、七不思議が紹介されるとともに、全四頁にわたって西から見下ろす構図の境内図が掲載され、読者の便を図っている。その後も寛政《かんせい》八年（一七九六）刊『摂津名所図会《せっつめいしょずえ》』をはじめ、大坂の地誌書・名所記では必ずといってよいほど多くの分量を割いて四天王寺は取り上げられている。

大坂の町絵図のなかでも四天王寺は際立つ存在だった。近世大坂の町絵図は明暦《めいれき》初年（元年は一六五五年）から刊行されはじめるが、都市中心部が街区を平面で表現したのに対し、外縁部に位置した四天王寺は鳥瞰図《ちょうかんず》的に描かれていた。さらに貞享《じょうきょう》四年（一六八七）以降流布する「新撰増補大坂大絵《しんせんぞうほおおさかおおえ》図《ず》」とその類縁図では寺中の堂舎の名称まで詳細に記している。大坂全体を対象とした絵図でありながら四天王寺については情報が細かく提供されているのは一般の需要が大きかった証左であろう。

江戸時代末に大坂と近郊の代表的な名所を百場面選んで構成した錦絵《にしきえ》に『浪花百景《なにわひゃっけい》』がある。『浪花百景』では一ヵ所につきひとつの景勝を紹介するケースがほとんどであるなか、一ヵ所で二つの景勝が採用されている数少ない場所が四天王寺である。二つとは一珠斎国員《いちじゅさいくにかず》が描く「四天王寺伽藍」と南粋亭芳雪《なんすいていよしゆき》が描く「四天王寺」（図14）である。前者は四天王寺の西門上から東に五重塔、背景に生駒《いこま》山地を望む構図となっている。後者は四天王寺を西側から見た構図で構成し、石鳥居を大胆に切り取りつつ右手に五重塔、左手に西門という代表的な建造物を配置している。大坂では誰もが知っており、欠かすことのできない四天王寺の主要

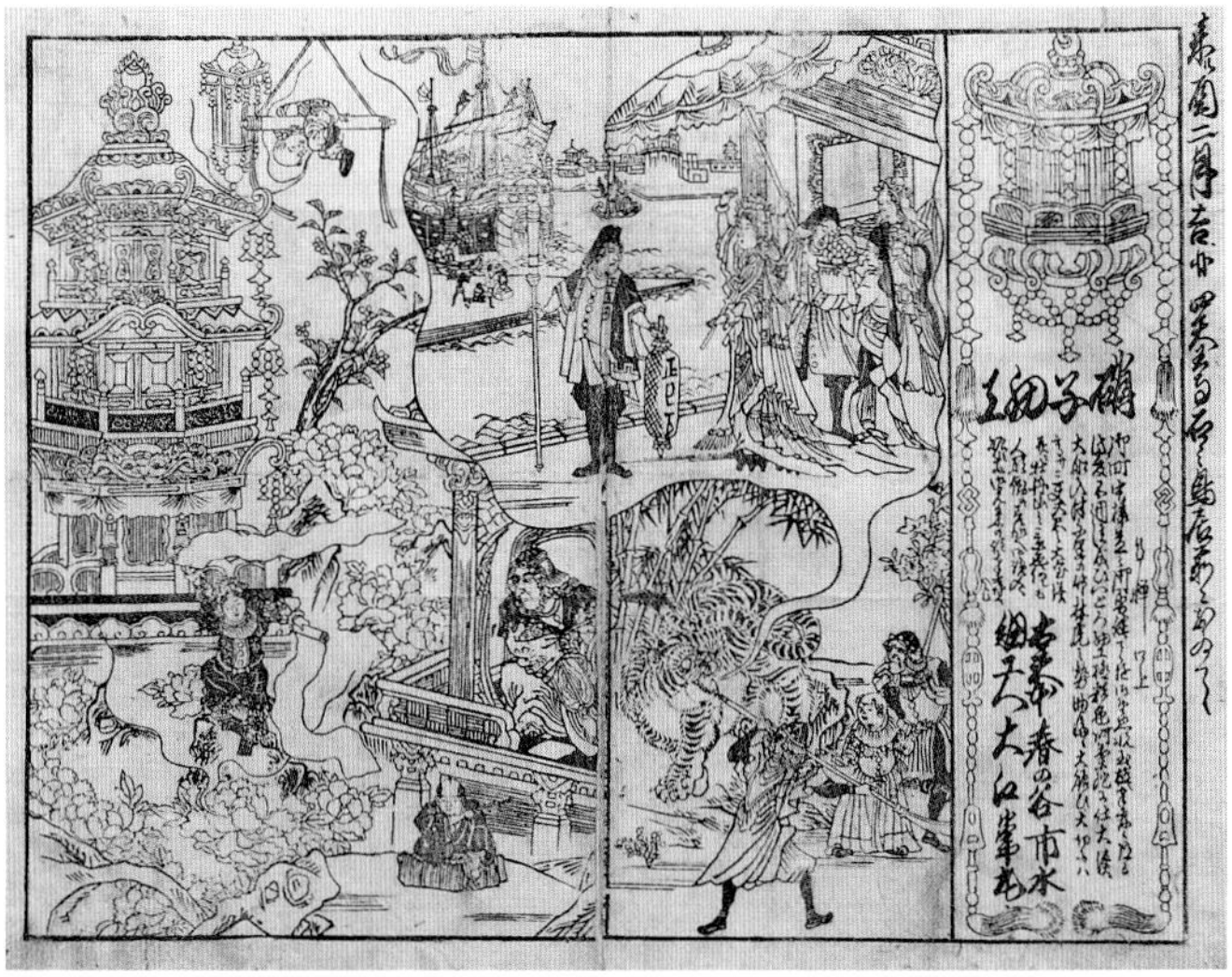

図15　紙本木版 硝子細工見世物刷物（大阪歴史博物館所蔵、江戸時代後期、縦35.4㎝、横49.0㎝）

素を盛り込み、印象的に構成した優れた図様の作品である。こうした多彩な出版物を通して四天王寺が大坂を代表する名所であることが広く全国に知られていったのである。

二　見世物興行の場

文化十三年（一八一六）の「浪花法会見物のら角力」という一枚刷りがある（大阪歴史博物館所蔵）。これは大坂で著名な寺社祭礼や年中行事・名所などを番付にしたもので、大坂の人々に親しまれていた祭礼などがわかる。四天王寺は東関脇に舞楽が位置づけられているほか、西前頭に立花があり、ほかに蓮見、釣鐘松などがあげられており、宗教行事のみならず名木名花も人気のあったことが知られる。

四天王寺はさまざまな見世物や芸能がおこなわれる遊興の場でもあった。そのひとつに硝子《ガラス》細工の見世物があった。その見世物を宣伝する刷物《すりもの》が残っている（大阪歴史博物館所蔵。図15）。

それによれば、見世物は四天王寺石鳥居前でおこなわれていた。口上と絵をみると、オランダ船が入津しオランダ人が上陸する様子や、高さ一〇mにもおよぶ大宝塔《だいほうとう》や牡丹山が作られたようである。四天王寺の門前はこうした見世物も出る賑わいの空間として多くの人々を集めた。

聖徳太子や四天王寺にかかわる伝記や説話は歌《か》舞伎《ぶき》・人形浄瑠璃《にんぎょうじょうるり》の題材ともなった。享保二年（一七一七）に近松門左衛門《ちかまつもんざえもん》作「聖徳太子絵伝記《しょうとくたいしえでんき》」が上演されたほか「四天王寺伶人桜《してんのうじれいじんざくら》」・「摂州合邦辻《せっしゅうがっぽうがつじ》」という演目も知られている。そして嘉永《かえい》二年（一八四九）の「歌舞伎役割番付　四天王寺伽藍鑑《してんのうじがらんかがみ》」の興行がおこなわれ、その歌舞伎番付が伝わっている（大阪歴史博物館所蔵）。芸能面でも四天王寺は大坂人にとって身近な存在だった。（大澤研一）

コラム【1】

出土軒瓦からみた中・近世期の伽藍修理

はじめに

創建以降、とくに室町後期から末期にかけて、四天王寺はたびたび兵火に遭い伽藍《がらん》が焼失している（表1）。その復興に寄与したのが、豊臣秀吉《とよとみひでよし》・秀頼《ひでより》と徳川秀忠《とくがわひでただ》である（伽藍はその後の雷火と戦災で焼失）。現存する付属堂舎《どうしゃ》の多くが、大坂の陣後、徳川秀忠によって再興されたものであり、豊臣氏による造営をうかがい知るものは勝鬘《しょうまん》院多宝塔《いんたほうとう》のみで、その全貌は明らかでない。

そこで今回は、現伽藍復興建設に伴う昭和三十六年（一九六一）の発掘調査で出土した軒瓦《のきがわら》を用い、文献史料のみで不明な点が多い中世期における伽藍修理と対象堂舎、そして豊臣秀吉・秀頼による修理とその規模を推定する（表1）。

その検証方法は、地震や台風などの災害直後や軒瓦の製作技法・文様から年代を推定し、屋根瓦の葺《ふ》き替え時期を堂舎修理の時期と判断する。また瓦の葺き替え修理の対象となった堂舎は、瓦割と関連する軒平瓦《のきひらがわら》の規格寸法（瓦当幅）を参考にする。

一　中世期の伽藍修理と対象堂舎

まず、出土した軒瓦は四つの規格に分類できる。そして、伽藍を構成する堂舎の規模（桁行梁行《けたゆきはりゆき》の間数《けんすう》）は、長谷川輝雄氏の復原案を参考にすると、『食堂《じきどう》』が七間×四間（二〇・二m×一〇・一m）、『金堂《こんどう》』が五間×五間（一八・九m×一五・五m）、『中門《ちゅうもん》』が五間×二間（一八・六m×七・二m）、『講堂《こうどう》』が五間×六間（一五・五m×二一m）、『塔《とう》』が三間×三間（七・三m×七・三m）であり、堂舎の桁行は七間・五間・三間の規模をもつ（表2）。そのうち五間堂である金堂・中門は桁行寸法が、食堂との差が一mほどしかなく、七間堂に相当する。

次に、中世仏堂を参考にして、堂舎間数に対応した軒平瓦の規格寸法（表2）と、組み合う軒丸瓦《のきまるがわら》を創建当初と慶長《けいちょう》期の軒瓦の瓦当径《がとうけい》から算出する（ちなみに軒丸瓦径の一・七倍が軒平瓦幅になるが、これは奈良における建造物の屋根瓦調査結果とも一致する）。

これに従い四規格の出土軒瓦を対応させた場合、【A】軒丸瓦一七〇～一八一㎜、軒平瓦二八〇～二九〇㎜は『食堂・金堂・中門』、【B】軒丸瓦一五九～一六九㎜、軒平瓦二七〇㎜は『講堂』、【C】軒丸瓦一五八～一六三㎜、軒平瓦二六〇㎜は『塔』、【D】軒丸瓦一四五～一五〇㎜、軒平瓦二四〇㎜は『回廊』に相当し、表1の堂舎別の編年表ができあがる。

その結果、中世期における屋根瓦の修理時期と対象堂舎は、一一八五年（紀年銘《きねんめい》軒平瓦）に講堂、一一九四年（紀年銘軒平瓦）・一二〇三年（紀年銘丸瓦）・十三世紀前半に塔、十三世紀後半に食堂・金堂・中門・回廊、十四世紀半ば（紀年銘平瓦）に食堂・金堂・中門・講堂、十五世前半に食堂・金堂・中門、十五世後半に食堂・金堂・中門・塔・回廊、十六世紀後半に食堂・金堂・中門と推定できる。このうち一三六一年（康安元年・正平十六年）は正平《しょうへい》の大地震被災の金堂修理、十五世紀後半・十六世紀後半は、兵火による焼失後の復興修理に対応する。

以上のように出土軒瓦からは、文献史料で知られる堂舎修理の裏付けと、新たに地震による被災後の修理を確認できる。また、伽藍の堂舎修理を絶え間なく実施できたことは、混沌とした中世期にあっても庶民信仰の場を背景とした四天王寺の安定した寺経済をもうかがい知ることができよう。

二　豊臣秀吉・秀頼による修理

次に、豊臣秀吉・秀頼による修理とその規模を推定する。慶長・元和《げんな》再建に伴う軒平瓦は、図1のA～Fである。

【軒平瓦A】は、同笵品《どうはんひん》とできるものを豊臣秀吉が文禄《ぶんろく》三年（一五九四）に築城、一五九六年の慶長大地震で倒壊する指月伏見城《しげつふしみじょう》跡の出土品に確認できる。

【軒平瓦B】は、最も軒平瓦の出土量が多く、同笵品とできるものを大坂城の出土瓦、また同文様を勝鬘院多宝塔所用瓦に確認できる。この瓦当文様は、唐草文様《からくさもんよう》と子葉《しよう》（若葉）を肉彫りで表現する特徴をもち、軒平瓦Aと共通する。しかし、この軒平瓦Bは、秀吉再建の勝鬘院多宝塔（一五九七年銅板銘）にみられる軒平瓦①・②と同文様だが、慶長五年（一六〇〇）豊臣秀頼によって伽藍再建供養が行われる中心伽藍からの出土が多く、使用堂舎の違いがうかがえることから、軒平瓦Aは秀吉、軒平瓦Bは秀吉・秀頼による修理瓦と推定できる。

【軒平瓦C・D】は、軒平瓦Bと同様の唐草文と子葉をもつことから、伽藍再建用に製作されたものである。

【軒平瓦E】は、花文《かもん》を模した文様であり、同笵品を徳川秀忠による元和九年（一六二三）建立元三大師堂《がんさんだいしどう》、同文様を勝鬘院本堂に確認できる。また、この瓦当文様と同文様は、徳川政権下にて造営された本願寺御影堂《ほんがんじごえいどう》（一六三六年再建）や知恩院本堂《ちおんいんほんどう》（一六三九年再建）でも確認できる。従って、秀忠の再建瓦である。

【軒平瓦F】は、軒平瓦Eと同様に花文を模した文様であり、同文様を寛永《かんえい》二年（一六二五）完成の淀城《よどじょう》、寛永五年（一六二八）再建の南禅寺三門《なんぜんじさんもん》、寛永五年（一六二八）銘平瓦をもつ青蓮院表門《しょうれんいんおもてもん》に確認できることから、秀忠による勝鬘院多宝塔の修理瓦である。

以上の特徴から軒平瓦A～Dが豊臣秀吉・秀頼による慶長期再建の軒平瓦と判断できる。では、軒平瓦A・B・C・Dの使用堂舎について考察する。軒平瓦Aは西重門《にしじゅうもん》、軒平瓦Bは西重門・講堂、軒平瓦Cは食堂から出土している。規格は軒平瓦A・Cが二八〇㎜で二次焼成《しょうせい》を受けていない。それに対して軒平瓦Bは二八〇㎜の同規格だが、その大半が二次焼成を受けた特徴をもつ。

まず、中世仏堂の各堂舎規模に対応した軒平瓦の規格寸法を参考にすれば（表2）、軒平瓦A・Bは回廊脇門（西重門）の規格としては幅広く、軒平瓦Bは講堂、軒平瓦Cは食堂の規格としては適当であることが分かる。西重門については中世以降の西大門《さいだいもん》（極楽門《ごくらくもん》）を中心とした浄土信仰と連動した場合、元和再建伽藍図に図示された三門一戸楼門が慶長期にも存在した可能性があり、信仰上重要な位置をしめた堂舎であったとすれば、軒平瓦の規格寸法が広くても問題はない。

次に堂舎別の瓦当文様が存在することについては、豊臣秀吉による四天王寺伽藍の造営着手は、『四天王寺造営《してんのうじぞうえい》目録《もくろく》』を記した文禄《ぶんろく》三年（一五九四）以降と推定でき、秀吉の軒平瓦Ａは指月伏見城の築城（一五九四〜一五九六年）に用いられたもので、指月伏見城の造瓦組織を利用、あるいは瓦の転用がうかがえる。また『四天王寺造営目録』には十二棟の再建堂舎とともに、担当奉行の名が記されており、講堂（浅野長政《あさのながまさ》）に軒平瓦Ｂ、食堂（小出秀政《こいでひでまさ》）に軒平瓦Ｃが使用された意味も理解できる。そして、軒平瓦の規格寸法をほぼ二八〇㎜に統一しており、そこには短期間での瓦製作と造営工事の完了を考慮したことがうかがえる。従って、中心伽藍堂舎が慶長期に大規模な修理を受けたことは間違いないといえるだろう。

最後に、異種文様（軒平瓦Ａ・Ｂ）を用いた西重門と、軒瓦の二次焼成の有無からいえることは、まず滴水瓦のようなやや逆三角形に近い軒平瓦Ａは、甍棟《いらかむね》などの特殊な箇所での使用、軒平瓦Ｂは慶長大地震の被災堂宇《どうう》の部分補修に使用されたと考えられる。次に軒平瓦Ａ・Ｂ・Ｃ・Ｄの個体全てが二次焼成を受けていないことは、大坂の陣によって伽藍が完全に全焼したとは言い難く、残存そして破却された可能性を示唆するものである。（芦田淳一）

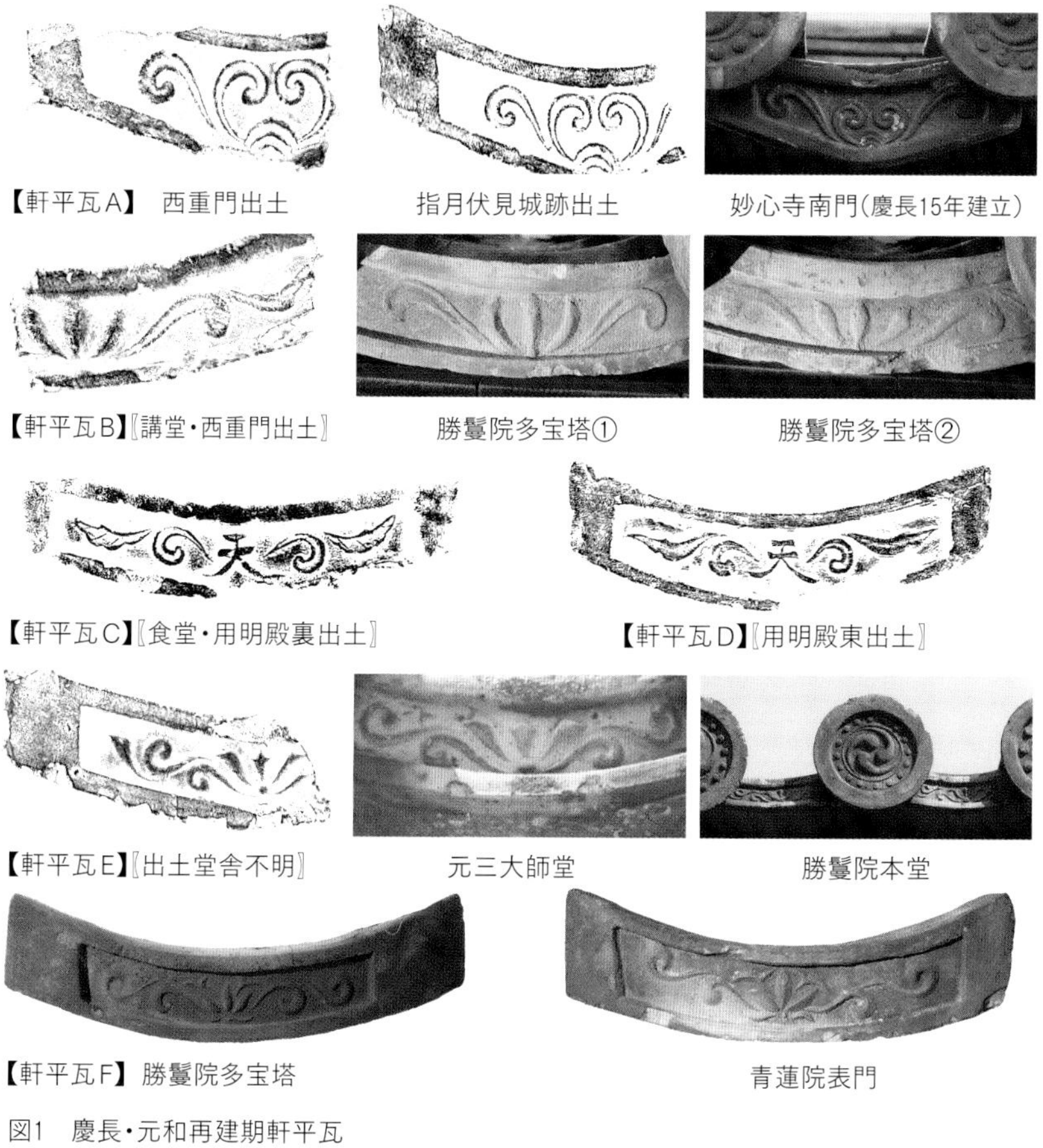
【軒平瓦A】 西重門出土　指月伏見城跡出土　妙心寺南門（慶長15年建立）
【軒平瓦B】〖講堂・西重門出土〗　勝鬘院多宝塔①　勝鬘院多宝塔②
【軒平瓦C】〖食堂・用明殿裏出土〗　【軒平瓦D】〖用明殿東出土〗
【軒平瓦E】〖出土堂舎不明〗　元三大師堂　勝鬘院本堂
【軒平瓦F】 勝鬘院多宝塔　青蓮院表門

図1　慶長・元和再建期軒平瓦

表1 四天王寺堂塔屋根瓦修理及び災害年表

時代	西暦	和暦	修理・災害被害状況	地震 被害地域	地震 規模	堂塔修理 出土軒丸瓦対応堂舎	堂塔修理 推定瓦修理時期七〇年間隔	堂塔修理 出土軒平瓦対応堂舎
白鳳	五八七	用明二	四天王寺発願					
	五九三	推古元	四天王寺造営			(A)		
						(A)	六六〇	
奈良	**七三四**	**天平六**					七三〇	
平安	八三三	天長十	塔の修理				八〇〇	
	八八七	**仁和三**		五畿七道	(M八・〇～八・五)		八七〇	
	九六〇	天徳四	(火災)四天王寺焼亡				九四〇	
	九六九	安和二	三昧院建立					
	一〇〇七	寛弘四	御手印縁起　伽藍再興完了?				一〇一〇	
	一〇二一		「治安元年」銘　軒平瓦					
	一〇四二		「長久年中」銘　軒平瓦					(A)長久銘
	一〇八二	永保二	覚猷　永保年中に堂塔修理・西大門建立					
	一〇九六	**嘉保三**	**東寺塔九輪落下、法勝寺・法成寺に被害**	畿内・東海道	(M八・〇～八・五)	(A)		
	一〇九九	**承徳三**	**興福寺西金堂・塔小破、四天王寺回廊倒れる**	畿内・南海道	(M八・〇～八・三)	(A)	一〇八〇	
	一一七七	治承元	五智光院建立					
鎌倉	**一一八五**	**元暦二**	**法勝寺・尊勝寺・最勝寺・法成寺堂宇転倒、宇治橋落下**	山城・大和・近江	(M七・四)	(A)	一一五〇	(B)治承四年銘
	一一八五	文治元	(地震)被害なし					
	一一八七	文治三	五智光院建立					
	一一九一	建久二	(火災)念仏三昧院・念仏堂焼失					
	一一九四		「四天王寺瓦甲寅」　軒平瓦					
	一二〇一	建仁元	塔修理供養					
	一二〇三		「建仁三年」　ヘラ書き銘丸瓦					
	一二〇四	元久元	金堂修理供養					(C)
	一二二四	貞応三	聖霊院絵堂建立				一二二〇	
	一二九七	永仁五	真言院(勝鬘院)建立					
	一二九九	**正安元年**	**摂津・山城で震度5　南禅寺金堂倒れる**	大阪・畿内	不明		一二九〇	(A)・(D)
室町	**一三五〇**	**正平五**	**祇園社石塔九輪落下**	京都	(M六・〇)			
	一三六一	正平十六	金堂倒れ、塔傾き九輪落つ					
	一三六一	**正平十六**	**四天王寺金堂倒壊、東寺講堂傾く、興福寺金堂・南円堂破損**	畿内・土佐・阿波	(M八・二五～八・五)		一三六〇	(A)・(D)
	一三六一		「正平十六年」「正平十六辛丑」銘平瓦					
	一三六五	正平二十	金堂上棟、供養					
	一四四三	嘉吉三	(火災)僧徒確執、諸堂・太子殿・御影堂・回廊・三昧堂・鎮守社焼失				一四三〇	(A)
	一四四九	**文安六**	**東寺南大門破損・清凉寺釈迦仏転倒**	山城・大和	(M五・七五～六・五)			
	一四六〇	寛正元	(火災)畠山義就、堺・四天王寺辺りに放火					(D)
	一四六三	寛正四	聖霊院供養					

	一四七〇	文明二	(火災)大内勢、天王寺に押入り少々放火					
	一四七四	**文明六**	**京都で地震**		不明			
	一四九四	**明応三**	**東大寺・興福寺・薬師寺・法華寺・西大寺破損**		(M六・〇)	(A)・(D)	一五〇〇	(C)・(D)
	一五一〇	永正七	(地震)二十一社・石鳥居倒れる、金堂尊像破損					
	一五二〇	**永正十七**	**禁中の築地破損**	京都・紀伊	(M七・〇~七・七五)			
	一五三八	天文七	(地震)鳥居崩れる					
	一五七六	天正四	(火災)信長、伽藍に放火					
	一五七六	天正四	伽藍回禄、勧進による伽藍再興図る				一五七〇	(A)
桃山	一五八三	天正十一	秀吉、伽藍再興のため銭五百貫文・米五千石を遣わす					
	一五八三	天正十一	伽藍再建勧進帳					
	一五八五	**天正十三**	**東寺講堂・灌頂院破損、壬生寺転倒(京都震度六)**	畿内・東海・東山	(M七・八)			
	一五八九	天正十七	秀吉、米五千石を遣わす					
	一五九四	文禄三	秀吉、天王寺再建目録書を記す					
	一五九五	文禄四	額安寺塔の移築					
	一五九六	**文禄五**	**法華寺金堂・海龍王寺・興福寺破壊(京都震度六)**	京都・畿内	(M一七・五)			
	一五九七	慶長二	勝鬘院多宝塔再建					
	一六〇〇	慶長五	秀頼、天王寺再興供養			(A)		(A)・(B)
江戸	一六一四	慶長十九	(火災)兵火により四天王寺焼亡					
	一六一七	元和三	徳川秀忠、寺領寄進、造営			(A)・(C)		(A)
	一六二三	元和九	伽藍落慶				一六四〇	
	一六六二	**寛文二**	**寛文近江・若狭地震　方広寺大仏殿小破(京都震度六)**	畿内・その周辺	(M七・二五~七・七五)			
	一六六四	寛文四	徳川家綱修理料寄進、修理					
	一七〇七	**宝永四**	**奈良で震度六**	五畿・七道		(A)	一七一〇	
	一七四〇	**元文五**	**奈良で鳥居倒れる**	大和・畿内		(C)	一七八〇	
	一八〇一	享和元	(火災)雷火による伽藍焼亡					
	一八〇二	**享和二**	**春日の石灯籠倒れる**	畿内・名古屋	(M六・五~七・〇)			
	一八一二	文化九	伽藍落慶					

※参考文献

震災予防調査会『大日本地震史料　巻之三‐五』一九〇四年

東京大学出版会『日本被害地震総覧五九九~二〇一二』二〇一三年

石橋克彦「文献史料からみた東海・南海巨大地震」『地学雑誌　一〇八』一九九九年

棚橋利光『四天王寺年表』一九八六年

※黄色にアルファベットは左記の対応堂舎を示す　※黄色の部分は対応堂舎不明を示す　※対応堂舎　軒瓦寸法

A食堂＝軒丸瓦一七〇~一八一㎜、軒平瓦二九〇㎜

A金堂・中門＝軒丸瓦一七〇~一七五㎜、軒平瓦二八〇㎜

B講堂＝軒丸瓦一六九~一五九㎜、軒平瓦二七〇㎜

C塔＝軒丸瓦一五八~一六三㎜、軒平瓦二六〇㎜

D回廊＝軒丸瓦一四五~一五〇㎜、軒平瓦二四〇㎜

表2　堂舎規模と軒平瓦規格寸法表

建物規模(単層)	桁行×梁行(m)	寺院	堂舎	時代	建立年	軒平瓦寸法(㎜)
三間×三間	四・二八×四・二八	法隆寺	中院本堂	室町	一四三四	二二四
三間×三間	五・一三×五・一三	法隆寺	地蔵堂	室町	一三七二	二三〇
三間×三間	六・五二×六・一七	伝香寺	本堂	室町	一五八五	二二八
三間×三間	六・六六×六・六六	當麻寺	薬師堂	室町	一四四七	二三〇(平瓦)
三間×三間	六・六九一×六・二七三	円証寺	本堂	室町	一五五二	二五〇
三間×三間	一〇・一一×一〇・一一	東大寺	念仏堂	鎌倉	一二三七	二五〇
五間×四間	一〇・二×七・一四	長福寺	本堂	鎌倉		二六五
五間×五間	一一・一四×一一・六七	本蓮寺	本堂	室町	一四二九	二五五
五間×四間	一一・二六二×一〇・四二八	不動院	本堂	室町	一四八三	二六〇
五間×四間	一一・二七四×八・八四二	富貴寺	本堂	室町	一三八八	二七五
五間×五間	一一・三八×一一・三八	浄土寺	本堂	鎌倉	一三二七	二八九
五間×五間	一一・八〇×一一・八〇	明王院	本堂	鎌倉	一三二一	二三三
五間×四間	一二・二三六×一〇・六五	利生護国寺	本堂	室町	一三七五～八〇	二八〇
五間×五間	一二・三五×一四・一〇	長保寺	本堂	鎌倉	一三一一	二七六
五間×五間	一二・七九六×一二・一七二	宝幢寺	本堂	室町		二七〇(平瓦)
五間×五間	一三・三八九×一五・〇二六	大御輪寺	本堂	鎌倉		二七五
五間×五間	一三・六三×一三・六三	瑞花院	本堂	室町	一四四三	二七〇
七間×六間	一七・〇一×一五・二〇	鶴林寺	本堂	室町	一三九七	二八〇
七間×四間	一九・〇九×一〇・三〇	平等院	観音堂	鎌倉		二八二
七間×七間	一九・五五×一七・八四	観心寺	金堂	室町	一三七八	二八八
七間×七間	一九・五七×一九・五七	朝光寺	本堂	室町	一四一三	二九〇
七間×五間	二〇・一八×一七・七七	道成寺	本堂	室町	一三五七	三一八
七間×四間	二〇・六四×一三・八〇	法隆寺	上御堂	鎌倉	一三一八	二八〇
七間×四間	二三・八四×一二・九六	興福寺	東金堂	室町	一四一五	三一二

※桁梁行寸法は『重要文化財12　建造物I』(毎日新聞社、一九七三年)引用

コラム【2】

近世四天王寺の衆徒

衆徒《しゅと》とは、寺内《じない》組織の中枢として寺院運営の実務を担った寺僧衆であり、近世四天王寺では秋野坊《あきのぼう》と十二名の清僧《せいそう》で構成されていた【第四部「近世の四天王寺」第三章第二節参照】。秋野坊は中世より同寺の執行職《しぎょうしき》として史料上に確認されており、とくに朝廷や豊臣秀吉《とよとみひでよし》などから秋野坊に宛てた文書が複数伝来していることから寺内の代表者として認められていたことがわかる。近世には徳川家康《とくがわいえやす》より妻帯を許されたため、半僧半俗として十二坊以下の清僧とは異なる立場に置かれることとなり、主に公儀《こうぎ》(幕府方との窓口)および賄方《まかないかた》(財務担当)を務めている。一方の十二坊は、僧侶としての戒律《かいりつ》を守り、寺役勤行《じやくごんぎょう》を勤めた清僧の代表者(十二の坊舎住職)であり、臈次《らっし》(出家後の年数)の上位二名が舎利職《しゃりしき》(一舎利・二舎利)を務めた。慶安《けいあん》五年(一六五二)には、本山である寛永寺《かんえいじ》より「僧侶の資格を有する二十歳以上の者」という条件が設けられ、また十二名を上限とすること、二十石を所務《しょむ》し僧坊に居住することが定められている(図1)。

一　近世初期の寺内組織

織田信長《おだのぶなが》と大坂本願寺との戦火を受けて焼失した四天王寺は、二十四年もの歳月を経た慶長《けいちょう》五年(一六〇〇)にようやく落慶法要《らっけいほうよう》が営まれ、再建を主導した豊臣氏より千石の寄進を受けた。そのうちの五百石が衆徒以下全ての寺役人へ配分され、『慶長六年四天王寺坊領并諸役人配分帳』(以下『慶長配分帳』)に記録されている。本書記載の衆徒は二十六名にのぼり、また配分額に大きな格差があったことがわかる。もっとも多い配分を受けているのが五十石の「秋野」で、次に十八石の「杉本坊」、十二石の「恵日坊」と続く。秋野家の系図によれば、この時の「秋野」は相順、「杉本坊」は相順の兄で一舎利・雲順、「恵日坊」は弟の栄順である(図2)。また、『慶長配分帳』には「一舎利出法印　二十二石」「二舎利出法印　十一石」という役料《やくりょう》が記載されており、雲順は合計四十石の配分であったことがわかる。彼らのほかは十石の「中少路」以外全員十石に満たない配分であり、中世における秋野家の権益の大きさがうかがわれる。

大坂の陣後の元和《げんな》元年(一六一五)十一月、家康の意を受け南光坊天海《なんこうぼうてんかい》が発給した『四天王寺法度《してんのうじはっと》』では、「妻帯・他宗・尼」などの寺僧をことごとく追い払うこととしたうえで秋野に妻帯を認めている。秋野への特権とも取れる内容だが、先に紹介した相順の弟にあたる恵日坊栄順は、妻帯を理由に元和元年に追放されていることから、この妻帯の許可は秋野家の当主のみに認められたものであり、秋野家に集中していた権益を分散させることとなった。当主以外の男子は清僧となる者も多く、栄順の息松玄院貞順をはじめ、松玄院珍順や中之院登順など秋野の分家筋から十二坊に就く者が散見できる。

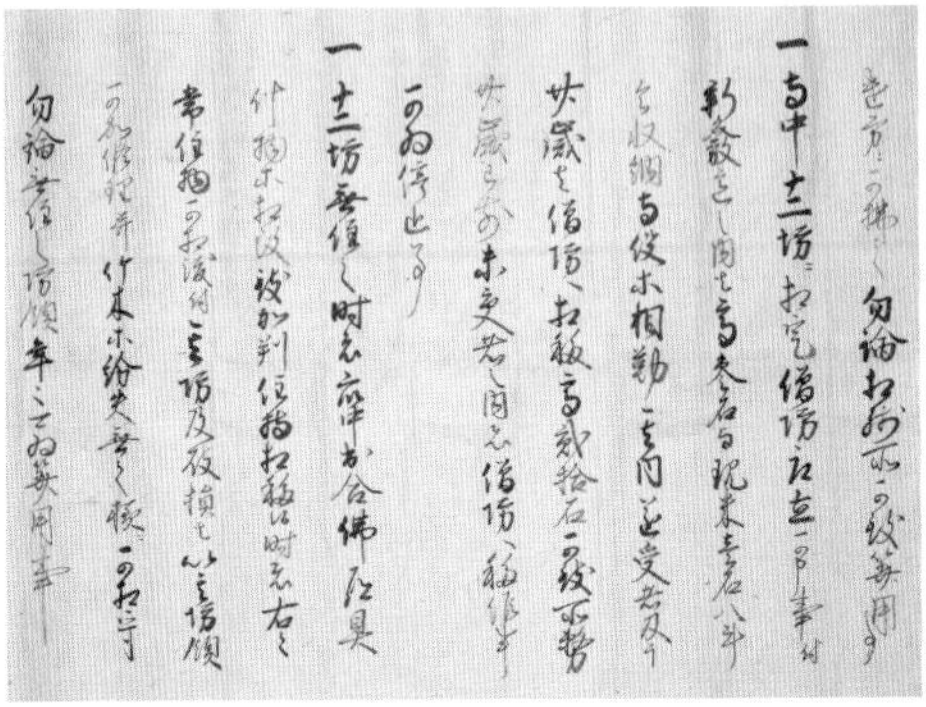

図1　『御条目』

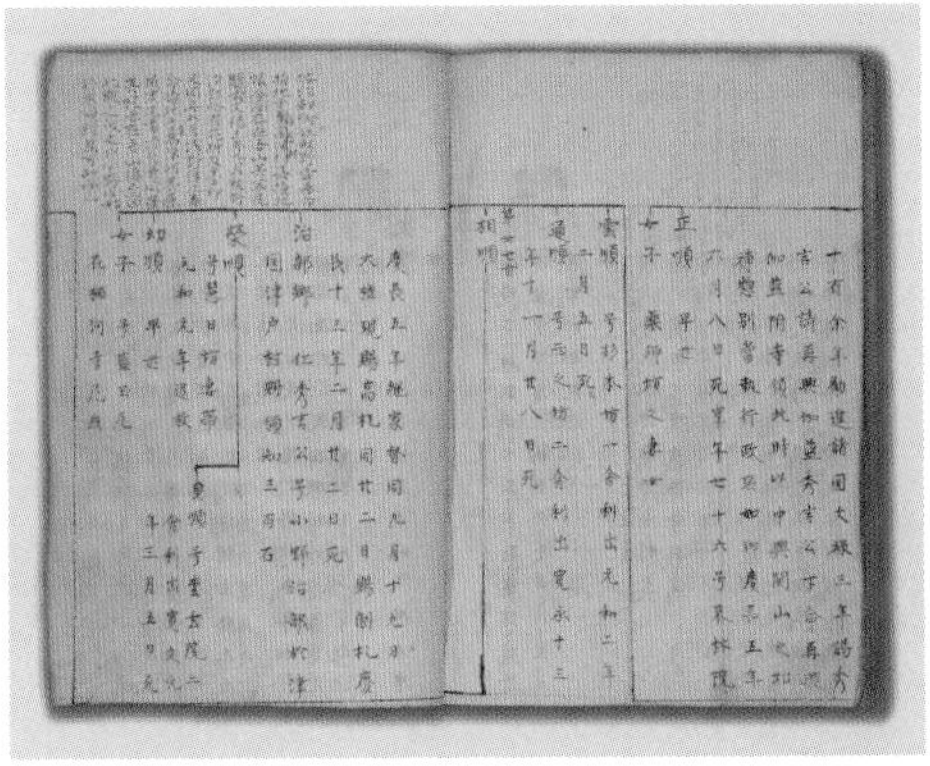

図2　『天王寺誌』

慶安五年（一六五二）七月、寛永寺は新たに『慶安五年摂州天王寺坊領并諸役人配分帳』（以下『慶安配分帳』）【第四部「近世の四天王寺」図10参照】）を作成し、同時に『御条目』を発給する（図1）。ここにおいて衆徒の人数は秋野および清僧十二名と定められ、配分額は秋野坊の五十石は維持されるも、清僧十二名は一律二十石とされた。この『御条目』は近世四天王寺の寺内組織において大きな転換点となったのである。ただ十二坊は明坊（住職無住の坊舎）が常態化しており、ほとんどの時期で上限の十二名を満たしていなかった。慶安五年時点ですでに半分の六坊が「明坊」であったため、『御条目』では「十二坊無住之時」の対応を定めている。さらに江戸後期には衆徒の不足が法要に支障を来たすとして深刻な問題となっており、寛永寺は安永《あんえい》五年（一七七六）の達書にて、即時に法要に出仕できる二十歳前後の僧侶を弟子として他所より入寺させることを認めている。

二　衆徒の序列

清僧十二坊には臈次による序列があり、隠居や病気、死去によって上位者に欠員が出た場合に繰り上げられた。十八世紀前期の九ヵ年分の記録と衆徒の署名が確認できる『於金堂請雨修法萬覚之帳』（以下『請雨帳』）から、その変遷の一例を紹介したい。元禄《げんろく》三年（一六九〇）条の序列は上から「一舎利定順・二舎利賞順・修禅院光順・年預自性院最順」となっているが、同六年（一六九三）条では「一舎利定順・二舎利光順・年預自性院最順」となっている。つまり、この間に二舎利であった賞順が何らかの理由で衆徒から外れ、次位の光順が二舎利となったのである。さらに同九年（一六九六）条では定順に代わって光順が一舎利に就いている。明治期の史料では定順の没年を元禄十五年（一七〇二）としているので、隠居か病気を理由に一舎利職を譲ったのであろう。また、同書の享保《きょうほう》二年（一七一七）条の「自性院蓮順・見明院文順・東光院芳順」という序列は、同五年（一七二〇）に「自性院蓮順・東光院芳順」となる。見明院文順は病気のため不参と注記されており、その翌六年に没したことが墓碑に刻まれている。

三　院号・坊号について

享保六年（一七二一）に没した見明院文順と、同九年（一七二四）に修行僧の一人として史料にみられる見明坊賁順は師弟関係にあったと想定される。また、坊号を名乗っていた衆徒がのちに院号を名乗るという例が多数確認されることから、院号は坊号より上位にあったことがわかる。また『請雨帳』に散見できる官職名（左中弁《さちゅうべん》や少納言《しょうなごん》など）を持つ寺僧は、衆徒より下位の修行僧であり、彼らもまた臈次による序列に従い、のちに坊号を名乗る。この坊号は、衆徒となる条件を満たした者に与えられたのだろう。当然ながら上限の十二名を満たしている場合（享保期など）は、坊号を名乗る（衆徒の条件を満たしている）ものの修行僧扱いの者が存在した。

天明《てんめい》八年（一七八八）には「明静院看坊」という肩書を持つ理成坊教順という寺僧が確認される。看坊《かんぼう》とは坊舎の留守居《るすい》・後見役《こうけんやく》という意であるが、彼の先代である明静院孝順は天明五年（一七八五）に没しているため、本来「明静院教順」と署名できる立場にある。ではなぜ教順は看坊として「理成坊」を名乗り続けたのだろうか。その答えは、先々代の諦順の没年にある。墓碑によると、諦順は寛政《かんせい》六年（一七九四）に示寂《じじゃく》しており、つまり天明

図3　摂津国四天王寺図（左幅・中幅）

秋野坊　　西僧坊　　東僧坊

八年時点では隠居した身ではあるものの、明静院住職として存命であった。この場合、教順は院号を踏襲することができなかったのである。「明静院教順」の署名をはじめて確認できるのが、諦順没後、寛政八年（一七九六）の史料であることもその証左といえる。

四　衆徒の坊舎

最後に衆徒が居住した坊舎について触れておきたい。秋野坊は四天王寺境内の外に独立した坊舎を構えている。橘守国筆「摂津国四天王寺図」などの絵画資料によると、現在の大阪府夕陽丘庁舎がその跡地とみられる（図3）。天保《てんぽう》年間（一八三〇〜一八四四）にまとめられた『新古建物間数書』によれば、およそ六三間（約一一五m）の長い土塀に長屋門《ながやもん》、腕木門《うでぎもん》が設けられ、その広い敷地内には書院《しょいん》・玄関・持仏堂《じぶつどう》などの建物が確認できる。一方の十二坊は、元和九年（一六二三）の再建時、六時堂《ろくじどう》の東西に造営された僧坊に各六坊が居住した（図3・4）。慶安五年の『御条目』では、衆徒のみが僧坊に居住できると定めている。この東西両僧坊は、享和元年（一八〇一）の火災によって焼失すると、以後再建されることはなく、代わりに十二坊の独立した坊舎が境内北部などの空き地に建立されることとなった。明治維新の混乱期には半数以上の衆徒が寺を離れたようで、山内に残った支院坊舎は明治三十年（一八九七）頃の境内図によって知ることができる（図5）。

（渡邉慶一郎）

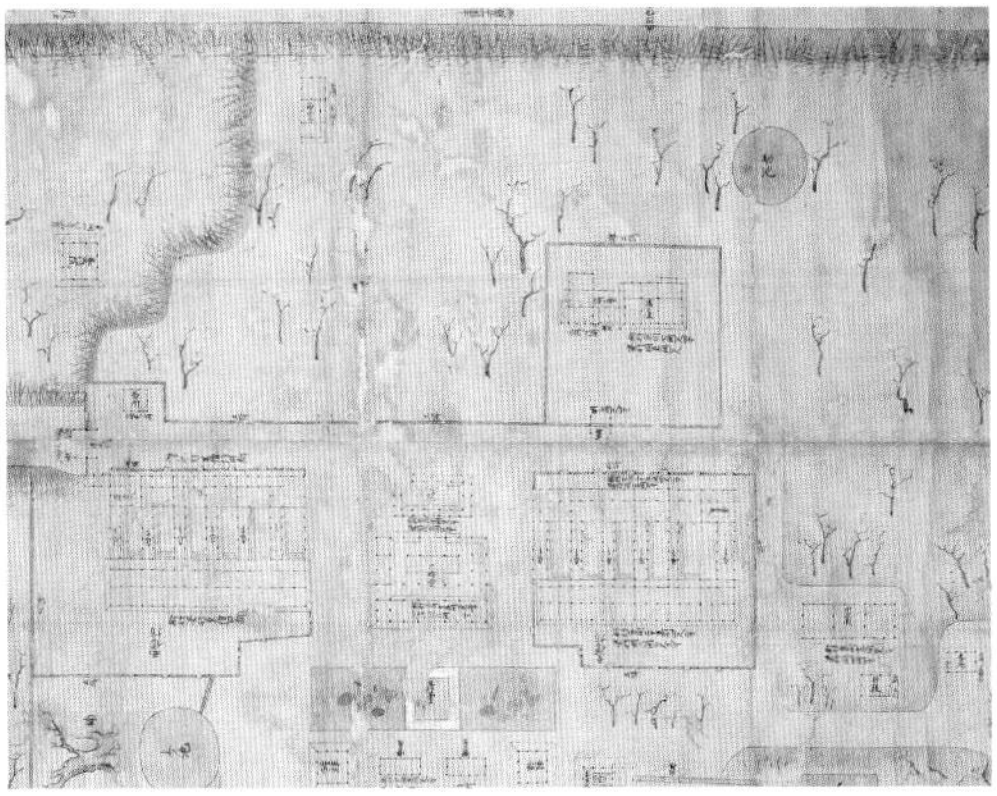

図4　元和再興四天王寺図（部分）

図5　仏法最初四天王寺伽藍略図（部分）

コラム

【3】

四天王寺絵堂と聖徳太子絵伝

「絵堂《えどう》」とは、聖徳太子絵伝《しょうとくたいしえでん》を安置する堂のことで、四天王寺では、文献によって奈良時代にすでに存在していたことが知られており、わが国でもっとも古い伝統を有している。当寺の伽藍《がらん》は度重なる罹災により失われ、古代の絵堂の実態については具体的に知ることができないが、四天王寺絵堂の聖徳太子絵伝は、太子伝・絵伝の規範として後世に多大な影響を与え、太子信仰の発展に重要な役割を果たしてきた。

一　絵堂の沿革

『天王寺秘訣《てんのうじひけつ》』によると、太子薨去《こうきょ》後百三十年にあたる天平勝宝《てんぴょうしょうほう》四年（七五二）に、四天王寺に絵堂と太子絵伝があったことが確認できる。当初の絵堂の位置は明確ではないが、平安時代には聖霊院《しょうりょういん》の南西隅、現在の南鐘堂《みなみがねどう》の場所にあったことが指摘されおり、以後幕末期まで、聖霊院域内に所在したと考えられる。また宝亀《ほうき》二年（七七一）には、この絵堂絵伝に基づいて、『四天王寺障子伝《してんのうじしょうじでん》』や『七代記《しちだいき》』などの太子伝テキストが制作されており、太子伝や絵伝の最初期の作品が四天王寺に存在したことが知られる。

この奈良時代の絵堂は、天徳《てんとく》四年（九六〇）に焼失した聖霊院とともに失われたとみられ、その後、寛弘《かんこう》四年（一〇〇七）以降の十一世紀前半に再興されたとみられている。

康治《こうじ》二年（一一四三）十月二十二日には、藤原頼長《ふじわらのよりなが》が絵堂を参詣し、寺僧が絵伝をもって太子の生涯を解説する「絵解《えと》き」を聞いている（『台記《たいき》』）。平安時代以降、絵堂においてこのような太子絵伝の絵解きが盛んに行われていたことが、史料によって確認できる。一方で、行慶《ぎょうけい》が別当《べっとう》在任中（一一三五～一一五四）の頃には、絵堂が倒壊して荒廃していた時期もあったという記録も残っている。

別当となった慈円《じえん》は、貞応《じょうおう》三年（一二二四）に荒廃した絵堂を再建し、高名な絵師尊智《そんち》に絵伝を描かせた。この絵伝は、尊智が「本様を守り伝文に則って」描いたという。つまり奈良時代以来の伝統（＝本様《ほんよう》）を守り、これを踏襲する太子伝のテキストとしての『聖徳太子伝暦《しょうとくたいしでんりゃく》』（＝伝文）に則って描いたということを示し、四天王寺の正統な絵堂絵伝の復興として重要な意義を持つものであった。この尊智の絵伝は後世に大きな影響を与えた重要な作品であったが、残念ながら、天正《てんしょう》四年（一五七六）五月三日、織田信長《おだのぶなが》と石山本願寺《いしやまほんがんじ》との戦火により、伽藍もろとも焼失している。

その後、豊臣秀吉《とよとみひでよし》は、伽藍を再建するにあたり、絵堂絵伝制作を狩野山楽《かのうさんらく》に命じた。この絵堂は慶長《けいちょう》五年（一六〇〇）に完成しているが、慶長十九年（一六一四）の大坂冬《おおさかふゆ》の陣《じん》によってまたも焼失する。その後、元和《げんな》九年（一六二三）に四天王寺は再興を遂げると、徳川家康《とくがわいえやす》の命によって、再建された絵堂の絵伝をふたたび狩野山楽が

図1　聖徳太子絵伝 第12・13面（狩野山楽筆、四天王寺所蔵、重要文化財、元和9年・1623）

図2 『摂津名所図会大成』経供養の図。左端に文化再建の絵堂がみえる

描いた。これが現存する板絵《いたえ》聖徳太子絵伝である（図1）。

　元和再建以降は、およそ百八十年にわたり、大きな災禍のない平穏な時代が存続したが、享和《きょうわ》元年（一八〇一）十二月五日の雷火により、またも伽藍を焼失する憂き目にあう。この火災で、四天王寺は境内東側の大半を焼き、絵堂も跡形もなく焼失してしまった。

　この再建には、大坂の民衆がいち早く立ち上がり、紙問屋の淡路屋太郎兵衛《あわじやたろべえ》らの尽力により、文化《ぶんか》九年（一八一二）に再建を果たした。翌年には、規模を縮小しつつも絵堂も再建されている（図2）。

　文久《ぶんきゅう》三年（一八六三）、聖霊院が灯明《とうみょう》の不始末によって炎上し、この火災に伴って絵堂も焼失してしまう。聖霊院は明治十二年（一八七九）に復興されるが、絵堂が再建されることはなく、その跡には引導鐘堂《いんどうがねどう》（現南鐘堂）が建立されている。この後、昭和五十四年（一九七九）にようやく絵堂が再建され、その位置を聖霊院北側に移して現在に至っている。

二　四天王寺絵堂の果たした役割

　四天王寺の絵堂とその絵伝がなぜ太子伝・絵伝の規範となったのか。一つは、先述の通り四天王寺という「太子の寺」にある絵堂が、わが国でもっとも古い伝統を有しており、その絵堂絵伝こそ、わが国の太子絵伝の原点であったということである。のちの太子伝承に大きな影響を与えた『聖徳太子伝暦』の奥書には、編纂のうえで引用した太子伝として、「在四天王寺壁聖徳太子伝」をあげており、当寺の絵堂絵伝が、後世の太子伝形成において大きな影響を与えたことがうかがわれる。

　また中世には、「文保本《ぶんぽうぼん》聖徳太子伝」と通称される、文保年間（一三一七〜一三一八）に成立した聖徳太子絵伝の絵解き台本類が流布する。この文保本やその異本とされる『正法輪蔵《しょうぼうりんぞう》』の奥書によると、これらの諸本は、四天王寺の蓮華蔵院《れんげぞういん》や地弥院《じみいん》（芹田坊《せりたぼう》）なる院にて秘伝されていた伝本を書写したものであるという。つまり、四天王寺の僧侶が絵堂で絵解きをする際の台本が、そのまま「聖徳太子伝」として流布し、「太子のイメージ」を形成するうえで大きな役割を果たしたことを示す。絵堂はいわば、太子伝発信の拠点であった。

さらに、絵堂の絵伝自体も後世に影響を与えた。とくに、貞応三年（一二二四）に慈円の構想によって尊智が描いた絵伝は、由緒ある絵堂の、しかも当代一の絵師尊智が描いた絵伝とあって、以後の聖徳太子絵伝の制作において、一つの規範となったことは間違いないだろう。尊智本が失われてしまった今となっては、その絵をうかがうことはできないが、四天王寺（絵所）が制作に関わったと指摘される中世の太子絵伝には、尊智本絵伝の影響が少なからず反映されていると考えるべきである。

三　現存の絵堂聖徳太子絵伝

中世以前の絵堂絵伝は失われてしまったが、江戸時代以降に制作された絵堂絵伝がいくつか現存し、その伝統を今に伝えている。

その筆頭が、元和再建絵堂に納められていた、狩野山楽による絵伝である（図1）。剥落が著しく、事蹟の特定も一部にとどまるが、その配置は年代順にとらわれない自由なもので、古代の障壁画形式絵伝の伝統にならったものである。

全体像が把握しにくいためか、これまで美術史上では「狩野山楽の絵画作品」という側面でしか取り上げられてこなかったが、尊智本絵堂絵伝の次世代の四天王寺絵堂絵伝として、また中世から近世の過渡期に成立した絵伝としてその価値は高く、太子絵伝系譜上での位置づけが今後の課題となる作品である。

明和《めいわ》六年（一七六九）の聖徳太子一一五〇年御忌《ぎょき》を契機として、絵堂絵伝の更新が図られ、山楽本は取り外されて、新しい別の絵伝がはめ込まれたとみられる。その新絵伝を描いた『蔵版絵堂御画伝略解《ぞうはんえどうごえでんりゃくげ》』（以下『略解』。図3）が残っている。これは、聖徳太子伝を記した絵入りの版本で、絵のみを掲載する上巻が安永《あんえい》二年（一七七三）に刊行され、遅れて天明《てんめい》四年（一七八四）に詞書のみの中・下巻を伴って三

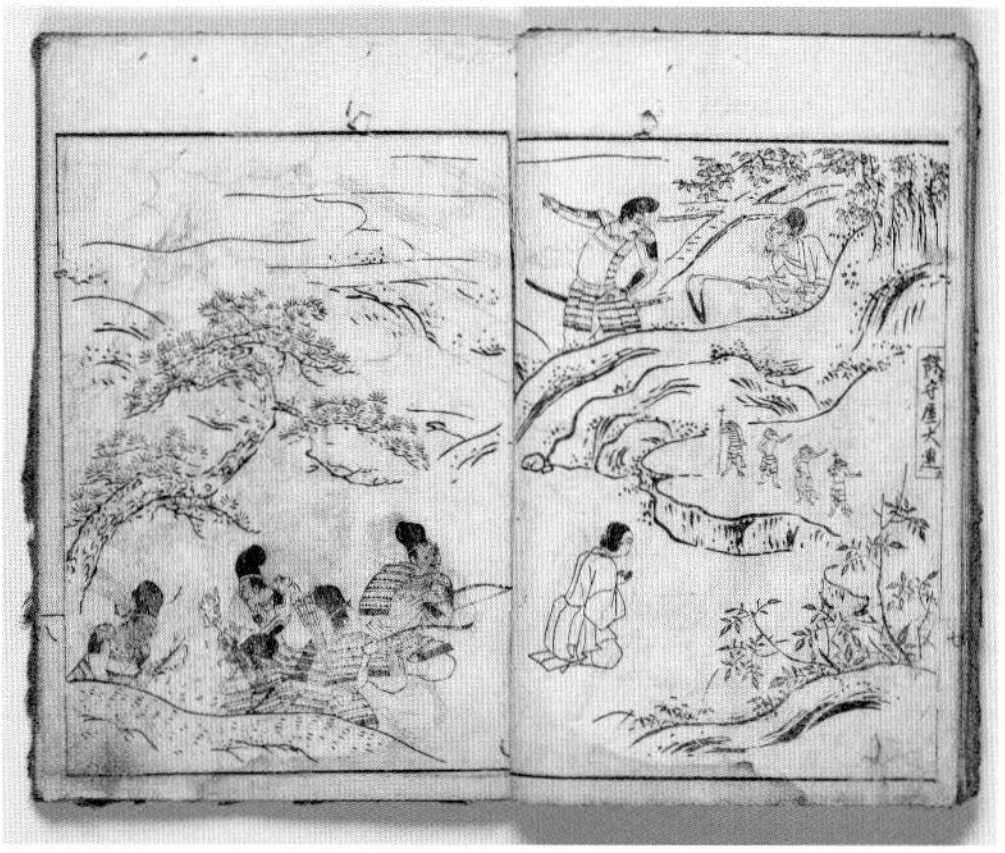

図3　『蔵版絵堂御画伝略解』上巻（個人蔵、安永2年・1773。縦22.0㎝、横15.7㎝）

冊本となった。いわゆる絵堂絵伝の解説書である。

この『略解』のもととなる絵堂の絵伝が享和元年の火災で失われたのち、文化十年（一八一三）に再建された絵堂に納められたのが、橘保春《たちばなやすはる》による絵伝である。保春本は、襖絵《ふすまえ》形式の六面からなる聖徳太子絵伝で（図4）、表面に鮮やかな彩色の太子絵伝と、裏面には、六面が一連の絵として繋がる墨画の十六羅漢《じゅうろくらかん》図が描かれる。

『略解』とこの保春本は、いずれも四天王寺所蔵の遠江《とおとうみ》法橋《ほっきょう》本【第三部コラム8図1参照】の図像に拠っていることが注目される。遠江法橋は、尊智を祖とする流派「松《しょう》南《な》院《み》座《ざ》」の絵師であることから、両本の制作の背景として、尊智本を復興し、四天王寺の正統たる「本様」絵伝への回帰が意図されたとみることができるだろう。

四天王寺絵堂における太子信仰布教の役目は、江戸時代以降徐々に弱まっていき、文久三年の聖霊院火災を機に、その歴史が一度断絶する。以後、四天王寺は百二十年にわたり絵堂のない時代を迎えることとなる。

戦後伽藍復興の最後として、昭和五十四年（一九七九）に絵堂が再建され、昭和五十八年（一九八三）には杉本健吉《すぎもとけんきち》による聖徳太子絵伝が完成した（図5）。古代壁画形式絵伝の伝統を踏襲しつつも、古来の絵画様式にとらわれることなく、自身の作風や考えを反映し、全く新しい「現代の太子絵伝」を創り上げている。昭和の絵堂と太子絵伝の再建は、四天王寺絵堂の伝統の復興であり、近年はこの太子絵伝の絵解きも再開され、絵堂が本来の息吹を取り戻している。

（一本崇之）

図5　聖徳太子絵伝（杉本健吉筆、四天王寺、昭和58年・1983）

図4　聖徳太子絵伝（橘保春筆、四天王寺所蔵、文化10年・1813。縦144.0cm、横83.4cm）

第1面　第2面

コラム【4】

鳳輦と玉輿

四天王寺の聖霊会《しょうりょうえ》【第五部コラム4参照】では、聖徳太子の像を奉じて練るための鳳輦《ほうれん》と、舎利《しゃり》を奉じて渡御《とぎょ》するための玉輿《ぎょくよ》が用いられてきた。現存する鳳輦・玉輿は、いずれも木造、黒漆塗《くろうるしぬ》りで、細密な彫金を施した錺金具《かざりかなぐ》をふんだんに打って、きらびやかに荘厳《しょうごん》されている。

金銅《こんどう》装鳳輦（図1）は、高さ（露盤《ろばん》以下）一六二一・五cm、総長（轅《ながえ》共）二六五・五cm、屋根幅（蕨手《わらびて》共）一三七・五cm、軸部幅（長押《なげし》）九二・四cm、基台幅一〇〇・〇cmを測る。宝形造《ほうぎょうづくり》の屋根頂の露盤には六弁花形《ろくべんかがた》の座金具を据えて、鍛造《たんぞう》・彫金の金銅製鳳凰《ほうおう》を立てる。露盤の側面に張った金銅板には、四稜花形《しりょうかがた》の窓枠内に大ぶりな牡丹《ぼたん》を鏨彫《たがねば》りで表し、窓枠外に表す唐草《からくさ》は根元に葉柄《ようへい》を表現して間地《まじ》は細かな魚々子《ななこ》を打ち詰め大粒の露《つゆ》を散らす（図2）。この種の金具図様は、後述するように桃山時代の特徴をよく示している。屋根板は各面五枚の板を葺《ふ》き合わせ、地に太く粗い蹴彫《けりば》りで魚鱗《ぎょりん》葺きの蓮弁《れんべん》を表している。全面に鍍金《ときん》を施すも、表面に透漆《すきうるし》を塗り茶色を呈するのは後世の施工と思しく、いわゆる白檀塗《びゃくだんぬ》りの色彩を意図したものであろう。屋根板上には各面五枚ずつ五花形松《ごかがたしょう》竹文透彫《ちくもんすかしぼ》りの金銅金具を据えるが、竹の表現は大振りながら幹の肌まで表す古様さをみせる（図3）。降棟《くだりむね》は二段で、各段三枚の板を張り、いずれも屋根と同様の大振りな蓮弁を太い蹴彫りで表し鍍金する。蕨手は、側面地板に牡丹と太い唐草を蹴彫りし、大粒の露を加えるという露盤と共通の古様な図様をみせる。

軒先は、金銅帯板《おびいた》張りで、その上に降棟先金具と同様の唐草を表す出八双《でばっそう》金具を打つ。ただ軒先出八双には露を認めず茎がやや細いなど新しい要素が見える一方で、葉の根元に葉柄を表現するのは前述の露盤金具と同様である。軒裏から軒先にかけ金銅板を張り、下面に蓮弁を蹴彫りし、軒裏《のきうら》と台輪《だいわ》の間には、雲と波を裏表から鏨彫りする金銅板を張る。

軸部は後方のみ壁を立て三方を吹き抜けとする。台輪・肘木《ひじき》・長押・梁桁《はりけた》とその間の小壁《こかべ》の各所、さらに四本柱と平桁《ひらけた》・框《かまち》・台輪の各所に、屋根と同様の大粒の露を交えた牡丹唐草を蹴彫りした八双金具を打つ（図4）。本作の他例をみない荘厳は、背板と側面・背面の腰壁板の金銅薄肉《うすにく》打出し金具である。背板表面は、下方に土坡《どは》と笹、上方全面に大ぶりな牡丹をいっぱいに表す（図5）。土坡の中に葵《あおい》・笹《ささ》・沢瀉《おもだか》等の植物を小さく描くのは（図6）、二条城《にじょうじょう》二の丸御殿大広間の大型花熨斗形釘隠《はなのしがたくぎかくし》の土坡表現に似る。また背板背面（図7）は二羽の鳳凰をかたどった金具を張るが、冠羽《かんう》などに露表現に近い円文《えんもん》を散らし、間地に菊目《きくめ》鏨を打つ（図8）。一方、腰壁板の金具は、さまざまな姿態を見せる獅子図を表す。基台には、ほかと同じ特徴を示す牡丹唐草の大型入八双《いりはっそう》金具を打ち、その間に二つ巴紋《ともえ》打出し金具を各面二個ずつ打つ。

図3　金銅装鳳輦　屋根五花形金具

図1　金銅装鳳輦

図4　金銅装鳳輦　小壁・長押　出八双金具

図5　金銅装鳳輦　背板表面牡丹金具

図2　金銅装鳳輦　露盤

轅は先細りの断面方形で、神輿《みこし》のそれに比べ三分の二程度と短い。轅先と根元に牡丹唐草文出八双金具、その間の上面には二つ巴紋薄肉打出し金具を打つ。両側面には上面と同様の二つ巴紋金具各一枚と五三桐《ごさんのきり》を蹴彫りした金具を打つが、二つ巴は頭が大きく尾が短いので江戸時代後半期に増設されたものとみられる。

次に金銅装玉輿（図9）は、高さ（宝珠《ほうじゅ》共）一九〇・五cm、（露盤以下）一六一・四cm、総長（轅共）二六四・一cm、屋根幅（蕨手共）一一六・七cm、軸部幅（長押）七八・三cm、基台幅一一二・五cmを測る。鳳凰と同様の宝形造で、露盤上に宝珠を戴き、鳳輦と対になる葱花輦《そうかれん》を意図したものであろう。露盤（図10）は、上面に縁に牡丹花を連ねた円形透かしの金銅板を張り、側面には格狭間《こうざまがた》形窓枠内に牡丹唐草と青海波《せいがいは》を蹴彫りした金銅板を張る。屋根板は各面三枚の板を葺き合わせ、地に太い蹴彫りで飛雲と波を段違いに表す。全面に鍍金を施すも、鳳輦と同様表面に透漆を塗り茶色を呈する。屋根板上には各面三枚ずつの五窠紋《ごかもん》透彫り金具を据える。降棟は一段で、各段ともに一枚板を張り、上段は素文、下段は魚々子地に唐草を蹴彫りする。蕨手（図11）は、側面を細かな魚々子地に牡丹唐草を蹴彫りし、法面《のりめん》に列点《れってん》で唐草を表す金銅板を張り、外側面にはより太い唐草を大粒の魚々子地に蹴彫りした板を張る。軒先には金銅帯板を張り列点で唐草を表して（図12）、細かい魚々子地に墨差《すみさ》しを施し牡丹と細めの唐草を蹴彫りした出八双金具を打つ。軒裏と台輪の間に、雲と波を蹴彫りする金銅板を張る。

図6　金銅装鳳輦　背板表面土坡図金具

図7　金銅装鳳輦　背板・腰板背面　鳳凰図・獅子図金具

図8　金銅装鳳輦　背板背面鳳凰図金具（部分）

図12　金銅装玉輿　軒先地板金具

図13　金銅装玉輿　台輪・長押・小壁金具

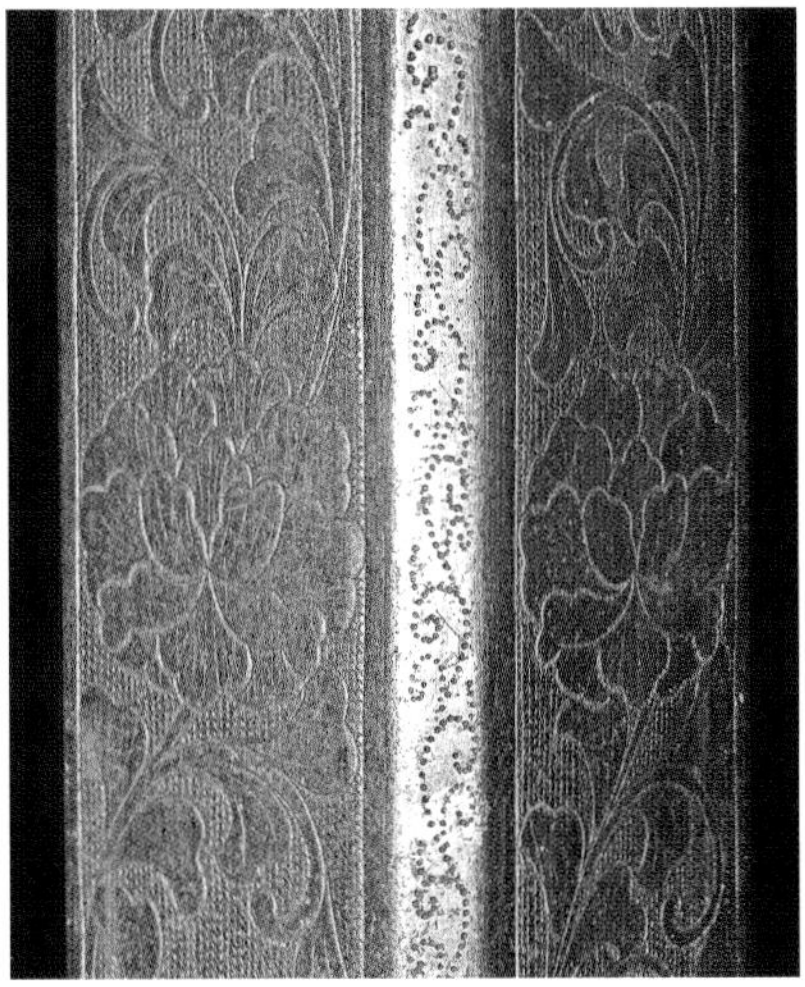

図14　金銅装玉輿　柱金具

図9　金銅装玉輿

図10　金銅装玉輿　露盤

図11　金銅装玉輿　蕨手・降棟先・軒先金具

軸部の台輪・肘木・木鼻《きばな》・長押に張る金銅地板と要所の八双金具には、細かな魚々子地に牡丹唐草を蹴彫りする（図13）。台輪・長押の地板《じいた》のみ大粒の露を散らすが、茎が太目で葉がやや肥大化傾向をみせる。四本柱は角を面取《めんと》りし、外側二面のみ魚々子地に牡丹唐草を蹴彫りし、面取り部に列点唐草を表した金銅地板を張る（図14）。柱上下端の出八双金具は、地板と同様に魚々子地に細い茎の牡丹唐草を蹴彫りして、地に墨差しを施す。なお唐草の一部で、蕨手上に二、三段重ねの半円形の露を表すが（図15）、この意匠は江戸後期の名古屋地域の山車《だし》の錺金具で特徴的にみられ、本作はその初出例として注目される。腰壁は両端に小壁と同様の入八双金具を打ち、間に二枚ずつ蓮華文菱形金具を打つ。

基台の四角には牡丹唐草文を蹴彫りする大型の入八双金具（図16）を打つが、法量《ほうりょう》の割に魚々子は細かく、大粒の露を散らすものがある。間には剣頭形《けんとうがた》金具を打つ（図17）。基台上にめぐらす高欄《こうらん》は、架木《ほこぎ》・平桁・地覆《じふく》とも要所に出八双金具を打つ。魚々子地に細い唐草を蹴彫りするが、平桁金具の一部に牡丹唐草が混じる。また唐草のみの金具の一部に二個一組の露を表す。唐草の図様からみて、後補金具が相当数みられ、当初とみられる出八双金具も、魚々子の粒径《りゅうけい》や茎の太さなどに個体差を認める。

さて、これら鳳輦と玉輿はいつ頃に製作されたものであろうか。呼称のとおり轅で支え持つ輦、輿には相違ないが、いずれも聖徳太子像、舎利を奉安するために創案された形をとっていて、製作年代を工芸史的に比較検討できるだけの近い様式をみせる輦や神輿は見当たらない。むしろ年代的特徴を如実に示しているのは、要所に打た

図15　金銅装玉輿　台輪　出八双金具

図16　金銅装玉輿　基台金具

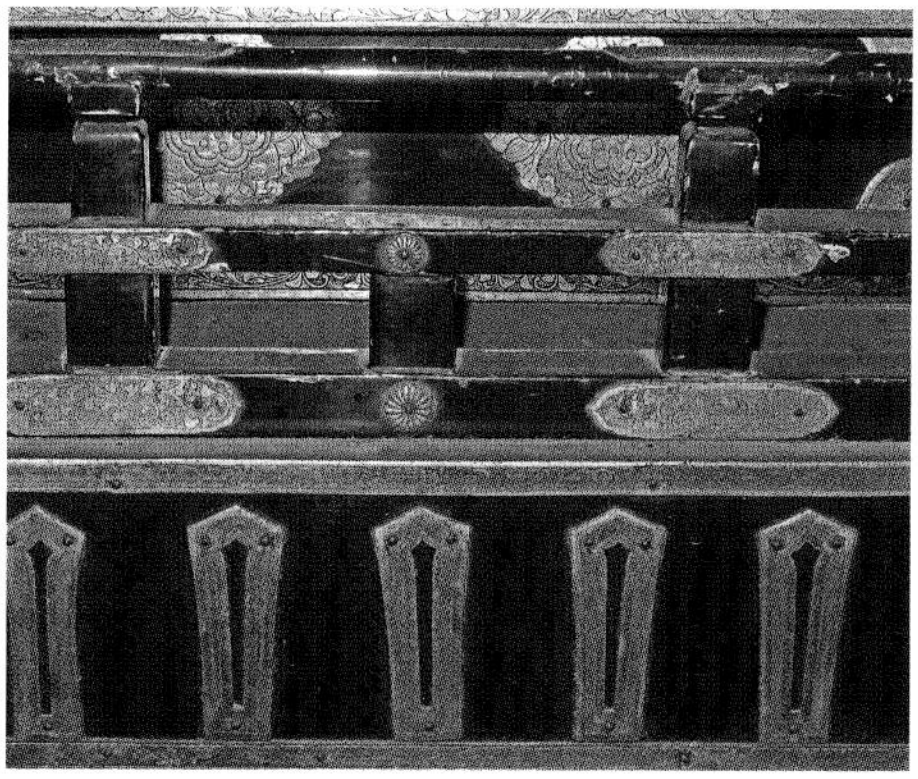
図17　金銅装玉輿　基台・高欄金具

れたおびただしい数の錺金具である。それらは、魚々子地に牡丹唐草もしくは唐草のみを蹴彫りで表現している。

両者の製作時期を反映しているのは、唐草の表現と、一部の金具に見える円環による露の表現である。仔細に見ると以下のような傾向差がある。

1. 唐草の表現

ア、唐草の茎が太く、葉は丸みを帯び量感をもって描かれる（図2・4）。

イ、唐草の茎が細く、葉は小ぶりで先を尖らせるなどシャープな印象を与える（図13・15）。

2. 露の表現

a、一個ずつを魚々子地に散らす。概して粒が大きい（図2・4）。

b、二個一組を魚々子地に散らす。一個の露と混在する。概して粒が小さい（図13・15）。

美術史の時代区分により、慶長《けいちょう》年間末（一六一五年）までを桃山時代、次の元和《げんな》年間以降を江戸時代初期とした場合、上記の唐草アと露aは、桃山時代、慶長年間の錺金具に特徴的にみられる。一方、唐草イは名古屋城本丸御殿慶長度建物の襖引手《ふすまひきて》を初見として慶長年間末期には現れ、江戸時代初期に一般化する表現である。また露bは、内裏《だいり》の慶長度造営の紫宸殿《ししんでん》が寛永《かんえい》十九年（一六四二）に仁和寺《にんなじ》へ移築され現金堂《こんどう》となった際の増設内陣《ないじん》・外陣《げじん》境扉や、石清水八幡宮《いわしみずはちまんぐう》の現本殿など、寛永年間製作の錺金具まで残る桃山時代的表現の残存形である。

鳳輦と玉輿の錺金具をつぶさに見ると、鳳輦は唐草アと露aが組み合う金具が主体を占め、玉輿は唐草ア、イと露a、bが混在し、イとbが主体を占める。したがって、鳳輦が玉輿に先行するのはほぼ確実で、慶長年間の後半頃に製作されたと考えられる。ちなみに、元和九年（一六二三）『天王寺御建立堂宮諸道具改渡帳』に見える「御輿壱つ　長三尺二寸四方　高四尺五寸漆塗厳金物有」は、鳳輦の基台幅、露盤下辺以下の高さにほぼ寸法も合致し、この時点で太子堂に存在していたことは確かであろう。

一方の玉輿の製作時期は、下限を寛永年間あたりに置けるものの、上限は慶長最末年頃から元和年間という幅の中で考えざるを得ない。ここで参考となるのは、元和四年の墨書《ぼくしょ》部材を有する勝鬘院多宝塔《しょうまんいんたほうとう》で、未調査ながら錺金具の写真を見る限り、玉輿の錺金具の特徴と近似し、製作年代の可能性の一点を示している。ただ、前掲『天王寺御建立堂宮諸道具改渡帳』では、六時堂組の今宮社に「御輿弐社」、金堂組に「御輿壱つ」が見えるものの、記載される寸法が玉輿と一致せず、元和九年の時点で玉輿はまだなかった可能性も捨てきれない。

いずれにしても、鳳輦と玉輿が桃山時代後半から江戸時代初期に製作されたことは疑いない。しかも一般の神輿と異なり、四天王寺の特別な法要で用いられた独特の形式の輦が二基揃って伝存することは、工芸史的にも仏教史的にもきわめて意義深いといえる。しかも後世の大きな改変がなく、とくに当初の錺金具が大半を占めていることも、その作品としての価値を高めているといえよう。（久保智康）

コラム【5】

天王寺舞楽

—四天王寺における舞楽の伝統—

一 天王寺舞楽の伝統

舞楽《ぶがく》とは、雅楽《ががく》という音楽を伴奏として舞を舞うものであるが、舞楽を含めて「雅楽」と総称されることもある。さて、「天王寺舞楽」とは、四天王寺の法会《ほうえ》のなかで舞われる舞楽のことであり、このうち、聖霊会《しょうりょうえ》で聖徳太子の御霊に捧げられる舞が、「聖霊会の舞楽」（図1、【第五部コラム4参照】）として重要無形民俗文化財に指定されている。

江戸時代の四天王寺では年間十三回もの舞楽を伴う法会が執り行われていたが、なかでも、旧暦二月の涅槃会《ねはんえ》（常楽会《じょうらくえ》）と聖徳太子の忌《き》日《じつ》の聖霊会、そして旧暦九月の念仏会《ねんぶつえ》の「三大会」には、法会のなかに数多くの舞楽が組み込まれ、それらは六時堂《ろくじどう》前の石舞台で舞われた。つまり、三大会の法会の舞楽は、人々が鑑賞することが可能なものだった。

図1　聖霊会舞楽

三大会のなかでも、明治三年（一八七〇）までの聖霊会は、法会のなかに組み込まれる舞が九曲、法会が終了後に舞われる入調《にゅうじょう》の舞が十八曲、あわせて合計二十七曲もの舞楽を伴う大舞楽法会であった。そのため、早朝から始まる法会とはいえ、舞楽が続く入調の半ば頃には夕闇が迫り、篝火《かがりび》がたかれた。現在の聖霊会でも、〈太平楽〉（図2）の舞の途中で篝に火が入れられるのはその名残である。

現在の四天王寺では、四月二十二日の聖霊会だけでなく、十月二十二日にも経供養《きょうくよう》が舞楽法会として執り行われ、それ以外にも非公開ながら聖徳太子の御忌《ぎょき》舞楽、法会ではないものの八月の夜に、古い時代に篝火のもとで演じられた舞楽の雰囲気を再現すべく始められた「篝《かがり》の舞楽」など天王寺舞楽の伝統が大

図2　太平楽。現在の聖霊会では、この〈太平楽〉の舞の途中で、舞人が太刀を抜くと、この日の本尊となっていた聖徳太子の「楊枝の御影」が還御［かんぎょ］される

切に保持されている。天王寺舞楽は、明治三年までは「天《てん》王寺楽人《のうじがくにん》」、そして、彼らを集団として呼ぶ「天王寺楽所《てんのうじがくそ》」によって担われてきたが、その伝統は、現在では、民間の雅楽演奏団体である雅亮会《がりょうかい》に引き継がれている。

この天王寺舞楽には、「千四百年の伝統」があるとされる。千四百年の伝統となれば、聖徳太子の時代から四天王寺では、楽が奏され、舞が舞われていたことになる。それが事実であったかどうかはともかく、四天王寺で舞楽を演奏してきた天王寺楽人たちは、自分たちのルーツは、聖徳太子が四天王寺に置かれた演奏家なのだと主張し、聖徳太子の側近であった秦河勝《はたのかわかつ》の一族の末裔として、太秦《うずまさ》姓を名乗った。彼ら天王寺楽人にとっては、聖霊会で聖徳太子の御霊に捧げる舞楽を舞うこと、そのために天王寺舞楽の伝統の保持に努めることこそが、自らのアイデンティティーを支える重要な要素だった。

平安時代になると天王寺楽人に関する記録が残されるようになり、天王寺舞楽が、京の貴族を楽しませていたことや、鎌倉時代以降も、吉田兼好《よしだけんこう》の『徒然草《つれづれぐさ》』の有名な一節、「何事も辺土は卑しく、頑《かたく》なれども、天王寺の舞楽のみ、都に恥じず」とあることから、その活躍ぶりが確認できる。その後の室町時代になっても、京都で伝承が途絶えた舞楽の曲が「四天王寺には伝承されているから大丈夫だ」と『看聞御記《かんもんぎょき》』に記されるなど、難波《なにわ》の地の四天王寺において、しっかりと天王寺舞楽は伝承されていた。かつ、天王寺舞楽は、箕面《みのお》の勝尾寺《かつおじ》など近畿圏各地の寺社へ出張して舞われただけでなく、遠く東北の地の立石寺《りっしゃくじ》にまで伝えられたという伝承もある。

二　天王寺舞楽の危機

安土桃山時代以降になると天王寺舞楽についての記録はさらに多くなり、明治初期までの天王寺舞楽の状況は詳しく知ることができる。が、同時に、近世以降の時代においても、天王寺舞楽の伝統が何度か存亡の危機に瀕していたことも明らかになる。

その一度目は、織田信長《おだのぶなが》が活躍していた天正《てんしょう》年間のことである。禁裏《きんり》では、応仁《おうにん》の乱以後、廃れてしまっていた舞楽を復興しようとする。その際に、天王寺楽人も京都に召し出され、奈良と京都と天王寺の楽人で構成される禁裏付きの雅楽演奏組織「三方楽所《さんぽうがくそ》」が成立した。が、このことは、四天王寺の側からすれば、天王寺舞楽はどうなるのかという危機だった。しかし、天王寺楽人たちは、京都在住の楽家と天王寺在住の楽家とに分かれ、京都と天王寺、二ヵ所での雅楽演奏を分担することで、天王寺舞楽の伝統は守られた。さらに、京都にも拠点を得た天王寺楽人たちは、京での活躍の場を広げつつ、聖霊会などの大会の際には天王寺に戻って舞を舞った。

一方で、天王寺に残った楽人たちも、身分としては禁裏付きの三方楽所の一員という地位を得ていた。が、このことが、次の危機を招く。江戸時代の宝暦《ほうれき》年間の宗門改めを巡って、天王寺の地に残った天王寺楽人たちは、「自分たちは、禁裏付きの楽人なので、四天王寺からの身分についての指図は受けない」と主張して、これを認めない四天王寺と対立し、裁判沙汰になってしまう。その結果、和解成立まで、天王寺楽人の四天王寺での舞楽出仕拒否という事態になり、四年間にわたり、四天王寺の法会での舞楽が舞われないということがあった。しかし、和解の後は、大法会での舞楽は復活し、天王寺舞楽の伝統は保持された。

しかし、明治時代になると、禁裏付きの三方楽所の楽人たちには東京への異動が命じられ、天王寺に残った天王寺楽人たちも、天王寺の地を離れることになる。したがって、明治三年の聖霊会が、天王寺楽人による舞楽が舞われた聖霊会の最後となり、ここで、天王寺舞楽の伝統は絶えてしまうのか、という大きな危機を迎えることになった。にもかかわらず、現在に至るまで天王寺舞楽の伝統は保たれている。それはなぜだろう。以下では、その伝統を保った要素について考えてみたい。

三　天王寺舞楽の危機を救った要素

江戸時代の天王寺楽人には、雅楽の弟子がいた。江戸時代には、雅楽は高級なお稽古事とみなされており、これを趣味とする裕福な商人や豪農層の人々が天王寺楽人の弟子となっていたのだ。また、寺社関係者たちも、儀式の際に必要な雅楽を、天王寺楽人に学んでいた。実は、明治初期の天王寺舞楽存亡の危機を救ったのが、雅楽演奏のプロではないが、趣味として、または儀式に必要だとして雅楽を嗜《たしな》んでいたこのような人々の存在であった。明治の初期、こうした人々が結成した雅楽演奏団体「雅亮会」が、旧天王寺楽人の指導を受けて、天王寺舞楽の伝統を引き継ぎ、現在でも四天王寺の舞楽法会に出仕し、天王寺舞楽の伝統保持に貢献されている。

さらに、天王寺舞楽は、楽を嗜む人たちだけのものではなかった。「おしょうらい」と親しまれた聖霊会は、「寒さの果てもおしょうらい」として、季節の変わり目を人々に告げる法会になり、石舞台というオープンスペースで

図3　中央の石舞台の上で童舞〈胡蝶［こちょう］〉が舞われている（「四天王寺・住吉大社図」より）

舞われる天王寺舞楽は、「四天王寺・住吉大社図」（図3）にも描かれるように、四天王寺の代表的な景観のひとつとなった。

もちろん、天王寺楽所という専門家集団の存在は、天王寺舞楽の千四百年の伝統を保持した大きな基盤であったといえるだろう。さらには、三方楽所の成立により天王寺楽人が禁裏付きとなったことで、公的組織の管理下に彼らがおかれたことも、天王寺舞楽の伝統を守る大きな力になった。しかし、それだけではなく、聖徳太子信仰とともに、天王寺舞楽そのものが多くの人々に親しまれ、大切にされていたことも、その伝統保持の要因となっていたのだ。

四　天王寺舞楽といわれる舞の特徴

最後に、「秦《はた》姓の舞」ともいわれる天王寺舞楽の特徴について説明しよう。秦姓とは、すなわち天王寺楽人が名乗った太秦姓のことである。古くから京都と奈良の楽人が京での活躍の場が与えられていたのに対し、三方楽所成立前は、天王寺楽人が京に召され演奏するのは、「採桑老《さいそうろう》」（図4）の「洟《はな》をかむ手」のように他にはない独特の舞の振り、「天王寺独自の舞」を演じることが期待される場であった。それは、京都の楽人たちからすれば、「一緒に演奏したくない」とされるものであったが、古代に中国大陸や朝鮮半島から伝来した当時の古風な舞の雰囲気を残すものだったのかもしれない。

図4　舞楽〈採桑老〉

また、天王寺舞楽は、大法会では、屋外の大きな舞台で演じられたためか、全体的にダイナミックな舞振りとなっており、また、伴奏の音楽にも「夜多羅拍子《やたらびょうし》」という他所にはない変則的な演奏法を用いる。さらに、聖霊会の法会に伴う独自の演出もある（図5）。近世においては禁裏付きの三方楽所に属し、京でも活躍しながらも、天王寺に在住する楽家を中心に、古来、四天王寺の聖霊会での聖徳太子の御霊に奉納される舞を伝承してきた天王寺楽人ならではの舞は、現在に至るまで「天王寺舞楽」としてその伝統が保たれている。

（南谷美保）

図5　舞楽〈蘇莫者［そまくしゃ］〉。向かって左側は笛役（古来、四天王寺ではこの笛役は聖徳太子のお姿であるとされ、かつては笛役は、寺宝「京不見御笛［きょうみずのおふえ］」を奏した）

コラム【6】

舞楽の装束

一　舞楽装束の原点

四天王寺においては、四月二十二日の聖霊会《しょうりょうえ》、十月二十二日の経供養《きょうくよう》などで舞楽《ぶがく》が奉納される【第四部コラム5、第五部コラム4参照】。その起源は聖徳太子の時代に百済《くだら》の味摩之《みまし》が伝えた伎楽《ぎがく》にまでさかのぼるという。その後平安時代に外来の楽舞は、唐楽《とうがく》の伴奏で舞う左方《さほう》と、高麗楽《こまがく》の伴奏で舞う右方《うほう》に編成され、左右の番舞《つがいまい》による舞楽が成立する。この流れのなかで装束も整えられていった。

天暦《てんりゃく》二年（九四八）、律令制《りつりょうせい》の官司《かんし》である雅楽寮《ががくりょう》に代わって、宮中の桂芳坊《けいほうぼう》に楽所《がくしょ》が設置され、六衛府《ろくえふ》の官人が多く補任《ぶにん》された。このような経緯から官人の制服が舞楽へ導入されていく。おりしも国風化の進んだこの時代には、公家独自の服装が整えられ、束帯《そくたい》が朝廷出仕の正装として着用された。束帯は、冠《かんむり》・袍《ほう》・半臂《はんぴ》・下襲《したがさね》・衵《あこめ》・単《ひとえ》・表袴《うえのはかま》・大口《おおくち》・石帯《せきたい》・靴などで構成される。一番うえに着る袍は位階《いかい》に応じて色が定められ、平安時代前期には三位以上が黒、四位が深緋、五位が浅緋、六・七位が深緑、八・初位が深縹であったが、同後期には四位以上が黒、五位が緋、六位以下は縹と簡略化された。また、文官と武官では袍の仕立てに違いがあり、文官が脇を縫い合わせた縫腋袍《ほうえきのほう》を用いたのに対して、武官は動きやすいように脇を開けた闕腋袍《けってきのほう》を着た。この武官の五位・六位の束帯がもとになり、舞楽の装束が形成されていく。

二　舞楽装束の分類

舞楽の装束は、〈迦陵頻《かりょうびん》〉〈胡蝶《こちょう》〉〈太平楽《たいへいらく》〉〈林歌《りんが》〉〈八《はっ》仙《せん》〉など曲目によって個別に独自の装束を着用する場合があり、それらは別様《べつよう》装束として分類される。たとえば平和を祈願する〈太平楽〉は、唐の武人の姿を模したものとされ、甲冑《かっちゅう》に身を固めた姿で舞うが、背に負う胡簶《やなぐい》には矢を逆に挿して不戦の意志をあらわす。かつて甲子《きのえね》の日に奏され、鼠と関係の深い舞とされる〈林歌〉では、鼠を刺繍した袍（図1）を着用する。崑崙山《こんろんざん》の仙人に仕

図1　〈林歌〉袍〔四天王寺舞楽所用具のうち〕（四天王寺所蔵、重要文化財、江戸時代）

え鶴に関係する舞とされる〈八仙〉では、鶴をかたどった面をつけ、鯉を刺繍した袍を用いる。

このようにそれぞれの舞に応じた固有の装束があるいっぽうで、常《つね》装束、蛮絵《ばんえ》装束、裲襠《りょうとう》装束という類型的な三種の装束が用いられる場合もある。これら三種の装束はいずれも武官の制服に由来する。

常装束は、武官の束帯に由来し、武官の束帯と同様に袍・半臂・下襲などを重ねて着装することから襲《かさね》装束とも呼ばれる。闕腋袍と下襲を重ねて裾を長く曳《ひ》く着装は、武官の束帯と同じ形式を伝えているが、〈振鉾《えんぶ》〉〈万歳楽《まんざいらく》〉〈延喜楽《えんぎらく》〉のように袍の右肩を脱いで半臂と下襲の右袖を見せる片肩袒《かたかたぬぎ》（図2）や、〈蘇利古《そりこ》〉のように袍の上半身を省略して半臂と下襲を露出する両肩袒《もろかたぬぎ》など舞楽独自の着装法がある。また、頭にかぶる鳥甲《とりかぶと》は常装束に特有のかぶり物であるが、〈蘇利古〉〈甘州《かんしゅう》〉では武官の束帯と同様に巻纓冠《けんえいかん》を頂く。袍の色は、束帯の五位の緋、六位以下の緑や縹に準じて、左方が赤系、右方が青系となった。

図2　常装束〈振鉾〉〔経供養の舞楽より〕（四天王寺、重要無形民俗文化財）

蛮絵装束は蛮絵と呼ばれる直径三〇cmほどの丸文《まるもん》を袍にあらわした装束であるが、これも平安時代に近衛府の随身《ずいじん》が着用していた。左近衛は獅子の蛮絵、右近衛は熊の蛮絵を墨摺《すみず》りであらわした。舞楽の装束もこれに倣ったが、近世には熊の蛮絵はなくなり、左方・右方とも二頭の獅子が向かい合う蛮絵を刺繍であらわすように変化した。中世の用例では、蛮絵装束は楽人が用いることが多く、『体源抄《たいげんしょう》』によれば四天王寺でも楽人が蛮絵装束を着けたというが、現在は左方の〈春庭花《しゅんていか》〉〈桃李花《とうりか》〉（図3）、右方の〈白浜《ほうひん》〉〈登天楽《とうてんらく》〉の舞人が着用する。

裲襠は兵衛督《ひょうえのかみ》や衛府督佐《えふのかみすけ》が盛装として袍のうえに着けた貫頭衣《かんとうい》であり、これが舞楽装束に取り入れられると、糸房を縁にめぐらせた毛縁《けべり》の裲襠と、金襴をめぐらせた金襴縁《きんらんべり》の裲襠の二種類が用いられるようになった。毛縁の裲襠は左方の〈散手《さんじゅ》〉〈陵王《りょうおう》〉〈還城楽《げんじょうらく》〉、右方の〈貴徳《きとく》〉〈納曽利《なそり》〉〈抜頭《ばとう》〉（図4）など主に走舞《はしりまい》に用いられ、金襴縁の裲襠は〈打毬楽《たぎゅうらく》〉〈陪臚《ばいろ》〉〈狛桙《こまぼこ》〉などで着用する。

図3　蛮絵装束〈桃李花〉〔聖霊会の舞楽より〕（四天王寺、重要無形民俗文化財）

図4　裲襠装束〈抜頭〉〔聖霊会の舞楽より〕
（四天王寺、重要無形民俗文化財）

三　江戸時代の舞楽装束

天正《てんしょう》四年（一五七六）、織田信長《おだのぶなが》の石山本願寺《いしやまほんがんじ》攻めにおいて四天王寺は戦火に遭い、舞楽の装束も失われてしまった。その後、豊臣秀吉《とよとみひでよし》・秀頼《ひでより》の二代にわたって四天王寺が再興された際に、舞楽の所用具も調進された【第三部「中世の四天王寺」第三章三節参照】。現存の鉦鼓《しょうこ》（行事鉦）には、秀頼が四天王寺再興のために慶長《けいちょう》四年（一五九九）に奉納した旨の銘が刻まれている。さらにほぼ同時期に調進されたと考えられる鼉太鼓《だだいこ》も現存する。鼉太鼓は、舞楽の演奏において左方（唐楽）と右方（高麗楽）との一対で用いられる火焔縁《かえんべり》の付いた大型の太鼓であり、四天王寺の鼉太鼓は国内最大、その高さは七mにも及ぶ。また、〈太平楽〉の兜を納める箱には慶長十七年（一六一二）の墨書があり、桃山から江戸時代初期にかけて装束も整えられた様子がうかがわれる。

図5　童舞下襲（右方）〔四天王寺舞楽所用具のうち〕（四天王寺所蔵、重要文化財、江戸時代）

しかし、装束の大半は絹製であるため、経年の使用による損傷や劣化を避けられない。天王寺方楽人林家《がくにんはやしけ》に伝来した「四天王寺舞楽装束仕様帳《してんのうじぶがくしょうぞくしようちょう》」や同じく楽人の岡昌《おかまさ》名《な》による「舞楽装束抄《ぶがくしょうぞくしょう》」など江戸時代の記録からは、損傷した装束を繕い、あるいは染め直して使用した様子がうかがえる。また、装束を収納する長持《ながもち》には、寛政《かんせい》九年（一七九七）に禁中で使用していた古い装束を拝領したという記録が遺され、あるいは〈打毬楽〉の裲襠や袴には「紅葉山」の墨書があり、江戸城の紅葉山東照宮《もみじやまとうしょうぐう》から譲り受けたものと考えられる。このように四天王寺では江戸時代を通じて、装束が補修され、時に他所から譲り受け、あるいは新調されるなどして伝承されてきた。

江戸時代の舞楽装束は四天王寺に限らず総じて類型的であるが、わずかながら差異もみられる。「舞楽装束抄」によれば、常装束の鳥甲に据えた金銅製の丸紋《まるもん》は、禁裏《きんり》が桐、江戸・日光が葵、四天王寺が向鳩《むかいばと》であったという。現存する四天王寺の鳥甲には桐紋が付けられているが、その下には向鳩の紋の跡が確認できるものもあり、向鳩から桐紋に付け替えられたことがわかる。また、常装束や童舞《どうぶ》の下襲には、袖や裾の菱形の四辺に松喰鶴《まつくいづる》を刺繍したものがあり（図5）、これも四天王寺独自の表現である。おそらく、このような独自性は古様《こよう》を示すものと思われるが、他所から装束が流入して独自性が薄らいだと考えられる。とは言え、江戸時代の装束がこれだけまとまって伝えられてきたのは貴重であり、これらの装束類は鼉太鼓や鉦鼓も含め一括して「四天王寺舞楽所用具」として昭和四十一年（一九六六）に国の重要文化財に指定された（これらの装束については、平成二十三年度に『重要文化財　四天王寺舞楽所用具―染織品編―』として刊行されているので、詳細はこの報告書をご参照いただきたい）。さらに十年後の昭和五十一年（一九七六）には「聖霊会の舞楽」が重要無形民俗文化財となり、現役の装束類もまた修理や新調を繰り返しながら由緒ある舞楽の伝承を担っている。

（河上繁樹）

コラム【7】

四天王寺の石造物

はじめに

皆さんは「石造物《せきぞうぶつ》」という言葉を聞いたことがあるだろうか。文字通り石で造られた物である。人は悠久の昔から、長く残したいものを石で造ってきた。四天王寺にはそんな長い歴史を持つ多数の石造物が遺されている。第一部コラム3にみた亀井堂亀形石槽《かめいどうかめがたせきそう》はその最たるものであるが、ここでは中世、近世の石造物について眺めてみたい。

一　中世を代表する石造物――石槽と石鳥居――

石槽

宝物館西側には一基の石槽が置かれている（図1）。高さ約九〇cmを測り、花崗岩《かこうがん》製で一材を刳《く》り抜いて製作されている。平面形は長径二〇三cm、短径一二二・五cmの楕円形で、長軸《ちょうじく》の一端部に宝珠《ほうじゅ》形の突出を造り出す。元は西大門《さいだいもん》の外側に置かれ手水鉢《ちょうずばち》として使用されていたが、戦災によって四天王寺が焼失した際に破損し、現在は接合修復ののち金輪で締め付けて形状を保っている。

縁帯は非常に平滑で、上面に七個の円孔《えんこう》、方形《ほうけい》孔を開けるが、おそらく当初のものではなく、様々な再利用の過程で開けられたものと思われる。石槽の底部中央付近と側面の中ほど、側面底部付近にそれぞれ直径五～一〇cmの丸い穴がある。石槽には通常側面底部付近に一つ穴が開けられることが多いので、底部中央と側面中程の穴は後世に開けられたものだろう。

石槽はいわゆる手水鉢ではなく、湯につかわれた浴槽と考えられる。今のように風呂が一般化する以前、風呂（蒸し風呂）や湯（湯に浸るもの。今の風呂と同じ）は毎日入れるようなものではなく、特別なものであった。十四世紀に描かれた『是害房絵巻《ぜがいぼうえまき》』は中国からやってきた天狗是害房の起こす逸話を絵巻にしたものである。このなかで、是害房は自らの力に奢って比叡山の僧と法力比べをして大敗し、怪我をしてしまう。これを日本の天狗たちが癒してくれるのだが、その治療シーンには布を担架にして運ばれた是害房が、浴槽に入れられて治療をうけている姿が描かれている（図2）。湯浴みは単なる入浴ではなく、治療行為でも

図1　石槽

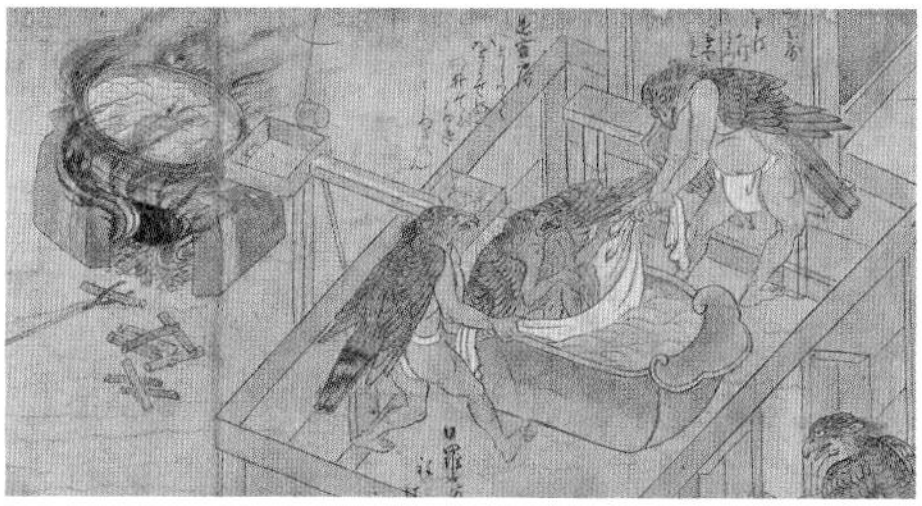
図2　中世の湯（『是害房絵巻』、泉屋博古館所蔵）

あったのである。この絵巻では鉄釜で沸かされた湯が、掛樋《かけひ》を通って適温に冷まされ、浴槽に注がれているのであるが、この浴槽が石槽であったと考えられている。

石槽は関西を中心に日本各地に存在するが、年号が刻まれるものは大半が鎌倉時代から南北朝時代のものである。四天王寺の石槽には表面を平滑に磨き上げるなど他にない丁寧な加工が施されており、湯施行《ゆせぎょう》を大切にする西大寺流律宗《さいだいじりゅうりっしゅう》（叡尊《えいそん》・忍性《にんしょう》）が四天王寺の中枢にいた十三世紀末〜十四世紀初頭ごろの年代を想定してよいだろう。

石鳥居

四天王寺は日想観《じっそうかん》の寺でもある。日想観とは西に沈む太陽を心に留めて西方浄土《さいほうじょうど》を想い描く修行であり、西方浄土の入り口がこの石鳥居《いしのとりい》であるとされている。実際、鳥居の上部に取り付けられている扁額《へんがく》には「釈迦如来転法輪処　当極楽土　東門中心」と書かれており、極楽の東門であることを誇らしげに明記する。

この石鳥居は高さ八一二・五cmを測り、反りのある笠木《かさぎ》（最上部の部材）と島木《しまぎ》（笠木とセットになっている部材）を持つ明神型《みょうじんがた》と呼ばれる鳥居である【第一部「古代の四天王寺」図1参照】。島木と貫は木心を銅板で巻いている。『元《げん》享釈書《こうしゃくしょ》』には忍性が衡門《こうもん》（鳥居）を二丈五尺の石造りに造り替えたことが記されており、この衡門が西門石鳥居に相当すると考えられている。大規模な修理を何度も受けているが、柱部分は鎌倉期のものとみてよく、鎌倉時代の笠木の一部も宝物館横に展示されている。

平成の修理では島木と笠木の木心《もくしん》と銅板の間、笠木と島木の間から永正《えいしょう》十三年（一五一六）から寛文九年（一六六九）に至る多数の納入品がみつかっている。納入品には写経帳《しゃきょうちょう》や奉加帳《ほうがちょう》のほかに毛髪や火葬骨片などがあり、いずれも極楽浄土の東門を通って浄土へ向かおうという人々の強い思念を読み取れる。

二　四天王寺を彩る多様な石造物
――近世以降の石造物――

石舞台

石舞台《いしぶたい》（図3）とは六時堂《ろくじどう》前にある花崗岩製の石台のことで、大寺の池（もとは蓮池であったが参詣の人々が数千の亀を放って俗に亀の池と呼ばれるようになった）の上に架けられており、東西六間四尺（約一二m）、南北九間（約一六m三六cm）を計る。住吉大社《すみよしたいしゃ》（大阪市住吉区）の石舞台、厳島神社《いつくしまじんじゃ》（広島県廿日市市）の板舞台とともに「日本三舞台」の一つに数えられる。四月二十二日の聖霊会の際には、天王寺楽《てんのうじがく》所雅亮会《そがりょうかい》による舞楽《ぶがく》がここで行われる。舞台の基礎および橋には、「舞台講」の銘が複数みられる。これらの紀年銘からすると、少なくとも文化《ぶんか》五年

図3　石舞台

（一八〇八）、明治二十年（一八八七）、明治二十八年（一八九五）、昭和二年（一九二七）の四度にわたって、「舞台講」により石舞台の修繕がなされたことがわかる。

下馬石

現在、本坊《ほんぼう》の唐門《からもん》前、西通用門前と庭園内に三基が立っている（図4）。いずれも花崗岩製で碑部正面に「下馬《げば》」、碑部裏面には寛永《かんえい》十四年（一六三七）の建立銘が刻まれる。下馬石《げばせき》とは下乗石《げじょうせき》とも呼ばれ、正面に下馬、下乗と彫り込まれたものである。寺社境内への輿《こし》や車馬の乗り入れを禁じた標識である。伝承ではこれらの碑文は「朝《ちょう》鮮人《せんじん》雪峯」が来朝した折の筆であるという。安永《あんえい》四年（一七七五）の「摂州四天王寺絵図《せっしゅうしてんのうじえず》」には境内の四方に下馬石が描かれており、このころは同様のものが計四基あったことがわかる。

図4　下馬石

西国巡礼三十三度行者満願供養塔

花崗岩製の宝篋印塔《ほうきょういんとう》（図5）で、文久《ぶんきゅう》二年（一八六二）の建立銘が認められる。基礎正面に「(西国)／三十三度供養塔」、基礎裏側に「住吉西之坊《すみよしにしのぼう》／五人行者之内／真道」とあり、「住吉西之坊」は大阪市住吉区にある真言宗《しんごんしゅう》御室派《おむろは》の寺院のことである。西国巡礼三十三度行者満願《さいごくじゅんれいさんじゅうさんどぎょうじゃまんがん》供養塔《くようとう》とは、三十三度の巡礼を終えて満願結縁《けちえん》した記念に建立されるものである。西之坊は住吉組を組織し、巡礼行者の元締としての役割を果たしていた。本供養塔は大阪市指定有形民俗文化財に指定されている。

図5　西国巡礼三十三度行者満願供養塔

灯籠

庭園所在の灯籠には、慶安《けいあん》四年（一六五一）銘、元禄《げんろく》六年（一六九三）銘、元禄四年（一六九一）銘、貞享《じょうきょう》四年（一六八七）銘、元禄九年（一六九六）銘、正徳《しょうとく》四年（一七一四）銘のものがある。これらのうち、「庚申堂前灯籠両基」「庚申前石灯籠両基」の銘のあるものがみられ、元は庚《こう》申堂《しんどう》に建立されたものであったことがわかる。

灯籠銘からわかる奉納者には以下のような人物がいる。「安部摂津守信盛」は武蔵国岡部藩主《むさしのくにおかべはんしゅ》。「小田切土佐守源直利」は、大坂東町奉行《ひがしまちぶぎょう》を一六八六年から一六九二年の間務めた。「藤堂伊予守藤原氏良直」は、大坂西町奉行を務めた。「松平縫殿頭源姓乗成」は、三河国《みかわのくに》大給藩《おぎゅうはん》二代藩主、「保科弾正忠正貞」は上総飯野藩《かずさいいのはん》の初代藩主である。

伝承のある石造物

宝物館西側に安置の石棺蓋《せっかんふた》は、近世においては、「巻物橋」と呼ばれ、明治時代になるまでは亀井水《かめいのみず》東小溝に橋として転用されていた。妊婦がこの橋を渡ると産が軽いという俗信が伝えられていた。

石鳥居付近の石柱は、俗に「ポンポン石」、「鼓石《つづみいし》」と呼ばれ左右に向かい合っている。それぞれ向かい合った面に四角形の彫り込みがあり、この穴に耳をあてるとあの世へいった近親者の声が聞こえるという俗信がある。これは昔天王寺村に葬式があった場合に、棺をおさめた駕籠の両端をこの穴に掛け、四天王寺の僧がここまで出向いて回向《えこう》したという伝承もある。いずれにせよこの石柱は葬送と関係するもので、棺を埋葬する際にも用いられた絞柱の類ではないかと考えられる。

庭園内に所在する亀趺《きふ》(図6)には慶安三年(一六五〇)銘がある。これは俗に「千人斬供養碑」と称されており、浜松歌国《はままつうたくに》により天保《てんぽう》四年(一八三三)に成立した『摂陽《せつよう》奇観《きかん》』によれば、亀趺建立の施主が、千人斬の罪を謝罪するために建立したものだと伝えられている。

庚申塔

庚申堂境内には、講組織《こうそしき》などが結縁し奉納された庚申塔《こうしんとう》二十基がある。庚申塔には青面金剛《しょうめんこんごう》や三猿《さんえん》が浮き彫りされる。これらは「庚申堂の庚申塔群」として大阪市指定有形民俗文化財に指定されている。庚申塔のうちもっとも古いものは、寛文《かんぶん》十年(一六七〇)銘である。この他にも庚申堂には、境内から出土したとされる永正《えいしょう》十一年(一五一四)銘、緑泥片岩製《りょくでいへんがんせい》の庚申塔が確認されている。

図6　庭園　亀趺(千人斬供養碑)

津波碑

境内北西隅に所在する安政地震津波碑《あんせいじしんつなみひ》は、安政元年(一八五四)十一月四日・五日の両日に発生した安政東海地震と同南海地震による犠牲者を供養するために、供養塔として建立された長足五輪塔《ちょうそくごりんとう》である。銘文によれば三十三名の町人により安政二年(一八五五)に建立された。元は元三大師堂《がんざんだいしどう》の傍に建立されたものであったが、現在は無縁如来塔の最上段に設置されている。

おわりに

以上、簡単ではあるが四天王寺境内の石造物を眺めてみた。様々な伝承を持つ四天王寺であるが、こうした石造物の存在は、伝承を検証してゆく手掛かりになるかもしれない。これからも大切に守り伝えたいものである。

(角南聡一郎・佐藤亜聖)

第5部

近代〜現代の四天王寺

四天王寺中門と五重塔

第一章 明治〜大正時代の四天王寺

一　四天王寺における神仏分離

　明治新政府によって神仏分離政策が着手されると、大阪にもその波が押し寄せる。

　生国魂神社《いくくにたまじんじゃ》には生玉十坊《いくたまじゅうぼう》と呼ばれる宮寺《ぐうじ》があったが、明治三年（一八七〇）に社地内の寺院を取り払って退去するよう命令が下っている。十坊は高野山宝性院末寺《こうやさんほうしょういんまつじ》であったことから、本山を通じて仏寺の存続を大阪府に嘆願したものの、同年五月には、神祇官《じんぎかん》より十坊の僧の還俗《げんぞく》が通達された。仏像・仏具を焼却し、仏堂を取り払えば、この地での居住は許されるが、還俗に従わないものは、早々に社地から退去するようにという命であった。自ら仏寺を破壊してまでこの地に残る僧はなく、こうして生国魂神社の宮寺はすべて撤去されてしまった。また住吉大社でも、神宮寺が廃絶となり、西塔《さいとう》は徳島・切幡寺《きりはたじ》に売却・移築されている。

　このような流れは、四天王寺も無縁ではなかった。南大門《なんだいもん》脇にあった十五社は、神仏分離によって廃堂となり、和光堂《わこうどう》と称する仏堂に改められた。また四天王寺の鎮守社《ちんじゅしゃ》の役割を果たしていた安居《やすい》神社《じんじゃ》などが、四天王寺から完全に分離され、安居神社の別当を担っていた秋野《あきの》もこれを辞職している。

　明治四年（一八七一）には、清僧十二ヵ院のほかは、衆僧《しゅそう》がことごとく俗籍に編入となり、山内を離退するに及んだ。しかし、永年にわたって山内に勤仕していた二十四名については、寺内にて引き続き雇い入れることを大阪府へ願い出ている。府からは、俗事ならかまわないが、法務には召し使わないようにとの達しであった。

　明治八年（一八七五）、これら下職者のうち十九名と山内に雇い入れる契約を結ぶが、明治十年（一八七七）に洞松実戒が住職となって赴任すると、この契約を無効とした。大阪府の通達に反して法務に従事しているとして、下職者らに寺内立ち退きを命ずるもこれに従わず、のちに訴訟となっている。明治十三年（一八八〇）、大阪府知事より、俗人の法務の執行や諸堂の請負を停廃するよう命令が発せられると、実戒らは下職者を諸堂から退去させるよう、警察本署へ願い出ている。このように、本山と下職者との間では、かなりの混乱があった。

二　境内の様子

　寺内では神仏分離による影響が大きくあった一方で、境内での参詣者は、かわらず多くの賑わいを見せていた（図1）。明治初年の四天王寺の彼岸《ひがん》会《え》の様子について、画家の日垣明貫の回想記が残っており、山内混乱とのギャップが興味深い。

しかし何と云っても彼岸である、春秋二度先祖代々の霊の菩提を弔らふ彼岸、分けて気候の好い春の彼岸其の参詣人の数の多い事といったらあの広い境内が人で埋まる位だ。此の数多の善男善女が前述べた道を行列の様に続いて行くのである、老いも若きも女も子供も互に見失ふまいと手を取り合って行く、婦人連や娘達は此の人込みの中で衣裳比べの心地して、お互に美装をこらし日傘をさして出て行きしものであった。電車自動車自転車の交通織りなして交通地獄を叫ばれる今日より見て、雑沓するとはいひながら此の参詣の往還は真に長閑なる春の風景であった。

（日垣明貫「明治初年の四天王寺春の彼岸詣り」『上方』第一二七号）

図1　明治5年（1872）の四天王寺

四天王寺の境内地は、明治四年（一八七一）の上地令《あげちれい》によって国有となり、明治六年（一八七三）には太政官布達《だいじょうかんふたつ》第一六号により、境内が公園地に指定編入されている。明治十五年（一八八二）発行の『大阪名所独案内《おおさかめいしょひとりあんない》』には、「近時公園地となりて桜樹数株を処々に栽植られ、花の頃は風景平時に増りて美観なり」と記されるなど、桜の名所としても知られたようである。現在も境内には各所に桜の木があるのはこの名残であろう。その後しばらく大阪府の管理下にあったが、明治三十四年（一九〇一）五月三十一日に公園地が解かれて以来、昭和二十三年（一九四八）に四天王寺へ境内地が譲与されるまでは、永らく国有地となっていた。

三　聖霊院の復興と明意上人

文久《ぶんきゅう》三年（一八六三）、聖霊院宝殿《しょうりょういんほうでん》において、灯明《とうみょう》の不始末によって宝殿はじめ院内十二カ所が焼失する。享和《きょうわ》元年（一八〇一）の雷火以来の大きな被害であった。慶応《けいおう》二年（一八六六）には、禁裏御所《きんりごしょ》より再建資金として、金銀五百枚の寄付もあったが、なかなか再建が進まなかったようである。

この再建を託されたのが、八尾《やお》の融通念仏行者《ゆうづうねんぶつぎょうじゃ》・明意《みょうい》上人であった。明治五年（一八七二）、一舎利《いっしゃり》中之院《なかのいん》性順に請われた上人は、聖霊院北東（現、弁天池《べんてんいけ》付近）に草庵《そうあん》・白蓮庵《びゃくれんあん》を構え、念仏三昧《ねんぶつざんまい》の修行に励まれたという。具体的な活動の記録が残るわけではないが、上人が聖霊院再建の取り持ちを引き受けた評判は、すぐに市中に知られるところとなり、多くの善男善女が子来《しらい》した。これにより再建事業は大いに進んだようで、明治六年（一八七三）四月には、太子堂の地築《じつき》（地固め）が行われ、九月には上棟式《じょうとうしき》が行われている。

しかし、上人は聖霊院の再建を見届けることなく、明治六年十一月十二日に示寂《じじゃく》。その再建事業は弟子や門徒《もんと》に託され、明治十二年（一八七九）に再建が成就している。

四　聖霊会舞楽法要の復興

明治に入ると、禁裏に出仕していた三方楽所《さんぽうがくそ》の楽人《がくにん》が東京へ異動することとなり、天王寺楽所による舞楽法要《ぶがくほうよう》は断絶の危機に瀕していた。

西本願寺宗主《にしほんがんじしゅうしゅ》・大谷光尊《おおたにこうそん》は、この状況を危惧し、ひそかに四天王寺に働きかけて、聖霊会舞楽再興の実現に動いたといわれている。大谷は宮内省《くないしょう》雅楽伶人《れいじん》であった東儀季凞《とうぎすえなが》に師事し、雅楽に通じていた身であり、平安時代以来の舞楽四箇法要《しかほうよう》の古式を継承する四天王寺聖霊会の断絶について心を痛めていた。大谷の命により、大阪・願泉寺《がんせんじ》住職であった小野玄龍が四天王寺との交渉に当たり、明治十二年（一八七九）に、古式にのっとった聖霊会舞楽が復興される。

この時の法要の出仕者は、旧天王寺楽所の伶人とともに、彼らに師事した民間の雅楽愛好家によって構成されていた。続いて明治十六年（一八八三）にも聖霊会が厳修され、旧天王寺楽人などに交じって民間人が舞楽を奏している。

こうした民間での聖霊会舞楽を伝承するグループと、旧楽人・東儀俊鷹《とうぎとしたか》に師事し、自身も多くの門人を育成していた森正壽・正心父子のグループとが合流し、雅亮会《がりょうかい》が設立される。明治十七年（一八八四）三月三十日には、雅亮会によってはじめての聖霊会舞楽大法要が行われている。

結成なった雅亮会は、玄龍の長子・小野樟蔭《おのしょういん》が初代会長に就いた。樟蔭は、父の影響で幼少より雅楽の手ほどきを受け、天王寺楽家の岡昌福《おかまさとみ》より、天王寺流の舞楽「秦姓《はたせい》の舞」を伝授されている。このほかにも、多くの旧伶人に師事して自ら修練するとともに、後進の指導にも尽力し、昭和十八年（一九四三）に亡くなるまで、雅亮会会長としてその責を果たした。こうして天王寺楽所の伝統を継承する雅亮会の基礎が築かれたのである。

五　頌徳会の設立

聖徳太子一三〇〇年御聖忌《ごせいき》をひかえた明治二十

五年（一八九二）、聖徳太子の霊功遺徳を国家的に表彰することを目的として、四天王寺聖徳太子頌《しょう》徳会《とくかい》が創立された。

会員は宗教界にとどまらず、あらゆる方面より募られ、総裁には小松宮彰仁親王《こまつのみやあきひとしんのう》、会長は山田信《やまだのぶ》道《みち》大阪府知事、副会長に住友吉左衛門《すみともきちざえもん》、鴻池善右《こうのいけぜんえ》衛門《もん》第十三国立銀行頭取、そして四天王寺住職の吉田源應《よしだげんおう》が就任している。

頌徳会は、太子殿《たいしでん》の改築、四天王寺本坊《ほんぼう》の拡張・修繕、わが国随一の頌徳《しょうとく》鐘《しょう》の鋳造《ちゅうぞう》という三つの事業を掲げ、このなかでももっとも重要な事業として取り組んだのが、頌徳鐘の鋳造であった【第五部コラム1参照】。

図2　頌徳鐘楼

この鐘は明治三十六年（一九〇三）に鋳造され、明治四十一年（一九〇八）には鐘楼《しょうろう》落成式並びに頌徳鐘撞始法要《つきはじめほうよう》が厳修された。資金や材料の不足により、「鳴らずの鐘」として、昭和十八年（一九四三）に供出されるまで撞かれることはなかったものの、その巨大さゆえ、四天王寺のシンボルとして親しまれた（図2）。

こうして、大正十年（一九二一）に迎えた聖徳太子一三〇〇年御聖忌では、五月九日に、「聖徳皇太子一千三百年御聖諱《ごしょうき》奉修」として万僧供養大斎会《まんぞうくようだいさいえ》が執り行われ、四天王寺でも同月十八日～二十二日まで一三〇〇年法要が厳修されている。

第二章　昭和時代の四天王寺

一　室戸台風による被害

昭和は、四天王寺にとって受難の時代となる。

昭和九年（一九三四）九月、京阪神地方を襲った室戸《むろと》台風が四天王寺に甚大な被害をもたらした。この罹災について、当時天王寺師範学校教授であった佐藤佐《たすく》による詳細な手記が残っている。

昭和九年九月二十一日。その日は彼岸で、毎月の弘法大師の縁日のため、多くの人々が境内を訪れていた。午前七時頃から風が強くなり、人々は避難のため、中門《ちゅうもん》や五重塔《ごじゅうのとう》の周辺に集まり出したという。とくに南からの風が強かったため、人々は五重塔の北側に自然と集まった。当時五重塔には、中島・溝口・寺田・平野の四名の番人がつけていた。

塔内に逃げ遅れた人がいないか、上層へ確認に登った中島は、激しく揺れる上層の揺れ方に恐怖を覚えていた。五層目と四層目の梯子はすでに破損していたという。やっとのことで地上に降りた中島は、塔下に集まった人々に危険を知らせ、早く逃げるよう呼びかけると、人々は金堂《こんどう》の方へ一目散に逃げだしたが、「塔が倒れるはずはない」とその場にじっとしている者も十数人いたという。中島は再び塔内に入り、基壇《きだん》にしがみつきながら、平野とともに四天王立像《してんのうりゅうぞう》や唐戸が倒れないように支えていた。

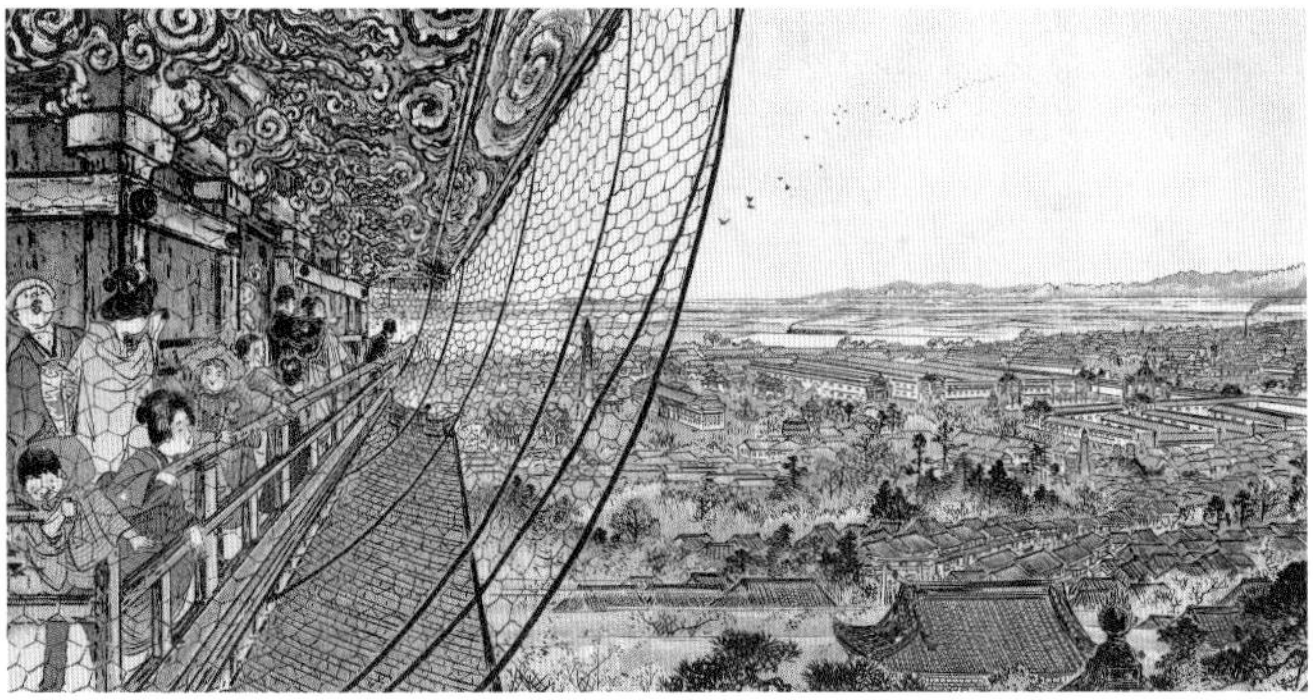

図3　荒陵山四天王寺より博覧会を望むの図（『風俗画報』第269号、明治36年・1903）

午前八時頃、轟音とともに一瞬にしてあたりが真っ暗になった。中門が五重塔に向かって倒壊したのである。中門の倒壊によって強風を直接受けるようになり、五重塔の揺れはさらに大きくなった。いよいよ身の危険を感じた平野は、意を決して塔外に出たものの、強風によって北東の用明殿《ようめいでん》近くまで吹き飛ばされてしまったという。

強風にさらされた塔は南北に大きく揺れ、次第に塔全体が北の方へ傾斜しはじめた。中央部が折れ曲がったと思った瞬間、そこがばらばらに崩壊し、上層部から北側へ倒れていった。

塔内にとどまっていたのは、十三人の参詣者と番人であった。中島は木材で頭部を打ち、一時気を失っていたものの、自力ではい出し、奇跡的に無事であった。夜を徹して遭難者の救出作業が行われたが、中島以外に二名が救出されたものの、そのほかは助からなかったという。中門倒壊による被害者と合わせて死者は十五名にのぼっている。

倒壊後に行われた調査では、心柱《しんばしら》をはじめ側柱《がわばしら》や四天柱《してんばしら》の一部が朽損していたことが判明している。また、展望台として上層を開放していた関係で（図3）、桔木《はねぎ》の一部が取り除かれていたという証言もあり、これらによって構造的な負担があったことも倒壊の一因となった。

この暴風雨により、五重塔及び仁王門《におうもん》が完全に倒壊したほか、倒れた五重塔が直撃した金堂も大きな被害を受けた（図4）。

二　発掘調査と伽藍復興

昭和九年（一九三四）十一月、天沼俊一を中心として、五重塔再建に伴う基壇の発掘作業が行われた。この結果、文化再建の塔心礎《とうしんそ》に埋納された舎《しゃ》利《り》容器（図5）のほか、塔心礎の下からは、木造《もくぞう》薬師如来像《やくしにょらいぞう》や素焼きの釈迦如来千体仏《しゃかにょらいせんたいぶつ》が発見されている。

図5-2　心礎出土舎利容器

図5-1　舎利容器出土状況

図4　室戸台風の被害

図6　五重塔心柱木曳式（昭和12年〈1937〉5月22日）

さらに、文化再建塔心礎の真下三・六mには、飛鳥時代創建期の塔心礎であると考えられる大盤石が発見され、塔や中門の基壇周辺からは飛鳥時代〜奈良時代の瓦が多数出土した。これら一連の発掘調査により、五重塔の位置が創建以来動いていないことが判明したのである。

金堂の修理と中門・五重塔の再建という大事業は、昭和七年（一九三二）に住職となった木下寂善《きのしたじゃくぜん》指揮のもと、伽藍復興局営繕課長の出口常順が取り組むこととなった。事業にかかる膨大な木材は、常順が各地に奔走し、高野山や高知など各地から、特別な計らいで巨材を調達することができた。また屋根には、重量を軽くする目的から山中製煉所にて制作された山中式銅瓦が採用されている。

昭和十年（一九三五）八月三日に金堂修復落慶供養、昭和十一年（一九三六）十月十三日の五重宝塔再建地鎮大法要に続き、昭和十二年（一九三七）四月十二日には、各地より集められた五重塔用材の巨木が湊町駅（現在のJR難波駅）に集結し、そこから四天王寺まで木曳式《こびきしき》が盛大に挙行されている（図6）。同年四月二十二日に中門落慶式並びに五重塔釿始《ちょうなはじめ》式、十二月には、創建期の心礎の上にコンクリートによる堅牢な基壇が建設されている。翌年には、三材の巨木を接いで総長一三七尺もの心柱が完成し、五月二十二日に五重塔初層立柱式並びに舎利塔納入式が行われた。
そして昭和十五年（一九四〇）五月二十二日、室戸台風から六年の歳月を経て再建され、五重宝塔落慶大法要が五日間にわたり挙行された（図7）。堂内仏画及び極彩色は堂本印象《どうもといんしょう》、四天王立像を新《にい》納忠之介《ろちゅうのすけ》、扉彫刻を明珍恒男《みょうちんつねお》、四天柱幡を山鹿清《やまがせい》華《か》が手掛けている。

五重塔の再建に際して、各所から多数の寄付が寄せられたことから、昭和新塔は「百万合力塔」と称され、この多くの善意を記念し、境内に石碑が建立されている（図8）。

三　大阪大空襲による伽藍焼失

昭和二十年（一九四五）三月十三日夜遅く、B29・二七四機が大阪市上空に襲来。空襲警報のサイレンや警鐘が響き渡るなか、焼夷弾《しょういだん》による火の雨が降り注いだ。

午前零時半頃、西門《さいもん》付近に焼夷弾が落下し、引《いん》聲堂《ぜいどう》・短聲堂《たんぜいどう》・西大門《さいだいもん》・経蔵《きょうぞう》が燃え上がった。四天王寺石鳥居の脇には天王寺消防署があったが、常時控えている消防車は、上六《うえろく》（上本町六丁目）で起こった空襲火災の消火のために出払っており、すでにもぬけの空であった。

午前一時過ぎ頃、五重塔にも焼夷弾が落ちたが、当初は銅板吹きの屋根がそれを次々と跳ね返したという。しかし、中門の東の切妻《きりづま》に落ちたエレク

図7　五重宝塔落慶大法要（昭和15年〈1940〉5月22日）

図8　百万合力記念碑

図9　炎上する五重塔と金堂（昭和20年〈1945〉3月14日）

トロン焼夷弾による炎が空高く噴き上がり、これが五重塔そして金堂に延焼した（図9）。

　紅蓮の業火を噴き上げていた五重塔は、やがて銅板屋根が燃え、蒼味を帯びた炎となった。自らが再建に奔走した昭和新塔の最後を、仁王立ちで見つめていた常順は、そこに青不動の姿を重ねた。

　五重塔は、真っ赤な炎の中にくっきりとしたシルエットを描いて立っていた。やがて、ぐらりと東へ膝をついたかと思うと、一瞬、空が暗くなった。次の瞬間、大きな炎の浪が左右に広がって、そこは一面火の海であった。

（出口善子『笙の風』）

壮麗な落慶大法要からわずか五年後のことであった。

図10　焼失前の東大門

図11　終戦直後の境内（昭和20年〈1945〉12月30日）

　ようやく消防車が戻ってきたころには、中心伽藍は焼け落ち、六時堂《ろくじどう》の縁の下がくすぶり始めていた。ただちに亀の池の水で消火され、六時堂以北の堂宇は焼失を免れた。

　しかしその間に唯一の国宝建造物であった東大門（図10）にも火の手が及び、消防隊が消火に当たったが、なすすべはなかったという。中心伽藍と並んで四天王寺の象徴であった、桃山時代の絢爛な東大門もここに焼け落ちたのである。

　現在国宝となっている『四天王寺縁起』や扇面《せんめん》法華経冊子《ほけきょうさっし》など二百余点の寺宝類は、このわずか数十m北の本坊倉庫内に保管されており無事であった。まさに間一髪のところであった。

四　四天王寺独立宣言

　四天王寺は、境内の南半分を全焼という無惨な姿で終戦を迎える（図11）。

　昭和二十年（一九四五）の宗教法人法公布に伴って、四天王寺は宗教法人となり、翌二十一年（一九四六）に四天王寺は天台宗より独立して「和宗《わしゅう》」としての一歩を踏み出した。四天王寺誌『和《わ》』第一四〇号に掲載された「四天王寺独立宣言」には、当寺の活動の基盤となる精神が謳われている。

四天王寺独立宣言

一、四天王寺は、和国の教主聖徳太子の建立にして日本仏法最初の霊場なり、故に、本寺草創の精神に顧み、中古以来の宗派並に本末関係を離脱し、新しき時代の進展に順応して、自由民主の立場より独立寺院として立つ。

二、四天王寺は、聖徳太子の創始に係る四箇院の社会事業の継承発展に努め、以て在家菩薩道の成就に直往邁進すべし、而も純真なる伝統的信仰は之を尊重し、厳粛なる公私法要、清新なる布教講演にはもとより是に力を致し、新日本建設のための文化運動に尽瘁す。

三、四天王寺は、聖徳太子を始祖と仰き、太子の恭敬礼拝せる救世観音を本尊に戴き、太子講讃の三経典並に十七条憲法を始として一切の大乗経典を自在に所依とし、真俗一貫以て真実の信仰に生くべし。

四、四天王寺は、以上の如く自主独往すれども、汎く天下の寺院教会その他の諸団体と、明朗潤達なる民主主義的立場より、連盟協和して活動すべき用意あり。

右宣言す。

昭和二十一年一月二十二日

五　戦後復興の軌跡

昭和二十二年（一九四七）、大阪市は、戦後処理の一環として区画整理委員を一般庶民から五名選出し、焦土と化した市内の土地整備を進める施政方針を発表した。仏教界を代表する形で、施行院《せぎょういん》住職であった南谷恵澄がこれに立候補し、市内寺院の票を集めて委員として選出された。

翌年一月に開かれた第一回区画整理委員会では、四天王寺跡地利用として、東門から西門へと境内を横断する道路を通すという驚くべき案が出された。しかも区画委員五人のうち四人がこれに賛成しているという。これを聞いた常順は、すぐさま府庁へ駆け込み、境内地を史跡指定するよう大阪府に要請した。これを受け、一月二十六日に境内地が史跡に仮指定され、昭和二十六年（一九五一）には「四天王寺旧境内」として国の史跡に正式に指定されている。この迅速な行動により、四天王寺の歴史的境内地が保全されたのであった。

こうして守られた境内地において、徐々に戦後の復興が始められる。昭和二十二年八月　焼失を免れた食堂《じきどう》を仮金堂として金堂跡に移築し、焼け地となった中心伽藍北西隅には、仮設の小さな北引導鐘堂が建てられた。復興は、戦没者を弔う堂宇から優先的に着手され、北鐘堂・聖霊院前殿《まえでん》・

南鐘堂《みなみがねどう》・亀井堂《かめいどう》が復興されていった。

　さらに、大梵鐘を失った大鐘楼を、「平和祈念堂」（のちに「英霊堂《えいれいどう》」）として改修し、平和を祈念する殿堂として整備する。本尊として、比叡山黒《ひえいざんくろ》谷青龍寺《だにせいりゅうじ》より丈六阿弥陀《じょうろくあみだ》立像を勧請《かんじょう》し、昭和二十四年（一九四九）三月に練供養《ねりくよう》・迎仏式が挙行され、西大門《さいだいもん》北側に設けた仮堂へ納めたのち、昭和二十六年（一九五一）五月に英霊堂内に奉安《ほうあん》された。

　昭和二十五年（一九五〇）九月三日のジェーン台風では、仮大師堂《だいしどう》や仮南鐘堂が倒壊し、英霊堂本尊の仮安置堂も吹き飛ばされるなど、甚大な被害が出た。何より、空襲を免れ仮金堂となっていた食堂が倒壊して失われたのは大きな損失であった。

　中心伽藍の復興にあたっては、藤島亥治郎《ふじしまがいじろう》（東京大学教授）ら専門家によって構成される伽藍復興建築協議会が組織され、再建の基本構想が定められた。当初、四天王寺の歴史的景観の見地により木造建築の再建が提案されたものの、建築基準法の制約などから、やむなく鉄筋コンクリート建築とすることとなった【第五部コラム4参照】。

　一方で、史跡指定地であることから、地下を大きく掘り下げる鉄筋コンクリート建築の建造について、文化財保護委員会（現、文化庁）は当初難色を示していた。しかし最終的には、伽藍は宗教活動の根源となる施設として不可欠のものであるとして、学術調査によって遺跡の状態を記録することを条件に、建造を認めるところとなった。発掘調査は、文化財保護委員会・大阪府教育委員会・四天王寺の三者合同機関とし、三ヵ年計画で実施されている【第一部コラム1参照】。

　この伽藍復興に伴う膨大な募財を実施するため、昭和三十一年（一九五六）に四天王寺復興奉賛会が設立される。昭和三十二年（一九五七）二月には、一山をあげて五重塔再建祈願托鉢大行脚《たくはつだいあんぎゃ》を実施したほか、毎年秋には勧進相撲《かんじんずもう》大阪場所が挙行され、

【表】昭和復興伽藍の安置仏・壁画

	安置仏像・壁画〔作者〕
中門	仁王像〔松久朋琳・宗琳〕
五重塔	四天王立像〔羽柴小枝子〕 四方仏〔山下摩起〕
金堂	救世観音半跏像〔平櫛田中(監修)・村上炳人〕 四天王立像〔松久朋琳・宗琳〕 仏伝図〔中村岳陵〕
講堂	阿弥陀如来坐像〔松久朋琳・宗琳〕 十一面観音立像〔佐川定慶〕 仏教東漸〔郷倉千靭〕
龍の井戸	青龍図〔山下摩起〕
西大門	釈迦如来説法十大弟子・山越阿弥陀図〔番浦省吾〕
聖霊院前殿	聖徳太子孝養立像(鎌倉時代) 聖徳太子孝養行像〔松久宗琳佛所〕 四天王立像 南無仏太子立像
聖霊院奥殿	聖徳太子摂政像〔松久朋琳・宗琳〕
聖霊院絵堂	聖徳太子絵伝〔杉本健吉〕

毎場所、大日本相撲協会より再建費として金一千万円の寄付を受けた。この勧進相撲は、伽藍落慶《らっけい》まで計七回実施され、大きな成果を結んでいる。再建された中門は大日本相撲協会、仁王像は相撲協会東西会によって寄進されたものである。このほか、松下幸之助が西大門と庭園茶室の和松庵を一人で寄進するなど、多くの篤志家の支援に支えられた復興であった。

昭和三十二年五月の五重塔地鎮祭《じちんさい》（起工式）を皮切りに、昭和三十四年（一九五九）四月、五重塔落慶仏舎利奉安式を迎える。続いて、昭和三十六年（一九六一）三月十五日、金堂落慶法要、その後講堂・中門・東西重門《じゅうもん》・廻廊《かいろう》・龍の井戸が次々と再建された（表）。そして、昭和三十八年（一九六三）十月十五日から五日間にわたり、四天王寺復興大法要が厳修される。戦後二十年をたたずして、不死鳥のごとく復活した四天王寺伽藍は、地域の人にとって戦後復興の象徴であり、大きな希望の光となったに違いない。

この昭和伽藍復興を記念し、四天王寺に美麗な荘厳経（昭和荘厳経。図12）が奉納された。これは法華経《ほけきょう》・維摩経《ゆいまきょう》・勝鬘経《しょうまんぎょう》の太子三経など三十巻を、田中塊堂《たなかかいどう》ら当代を代表する書家五十名が分写したもので、料紙は田中親美《たなかしんび》が手掛け、経箱は新村撰《しんむらせん》吉《きち》が古代漆皮箱《しっぴばこ》の技法で制作し、それらを納める外箱には生田花朝《いくたかちょう》が絵を施している。その量・質ともに、近代日本における荘厳経の白眉といえる。

そして、復興事業の最後として、聖霊院奥殿《おくでん》の再建が進められた。奥殿は、前殿と収蔵庫を結ぶ南北線と、石鳥居・東西重門の中心を結ぶ東西線の交点の場所に設定され、太子の和の精神を具現するため、正円の円堂《えんどう》形式にすることとなった。そしてその北側には、太子信仰流布の殿堂たる絵堂《えどう》と、韓国・海印寺《かいいんじ》より勧請した大蔵経を納める経蔵が建立されている。

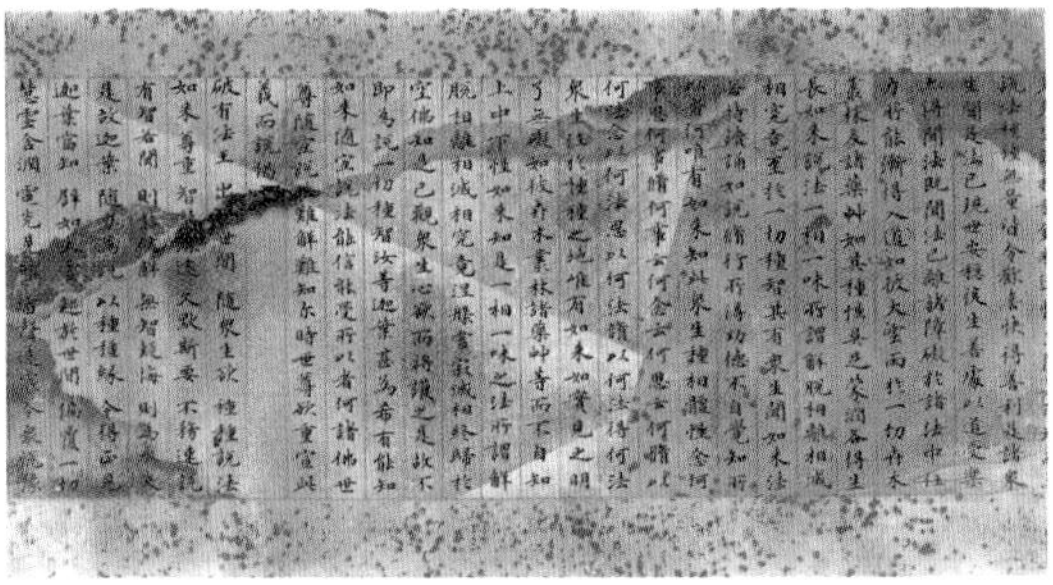
図12　昭和荘厳経 薬草喩品第5（田中塊堂、四天王寺所蔵）

図13　聖徳太子奥殿落慶結願大法要（昭和54年〈1979〉10月）

昭和五十四年（一九七九）十月十三日から二十二日にわたり、聖徳太子奥殿落慶大法要及び四天王寺伽藍復興記念大法要が挙行される（図13）。連日各宗本山が慶讃大法要を行い、最終日には、奥殿落慶結願大法要・聖霊会舞楽法要が厳かに営まれた。四天王寺史上においても未曽有の盛儀であった。

第三章 四箇院の近代的復興

——四天王寺学園・四天王寺福祉事業団の創設

近代における四天王寺史において特筆すべきは、聖徳太子の本願である四箇院制度を復興して、学校教育・病院・社会福祉施設を整備し、近代社会のなかで寺院ひいては宗教の果たす役割を明確に示したことである。

一　四天王寺学園

聖徳太子の四箇院のうち、敬田院は仏教修行に基づく人間教育の道場であった。この敬田院事業を継承するべく、大正十一年（一九二二）、聖徳太子一三〇〇年御聖忌記念事業として、現在の学校法人四天王寺学園の前身となる天王寺高等女学校が創立された（図14）。校主となった吉田源應は、当時の世相に鑑み、社会に資する女性の育成を掲げたのであった。

図14　四天王寺学園

さらに、昭和三十一年（一九五六）、当時の四天王寺高等学校定時制課程を拡大発展させる形で、天王寺区の天王寺学舎に四天王寺養護教員養成所が開設される。二年間の修学年限で、幼稚園から高校に至るまでの養護教員の資格が得られる、全国でも類例のみない課程であった。しかも夜間制であったことから、勤労者にも適した課程であったという。こうした課程は、四箇院に基づく社会福祉事業とも関連し、敬田院による教育によって、社会に貢献する人材を育成するという、まさに四箇院制度を体系化するものであった。この養成所を基盤として、翌年には四天王寺学園女子短期大学が設置されている。

昭和四十二年（一九六七）には、大阪府羽曳野市の広大な校地に四天王寺女子大学が新設される。その後、昭和五十六年（一九八一）に、四天王寺国際仏教大学と改称して、男女共学となり、平成二十年（二〇〇八）には現在の四天王寺大学・四天王寺短期大学部に改称されている。

さらに平成三十一年（二〇一九）に看護学部、翌年に大学院看護学研究科を開設し、社会に資する人材育成の基盤が整えられている。

昭和五十九年（一九八四）、全寮制の男子校として、四天王寺国際仏教高等学校・中学校を設置し、平成二年（一九九〇）、四天王寺羽曳丘高等学校・中学校に改称した（平成二十八年同中学校、三十一年同高等学校閉校）。

また、平成二十一年（二〇〇九）の四天王寺学園小学校（現、四天王寺小学校）開設を皮切りに、平成二十六年（二〇一四）には四天王寺学園中学校、同二十九年（二〇一七）には四天王寺学園高等学校が設置され、令和二年（二〇二〇）に両校は四天王寺東中学校・四天王寺東高等学校に改称している。

現在、四天王寺学園は、四天王寺大学・短期大学部・大学院、四天王寺高等学校・中学校、四天王寺東高等学校・中学校、四天王寺小学校を擁し、十七条憲法の「和の精神」にのっとり、道徳観・倫理観を涵養《かんよう》し、勉学・スポーツ等において自己を徹底して磨く教育を実践することで、社会に貢献する多様な人材を輩出している。

二　四天王寺福祉事業団

聖徳太子一三〇〇年御聖忌の記念事業として、昭和六年（一九三一）、四天王寺境内の南西角に四天王寺施薬療病院《せやくりょうびょういん》（のちに天王寺病院を経て四天王寺病院）が設立された（図15）。これが四天王寺福祉事業団の創立である。

図15　天王寺病院

昭和十二年（一九三七）には、同病院の事業として、藤井寺大鉄《だいてつ》経営地内に四天王寺悲田院《ひでんいん》が設立される。この悲田院は、養護事業とともに、日中戦争のために、大陸で戦火のなか残された孤児達を、毎日新聞社社会事業団の協力を得て収容保護したこともあった。こうした活動は、隣邦《りんぽう》児童愛育所として戦争末期まで継続されている。

昭和二十年（一九四五）の空襲では、病院の本館が半焼、別館が全焼して設備の大部分が被災し、業務停止を余儀なくされた。診療事業の大半が機能を失った状態で終戦を迎えたが、戦後の荒廃した社会情勢のなか、社会における使命を果たすため、復旧工事を急ぎ、同年十月には業務を再開している。

昭和二十三年（一九四八）には、大阪府より松風荘及びたかわし療の経営委託をうけて、養老事業を拡充するとともに、翌年には、夕陽丘《ゆうひがおか》に母子寮及び保育所が大阪府によって設置され、当事業団が経営委託されている。

国による社会福祉事業法の施行をうけ、それぞれ財団法人として運営されてきた天王寺病院と悲田院は昭和二十七年（一九五二）に組織変更・合併されて、社会福祉法人四天王寺福祉事業団が設立された。

昭和四十年（一九六五）には、悲田院建物の老朽化などもあり、羽曳丘《はびきがおか》に新築移転し、養護のほか新たに特別養護老人ホームを設置している。また、悲田院に隣接して経営してきた児童寮が使命を終えて廃止され、これに代わって、病院に入院して治療を必要としない、心身に障がいのある児童の養護施設として太子学園の運営を委託されている。悲田院は、平成二十三年（二〇一一）に新築され、養護老人ホーム・保育園をはじめ、児童発達支援センター、診療所、社会福祉研修センターなどを備えた総合福祉施設として整備されている。

現在では、高齢福祉、保育・母子・女性福祉、障がい福祉、医療福祉、社会福祉研修センターなど二十一の各施設を運営し、聖徳太子の本願である悲田院・施薬院・療病院を継承して、多様な福祉サービスを提供し、福祉社会の実現を目指している。

第四章
聖徳太子千四百年御聖忌 そして次の百年へ

一　平成の大改修と焼失堂宇の復興

昭和三十八年（一九六三）に復興を遂げた中心伽藍は、六十年以上の時を経て、塗装の褪色などの外装の劣化、さらにその耐震性能が懸案となっていた。聖徳太子千四百年御聖忌の記念事業として、平成二十七年～三十年の三ヵ年半にわたり伽藍の大改修が実施された。

平成二十七年（二〇一五）九月七日、工事の安全を祈願する中心伽藍耐震改修工事安全祈願法要が厳修され、五重塔の改修が開始される。全ての瓦を取り外して、屋根の修繕を実施するとともに、相輪《そうりん》が昭和再建以降初めて地上に降ろされ、再度金色の塗装が施されることとなった。さらに耐震対策として、初層四隅の梁から地下十数mに伸びる新たな地下柱を設置し、基礎と塔身とを強固に縫い付ける措置が取られた。こののち講堂、続いて金堂の塗装が更新され、金堂においては、内部の設えが変更され、より快適な参拝空間が整えられた。

この間、永年の風雪によって褪色や彩色の剥落のみられた中門仁王像の修復が行われた。松久宗琳佛所が三ヵ月にわたり現地に詰めて作業し、仁王像の色を鮮やかな青と朱に塗りなおし、尊容を新たにしている。

また、戦災によって失われた堂宇の復興も徐々に進められ、聖霊院北側の場所には、用明天皇を祀る用明殿が、五重塔東側には、かつて聖霊院の一角に安置されていた伝教大師《でんぎょうだいし》像を復興した一乗《いちじょう》院《いん》が建立された。

二　聖徳太子千四百年御聖忌から次の百年へ

聖徳太子千四百年御聖忌の節目を迎え、令和三年（二〇二一）十月十八日から、「聖徳太子千四百年御聖忌慶讃大法会」が、各宗本山奉修のもと行われる。そして令和四年（二〇二二）四月二十二日には、本大法会の結願《けちがん》法要として聖霊会が厳修される。

これに先立ち、大法会にて鳳輦《ほうれん》に安置する聖徳太子十六歳孝養行像《きょうようぎょうぞう》が、四天王寺一心大神会《いちがんおおがみかい》並びに四天王寺支院吉祥院住職塚原昭應師の寄進によって造像された。松久宗琳佛所の制作による、聖霊院「童像」（孝養太子像）の伝統を引き継ぐにふさわしい美しい太子像である（図16）。

図16　聖徳太子十六歳孝養像（松久宗琳佛所、令和3年・2021）

四天王寺は聖徳太子による創建以降、幾度も灰塵と化したが、その都度伽藍を再建し、参拝者や地域住民の心の拠り所として、またまちのシンボルとして存在し続けてきた。歴史的価値を有する建造物や美術工芸品のみならず、法会《ほうえ》や行事などの伝統も絶やすことなく継承しえた背景には、多くの人々による篤い帰依と、四天王寺を守ろうという人々の想像を絶する努力があった。常に衆生に寄り添う四天王寺があったこと、そして地域の人々がいかなるときも四天王寺を支えてきたこと、この相互的な関係が千四百年という途方もない時間にわたって維持されてきたことは、何よりも尊い宝である。四天王寺を支えてきた数多くの人々への感謝とともに、四天王寺が社会に果たすべき役割とその存在意義を常に意識しながら、次の太子一五〇〇年御聖忌に向け、その法灯を継承していくことこそが、四天王寺の使命となろう。

（一本崇之）

コラム【1】

世界一の大梵鐘と大鐘楼

——英霊堂に秘められた物語——

一　大梵鐘鋳造への勧進

英霊堂《えいれいどう》の前身である大鐘楼《だいしょうろう》「頌徳鐘楼《しょうとく》」に吊るされていた巨大な梵鐘《ぼんしょう》は、正式には「聖徳皇太子頌徳鐘《しょうとくこうたいししょうとくしょう》」と称される。この鋳造《ちゅうぞう》を企画したのが、明治二十五年（一八九二）に、聖徳太子の霊徳偉功を表彰するために設立された「頌徳会」である。

この梵鐘鋳造計画は、明治三十六年（一九〇三）に、天王寺公園にて開催される第五回内国勧業博覧会《ないこくかんぎょうはくらんかい》を契機として、大正十年（一九二一）に迎える聖徳太子一三〇〇年御忌の記念事業と位置付けられた。科学が進歩する一方で、精神的宗教としての仏教の衰退を憂慮し、科学と宗教が両立すべきことを、世界一の梵鐘鋳造という形で世に知らしめんとするものであった。

梵鐘鋳造を発願《ほつがん》した頌徳会は、明治三十三年（一九〇〇）より、吉田源應《よしだげんおう》を中心として、梵鐘鋳造のための勧進《かんじん》活動を開始する。この勧進にて配布された様々なチラシやポスターをはじめ、勧進相撲の番付などが残されており、その活動の足跡をうかがうことができる（図1）。またこの梵鐘鋳造の発願を記念して、釣鐘形のまんじゅうが門前で売り出された。これが、今でも石鳥居《いしのとりい》傍に店を構え、大阪銘菓として親しまれている釣鐘屋の「釣鐘まんじゅう」である。寺内だけではなく、門前町も一緒になってこの大事業を盛り上げようという機運の高まりを感じさせる。

当初計画の梵鐘の規模は、高さ二丈六尺・口径一丈六尺・厚さ二尺二寸・口縁廻り五丈四尺・重量四万二〇〇〇貫であった。大鐘として知られる京都・知恩院《ちおんいん》の梵鐘が、高さ一丈六尺・廻り二丈八尺五寸・重さ二万貫であることを考えれば、頌徳鐘がいかに巨大な梵鐘であったかがわかる。

勧化《かんげ》により、九万人に及ぶ人々からの寄付が集まり、古鏡十四万～十五万枚、銅器八〇〇〇～九〇〇〇貫目による地金《じがね》と、寄付金十二万円が集まったという。しかしながら、梵鐘鋳造費・金二十一万円、鐘堂建築費・金十万円の合計三十一万円という当初計画には遠く及ばなかった。ところで、当初計画の意匠は、四天王寺仏師田中主水《たなかもんど》

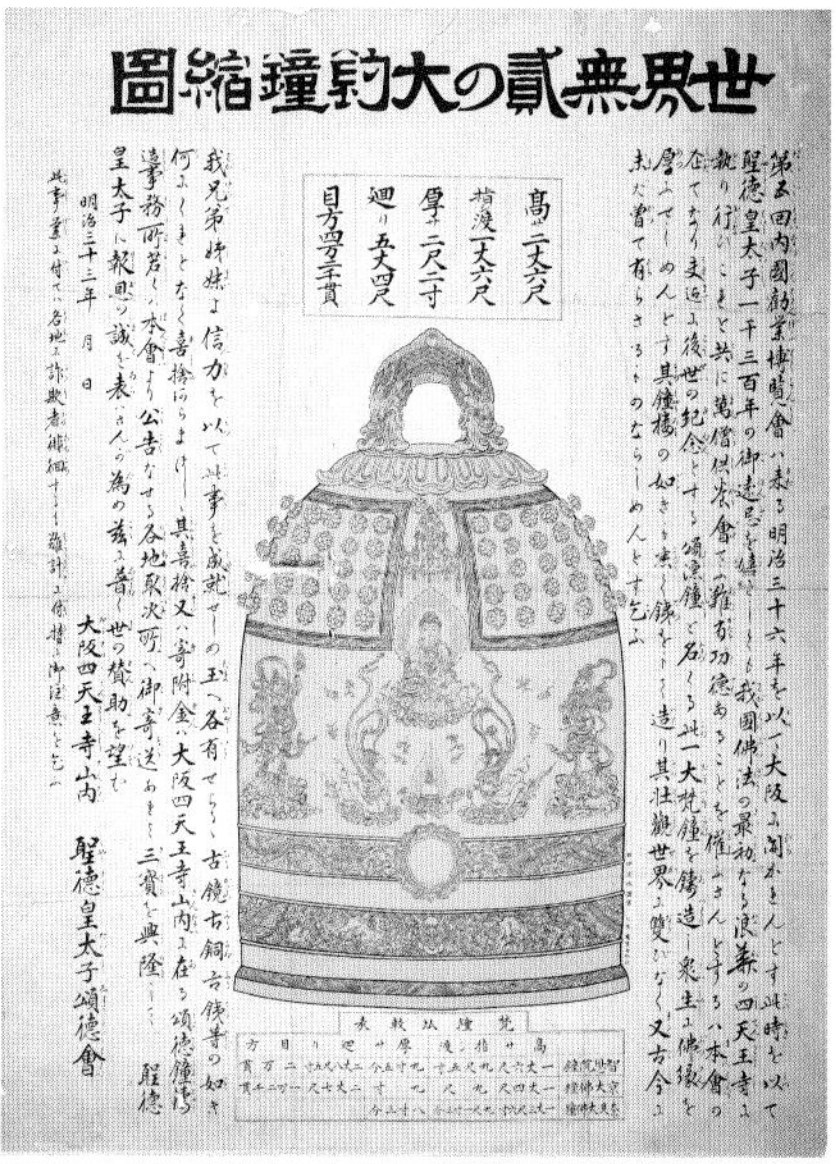

図1　世界無貳の大釣鐘縮図（四天王寺所蔵、大阪市指定有形文化財、明治33年・1900）

が考案した、朝鮮鐘式《ちょうせんしょう》のきわめて豪華なものであった。しかしながら、実際には平凡な和鐘《わしょう》の形式が採用されている。のちに、考案者田中主水立慶《りっけい》の次代の主水が、亡父の図案に拠っていないことを不服として改鋳を要求しており、この図案変更においても厳しい資金繰りが垣間見られる。

二　大梵鐘鋳造と鐘楼の建造

大々的に行われた勧進活動により、各所より寄付が集まったことから、明治三十五年（一九〇二）頃より大梵鐘鋳造の準備に入ることになる。

まずは大阪砲兵工廠《ほうへいこうしょう》に鋳造の交渉とともに各所の梵鐘を調査して見積が出された。工廠より提出された見積によると、頌徳鐘の鋳造経費は約二十四万円、これに工廠から四天王寺間の輸送費二万円を足して合計二十六万円であった。十二万円もの寄付を集めたとはいえ、砲兵工廠の見積の半分にも及ばない。やむなく梵鐘調査の実費六百円を支払い、工廠での鋳造は白紙となった。

そこで立ち上がったのが、大阪鋳物工業組合員の今村久兵衛・中井久太郎・市橋寅吉・浅田松五郎ら四名であった。協議の末、地金・送風機・電気使用料は一切頌徳会が負担し、溶解炉の装置その他設備上の諸費は技師に属すこととして、もし一回の鋳造でうまくいかなかった場合三回までは改鋳することを条件に、この鋳造を請け負うこととなる。

彼らの提示した見積額は三万七千八百六十二円五十銭であったが、鋳造のための電力を発電所から引くための工事代金などが差し引かれ、実際の請負額は三万三千百四十八円であった。その他地銅や諸工事の費用を合わせると総額八万一千円の事業であるが、当初計画の三分の一ほどの資金での着手となった。

施工者も決まり、鋳造への準備が進められ、明治三十五年三月十九日、盛大な地鎮祭が厳修《ごんしゅ》、次いで同年九月十四日には、「聖徳皇太子頌徳鐘鋳造祝祷大法会」、十月の「蹈鞴《たたら》の式」を経て起工される。

鋳造は、現在の英霊堂の真下に、深さ・直径それぞれ二十五尺（約七・六m）の総煉瓦積の大穴を掘り、そこに鋳型を降ろして鋳造する方法がとられた。

明治三十六年（一九〇三）一月二十四日正午、鋳型の中に一斉に熱銅が流し込まれた。十二～十三分ほどで無事流入が完了すると、その場にいた一同によって万歳三唱

図2　頌徳鐘と吉田源應（明治36年・1903）

の掛け声が上がった。職工その他関係者百数十名が、樽酒の鏡をぬいて冷酒をいただき、太子殿を参拝、引き続き鋳造場に飾ってあった日の丸扇子を組んだ御幣を担いで、関係者の家々へお祝いに回ったという（図2）。

　梵鐘鋳造の完了に続いて、鐘楼建設の準備が進められる。明治三十九年（一九〇六）六月七日に行われた棟木の木曳式《きびきしき》は、町をあげた盛事であったことが、古写真からうかがわれる（図3）。

図4　頌徳鐘楼天井画（湯川松堂筆）赤外線写真

図3　天王寺鐘楼棟木曳（明治39年・1906、6月7日）

この時の木曳き音頭は、生田南水《いくたなんすい》及び渡辺霞亭《わたなべかてい》の作によるものであった。同年十一月七日の上棟式を経て、明治四十年（一九〇七）十月十三日には巨大な「雲龍図《うんりゅうず》」の天井画も完成し、同年末頃には竣工を迎えている。鐘楼には珍しいこの天井画は、森下仁丹創業者の森下博の寄進により、湯川松堂が小松宮彰仁親王下賜の筆をもって描いたものである（図4）。そして、梵鐘鋳造から遅れること五年、明治四十一年（一九〇八）五月二十二日、四天王《してんのう》寺《じ》鐘楼落成頌徳鐘撞始法要《しょうろうらくせいしょうとくしょうつきはじめほうよう》が厳修されている。

　しかし無情にも、披露されたその音は皆の期待に沿うものではなかった。その後四十年にわたり「鳴らずの鐘」として梵鐘は沈黙を続けることになる。これだけの労力と資金を投入して鋳造成し遂げた鐘を前にして、今村らの心境はいかばかりであったろう。

三　大梵鐘の末路と大鐘楼のその後

　太平洋戦争の戦況が切迫する中、昭和十六年（一九四一）に「金属類回収令」が公布されると、同年十月七日には、森田潮應《もりたちょうおう》貫主代行が信徒総代相談会を招集して意見を聞き、大阪府社寺兵事課へ頌徳鐘献納の意思表示を行っている。

　昭和十七年（一九四二）十一月二十五日、午前十一時より大梵鐘下にて、頌徳大梵鐘撞き納め式が厳かに行われた（図5）。世界一と謳われた大梵鐘の最後の咆哮を聞き逃すまいと集まった多くの人々に見守られる中、「ダアーンー」という大砲の音のような太い響きが辺りにこだました。

図5　頌徳大梵鐘撞き納め式（昭和17年・1942、11月25日）

昭和十八年（一九四三）三月二十日より吊り降ろしの作業が開始される。これに伴い、世界一の梵鐘を記録に残すための調査が実施された。

当初より頌徳鐘は厚さ一尺六寸（約四八cm）と謳われていたが、実際にこの厚みをもっているのは一番下の縁のみで、下から三尺目には二寸三分、六尺以上になるとわずか一寸七分ほどしか厚みがなかったという。また四万二〇〇〇貫という重量は、正味一万七〇〇〇貫余りであった。本来、鐘は全鐘壁の厚さが均等でなければならないので、この厚みの不均等は致命的で、さらに各所の鋳造の継ぎ目が鳴りに悪影響を及ぼしていた。これが「鳴らずの鐘」の正体であった。

四十年ぶりに地上に降ろされた大梵鐘は、細々と裁断された後（図6）、同年六月三日に全ての搬出が終えられた。明治の人々が威信をかけて鋳造した大梵鐘は、ここにはかなくその役目を終える。その後、この梵鐘は銃弾や兵器にその姿を変え、多くの尊い命を奪う一助となってしまうのであった。

鐘を失った大鐘楼は、戦後、戦争無き真の平和の表徴として、戦没者を供養するため「平和祈念堂」（のちに「英霊堂」と改称）として改修されることとなった。比叡山《ひえいざん》より現本尊の丈六阿弥陀如来立像《じょうろくあみだにょらいりゅうぞう》を迎え、昭和二十六年（一九五一）に落成する。昭和二十七年（一九五二）には、沖縄仏教会の招きにより、四天王寺沖縄慰霊団を出して遺骨収集にあたり、沖縄遺骨二十一柱が四天王寺に迎えられて英霊堂に安置された。同十五日には英霊堂にて慰霊法要が厳修されている。以後、大阪府遺族連合会・大阪市遺族会からなる英霊堂護持会の支援を受けながら、現在は戦没者に加え、自然災害による犠牲者を追悼する慰霊塔としてその役割を担っている。

（一本崇之）

図6　裁断された頌徳鐘（昭和18年・1943）

コラム【2】

四天王寺と近代大阪画壇
――湯川松堂・菅楯彦・生田花朝女を中心に――

はじめに

近代大阪における画壇の動向を考えるとき、昭和十一年（一九三六）に設立された大阪市立美術館の存在は大きい。しかし、博物館設置以前（明治・大正期）の大阪で、四天王寺が果たしてきた役割は看過できない。なぜなら、奉納された書画はもとより本堂壁画や堂宇《どうう》の天井画など、参拝する人々が眼にする寺宝（作品）の受容もまた、美術鑑賞に通底しているからだ。

惜しくも戦災により焼失した堂本印象《どうもといんしょう》による宝塔《ほうとう》の壁画・柱絵（現在下絵が残されている）をはじめとして、湯《ゆ》川松堂《かわしょうどう》の英霊堂《えいれいどう》天井画「雲龍図」、上田耕冲《うえだこうちゅう》の本坊方丈《ほんぼうほうじょう》壁画、中村岳陵《なかむらがくりょう》による金堂《こんどう》の仏伝図、山下摩起《やましたまき》による五重《ごじゅうの》塔《とう》の壁画・扉絵などは壮麗な仏教世界を表現するだけでなく、彼らの絵画表現を伝えて余すところがない。

こうした視点に立ったとき、近代大阪の画家を中心に多くの絵画作品が四天王寺に寄進奉納されてきた経緯が重要である。本コラムでは、とりわけ四天王寺と密接な縁を持つ湯川松堂・菅楯彦《すがたてひこ》・生田花朝女《いくたかちょうじょ》を中心に紹介したい。

一　気宇壮大の画家　湯川松堂

四天王寺に多くの足跡を残している湯川松堂（一八六八～一九五五）について、今日知る人は少ないだろう。その経歴は生前の大正四年（一九一五）に出版された『浪華摘《なにわてき》英《えい》』に詳しい。（旧字は新字に改め、句読点を入れた）

先生通称は愛之助、号は松堂別に楽寿の号あり昇龍館と称す。明治元年六月十日紀伊国日高郡印南に生る。父は岸水と号し染戸の上絵を業とす。母は西氏。明治十一年初めて大阪に来り三谷貞広の門に入り広光と号す。（中略）二四年鈴木松年の門に入り浮世画工の班を脱して初めて松堂と号せしも未だ名を成すに足らず。三四年百美人を描きて上梓す。此年故小松宮殿下の御知遇を辱うし翌年三島の楽寿殿に侍して御襖其他を描き遂に楽寿の号并に印章附御染筆を添え賜る。（中略）明治四十年四天王寺の鐘楼成り其天井六十四坪に雲龍を描く。小松宮妃殿下より故殿下の御雅号を刻せる御筆を賜い且つ硯に紫雲の銘を賜う。又此年大命を奉じ岩倉具視伝の絵巻物二五軸尺五絹本五百六十尺を描く。（後略）

というもので、当初、松堂は浮世絵師の三谷（歌川《うたがわ》）貞広の弟子となり広光の号を得た。しかし、浮世絵師としての修業に飽き足らなかったのか、数年で同所を去り、一転、京都の鈴木松年《すずきしょうねん》門下（明治二十四年・一八九一）となる。そこで得た松堂の画号は終生のものとなるが、世に出るまではしばらくの日月が必要であった。明治三十四年（一九〇一）に百美人を上梓するとあるのは、今日散見される色刷木版『古今風俗百美人《ここんふうぞくひゃくびじん》』の原画であろう。また、宮家との関係で賜ったという「楽寿《らくじゅ》」号も、残さ

図1　絹本着色「雲龍猛虎図」（双幅）（湯川松堂筆、四天王寺所蔵、昭和30年・1955）各縦121.4cm、横42.4cm

図1－1　雲龍図

図1－2　猛虎図

れた作品に見ることができる。松堂を特徴づけるのは、大鐘楼堂《だいしょうろうどう》の天井画、岩倉公の大部の絵巻などの作品をはじめ、百美人など数百本を超える壮大な作品群があることだ。なかでも聖徳太子千三百年御忌記念事業として建立された大鐘楼堂（英霊堂）の天井雲龍図（仁丹創業者森下博寄進）【第五部コラム1図4参照】は圧巻で、制作には斎戒沐浴して臨み、前述の小松宮彰仁親王殿下から下賜された御染筆にて雲龍図を描き上げたとされる。同時期に松堂自ら「聖徳太子図」千三百幅（印譜に記載有）を勧進奉納したことも忘れてはならない。さらに、昭和三十年（一九五五）に松堂米寿記念画会が四天王寺で催され（箱裏記載有）、その記念として奉納された「雲龍猛虎図」《うんりゅうもうこず》（双幅）（図1）は米寿とは思えぬ気迫に満ちた作品といえるが、師である松年の影響が見て取れるのは興味深い。

二　浪速の町絵師　菅楯彦

自らを「一介の町絵師」と称して憚らなかった菅楯彦（一八七八〜一九六三）は、紛れもなく近代大阪を代表する日本画家だが、生粋の大阪人でなかったことは意外に知られていない。

楯彦は明治十一年（一八七八）に鳥取の倉吉《くらよし》に生まれた。本名は藤太郎。父は日本画家の菅盛南《すがせいなん》で、幼い頃、父とともに大阪に移住した。塩川文麟《しおかわぶんりん》の弟子として四条派の絵を描いていた盛南だが、病のため、まだ十一歳の楯彦に一家の行く末を委ねざるを得なくなった。そのため、特定の師につくことなく襖絵や幻灯絵《げんとうえ》の彩色を手伝いながら、自作の縮図帖により四条派、狩野派、土佐派、浮世絵などを独学で習得した。さらに、漢学を山本梅崖《やまもとばいがい》、国学・有職故実《ゆうそくこじつ》を鎌垣春岡《かまがきはるおか》、舞楽《ぶがく》に関しては森正寿に師事し雅亮会《がりょうかい》（天王寺楽所《がくそ》）に入会するなど日々修養を怠らなかった。こうして、はじめ盛虎と号し、のち静湖、静香などを経て楯彦となった。

楯彦とは「国を守る男子」という意味で国学の師、鎌垣春岡が『万葉集《まんようしゅう》』から引用したものであるという。身につけた国学や歴史観をもとに浪華《なにわ》の風俗を描く町絵師として「浪速御民」を標榜するなど独自なスタイルを確立した。しかし、どの団体にも属さず、従って展覧会への出品にも興味を示さなかった彼の画業は、研究者はもとより、世間の人々からも半ば忘れられたような存在となった感がある。残された彼の作品に大作が少ない理由はここにある。文展をはじめとする展覧会への出品（他人から評価されるための大作）に力点を置かず、船場《せんば》の顧客を中心として町家の床の間を飾る作品を主眼としたからである。市井の町絵師を自認する楯彦は、雅亮会での有職故実の研鑽はもとより、住居（阿倍野区松崎町）が近いこともあり、結果として四天王寺ともっとも関係が深かった画家であったといえよう。

「聖霊会舞楽（振鉾《えんぶ》）」（図2）や「抜頭鼉太鼓《ばとうだだいこ》を廻る」（図3）など祭礼舞楽を描いた作品も多く寄進奉納されている。一方、明治神宮聖徳記念絵画館の壁画「皇后冊立《こうごうさくりつ》」を別格として、六曲一双の屏風作品は数えるほどしか残っていない。なかでも令和二年（二〇二〇）に修理が成った「竜頭鷁首図屏風《りゅうとうげきしゅずびょうぶ》」（図4）は、華やかなだけでなく全体を通しての劇的な構成力、冷泉為恭《れいぜいためちか》以来の大和絵の本流を押さえつつ、楯彦流の人物表現が融合する大作である。他に例を見ない本作の価値は計り知れず、まさに楯彦の最高傑作といえるだろう。

図2　絹本着色「聖霊会舞楽(振鉾)」(菅楯彦筆、四天王寺所蔵、昭和2年・1927)縦145.5cm、横42.3cm

図3　紙本着色「抜頭鼉太鼓を廻る」(菅楯彦筆、四天王寺所蔵、昭和32年・1957)縦175.8cm、横71.1cm

三　楯彦を継ぐ者　生田花朝女

生田花朝女（一八八九～一九七八）は菅楯彦に師事し、もっとも楯彦の画風を受け継ぐ画家として大阪の年中行事や祭礼を描き、今日に多くの優品を残している。花朝女は明治二十二年（一八八九）大阪を代表する文化人であった生田南水《いくたなんすい》（国学者）の三女として天王寺区上之宮町に生まれた。

父の影響もあり、学問を好んだが幼少より作画を好み、四条派の画家に写生画法を学んだのち、菅楯彦についている。南水と懇意であった楯彦のもと

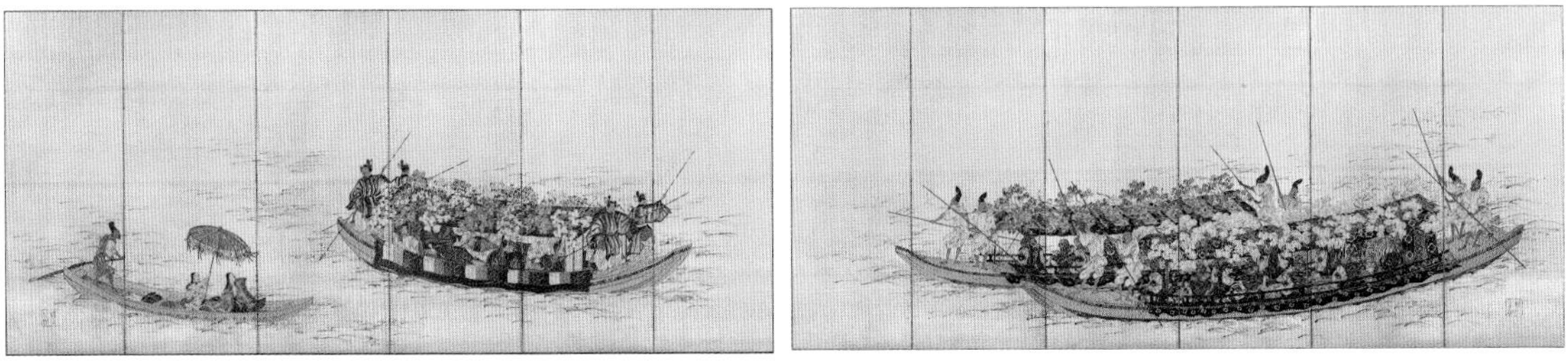

図4　紙本金地着色「竜頭鷁首図屏風」（菅楯彦筆、四天王寺所蔵、昭和時代）各縦172.0cm、横386.0cm

図5　紙本着色「極楽門の春」（生田花朝女筆、四天王寺所蔵、昭和40年・1965）縦107.0cm、横140.0cm

図6　紙本着色「聖霊会行道図」（生田花朝女筆、四天王寺所蔵、昭和時代）縦68.1cm、横76.4cm

で、絵画を学ぶとともに国・漢学や有職故実の感化を受けた。自らは展覧会に距離を置いた楯彦が出品にこだわった花朝女のため、友人である北野恒富《きたのつねとみ》に彼女を預けることにした。結果として出品を重ねた花朝女は画壇に確固とした地盤を築いたが、浪速の情景や風俗、年中行事に目を向ける姿勢は終生変わることがなかった。一時、師のもとを離れはしたが、「極楽門《ごくらくもん》の春」（図5）・「聖霊会行道図《ぎょうどうず》」（図6）に見られるように、誰もが認める画風の連続性こそが楯彦の画業を継ぐものとしての自負心であったかもしれない。

近年、四天王寺宝物館にて彼らの作品は順次企画され鑑賞することができるようになった。まだ見ぬ近代大阪画壇の優品を所縁の場所でじっくりと堪能できることは有難いことといえるだろう。

（明尾圭造）

コラム 【3】

四天王寺中心伽藍の復興建築について

一 建設までの経過

四天王寺は大阪の中心部に位置することから戦乱に巻き込まれ、伽藍《がらん》焼失を繰り返してきた。雷火、台風等による自然災害にも見舞われ、再建された建築を失うこともたびたびであった。戦後、中心伽藍の復興を検討する際には、建築基準法の規定により耐火建築物とすることが求められていたことから、耐震、耐火にすぐれた鉄骨鉄筋コンクリート造（以下、ＳＲＣ造とする）とすることとした。

敷地は国の史跡に指定されていたため、中心伽藍建築の再建にあたっては発掘調査をおこない、創建以来の伽藍の変遷を明らかにしたうえで、その成果を活かし、また地下の遺構を保存することを前提として、設計、施工をおこなうこととした。

復興建築の検討は、建築史家藤島亥治郎《ふじしまがいじろう》（東京大学教授）を中心におこなわれたが、全体を監修する検討会として、村田治郎（京都大学教授）、藤原義一（京都工芸繊維大学教授）（以上、建築史）、構造の専門家として棚橋諒（京都大学教授）といった研究者に加えて、建築顧問として建築家の竹腰健造が名を連ねるというそうそうたるメンバーにより復興建築検討会が結成された。

二 設計内容の検討

検討会での議論を踏まえ、中心伽藍建築の設計は以下の考え方によることとした。

発掘調査により、中心伽藍の建築は、創建以来現代にいたるまで同位置で再建を繰り返していたことが明らかとなったため、旧位置に伝統様式で復興する。

外観意匠は、四天王寺の創建は現存する法隆寺西院伽藍《ほうりゅうじさいいんがらん》よりも古いものであるため、それ以前の建築様式とし、大陸的な要素を強くする（図１）。具体的には中国六朝《りくちょう》様式や朝鮮高句麗《こうくり》の例などを参考にし、復元的意図をもち

図1　法隆寺西院伽藍よりも古い建築様式とした細部意匠（※工事写真はいずれも株式会社大林組の提供による）

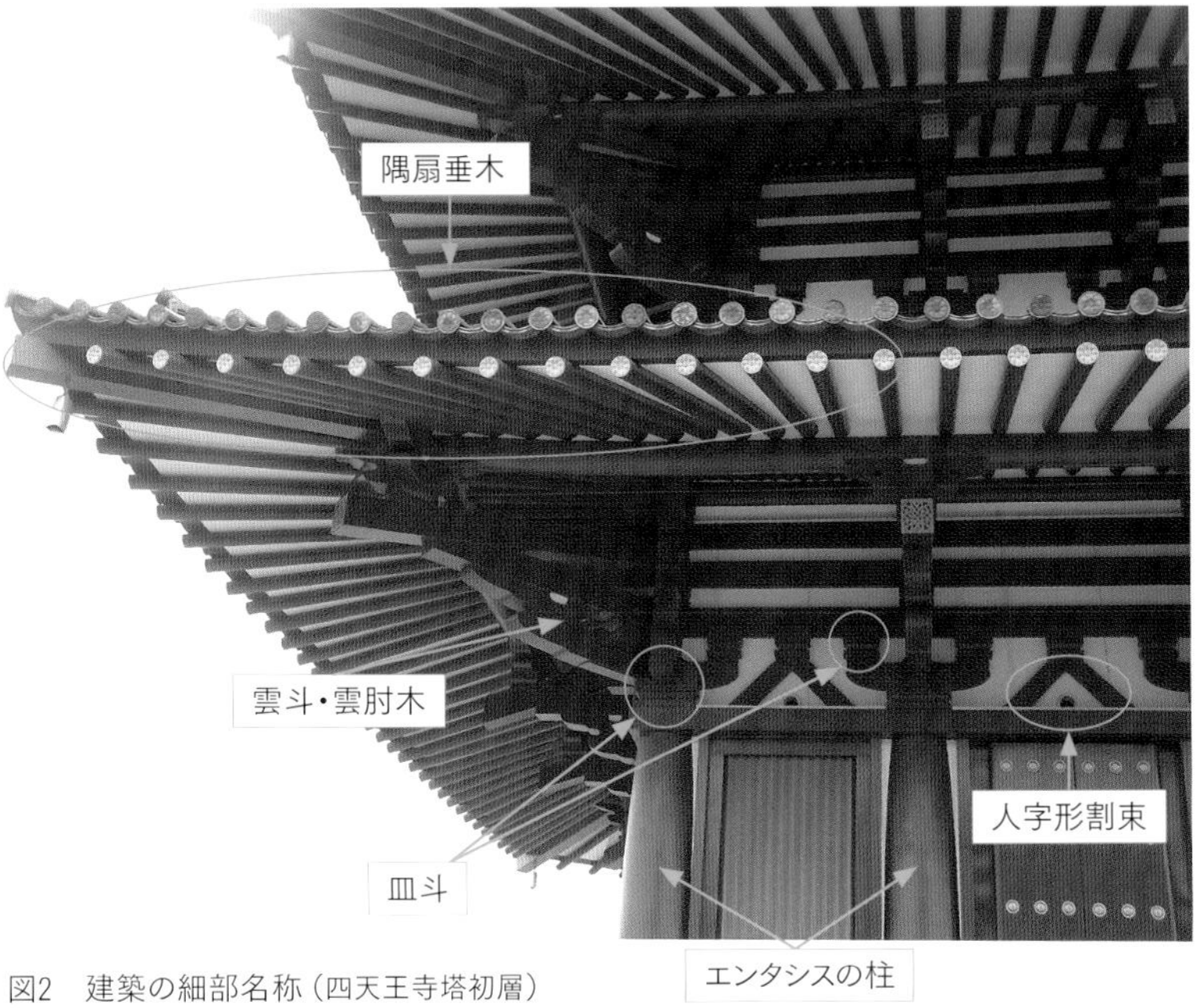

図2　建築の細部名称（四天王寺塔初層）

ながら設計をおこなうこととする。塔の頂部を飾る相輪《そうりん》を構成する水煙《すいえん》のデザインは麦積山石窟《ばくせきざんせっくつ》や北魏《ほくぎ》仏像の光背《こうはい》の飛天《ひてん》を参考にし、顔は雲崗石窟《うんこうせっくつ》の飛天とした。深い軒の出を支える雲斗《くもと》、雲肘木《くもひじき》の形態は法隆寺に倣うが、柱間上方の小壁や高欄に用いた人字形割束《ひとじがたわりづか》は、法隆寺では装飾性をおびた曲線であるが、より古式の直線とする（図2）。斗《ます》は下部に皿をつけた皿斗《さらと》とするが、法隆寺では柱上の大斗《だいと》のみであるが、高句麗の古墳内部の建築図に倣ってすべての斗に付ける。また柱のエンタシス（胴張り）は法隆寺よりも強いものとする。屋根を支える垂木《たるき》の配置は、発掘調査で明らかとなった隅扇《すみおうぎ》（屋根の四隅の垂木を扇形に配置）とする。また断面は中国式の丸とし、反りをもたない直線材とする。屋根は古式な錣葺《しころぶき》（大棟から軒までの屋根面が途中で折れ曲がり、上部の傾斜がきつく、下部をゆるくした屋根形式）とし、軒の反りは法隆寺に倣って全体が緩やかに反り上がる真反《しんぞ》りとする。棟反りや屋根の反りなどはなく、すべて直線で硬い緊張感のあるものとする。

現存するわが国の塔は最上層（五層目）の屋根勾配《こうばい》を急なものとするが、四天王寺塔は四層以下と同様に緩くし、軽快な外観とした。雨仕舞《あまじま》いが懸念されるが、SRC造であるため問題とならない。

一方、それぞれの建築には現代的な機能を持たせるため、内部はある程度は用途に合わせた構造とすることはやむを得ないとした。

三　施工実験等により可能となった高精度の施工

中心伽藍の建築工事は、昭和三十二年（一九五七）五月、塔から着手した（図3）。施工は株式会社大林組であった。これまでに前例のない工事であったことから、構造材料や施工方法について、種々の実験、研究がおこなわれた。その具体的な内容を記した資料として、『四天王寺五重塔再建工事の型枠並にコンクリート施工について』と題された資料が大林組に残されていて、施工にあたっての以下のような基本方針が示された。

　その当時以前に施工された鉄筋コンクリート造の社寺建築では、垂木その他の突起部は別途作製したものをはめ込むとか吊り下げるようにして一体的に見せるというものがほとんどであった。しかし四天王寺の場合は、創建当初の形態に忠実にこれらを構造体として扱い、柱、梁等の構造体と一体的にコンクリート現場打ちとする（図4・5）。施工を容易にするために型枠の寸法や細部意匠を変更することはしない。これらを誤差なくおこなうために、新しい工法を研究し、模型等の製作実験をおこなうことなどが記されている。

　このなかで垂木型枠をどのような材質、構造とするかはもっとも困難な問題であったとのことで、これを解決するために七種類の型枠を作製し、施工の難易度や転用の可否等の実験がおこなわれた。コンクリート工事では流動性に留意して施工箇所により水・コンクリート比を変更し、また垂木や肘木など突出部が多くあることから、向かい合う二方向のコンクリートを同時に施工し、重量のバランスをとり、一方向に偏心しないようにしたことなど、細心の配慮がなされた様子がうかがわれる（図6）。

図3　塔一層目軸部の組み立て

図4　高い精度が必要であった斗栱の一体施工

図5　柱型枠の製作

図6　垂木型枠

まとめ

四天王寺中心伽藍の復興は、わが国の古代史はもとより中世、近世、近現代にいたる歴史、文化の形成、発展に大きな影響力をもった寺院の復興であった。また史跡に歴史的建築を再現するという事業の最初期のものであったことから、大きな注目を集めた。現在は文化庁より、史跡に歴史的建築を復元する際の基本的な考え方が示されているが、四天王寺の復興はそれ以前の事業であった。

　これらのことを踏まえて、四天王寺中心伽藍の復興を以下のように評価することができよう。

- 建築工事前に本格的な発掘調査がおこなわれて、創建時から現代にいたる伽藍の規模、形態、変遷を明らかにした。また扇垂木や鴟尾の形態など細部についても、発掘調査成果が設計に活かされている。
- 設計施工にあたっては、地下に残されている遺構に影響が出ないよう、保存に配慮がなされている。
- 建築外観の設計にあたっては、四天王寺中心伽藍の創建時期が法隆寺西院伽藍よりも遡ることから、これよりも古い建築様式とすることとした。そのために建築史研究者が検討を繰り返し、当時としての最新の建築史研究の成果が反映されたものとなっている。
- 寺院建築の特徴である柱上の組み物などの突出部も一体的な構造体としてつくることとし、建築の施工にあたってはいろいろな研究、実験をおこない、最良の工法が選択された。この種の工事における最高のレベルを示すものとされていて、ＳＲＣ造により木造建築の複雑な外観を復元することに成功している。

なお四天王寺中心伽藍建築の復興事業は、竣工後昭和四十年（一九六五）に、ＢＳＣ建築賞を受賞した。この賞は、社会的価値があるものとして建設され、都市形成や地域環境づくりに理解を示す事業主、豊かな創造力をもつ設計者、高い技術力をもつ施工者という三者の総合力で評価されるものである。竣工後、建築関係者の見学が後を絶たなかったという。

　このように四天王寺中心伽藍建築の復興にあたっては、現在文化庁が史跡に建築を復元する際に求めている要素のうちの多くを満たしているということができる。わが国で最初期の史跡内での建築復興事業として、その歴史をたどる上で注目すべき事例といえよう。（植木　久）

コラム【4】

四天王寺の聖霊会
――法会の構成とその舞楽――

一　聖霊会とは

聖霊会《しょうりょうえ》は、明治初期以前の四天王寺では、聖徳太子のお命日とされた旧暦二月二十二日に執り行われた。この日は、早朝より聖霊院《しょうりょういん》において法要が執り行われ、日の出のころより聖霊会が始まり、夜の早い時間に聖霊会が終了した後に、ふたたび、深夜まで聖霊院で法要が執り行われることになっていた。「寒さの果てもおしょうらい」といわれたように、かつては、大阪に春の訪れを告げる年中行事としても知られていた聖霊会は、現在の四天王寺では四月二十二日に執り行われる。また、聖霊会において聖徳太子に奉納される舞楽《ぶがく》は、「聖霊会の舞楽」として重要無形民俗文化財に指定されている【第四部コラム6参照】。

四天王寺では、聖霊会を「舞楽四箇法要《ぶがくしかほうよう》」の形式で執り行う。四箇法要とは、「唄《ばい》・散華《さんげ》・梵音《ぼんのん》・錫杖《しゃくじょう》」という四つの声明《しょうみょう》（仏典に節をつけた声楽曲）が僧侶によって唱えられる大規模な法会《ほうえ》の儀礼（法会は仏教儀式そのものを意味し、法要はその法会の場で行われる儀礼をいう）のことで、舞楽四箇法要とは、その法要の間に舞楽を挟み込むものをいう。現在の聖霊会の法会の場は、六時堂《ろくじどう》（六時礼讃堂）とその前の池上の石舞台《いしぶたい》という空間を中心とするが、明治以前は、聖霊会の開始にあたって、聖霊院からは聖徳太子御尊像を載せた「鳳輦《ほうれん》」を、金堂からは仏舎利《ぶっしゃり》を載せた「玉輿《ぎょくよ》」を、それぞれ六時堂までお運びする行道が行われ、境内の空間を広く用いて執り行われた法会であった。

二　四天王寺の聖霊会の構成

さて、法会の形式としては舞楽四箇法要となる四天王寺の聖霊会であるが、その構成は、以下のように四つに区分できる。すなわち、①導入部：法会の場へ移動する道行《みちゆき》と法要の開始を告げる部分、②供養法要部：聖徳太子に供物を捧げる部分、③四箇法要部：右で述べた四つの声明が唱えられる法要の主要な部分、④入調《にゅうじょう》部：法要部分が終了した後、集まった人々が舞楽を楽しむ部分である。

導入部は、法会の開始部分である。まずは、四天王寺の本坊から六時堂まで、法会に出仕する僧侶、楽人《がくじん》、その他の出仕者が左方《さほう》と右方《うほう》の二列をなして道行（パレード）を行う。六時堂前の石舞台上で「舞台前庭《ぶたいぜんてい》儀《ぎ》」とされる様々な所作を行い、声明「総礼伽陀《そうらいかだ》」（図1）により法会の開始が告げられ、舞楽（振《えん》

図1　石舞台上で声明「総礼伽陀」を唱える僧侶

図2　「御上帳」で楊枝御影の前の御簾を巻き上げ聖徳太子の御目覚めを願い、その後にお顔を洗っていただくためのお水を差し上げる儀式「御手水」を行う

鉾〉《ぶ》によって法会の場が清められる。続いて、六時堂内では、聖徳太子御目覚めの儀式である「御上帳《みじょうちょう》・御手水《みちょうず》」（図2）が執り行われ、石舞台上では御目覚めになった聖徳太子をおなぐさめする舞楽〈蘇利古《そりこ》〉（図3）が舞われる。

次の供養法要部の始めには、六時堂前の左右に設けられた階高座《かいこうざ》に一舎利《いっしゃり》と二舎利《にしゃり》が登高座し、法要の間、諷誦文《ふじゅもん》、願文《がんもん》、法華経を微音《びおん》（小さな声）にて読誦する。両舎利職《しゃりしき》が階高座に登られた後、石舞台上では、舞楽（毎年、曲が変わる）が舞われる。その後、通常は薬師如来《やくしにょらい》を本尊とする六時堂に、聖霊会の時のみの本尊とされる聖徳太子の「楊枝御影《ようじのみえい》」を中心に安置された「鳳輦」と「玉輿」の前に供物を手渡しでリレーしながら供える儀式である「伝供《てんぐ》」（図4）がなされ、これが終わると、石舞台上では〈師子《しし》〉と〈菩薩《ぼさつ》〉、そして伝供の際にも活躍した童たちによる〈迦陵頻《かりょうびん》〉と〈胡蝶《こちょう》〉が舞われる。その後、六時堂前の礼盤《らいばん》上にて、三綱職《さんごうしき》が祭文《さいもん》を微音にて読誦する。聖霊会ではこうした儀式進行の区切りとなる場面で、石舞台の南側に設置された行事鉦が、「カーン」と打ち鳴らされる。また、〈迦陵頻〉や〈胡蝶〉も、男児が舞うという伝統が保持されている。

法会の中心となる四箇法要部では、僧侶が六時堂内より石舞台上へ移動する。六時堂前の礼盤上で唄師《ばいし》による「唄」が、石舞台上で衆僧による「散華」が唱えられ、

図3　六時堂内で聖徳太子が御目覚めになった後、石舞台上では舞楽〈蘇利古〉が舞われる

僧侶がいったん六時堂内に戻った後、石舞台上では舞楽（毎年、曲が変わる）が舞われる。舞楽の後、僧侶がふたたび石舞台上に登り、「梵音」と「錫杖」の二つの声明が唱えられる。この後、六時堂内へと衆僧、両舎利職が戻り、石舞台上では、舞楽〈太平楽《たいへいらく》〉（図5）が舞われる。このように、僧侶が唱える四つの声明と舞楽が交互に石舞台上で展開される部分を舞楽四箇法要という。

この四箇法要部が終了した後、入調の舞楽（毎年、曲が変わる）が石舞台上で舞われる。入調の舞楽は、法会の法要部分が終了した後、法会の場に集《つど》った人々の楽しみとして舞われるものである。明治初期までの四天王寺では、この入調の部分で十八曲もの舞楽が舞われていたが、現在は一曲を舞うだけになっている。明治以前の時代においては、聖霊会は、六時堂での法会の前後に、聖霊院での法要が執り行われていたため、六時堂での聖霊会の法会が終了した後、「鳳輦」は聖霊院へ、「玉輿」は金堂へと、それぞれに戻るためのパレードが行われ、その後、ふたたび聖霊院にて、深夜まで聖徳太子の御忌の法要を執り行ったが、現在は入調の終わりが法会の終了となっている。

図4　伝供の写真：御供所から、「伏兎［ぶと］」「曲［まがり］」という古代菓子を含む供物が、手渡しされつつ石舞台を経て六時堂まで運び込まれる

三　聖霊会の法会と音楽、聖霊会の舞楽

聖霊会の法会においては、音楽が重要な要素となっていることに注目したい。聖霊会では、僧侶の唱える声明と舞楽だけでなく、道行や伝供、そして、僧侶の六時堂から石舞台への移動の際などにも雅楽の演奏がなされており、聖霊会の法会の場には、あたかも経典に描かれた極楽浄土《ごくらくじょうど》を荘厳《しょうごん》する音楽のように、常に楽の音が響いている。この状況は、今も昔も変わらない。

さらに、これらの法会の場の舞楽にも、聖霊会という場の舞ならではの特別な意味が与えられているものがある。その一つが、先にも触れた〈蘇利古〉であり、聖霊会ではこの舞は聖徳太子の御目覚めの舞として、他ではあまり例を見ない五人の舞人により演じられる舞となっている。また、四箇法要部分の最後の〈太平楽〉の舞の

図5　舞楽〈太平楽〉は聖霊会の法要部分の終了を告げる舞であり、この舞の途中で、「楊枝御影」が還御される

途中の舞人が太刀を抜く所作をもって、六時堂内では、「楊枝御影」が巻き上げられ、その御影の還御《かんぎょ》とともに僧侶が六時堂から退出する。つまり、聖霊会では、〈太平楽〉の舞は、聖霊会の法要部分の終了を告げるという独自の意味を持っているのである。また、〈師子〉は、現在ではその舞は失われ、石舞台上をまわる所作のみが残されているが、聖徳太子の時代、六一二年に伝来したとされる伎楽《ぎがく》の雰囲気を伝えるものとされ、その伴奏の笛の曲は秘曲とされた。

四　左右の制度と聖霊会の彩り

聖霊会では、階高座が六時堂正面に二つ、石舞台を挟んで南側にある雅楽の楽を演奏するための楽舎も二つ、その前に置かれる鼉太鼓《だだいこ》も二つ、石舞台の南北両側に設置される階《きざはし》もそれぞれ二つずつというように、法会の空間が石舞台を中心とする左右対称になっている。この場合の左とは、六時堂におられる聖徳太子から見て左側、つまり東側を、右とは聖徳太子の側から見て右側、つまり西側をいう。

聖霊会では、法会の始まりの道行の行列以下、儀式の多くが左方列と右方列に分かれて進められる。たとえば、供養法要部の伝供の場面でも確認できるように、伝供に関わる人たちは、供御所から左方と右方の二列をなして供物を手渡ししつつ、六時堂内まで運ぶ。左方列は石舞台の東側の階を、右方列は西側の階を使うというように、石舞台のしつらえも、左方と右方の区別を前提とするものとなっている。この伝供の時、左方列には赤い装束を着けた〈迦陵頻〉の舞童が、右方列には、緑の装束を着けた〈胡蝶〉の舞童が並ぶ。

実は、聖霊会に不可欠の舞楽も、左方と右方とから構成されている。舞楽の楽を演奏する楽舎が二つあるのも、この左右の区別に従うものである。東側の左方楽舎で演奏される左方の楽は、唐楽《とうがく》とも称される中国大陸系の音楽で、左方の楽人や舞人は赤系列の色彩を基本とする装束を身に着ける。一方の右方楽舎で演奏される右方の楽は、高麗楽《こまがく》とも称される朝鮮半島から伝来した音楽で、右方の楽人や舞人は、緑系列の色彩を基本とする舞楽装束を身に着ける。それぞれの楽舎の前の鼉太鼓の撥面《ばちめん》の色彩も左方は赤で金具類は金色、右方は緑で金具類は銀色となる。このように聖霊会の法会は、古式ゆかしい左右の制度が保持され、その左と右で明確に区別された楽人や、舞人の装束の色で彩られている。

聖霊会の日、石舞台の四隅には極楽の花をイメージした赤い曼殊沙華《まんじゅしゃげ》が立てられる。古い時代にはこの花を支える支柱には苔が付され、花びらには貝殻がつけられていた。それは、「貝寄風《かいよせ》」といわれる冬の最後の季節風によって浜に打ち寄せられた貝殻だとされる。さらに、この曼殊沙華には紙製の燕が吊り下げられる。燕は、本格的な農作業の始まりを告げる鳥である。冬が終わり、農作業の始まりを告げる時節にとりおこなわれる聖霊会に際し、聖徳太子にその年の豊作を祈願する。そのような人々の願いも、聖霊会の法会には込められていたのだろうか。

（南谷美保）

特論

幻の古代寺院・四天王寺の伽藍と建築

――その伽藍計画と様式――

櫻井敏雄

はじめに

幻の古代寺院と題したのには訳がある。官寺《かんじ》として聖徳太子創立以来、現在にまで庶民信仰に支えられる大寺であるが、四天王寺は古代の面影を伽藍《がらん》の配置に伝えるものの、遺構は地下に眠り、建物は残さず、中世の具体的な事情も詳らかではない。また近世に入ってからも豊臣秀吉《とよとみひでよし》・秀頼《ひでより》に再建された伽藍も焼失し、その後、徳川秀忠《とくがわひでただ》によって再興された伽藍も罹災して、その主要部分の姿をうかがわれず、建築もほとんど残さず、主伽藍の建築意匠・様式を把握することができない。

中世の主伽藍の姿の一端を描いているのは『一遍聖絵《いっぺんひじりえ》』（正安《しょうあん》元年・一二九九）で、その概要は南大門《なんだいもん》が重層（両脇は築地塀《ついじべい》）、中門《ちゅうもん》は楼門《ろうもん》形式（両脇回廊か）、金堂《こんどう》は重層であるがいずれも錣葺《しころぶき》ではない。西中門《にしちゅうもん》は八脚門《はっきゃくもん》らしく描く。珍しいのは西門で切妻造《きりづまづくり》の二重門に描き（切妻造の楼門は八坂神社に存在）、妻側の細部を拡大してみると、和様であったことがわかるが、その他の細部様式については不詳である。塔・金堂の建物の組物の描き方は、仏像を描くためか、内法長押《うちのりなげし》を描かないので、組物は大仏様のようにみえる。

わずかに『一遍聖絵』で気がつくのは、五重塔《ごじゅうのとう》・金堂の描写で各層の柱間《はしらま》に仏画の描かれている点が注目され、特別な姿に

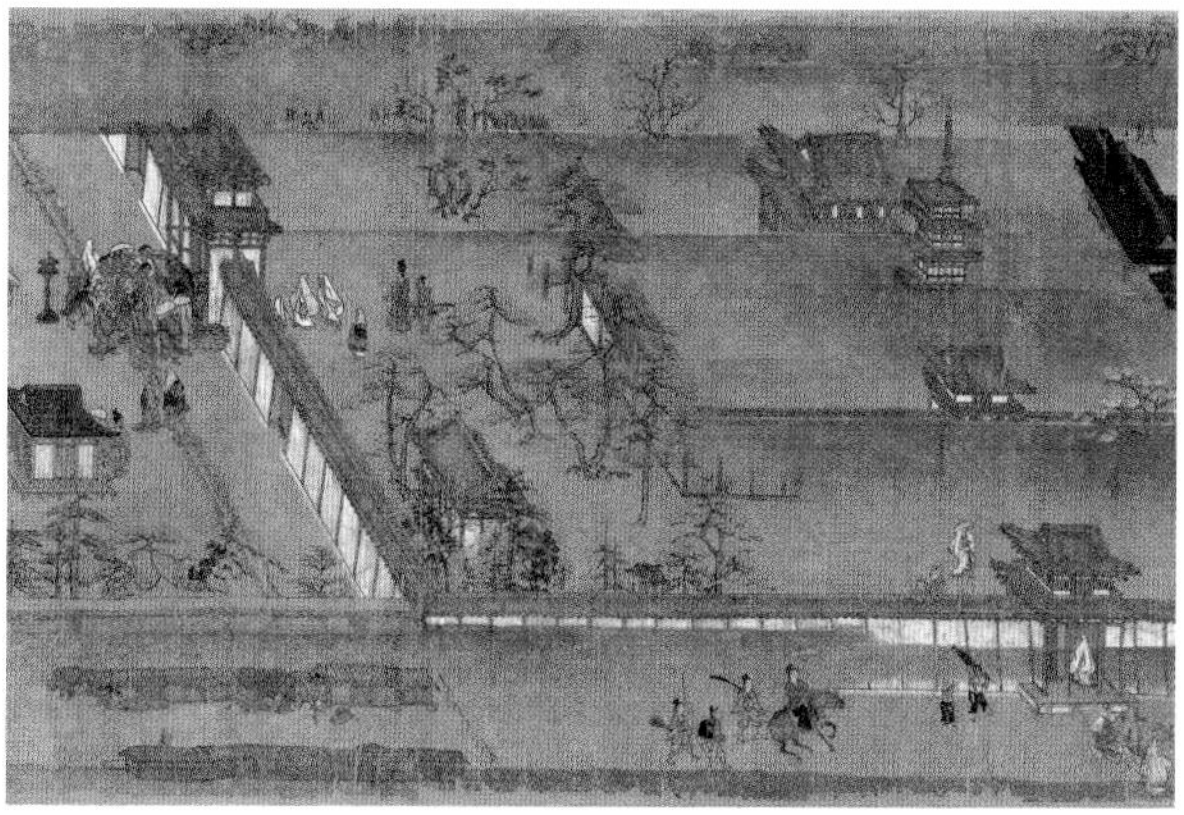

四天王寺　西門・主伽藍（『一遍聖絵』正安元年・1299）

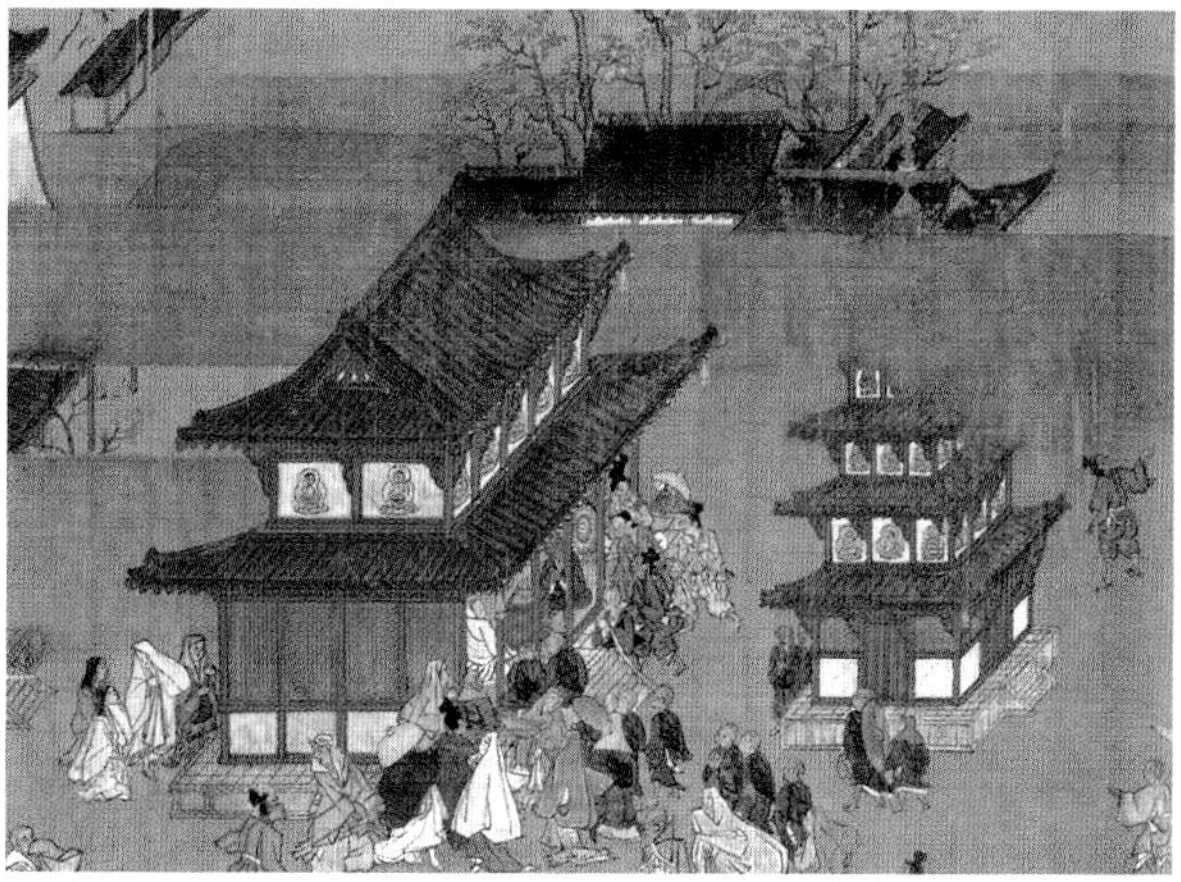

描く。鎌倉時代の塔（初層は描かず通常の形態）とすれば、建仁《けんにん》元年（一二〇一）に塔供養された時の建物（『百錬抄《ひゃくれんしょう》』）ということになる。

　類似のことは韓国・湖巌美術館所蔵の金銅製五重仏塔《こんどうせいごじゅうぶっとう》（十〜十一世紀。五層目柱間二間、二軒扇垂木）にみられ、二層以上で各柱間に仏像が鋳出されている。実物では管見に触れたものとして、中国・福建省開元寺八角石塔《かいげんじはっかくせきとう》（西塔一二三七年、両脇間）があり壁面から造り出された彫像としている。また隋代の建築的陶屋（北朝ないし隋代・河南省博物館所蔵）にも両脇間連子窓《れんじまど》の上部に仏像を配する。このような祖形の源は、雲岡石窟《うんこうせっくつ》（第二窟）にみられるような石柱から塔を造り出した例や、建物と彫刻を合わせて彫り込む姿があり、塔として独立する流れのなかで、壁面に彫刻したり画として描かれることになったものであろう。

福建省・開元寺八角石塔（西塔・1237年）

韓国・金銅製五重仏塔（10〜11世紀）

隋代の陶屋

雲岡石窟

　織田信長《おだのぶなが》の戦火により焼失した四天王寺は秀吉によって再建されるが、その建築の姿や様式はまったく知ることができず、聖霊会宮殿《しょうりょうえくうでん》や多宝小塔《たほうしょうとう》、支院の勝鬘院多宝塔《しょうまんいんたほうとう》などから極彩色の華麗な建物であった可能性を推察させる。秀頼時代の姿も同様であろうか。

　それも焼失し、江戸時代になって再建した徳川秀忠の四天王寺も主伽藍は残さず、重要文化財として残されているのは五智光院《ごちこういん》・六時堂《ろくじどう》・元三大師堂《がんさんだいしどう》・本坊方丈《ほんぼうほうじょう》（旧湯屋客殿《きゅうゆやきゃくでん》）・同西通用門・石舞台《いしぶたい》・中之《なかの》門《もん》（大阪市指定有形文化財）など周辺の建物で、いずれも元和《げんな》九年（一六二三。『天王寺御建立堂宮諸道具改渡帳《てんのうじごこんりゅうどうぐうしょどうぐあらためわたしちょう》』）の建立である。

四天王寺創建伽藍の基本設計計画

　聖徳太子創立の寺院として、法隆寺《ほうりゅうじ》とともに著名な四天王寺は、現在、塔と金堂が中軸線上に並ぶ配置をとるが、塔・金堂が併置される前の創建法隆寺の若草伽藍址《わかくさがらんし》でも、同じように塔・金堂が一直線上に並ぶ同じ配置であったことが知られている。

四天王寺の伽藍配置はわが国最古の寺院である、一塔三金堂式の飛鳥寺《あすかでら》から東西の金堂をとって一塔一金堂とした形態で、四天王寺境内全域は国史跡に指定されている。

古代の伽藍計画についてはこれまで各面から検討[注1]されてきたが、全体的な観点からまとめられたのは故岡田英男氏で、発掘により判明した寸法を使用して、四天王寺の伽藍についても主要堂宇の配置・寸法計画に触れている。

四天王寺式伽藍配置は飛鳥寺伽藍配置の縮約形と現在、考えられており、両者の全体計画性を分析するのに、これまでは建物の真々《しんしん》距離《きょり》や建築規模の寸法を実測寸法の単位尺を求めることや、得られた結果の寸歩差を施工誤差の問題として解釈したり、大尺《だいしゃく》である寸法の斑の問題として捉えて調整することに主眼が注がれ、背景となった設計計画の基本には目が向けられず、基礎概念自体もそれと同等視されてきた。

しかし、伽藍は敷地の全体計画があってはじめて成立するもので、中心的な建物群を含む大空間が当初、想定され、そこではじめて両者が相互に勘案されて、伽藍規模が決められ、古代の伽藍設計が両者をセットにして寸法計画、とくに全体計画と建物の位置が決定された可能性がある。

重要な建物の真々寸法が土地の利用計画、空間概念の把握とともに実施されたと考えると、伽藍の基礎となる空間規模がまず設定される必要があり、その認識手段としては遠望する距離は観念的に把握しにくいので、幅と同じ奥行をもつ正方形による空間概念の把握と設定があった可能性がある。

井上和人・岡田英男の両氏は、飛鳥寺中金堂《ちゅうこんどう》・東西金堂の真々の割付をこれまで示唆されてきたように七五大尺と考えられたが、両氏は東西金堂の真々距離の尺度がやや長めになることから、これまで施工誤差と考えていたが、尺度の斑とするよりも施工の際の微調整とする考えを示されている。はじめに岡田氏が訂正発表された飛鳥寺の分析成果を、こうした空間構成概

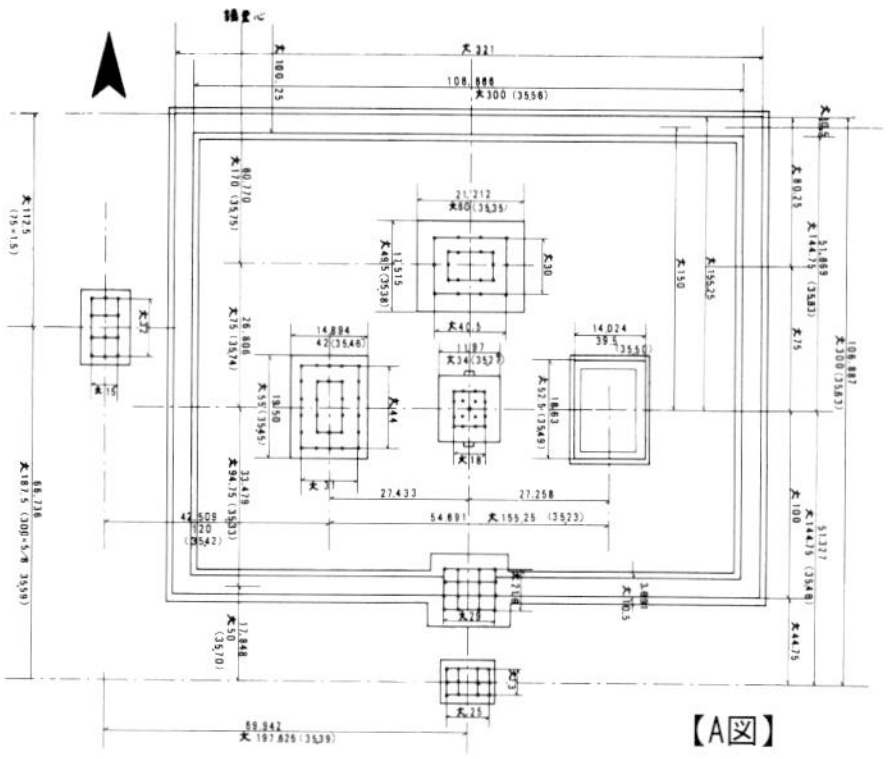

飛鳥寺伽藍配置図　単位m、大は高麗尺、( )内大尺1尺当り㎝長さ

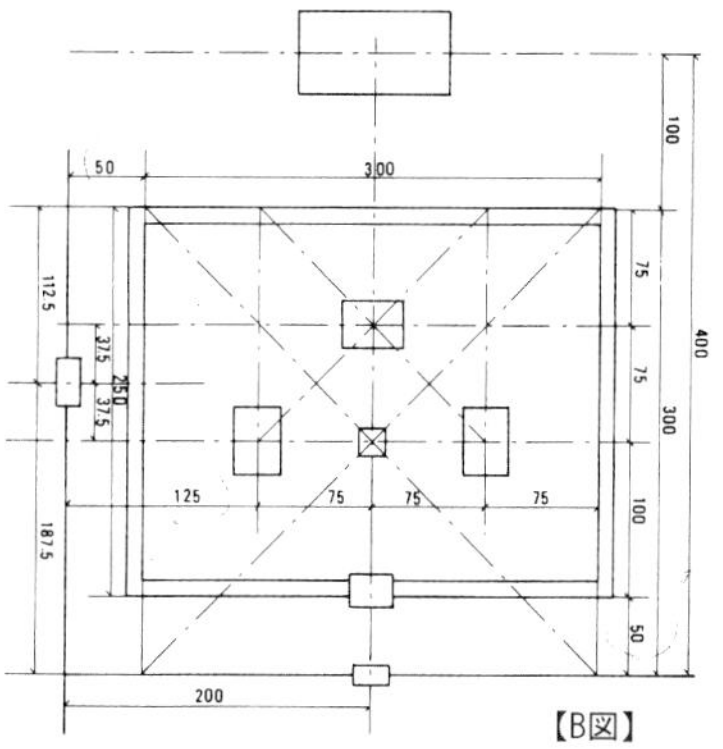

飛鳥寺伽藍配置基本計画略図（寸法は大尺）
岡田英男氏作成

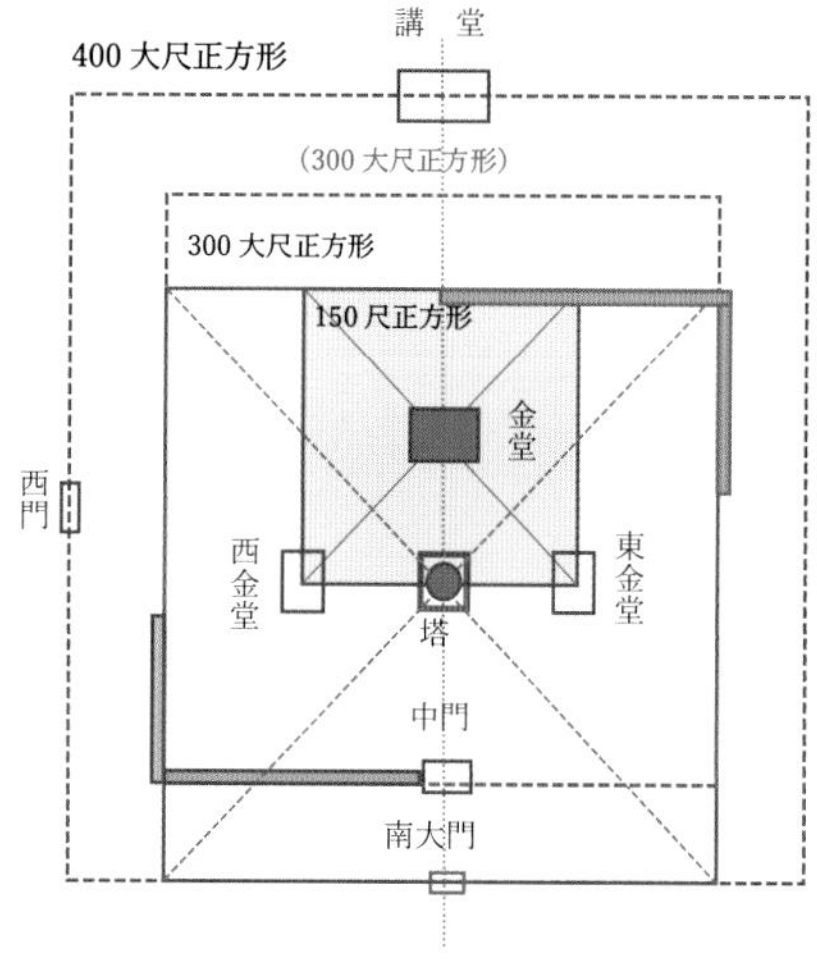

図1　飛鳥寺伽藍空間設計概念図

念に基づき再構成して考えてみよう。

岡田氏が飛鳥寺の各寸法を検討して示したのが【A】図である。大尺として換算した寸法には一大尺にかなりの斑がでる。この解釈をどうみるかなどに、その議論の中心をおかれてきた。そして最終的に岡田氏は【B】図で、基本計画とも言うべきものを示された。

これをさらに一段階遡って、どのように占地全体を含む基本的空間概念が意識、把握されて各建物の位置、真々距離が決定されたかについて以下に述べるが、ここで指摘したいのは、実施計画に至る細部の寸法計画の是非の問題ではなく、計画当初に、空間把握基本概念として全体・仏殿院《ぶつでんいん》の広さや、建物の位置を決めるのに正方形概念の使用が確認されることである。岡田氏は建物間の真々距離に注目して【B】図の「伽藍配置基本計画略図」を示されたが、さらに大きな空間基本概念として解釈し直し再構成した概念図を図1（前頁）として示す。

【飛鳥寺伽藍の外部空間概念】

飛鳥寺では南大門を起点に据えて、土地利用計画上、全体を含み限る四〇〇大尺正方形が設定され、その中軸線上南北に南大門と講堂《こうどう》、西側には前庭広場のある西門がその上にのる。その内側には二つの三〇〇大尺正方形が計画される。一つは四〇〇大尺正方形と同心におかれ南辺に回廊と関連して中門が位置し、またもう一つの南大門までずらした正方形の中心には塔がおかれ、両者からは仏殿院を囲郭《いかく》する回廊が決定される。

すなわち、四〇〇大尺正方形と同心の三〇〇大尺正方形からは中門の付く南辺回廊の外側柱筋を、南大門位置を通る同大の正方形からは北辺の中金堂背後を通る回廊の外側柱筋を決定し、東西の回廊は両正方形が通る辺が内側柱列を通り、その外側が回廊となる。

結局、中核をなす仏殿院回廊の規模は南大門を通る三〇〇大尺正方形と、中門側を通る同じ三〇〇大尺正方形により形成され、南と北側の回廊はその梁間《はりま》を内側にとり、南辺回廊真に中門は配され、東西回廊梁間は外側にとられる。

また三〇〇大尺正方形には中央に半分の一五〇大尺正方形が、南大門からすれば二連内在し、その北側の一五〇大尺正方形の両隅に東西両金堂、中心には中金堂が配され、各建物の真がおかれる。

このように考えると建物はすべて真の位置で決まることになり、おそらく大尺の一尺に長短が発生するのは中心におかれた建物の実施時の施工誤差によると考えた方が理解しやすい。なお、このような空間設計概念と建物規模とは無関係にみえるが、金堂基壇《きだん》の六〇大尺は三〇〇大尺の五分の一、塔から三金堂までの七五大尺も一五〇大尺、三〇〇大尺から派生したものと考えられる。

おそらく、このような基本空間計画概念とでも称すべき土地利用計画概念が当初に存在して建物の位置が定まり、それらは建物の真々寸法のみとして残り、造営尺の問題として検討、理解されるため、基本計画概念の全貌が捉えにくい姿となったものかと考えられる。

【四天王寺伽藍の空間構成概念】

四天王寺伽藍については、大尺に換算した寸法計画図【C】図を故長谷川輝雄氏の業績[注2]の上に立ち、岡田氏は示されている。その大尺への変換の詳細は省くが、造営大尺への実長の変換に注目して、その寸法計画の解釈をまとめられた。

【C】図では回廊南北奥行全長を外法《そとのり》寸法二八四大尺とし、中門真から講堂真までは二八二大尺（＝二八七・五－五・五〈回廊幅の二分の一〉）である。

　これまでの発掘調査報告書を利用して、南門真から講堂真までを四〇〇大尺、塔は南門と講堂の中央に位置し、金堂・塔の

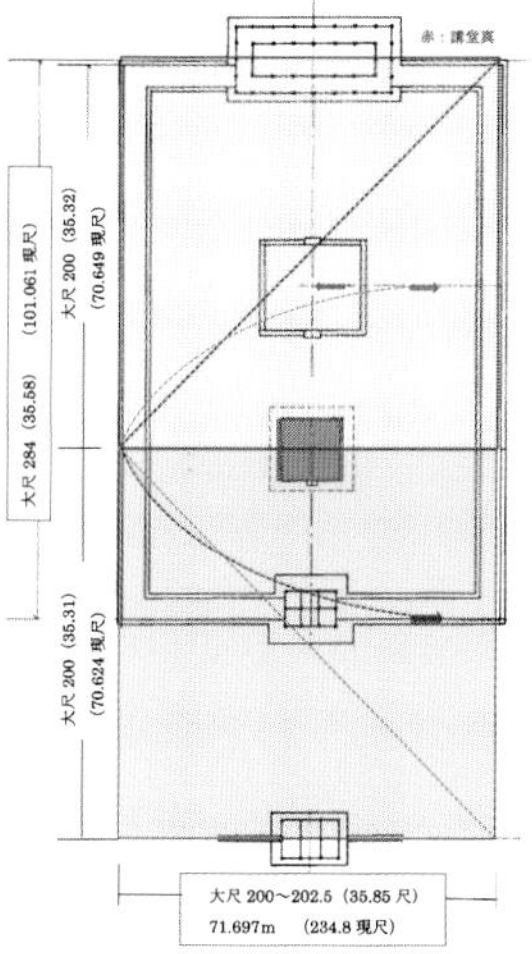

創建四天王寺伽藍配置分析図
（土地利用計画図）

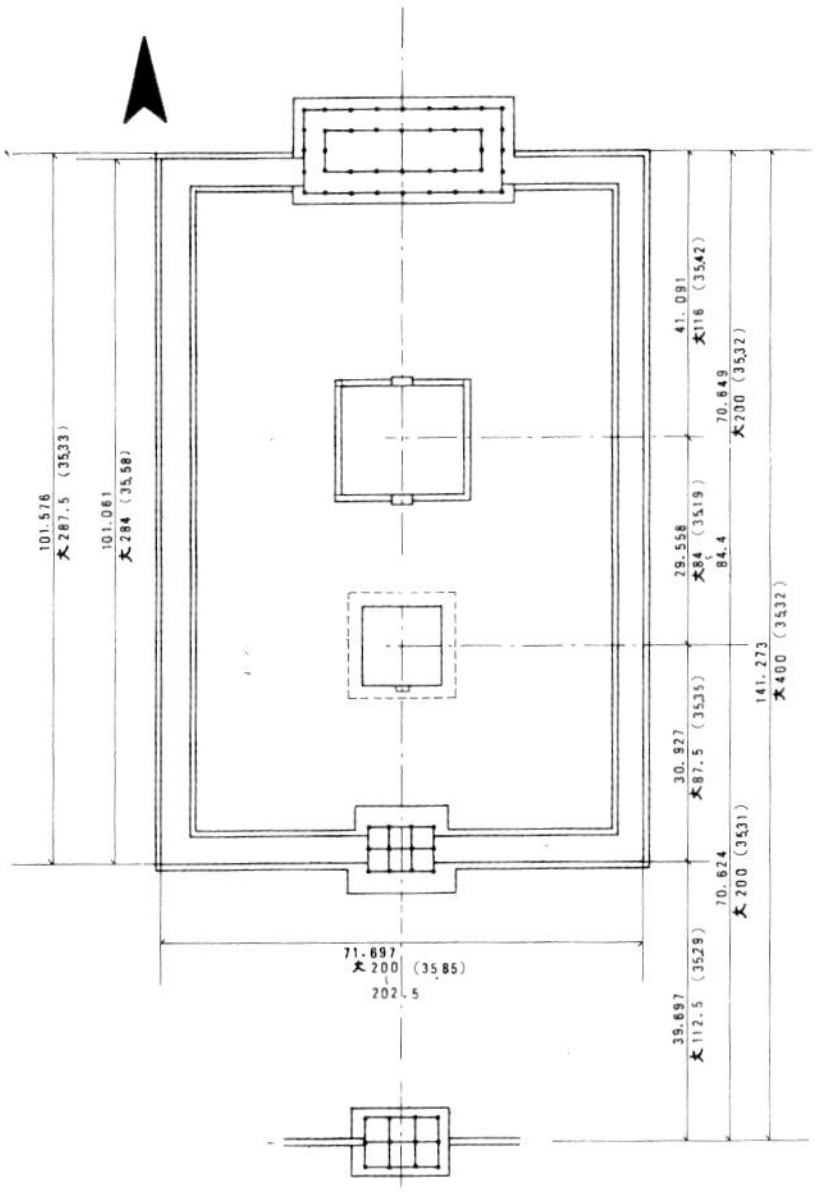

【C】図　四天王寺伽藍配置図

真々は八四大尺で、回廊梁間は一一大尺ほどとしている。金堂・南門真々は二八四大尺で、これは回廊南北全長と同じで、二〇〇尺を√二倍（小数点第二位）すると、二八二大尺で近似し、中門真から講堂真までと合致する。

　回廊東西幅外法は大尺では二〇〇～二〇二・五尺、南北外法は二八四～二八五尺と、発掘結果を含む諸資料からみられている。

　以下ではこれまで伽藍計画の解釈で知られている主要寸法を用いて初期段階の基本計画を、個々の寸法によるのではなく、設計の基本を土地利用計画と建物の位置との関連を示す正方形概念によって図式化してみよう（創建四天王寺伽藍配置分析図）。

　南門から東西回廊幅（外法）の二〇〇大尺を使用して正方形を描くと、上辺が塔真の位置を通り、中軸線上に塔・南門がのる。これよりさらに正方形を一連北側にたすと、それが講堂の真の位置を決定する（上記左図）。

　この時点では図式的には金堂の位置と金堂院回廊の奥行がいまだ決定されていないが、裏目の考え、方法が残る。この正方形二連の考え方は、飛鳥寺・四天王寺では、奥行はともに四〇〇大尺で、四天王寺では飛鳥寺のように東西金堂がないので、飛鳥寺の真々距離の一五〇大尺正方形を五〇尺多い二〇〇大尺正方形として、全体の規模は縮めるものの、中核部（彩色部分）を次頁上図に示すように拡大化して奥行は同じ四〇〇尺とした。

　飛鳥寺では三〇〇大尺正方形の中に主要建物があり、その配置は一五〇大尺正方形で決まり、南大門までは一五〇大尺なので、前面に一五〇大尺の正方形が隠れており、正方形が二連存在するとみることができ、それが接する辺の中央に両者とも塔

が位置し、ここでの建築の規模は拡大化された。

おそらく、同じような空間概念の考え方で、正方形を二連連続させ主要建物の位置を決める、空間基本設計概念が存在したものと思われる。仏殿院だけではなく、南大門からの正方形空間概念とみると、全体計画の概念がよりよく理解できる。

二連の正方形概念としてみると、飛鳥寺伽藍も四天王寺伽藍も南大門、南門からの各一五〇大尺、二〇〇大尺正方形の接する辺の中央で塔の位置が決まり、金堂は飛鳥寺では一五〇大尺の中央位置、東西金堂はその両端隅に、両金堂の省略された四天王寺では塔に近めに金堂を配置するように、南側に寄せた様子がうかがわれる。

150 大尺正方形２連　→→200大尺正方形２連

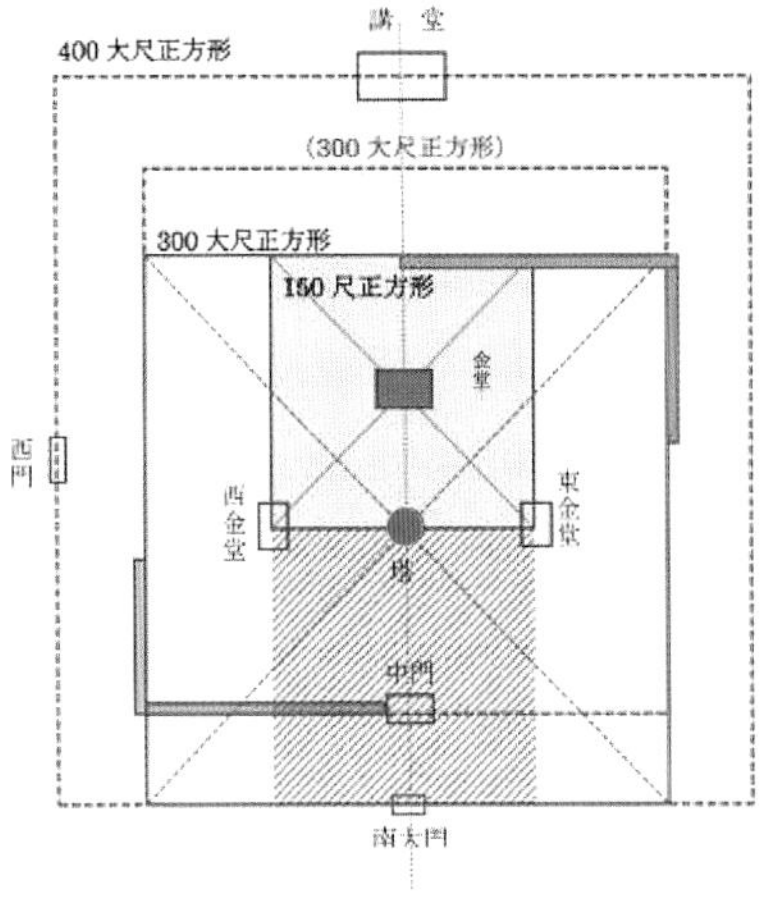

飛鳥寺伽藍空間設計概念図

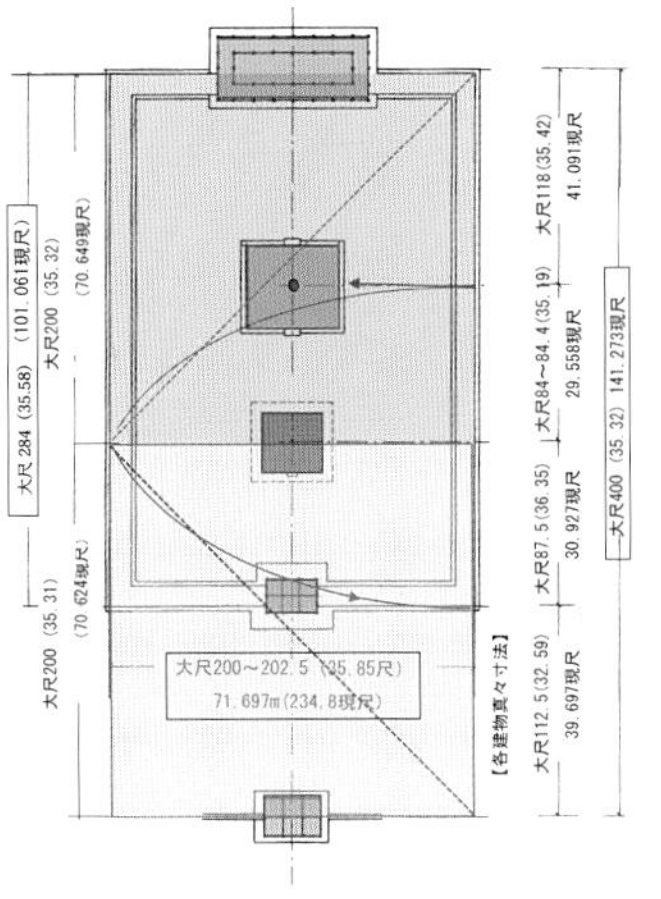

創建四天王寺伽藍配置・寸法計画図

四天王寺で残る問題は未決定の金堂の位置と回廊奥行である。先に記したように裏目の考え方が存在している。中門から講堂真までは二八四大尺と計測されているが、南側の二〇〇大尺正方形の対角線長を上に展開すると、二八二（＝二〇〇×一・四一）大尺となり、二八四大尺との差はわずか二大尺と縮まり、対角線長に近似する。

また金堂院の広さは北側の正方形の対角線長を下に展開すると、南回廊の外側柱筋に相当する。[注3] 東西回廊幅は外々で二〇〇大尺で、あとは回廊幅を決定し内側にとると内庭が決まり、中門は回廊の真に位置するので、回廊幅とともに決定することになる。

正方形を基準空間概念とする、古代伽藍の空間構成と建物の位置との関連の存在を指摘してきたが、外部空間のみならず金堂の内部空間にも、正方形概念やその対角線に当たる裏目の使用（√）が指摘される。[注4]

一塔三金堂から一塔一金堂となったことから、四天王寺では金堂の位置を正方形の真よりも塔に近づけようとする意識から、裏目で位置を決定したと考えられる。同様に中門も塔に近接させるために回廊奥行に同じ手法を採用したものとみることができる。

なお、金堂院に正方形を想定し、南大門までの規模を裏目を使用して決定したとみられる例もある（山田寺《やまだでら》）。

以上のように考えると、正方形を基準とする空間構成概念のなかで、主要堂宇の配置がその線上や裏目により決定されたとみられる。このような基礎空間概念、設計方式の存在は、主要堂宇がこの空間に適した規模をもつ必要があると考えると、この正方形空間と連動するものであった可能性が高く、このような思惟の存在が指摘される。[注5]

結びにかえて
——飛鳥寺と四天王寺およびその建築様式——

正方形による外部空間基本概念は、建築設計の過程で消えてしまう計画の基本理念となるもので、これにより各建物の位置と、結果的に真々寸法が決定されたと考えられる。空間の枠組みから決まった位置の真に建築の真々を合わせて決めた規模の建築を、その中心に施工する建物を配するので、施工に際して多少の位置のずれがあったと推察され、このことが大尺に斑を起こさせる原因ともなったろう。

以上のように考えると、伽藍計画寸法の大尺に関わる細部の問題がきわめて理解しやすく、寸法上の解釈も最小限に抑えられ、ここに示した外部空間の認識と基礎設計概念が有効なものとなる。

また主要建物は空間基本計画の大きさにより真々寸法で決定されているので、個々の建物の設計の自由度、企画度は高く、寸法は残るが、空間基本概念である三〇〇ないし一五〇大尺正方形や二〇〇大尺正方形は配置計画のなかで消えていく運命にある。しかし、他方で主要建物の総長《そうちょう》と何らかの相関関係を有して決定されてはいないかという問題を次に残している。

推測の域は出ないが、飛鳥寺では中金堂基壇幅六〇大尺は東西回廊幅内法三〇〇大尺の五分の一に相当し、南北幅は西金堂の基壇幅や桁行《けたゆき》寸法と整数比の関係とならないので、大きい東金堂の寸法（内側基壇幅五二・五大尺）の桁行が五〇大尺くらいとすれば、二・五倍となる。もちろん、七五大尺による真々寸法が確認されているので、最終的に七五大尺グリッドが下敷きに意識されていたことは間違いないが、それは空間基本計画とも連動している。建物の総長と伽藍計画が連動していることについては薬師寺《やくしじ》や唐招提寺《とうしょうだいじ》ですでに触れたところである。[注6]

四天王寺伽藍は飛鳥寺伽藍から東西金堂を省略した形態で、講堂脇に回廊が取り付くこともあって、当然のことながら細長い伽藍形態となった。残念ながら、四天王寺と同笵《どうはん》の瓦を出土する法隆寺の前身となる斑鳩寺《いかるがでら》（若草伽藍）とは、四天王寺式配置であることは判明しながら、資料の欠失により伽藍の空間構成まで比較できないうらみが残る。

四天王寺は発掘の結果では中心堂宇の規模の詳細が明らかではなく、この面からの検討はできないが、のちの平城京《へいじょうきょう》薬師寺では金堂の桁行総長の五倍が回廊東西内法幅に、奥行は回廊が取り付くもっとも規模の大きい講堂桁行の三倍を南北回廊外法としているので、四天王寺では金堂の三倍ほどを回廊東西幅に、南北は講堂の三倍ほど（基壇幅か）とするようなことがあったかもしれない。

また、正方形を開法した対角線長（無理数）の使用は八角陵や、さらには法隆寺東院《とういん》の八角形の夢殿《ゆめどの》の存在などがその使用を裏付ける。両伽藍の計画には理解しやすい完数値が採られているが、四天王寺の裏目の使用は金堂を塔に近づけたり、緊密な金堂院の空間を形成するための使用であった可能性がある。
ちなみに、山田寺では伽藍規模に裏目を使用して南大門の位置まで決定した可能性がある。それは発掘された東西回廊幅内法が二一三大尺（回廊幅は一〇・五尺）とみられ、意味のある寸法とはならないが、これを一辺とする正方形の対角線長が三〇〇・三三大尺となり、また塔真から北回廊内側までの位置は、発掘から算定される計画寸法（岡田氏案）では一五二・二五大尺で、これは二一三大尺を一・四一で割ると一五一・〇六大尺となり両者は近接する。

金堂院回廊内法には正方形は認められないが、南側を中門内側柱筋までとすると可能性が生じる（なお、正方形としたのは塔両脇に建物を予定していた可能性が生じる）。

中門は削平《さくへい》され南大門は未発掘であるが、回廊東西内法幅の二一三大尺は単独では意味をもたせにくい寸法で、岡田氏が南大門真から北回廊内側柱筋までを三〇〇大尺と推定されたのは以上の点を考えると示唆的である。なお、南北方向に完数値が認められるのは、土地利用計画上の都合から生じた可能性がある。

飛鳥寺や四天王寺では正方形概念を下敷きとして使用しながら、基本的な配置計画を行い、主要堂宇の位置が決まり、その上に建物の個別な設計概念が働き、不明な点も残すが、主要建物との関連性が計られたとみられる。

【建築様式について】

法隆寺金堂では垂木《たるき》が直接、瓦屋根を受け、妻の切り立つ形状は、一軒《ひとのき》の直垂木が周囲の壁位置で折れて繋がるので、法隆寺玉虫厨子《たまむしのずし》の錣葺《しころぶき》屋根の方が自然とみられ、その屋根を想起させる。一軒の垂木の勾配は尾垂木の勾配より強くはしにくいので、北朝ないし隋代の陶屋のような屋弛《やだる》みとなり軒先が水平のような感じとなる。

玉虫厨子（七世紀中葉）は明らかに現在の塔や金堂より古い建築様式をもっており、一軒で垂木や丸桁が丸く、組物は放射状に突き出して（垂木は平行垂木）、丸桁をほぼ等間隔に支持している。組物に雲肘木《くもひじき》を使用することは金堂と同じであるが、柱上大斗《だいと》の上に直接、通肘木がのり組物を置くので、軸組と分離する。この方式は日本ではみられないもので、中国の石窟などにみられるものであるが、前掲の隋代の建築的陶屋にもみられ、しかも両者とも四隅では隅行方向のみに組物を出す。

厨子が組物を放射状に配することは扇垂木《おうぎだるき》であったことを考えさせ、事実、四天王寺講堂を発掘した際に、軒が脱落して扇垂木は腐りその型が確認されている。先に触れた雲崗石窟（第二一窟）の塔では扇垂木とするのは隅のみで、その他の大部分

法隆寺玉虫厨子（部分）

隋代の建築的陶屋

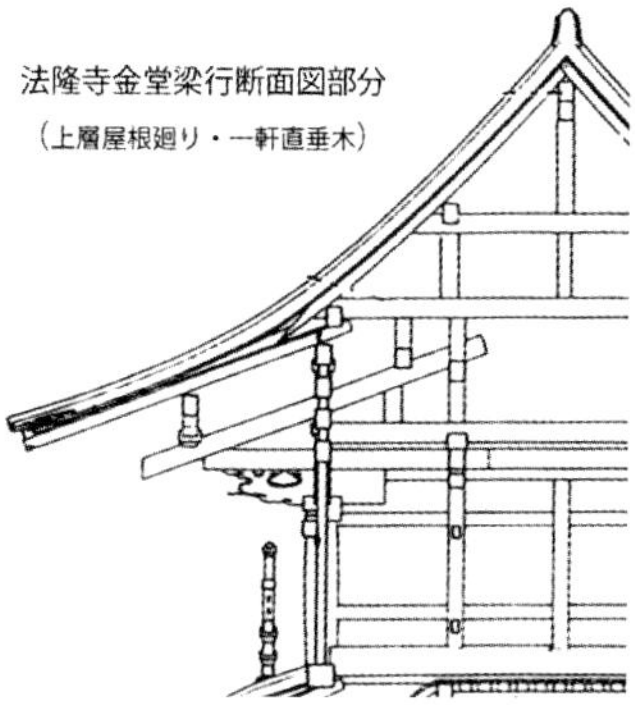

法隆寺金堂梁行断面図部分
（上層屋根廻り・一軒直垂木）

玉虫厨子正面見上げ

同上組物詳細

法隆寺金堂正面見上げ

は平行垂木である。なお、付け加えると、先の韓国・湖巌美術館所蔵の金銅製五重仏塔（十～十一世紀）の軒は二軒扇垂木である。

北朝ないし隋代とされる陶屋の屋根は錣葺ではないので、瓦葺の屋弛みは強く不自然で無理が目立つ。組物は隅で隅行方向にしか出さず、平の三手先組物[注7]は壁から直角に出し、柱上に組物を置き上に通肘木をのせる。

玉虫厨子では屋根四隅の隅木《すみぎ》を隅行方向のみの組物で支えるのは、隋代陶屋と共通するが、平で放射状に組物を配する軒の構造は、陶屋の組物では壁面から直角に出す方式で、法隆寺や近隣の法起寺《ほうきじ》・法輪寺《ほうりんじ》（近年焼失再建）と共通し、これが正しければ、中国隋代にこの方式は存在していたことになる。厨子では垂木は平行垂木となっているが、陶屋は残念ながら不詳である。なお、韓国・国立扶余博物館所蔵の青銅製小塔片が類似の様式を示す。

実際の建物では隅行の組物と、平で組物を放射状に出すか、壁と直角とするかは、おそらく規模と柱間に関係すると考えられ、山田寺金堂のように発掘の結果、身舎《もや》と側廻りの柱筋が通らない場合には、側脇間に間柱を置くことで丸桁位置で斜めに

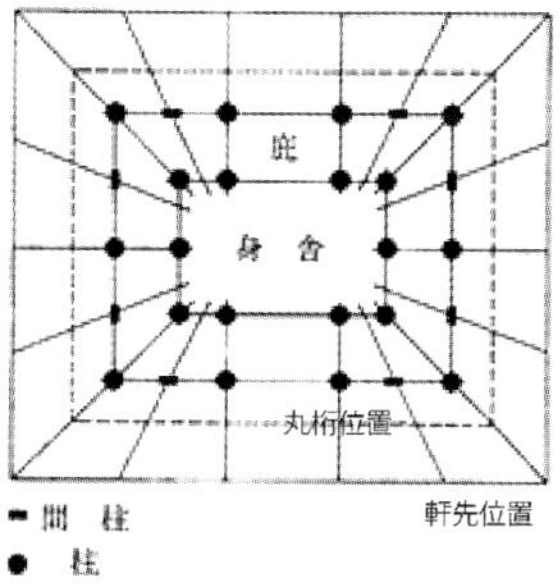

山田寺礎石位置と組物・垂木配置

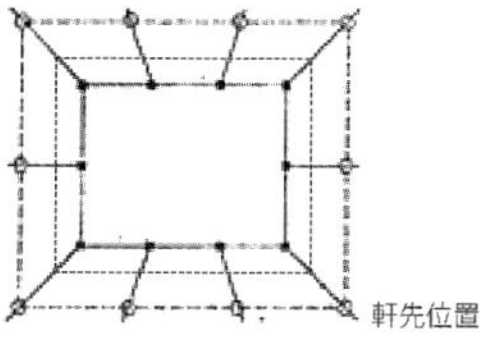

玉虫厨子柱位置と組物配置

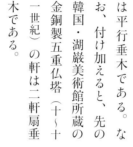

組物と垂木が扇に通り、荷重が集中する隅軒先を支持することができ、軒先ではほぼ近い間隔で力垂木に近い役割を果たせたのではないかと考える。

玉虫厨子では正面がほぼ三ツ割にされたので、軒先（一軒丸平行垂木）でも同様となったが、山田寺と同様の柱配置をもっていたことが明らかとなった滋賀県穴太廃寺《あのうはいじ》再建金堂（大津宮遷都天智六年・六六七と関連か）や、出土塼刻《せんこく》銘から持統八年（六九四）とみられる三重県夏見《なつみ》廃寺では、隅扇垂木は中央柱間両側まで廻り、中央柱間のみ平行垂木となったと考えられる。

以上のようなことを、つなぎ合わせると、かつての四天王寺の主要堂塔の姿を朧気ながらうかがい知ることができる。こうした点を考慮して現在のＲＣ造の伽藍は設計されたと考えられるが、その必要性から考えると、錣葺が採用されたのは金堂にとどまろうか。

なお、『一遍聖絵』（正安元年・一二九九）中の金堂は通常の屋根に描くが、亨和《きょうわ》元年（一八〇一）焼失後、再建された文化《ぶんか》九〜十年（一八一二〜一八一三）の中心伽藍の金堂は錣葺とされていた。

亨和元年(1801)焼失後、文化9〜10年(1812〜1813)再建

この後、南北の軸線をもつ古代顕教寺院《こだいけんきょうじいん》としての在り方から、平安時代初期の承和《じょうわ》三年（八三六）の落雷、中期の天徳四年（九六〇）の主要伽藍の焼失を経過するなかで、浄土信仰の大きな波を受け、南北の軸線に対して西門と石鳥居《いしのとりい》（一二九四年に木造から石造）のもつ東西の軸線が定着する。鳥居の扁額《へんがく》には「釈迦如来　転法輪処　当極楽土　東門中心」（文政《ぶんせい》元年の「天王寺諸堂《てんのうじしょどう》略記《りゃっき》」に載る）とあり、鳥居は聖地結界の四門の一つと考えられていた。

平安新仏教の創始者である最澄《さいちょう》や空海《くうかい》、浄土教を支えた良忍《りょうにん》や、鎌倉新仏教の法然《ほうねん》・親鸞《しんらん》・一遍達が四天王寺を参詣し、庶民信仰に大きな影響を残したことは、その伽藍構成に表れており第二次大戦まで、天台宗であったこともそれを示している。

【注記】

（1）岡田英男「飛鳥時代寺院の造営計画」（一九八九年）（奈良国立文化財研究所『研究論集Ⅷ』）

（2）長谷川輝雄「四天王寺建築論」（『建築雑誌』四七七号、日本建築学会、一九二五年）

（3）中世禅院の伽藍前庭の広さの決定にも同じ手法がみられる。拙稿「建長寺伽藍の設計計画」（『日本建築学会論文報告集』三五〇号、一九八五年）

（4）拙稿「薬師寺・唐招提寺の造営基本計画」（『佛教藝術』一九〇号、毎日新聞社、一九九〇年）、拙稿「設計側からみた寸法論―古建築の設計はどのように行われたか―」（『文建協通信』一三六、（公財）文化財建造物保存協会、二〇一九年）

（5）前掲注（4）に同じ

（6）前掲注（4）に同じ

（7）説明では四手先偸心斗栱とあるが、尾垂木をカウントしている可能性がある。陶屋の説明には所在や所有者の記載がない。出典、中国建築工業出版社・小学館『中国の建築』（一九八二年）

付録

四天王寺経供養

四天王寺の法会と行事

（作成：南谷恵敬）

年中行事

一月　一日	午前五時	晨鐘会	大講堂に参集。管長以下一山大衆列座、堂内で布餅の式、続いて五重塔・金堂・聖霊院等を巡拝。
同日	午前十時	朝拝式	宝蔵にて太子楊枝御影に対し朝拝祝詞を奏し、参集の諸人に宝物を拝せしめる。
同日	午後三時	万石会	六時堂（本来は食堂）。枡量の儀式（諸役知行を決める）。
同日		修正会開闢	六時堂。年の初め、この日より十四日間天下泰平・五穀成就を祈り、牛王宝印を加持する。
十一日	午後四時	手斧始式	金堂。四天王寺正大工金剛家により、斧を以って四方を拝し、斧始の儀式を行う。
十二日	午前十時	生身供	五智光院。太子御生誕（御生誕日は一月一日）を祝し、山海の珍味を供え、散華・対揚・講問の法会を執り行う（一般参加）。
十四日	午後三時	修正会結願	六時堂。一日より厳修されてきた修正会の結願。この日は俗に「どやどや」と称し、古くは近在の若者がふんどし姿にて参集し、牛王宝印の護符を受けんと競い合ったが、今日では清風学園・清風南海学園の高校生や和泉チャイルド幼稚園・四天王寺夕陽丘保育園の園児らが参加している。
十六日	午前十時半	金堂大般若	金堂。古来、正月・五月・九月の各十六日、天下和順・五穀豊穣の祈祷として大般若転読法要を厳修する。
二月　三日	午前十時～午後三時	節分会星祭	六時堂。節分の日に護摩を焚いて家内安全・厄除開運等を祈願する。節分は年によって二日となることがある。

	十五日	午前十時半	涅槃会	金堂。釈尊が沙羅双樹の下で涅槃に入られた日。諸寺法会を営む。四天王寺においては、古くは三大会の一つとして舞楽法要が営まれた。
	二十二日	午前十時～午後三時	二歳まいり	聖霊院前殿。二歳になる子どもたちが聖徳太子御宝前に参詣して聡明智慧・身体健全の祈祷を受ける。九時半より御正当舞楽の奉納。
三月	十八～二十四日		春季彼岸会	春分の日を中心に、前後一週間彼岸会法要を行う。境内諸堂に参詣者が群集する。閏年には十七～二十三日となる。
	二十四日	午後三時半	彼岸会結願	六時堂。
四月	三日	午前十時	五重位牌総供養	五重塔西庭内。五重位牌各家先祖代々の総供養。
	八日	午前十時半	仏誕会	六時堂・金堂。釈尊の生誕を祝う法要。甘茶の灌仏を行う。
	二十二日	正午～午後五時	聖霊会	六時堂・石舞台。俗に「おしょうらい」とも呼ばれ、本来は御正当日である旧暦の二月二十二日に行われていたが今日では四月二十二日に固定化している。石舞台上で四箇法要という声明と舞楽が交互に奏される。四天王寺のもっとも重要かつ盛大な法要である。
五月	初旬		授戒灌頂会	五智光院・方丈。聖徳太子以来伝えられた授戒灌頂の御法儀を厳修して、有縁の方々を結縁入壇せしめる。
	十六日	午前十時半	金堂大般若	金堂。大般若転読法要。
六月	三十日		愛染祭	愛染堂勝鬘院。大阪夏祭りのさきがけ。三十日より七月二日まで。
七月	十五日～八月十五日		夏法要	金堂。毎日十時半より実施。夏季の修行、夏安居として法華懺法と九條錫杖を交互に行う。
八月	四日	午後七時	篝の舞楽	伽藍講堂前庭。夕刻より天王寺舞楽が演奏され、広く一般に公開されている（入場料あり）。

八月	九～十六日		万灯供養	伽藍内。お盆の迎え火あるいは送り火として戒名等を記したろうそくを伽藍の中で点灯し供養する。
	九日・十日		千日詣り	四天王寺境内。この両日、四天王寺金堂御本尊救世観音に参詣すれば九万八千日の利益があるといわれる。
	十三～十六日		盂蘭盆会	四天王寺境内。各家先祖代々の盆供養を諸堂にて行う。
	十六日		大和別院盂蘭盆供養	奈良富雄の四天王寺別院本堂において一山式衆総出仕にて墓施主各家先祖代々の盆供養を行う。
九月	十六日	午前十時半	金堂大般若	金堂。大般若転読法要。
	二十～二十六日		秋季彼岸会	秋分の日を中心に前後一週間彼岸会法要を行う。境内諸堂に参詣者が群集する。閏年は十九日～二十五日となる。
	二十六日		彼岸会結願	六時堂。彼岸会の結願にあたり、戦災・地震・風水害・交通事故等犠牲者の追善供養を行う。
十月	十日	午前十時半	万灯院衣替	万灯院。古くは万灯院十講会という法要であったが現在は堂内の紙衣仏の衣替えを行い、紙衣仏の本願、病気平癒の祈願を行う。
	第二土曜日	終日	如法写経会	五智光院他。経供養にて納める写経を古式に則り厳修する。
	二十二日	午後	経供養	聖霊院前庭。もとは三月二日に行われ、古来この行事は非公開であって舞楽も衆人の目に触れないことから「縁の下の舞」として親しまれた。聖霊会と同じく四箇法要と舞楽で構成されている。当日如法写経会の写経が納められる。
十二月	八日	午前十時半	成道会	金堂。釈尊が成道された日の法要。臘八会ともいう。
	三十一日	午後十一時半	除夜の鐘	北鐘堂・南鐘堂・太鼓楼。午後十一時半より撞き始め、百八回までが除夜の鐘。それ以降は開運・招福の鐘として元旦午前四時まで続く。

月例法要・行事

十七日	講堂八講会	講堂。信徒各家の繁栄および各家ご先祖の追善菩提のため、法華八講という法華経の講問を厳修する。
二十一日	大師会	弘法大師像前。午前午後の二回弘法大師忌の法要を厳修する。境内に露店が出る。
二十二日	聖徳太子会	太子の御命日。境内に露店が出る。
同日	午前　曼供法要	聖霊院奥殿。太子御命日法要。胎蔵界曼荼羅供を厳修する。
同日	午後　講式・講問	聖霊院奥殿。太子御命日法要。太子五段講式と講問を隔月にて厳修する。
二十四日	地蔵尊供	地蔵堂。地蔵尊の供養を厳修する。
二十五日	歴代先徳墓回向	四天王寺霊苑歴代墓前にて歴代先徳の回向。あわせて無縁仏塔の供養。
二十八日	不動尊供	亀井不動尊前。不動尊の縁日にて供養法要を厳修。あわせて石神堂、石の不動尊供養。
第二土曜日	仏教文化講演会	聖徳太子の教学を普及するとともに、各界の名士による文化講演会。八月と十二月は休会。
毎週火曜日	参禅会	朝六時より座禅し精神統一を図る会。
初己の日	一心大神会	本坊庭園弁才天宝前。四天王寺仏法興隆並びに信徒各家の家運繁栄を弁才天尊に祈願。
十月第一土曜日	秋期大学	五智光院。各宗御本山の高僧や各界専門家による講演会。

定例行事

庚申の日	庚申会	庚申堂。庚申堂、青面金剛童子宝前にて各家の祈願を厳修。最初の庚申の日は初庚申といい、宵庚申には堂内にて大般若転読法要、当日は堂前にて大護摩供が厳修される。
甲子の日	大黒天供	大黒堂。大黒堂に祀られた三面大黒天尊の宝前にて、信徒各位の福徳円満、七難即滅・七復即生を祈る一時千座法要が厳修される。また、毎月子の日に例祭を行う。
旧正月の日	旧正大黒天	大黒堂。旧正月の日に大黒天供を厳修する。

聖徳太子・四天王寺略年表

（作成：渡邉慶一郎）

年号	西暦	月・日	事項
敏達天皇三年	五七四		聖徳太子、誕生。
敏達天皇六年	五七七	十一	百済・威徳王、経論および律師・禅師・比丘尼・呪禁師・造仏工・造寺工を献ずる。
用明天皇二年	五八七	四	太子の父用明天皇、崩御する。
同年		七	太子、物部守屋討伐に際し、四天王寺建立を発願する。
推古天皇元年	五九三	四	太子、推古天皇の摂政となる。この年、難波荒陵に四天王寺を造る。
推古天皇十一年	六〇三	十二	冠位十二階が制定される。
推古天皇十二年	六〇四	四	憲法十七条が制定される。
推古天皇十四年	六〇六	七	太子、推古天皇の請いに応じて『勝鬘経』『法華経』を講讃する。
推古天皇三十年	六二二	二・二十二	太子、薨去。
推古天皇三十一年	六二三		新羅より使者来朝。貢ずる仏像を葛野秦寺に、金塔・舎利・灌頂幡等を四天王寺に納める。
大化元年	六四五	十二・九	孝徳天皇、難波長柄豊碕宮の造営を開始する。
大化四年	六四八	二・八	阿倍内麻呂、四衆を四天王寺に請じ、仏像四軀を塔内に安置し、霊鷲山像を造る。
白雉二年	六五一		孝徳天皇、難波長柄豊碕宮に遷御する。
大宝元年	七〇一	一・七	天王寺住侶民部僧都豪範、天王寺庚申堂を建てると伝わる。
天平勝宝元年	七四九	閏五・二十	聖武天皇、四天王寺など一二ヵ寺に一切経転読料として墾田地などを寄進する。
同年		七・十三	太政官符により、諸寺の墾田地の限度を定める。四天王寺は五〇〇町。
天平勝宝七年	七五五	十・十三	東大寺戒壇院四天王立像供養大会あり。四天王寺からも請僧が出る。
天平勝宝八年	七五六	十一・二	東大寺瓦として四天王寺は一万四〇〇〇枚を作る。
宝亀元年	七七〇	四・二十六	称徳天皇、三重小塔を一〇〇万基造り、四天王寺等へ納める。

宝亀二年	七七一	六・十四	四天王寺僧敬明ら、『四天王寺障子伝』（『七代記』とも）を編纂。
延暦二十二年	八〇三		四天王寺三綱寺主、縁起資財帳を勘録す。『大同縁起』という。
延暦二十三年	八〇四	十・三	桓武天皇、和泉国へ行幸。翌日、難波江に船を浮かべ、四天王寺の奏楽を聞く。
弘仁七年	八一六		最澄、四天王寺上宮廟に参詣し詩一首を奉じる。 この頃、六時堂および椎寺薬師堂を建立すると伝わる。
天長二年	八二五	二・八	四天王寺・法隆寺両寺の安居講師を天台宗僧に定める。
承和三年	八三六	十二・六	落雷により四天王寺塔廟損壊。一九ヵ寺に三日三夜大般若経を転読せしむる。
承和四年	八三七		東寺阿闍梨円行、初代四天王寺別当に就く。
貞観五年	八六三	七・二十七	新銭二〇貫文、鉄二〇廷を修理料として施入される。
天徳四年	九六〇	三・十七	難波天王寺焼亡する。
永観元年	九八三		冷泉上皇、三昧堂建立を御願。摂津国新開庄を三昧院領とする。
寛弘四年	一〇〇七	八	十禅師慈運、金堂内六重塔内より『四天王寺縁起』を発見する。
天喜二年	一〇五四	九・二十	太子御廟近辺（現在の叡福寺）より太子御記文が発見される。四天王寺を通じて奏聞する。
延久元年	一〇六九	五	秦致貞、法隆寺東院伽藍絵殿の障子絵を描く。
久安五年	一一四九	十一・十一	念仏堂落成供養。鳥羽法皇の御願。
文治三年	一一八七	八・二十二	後白河法皇、四天王寺灌頂堂にて伝法灌頂を受ける。
建久二年	一一九一	九・十八	天王寺念仏三昧院・念仏堂焼失する。
建仁元年	一二〇一	九・二十	天王寺塔修理供養。後鳥羽上皇御幸。
元久元年	一二〇四	二	天王寺金堂修理供養。後鳥羽上皇御幸。
建保二年	一二一四	六・二十六	宝蔵より「太子先身御持経」（細字法華経）が発見される。
貞応三年	一二二四	四	別当慈円、絵堂を再建。絵師尊智、聖徳太子絵伝と九品往生人図を描く。

年号	西暦	月・日	事項
嘉禄元年	一二二五	二・二十二	松殿大納言忠房、四天王寺に参詣し聖霊会を見る。
嘉禄三年	一二二七	十	四天王寺東僧坊にて『天王寺秘決』が記される。
嘉禎三年	一二三七	八・十三	渡辺党と合戦。金堂以下の堂宇に放火されるも、打消す。
暦仁元年	一二三八	九・二十	将軍藤原頼経、五智光院領土佐国高岡庄の守護不入を下知する。
弘安七年	一二八四	九・二十七	南都西大寺の叡尊、四天王寺別当に就く。
永仁二年	一二九四	四・十八	鎌倉極楽寺の忍性、四天王寺別当に就く。 忍性、別当の間（～一三〇三）に鳥居を石造とし、また悲田・敬田両院を再興する。
嘉暦元年	一三二六		石鳥居の額を銅で新調する。
元弘三年	一三三三		幕府軍、楠木正成の軍と天王寺周辺で合戦に及ぶ。
建武二年	一三三五	五・十八	後醍醐天皇、『四天王寺縁起』を書写する。
正平四年／貞和五年	一三四九	三・九	足利直義、土佐国高岡庄の守護不入を安堵する。
正平十六年／康安元年	一三六一	六・二十四	正平（康安）地震。金堂倒壊。塔傾き、九輪落ちる。
同年		九・二十四	四天王寺落慶。
正平二十年／貞治四年	一三六五	五・二十四	四天王寺金堂供養。
同年			別当忠雲、『禁裏御記』の記事を見出し、建保二年（一二一四）出現の法華経を金堂に納める。
正平二十一年／貞治五年	一三六六	十二・八	幕府、土佐国高岡庄七ヵ郷を四天王寺に付す。
嘉吉三年	一四四三	一・十二	四天王寺僧徒、上方と中方の確執により、伽藍炎上する。
寛正元年	一四六〇	閏九・二	畠山義就、四天王寺を焼く。
寛正四年	一四六三	四・十五	聖霊院供養あり。再建か。
文明二年	一四七〇	五・二十一	大内の兵、四天王寺を焼く。
永正七年	一五一〇	八・八	永正地震。天王寺二一社および石鳥居などが倒壊し、金堂尊像が破損する。

永正十三年	一五一六	九・五	石鳥居修理。
天文七年	一五三八	一・二十	地震により、石鳥居崩れる。
同年		六	別当尊鎮法親王、聖霊院再建のため勧進帳を認める。
永禄十一年	一五六八	九	織田信長上洛。翌年三月、四天王寺へ撰銭令を発す。
天正四年	一五七六	五・三	織田軍、天王寺砦にて本願寺勢と合戦に及ぶ。四天王寺焼失。
同年		五・十	正親町天皇、伽藍再興を求める。
天正十一年	一五八三	七・十一	羽柴（のちの豊臣）秀吉、太子堂奉加銭として五〇〇貫文を津地子銭から納めるよう、松井友閑に命じる。
同年		十一	秋野坊亨順、四天王寺再建のため勧進を行う。
天正十七年	一五八九	四・四	北政所（秀吉室）、五重塔再建のため法隆寺の塔の図面を写させる。
文禄三年	一五九四		秀吉、『四天王寺造営目録』を記す。
（年不詳）		七・十	秀吉、大和・額安寺の塔を移築するよう命じる。
慶長二年	一五九七		勝鬘院多宝塔再建。
慶長五年	一六〇〇	三・二十七	四天王寺落慶供養。
慶長十九年	一六一四	十一・六	大坂冬の陣の兵火により四天王寺焼失。
元和元年	一六一五	六・一	徳川家康、二条城にて秋野坊らに伽藍再建を命じる。
同年		十一	南光坊天海、『四天王寺法度』を下す。
元和四年	一六一八	九・二十一	伽藍再興釿始め。
元和五年	一六一九	九・十五	徳川秀忠、四天王寺へ寺領一一七七石余の朱印地を寄進する。
元和九年	一六二三	九・二十一	伽藍再興、ことごとく成就する。
寛永五年	一六二八	四・十六	家康一三回忌法会。天海より東照大権現の神影が下され、五智光院（御霊屋）へ勧請する。
慶安四年	一六五一	四・二十	徳川家光薨去。御尊号を御霊屋へ安置し、東照権現御神影を用明殿へ合殿する。

年号	西暦	月・日	事項
寛文八年	一六六八		検地による打ち出し高四一九石余りが堂社修理料に充てられる。
寛文九年	一六六九	十二	家綱、伽藍修理を命じる。
寛文十年	一六七〇	八・二十二	伽藍修理、ことごとく成就する。
寛文十一年	一六七一	二	聖徳太子千五十年御聖忌。
宝永七年	一七一〇	四・十四	寺社奉行へ伽藍の修理を願い出る。
享保四年	一七一九	二	聖徳太子千百年御聖忌。
享保十四年	一七二九	二・十六	幕府より修理料として金三〇〇〇両が下賜される。
享保十六年	一七三一		伽藍修理のため、寛保二年(一七四二)まで全国を対象に勧化を行う。
天明七年	一七八七		翌年にわたり、塔修復のため寄附を募る。
享和元年	一八〇一	十二・五	落雷により四天王寺焼失。西側の一部堂宇は免れる。
文化二年	一八〇五	十二	幕府より、伽藍再建のため助成金二〇〇〇両が下賜される。
文化九年	一八一二		この頃、淡路屋太郎兵衛が中心となり再建される。
文政二年	一八一九	二	聖徳太子千二百年御聖忌。
文久三年	一八六三	七・十八	失火により聖霊院・絵堂など焼失。
明治四年	一八七一		四天王寺境内、上知令により国有地となる。
同年			この頃、衆僧ら俗籍へ編入し、山内より離脱する。
明治五年	一八七二		明意上人、聖霊院の再建に尽力する。
明治十二年	一八七九	四	聖霊院落慶。また一時断絶していた聖霊会が復興される。
明治三十年	一八九七	五・三	吉田源應ら、聖徳皇太子頌徳会を設立。小松宮彰仁親王を総裁に仰ぐ。
明治三十五年	一九〇二		この頃、五智光院を現在地に移築し、本坊敷地が拡張される。
明治三十六年	一九〇三	二・二十五	頌徳鐘を鋳造。同年、第五回内国勧業博覧会にて披露される。

明治四十一年	一九〇八	五・二十二	頌徳鐘楼（現在の英霊堂）建立。頌徳鐘の撞初式あり。天井の雲龍図は湯川松堂の作。
大正四年	一九一五	十・二十六	五智光院を増築する。
大正六年	一九一七	五	五重塔大修理あり。
大正十年	一九二一	五	聖徳太子千三百年御聖忌。
大正十一年	一九二二	四・十九	天王寺高等女学校（現四天王寺高等学校・中学校）創立。
昭和六年	一九三一	七・十	四天王寺施薬療病院（現四天王寺病院）創立。
昭和九年	一九三四	九・二十一	室戸台風により、五重塔・仁王門が倒壊。金堂は傾斜し、講堂も破損する。
同年		十一	倒壊した五重塔基壇下の発掘調査により、文化再建時の舎利容器や古代の金環などの遺物が発見され、さらに飛鳥時代の地下式心礎が確認された。
昭和十年	一九三五	八・三	金堂修復落慶供養。
昭和十二年	一九三七	四・二十二	仁王門落慶式。五重塔釿始式。
昭和十五年	一九四〇	五・二十二	五重塔落慶大法要。
昭和二十年	一九四五	三・十四	大阪大空襲により、四天王寺焼失。亀の池より北（六時堂・食堂・本坊周辺・椎寺周辺）は焼失を免れる。
昭和二十一年	一九四六	一・二十二	天台宗より独立して「和宗」を開宗する（四天王寺独立宣言）。
昭和二十二年	一九四七	八・十四	食堂を仮金堂（本堂）として移築する。
昭和二十三年	一九四八	四・六	国有であった境内地が四天王寺へ譲渡される。
昭和二十四年	一九四九	三・十八	頌徳鐘楼を改修して平和祈念堂（現英霊堂）とし、比叡山黒谷青龍寺より丈六阿弥陀立像を勧請する。
昭和二十五年	一九五〇	八・二十九	石鳥居他、重要文化財に指定される。
同年		九・三	ジェーン台風により、仮金堂他、複数の仮堂が倒壊。
昭和二十六年	一九五一	六・九	四天王寺旧境内、国史跡に指定される。
昭和二十九年	一九五四	四・二十二	聖霊院前殿落慶および入仏遷座法要。
同年		九・十七	六時堂・五智光院・元三大師堂・本坊方丈・西通用門・石舞台、重要文化財に指定される。

年号	西暦	月・日	事項
昭和三十年	一九五五	七・四	中心伽藍の発掘調査を行う（〜昭和三十二年）。
昭和三十一年	一九五六	九	第一期復興工事を開始する。
昭和三十八年	一九六三	十・十五	中心伽藍および西大門落慶。四天王寺復興記念大法要。
昭和四十六年	一九七一	四・二十二	聖徳太子千三百五十年御聖忌。記念大法会あり。
昭和五十四年	一九七九	十・十三	聖霊院奥殿・絵堂・経堂、落慶法要。
昭和五十八年	一九八三	九・十一	杉本健吉、絵堂壁画「聖徳太子絵伝」を描く。
平成五年	一九九三		四天王寺創建千四百年記念大法要。 前年十月六日より大阪市立美術館・サントリー美術館にて記念展覧会が開催される。
平成六年	一九九四	三・二十七	四天王寺大和別院本堂落慶。
平成七年	一九九五	一・十七	阪神淡路大震災。境内各所にて破損被害が確認される。
同年		七・一	石舞台の修理を開始する（〜翌年三月）。
平成九年	一九九七	七・十五	八角亭、登録文化財に登録される。
平成十二年	二〇〇〇	十二・十二	四天王寺文書（三〇点）、大阪市指定有形文化財に指定される。
平成十四年	二〇〇二	十一・二十二	番匠堂落慶。
平成十六年	二〇〇四	六・十四	大黒堂改修工事落成。
平成十八年	二〇〇六	一・二十	四天王寺西門石鳥居納入品（五八六点）・西国巡礼三十三度行者満願供養塔、大阪市指定有形民俗文化財に指定される。
平成二十三年	二〇一一	十・七	宝物館耐震補強工事を開始する（〜翌年三月）。
平成二十五年	二〇一三	四・二十二	昭和伽藍復興五十年記念聖霊会。散華大行道を修す。
同年		四	宝蔵、解体修理（〜翌年三月）。

同年			庚申堂の庚申塔群が大阪市指定有形民俗文化財に、庚申堂の庚申まいりが大阪市指定無形民俗文化財に指定される。
平成二十六年	二〇一四	六・二十	刺繍青面金剛童子像、大阪市指定有形文化財に指定される。
同年		九	宮殿（聖霊会本尊厨子）・鳳輦・玉輿の調査等のため、専門委員会を設置する。
平成二十七年	二〇一五	四	四天王寺・庚申堂内石造物の調査を開始する（元興寺文化財研究所　〜平成三十一年）。
同年		九・七	中心伽藍耐震改修工事（「平成の大修復」）を開始する（〜平成三十年六月）。期間中に、南鐘堂、北鐘堂、太鼓楼の改修および英霊堂の耐震補強工事を実施。
平成二十九年	二〇一七	六・九	中之門・宝蔵・英霊堂、大阪市指定有形文化財に指定される。
同年		十一・二十九	国宝懸守のX線CTスキャン調査（京都国立博物館）を実施。桜折枝文の内部に如来像が確認される。
平成三十年	二〇一八	四・一	重要無形民俗文化財「聖霊会の舞楽」所用具修理新調事業を開始する（〜令和四年三月）。
同年		五	聖霊院修復工事を開始する（〜令和元年十月）。
平成三十一年	二〇一九	四	石造物調査により、亀井堂亀形石槽が七世紀に遡ることが判明する。
令和元年	二〇一九	五	史跡四天王寺旧境内保存活用計画を策定する。
同年		十二・十八	用明殿復興。
令和二年	二〇二〇	三・六	伝教大師一千二百年大遠忌にあわせ、伝教大師像を復興し、一乗院を建立する。
同年		四・二十二	新型コロナウイルス感染症の感染拡大により、聖霊会の舞楽四箇法要を中止する。
令和三年	二〇二一	二・二十一	聖徳太子千四百回忌御正當逮夜法要にあわせ、聖徳太子十六歳孝養像（大法会行像）開眼法要。
同年		九・四	大阪市立美術館・サントリー美術館にて「聖徳太子展」が開催される。（〜令和四年一月十日）
同年		十・十八	聖徳太子千四百年御聖忌慶讃大法会開闢。
令和四年	二〇二二	四・二十二	聖徳太子千四百年御聖忌慶讃大法会結願。

参考文献

本書と関わりのあるもののみを掲出する

【図書】

- 秋山光和・鈴木敬三・柳澤孝『扇面法華経の研究』（東京国立文化財研究所監修『扇面法華経』所収、鹿島出版会、一九七二年）
- 天沼俊一編『四天王寺図録 伽藍編』（四天王寺、一九三六年）
- 天沼俊一編『四天王寺図録 復興編』（四天王寺、一九四二年）
- 『生田花朝女句集 花樗』（生田花朝女顕彰会 一九八四年）
- 生田南水『四天王寺と大阪』（天王寺旧校同窓会、一九一〇年）
- 生田南水『四天王寺案内』（木下翠香、一九一〇年）
- 江上綏『日本の美術 三九七号 料紙装飾箔散らし』（至文堂、一九九九年）
- 大久保好『四天王寺由緒沿革記 全』（一八九三年）
- 大阪市立美術館監修『聖徳太子信仰の美術』（東方出版、一九九六年）
- 大阪府史編集専門委員会編『大阪府史 第二巻』（大阪府、一九九〇年）
- 大屋徳城『聖徳太子講式集』（聖徳太子奉讃会編『聖徳太子全集』第六巻「太子関係芸術」所収、一九四四年）
- 小野功龍監修『雅亮会百年史―増補改訂版（創立百二十年を越えて）―』（天王寺楽所雅亮会、二〇〇八年）
- 小山靖憲『熊野古道』（岩波書店、二〇〇〇年）
- 小山靖憲『世界遺産 吉野・高野・熊野をゆく 霊場と参詣の道』（朝日新聞社、二〇〇四年）
- 菊竹淳一編『日本の美術 九一号 聖徳太子絵伝』（至文堂、一九七三年）
- 北川央『近世の巡礼と大坂の庶民信仰』（岩田書院、二〇二〇年）
- 小林計一郎『善光寺さん』（銀河書房、一九七三年）
- 五来重『熊野詣』（淡交新社、一九六七年）
- 榊原史子『『四天王寺縁起』の研究―聖徳太子の縁起とその周辺』（勉誠出版、二〇一三年）
- 四天王寺『四天王寺図録 伽藍編』（一九三六年）
- 四天王寺『四天王寺図録 古瓦編』（一九三六年）
- 清水谷孝尚『観音巡礼のすすめ―その祈りの歴史―』（朱鷺書房、一九八三年）
- 『頌徳鐘の由来』（貴志七宝堂、一九〇三年）
- 白畑よし『扇面法華経下絵、経文字解』（私家版、一九八九年）
- 新修大阪市史編纂委員会編『新修 大阪市史 第二巻』（大阪市、一九八八年）
- 新修大阪市史編纂委員会編『新修 大阪市史 第五巻』（大阪市、一九九一年）

・新修大阪市史編纂委員会編『新修 大阪市史 第七巻』（大阪市、一九九四年）
・総本山四天王寺勧学院『聖徳太子鑚仰』編集委員会編『聖徳太子鑚仰』（四天王寺、一九七九年）
・多賀宗隼『慈円の研究』（吉川弘文館、一九八〇年）
・田中智彦『聖地を巡る人と道』（岩田書院、二〇一四年）
・出口常順、藤澤一夫監修『四天王寺古瓦聚成』（柏書房、一九八六年）
・出口善子『笙の風―出口常順の生涯』（東方出版、二〇一八年）
・内藤藤一郎『四天王寺と美術』（湯川弘文社、一九三五年）
・『浪華摘英』（浪華摘英編纂事務所、一九一五年）
・奈良国立博物館編『聖徳太子絵伝』（東京美術、一九六九年）
・武藤舜應『明意上人御伝記』（清心講社、一九一七年）
・橋本義彦『藤原頼長』（吉川弘文館、一九六四年）
・速水侑『観音信仰』（塙書房、一九七〇年）
・藤島亥治郎『古寺再現』（学生社、一九六七年）
・藤島亥治郎編著『復興 四天王寺』（総本山四天王寺、一九八一年）
・増記隆介『院政期仏画と唐宋絵画』（中央公論美術出版、二〇一五年）
・南谷美保『四天王寺聖霊会の舞楽』（東方出版、二〇〇八年／増補版、二〇二一年）
・山本勉『日本の美術 四九三号 南北朝時代の彫刻』（至文堂、二〇〇七年）

【展覧会図録】
・ＮＨＫ他『聖徳太子展』（二〇〇一年）
・大阪市立博物館『大阪の名宝―信仰と美術の精華―』（一九九二年）
・大阪商業大学商業史博物館『浪速慕情―菅楯彦とその世界』（二〇一四年）
・堺市博物館『仏を刻む―近世の祈りと造形―』（一九九七年）
・四天王寺勧学部『太子のまなざし―聖徳太子信仰の多様性―』（二〇一四年）
・四天王寺勧学部『四天王寺絵堂の聖徳太子絵伝―その伝統と革新―』（二〇一七年）
・四天王寺勧学部『四天王寺聖霊院―太子を祀る御堂の歴史―』（二〇一七年）
・四天王寺勧学部『浪花の彩―花ひらく、近代絵画と四天王寺―』（二〇一七年）
・四天王寺勧学部『英霊堂―世界一の大鐘楼建造の記録―』（二〇一七年）
・四天王寺勧学部『地より湧出した難波の大伽藍―四天王寺の考古学―』（二〇一八年）

- 四天王寺勧学部『菅楯彦「竜頭鷁首図屛風」―幻の傑作―』（二〇二〇年）
- 東京都美術館、大阪市立美術館、名古屋市博物館、NHK、NHKプロモーション『聖徳太子展』（二〇〇一年）
- 鳥取県立博物館『菅楯彦没後五十年展 浪速の粋 雅人のこころ』（二〇一四年）
- 中之島香雪美術館『聖徳太子―時空をつなぐものがたり』（二〇二〇年）
- 和宗総本山四天王寺、大阪市立美術館、サントリー美術館、日本経済新聞社『聖徳太子―日出づる処の天子』（二〇二一年）

【報告書・資料】

- 大阪市立大学大学院文学研究科都市文化研究センター、大阪歴史博物館編『四天王寺境内絵図集』（二〇〇九年）
- 大阪市教育委員会『令和二年度 大阪市文化財保護審議会 調書』（二〇二一年）
- 公益財団法人元興寺文化財研究所編『四天王寺亀井堂 石造物調査報告書』（和宗総本山四天王寺、二〇一九年）
- 宗教法人四天王寺編『史跡四天王寺旧境内保存活用計画』（二〇一九年）
- 棚橋利光編『四天王寺年表』（清文堂出版、一九八九年）
- 棚橋利光編『四天王寺史料』（清文堂出版、一九九三年）
- 棚橋利光編『四天王寺古文書 第一巻』（清文堂出版、一九九六年）
- 文化財保護委員会『四天王寺』（一九六七年）
- 和宗総本山四天王寺編『中心伽藍耐震改修工事記 写真集』（二〇一八年）

【論文】

- 朝賀浩「四天王寺聖霊院絵堂聖徳太子絵伝の再検討」（『聖徳太子信仰の美術』東方出版、一九九六年）
- 安嶋紀昭「国宝阿弥陀聖衆来迎図について」（高野山霊宝館『国宝阿弥陀聖衆来迎図』、一九九七年）
- 阿部泰郎「『正法輪蔵』東大寺図書館本―聖徳太子絵伝絵解き台本についての一考察」（『芸能史研究』八二号、一九八三年）
- 阿部泰郎「中世仏教における儀礼テクストの総合的研究」（『国立歴史民俗博物館研究報告 中世における儀礼テクストの綜合的研究―館蔵田中旧蔵文書『転法輪鈔』を中心として』一八八集、二〇一七年）
- 天野信治「本證寺本聖徳太子絵伝の画面構成について」（『安城市歴史博物館研究紀要』一〇・一一合併号、二〇〇四年）
- 「阿弥陀如来及両脇侍像」（『日本国宝全集』六六号、一九三五年）
- 網伸也「四天王寺出土瓦の編年的考察」（『堅田直先生古稀記念論文集』、真陽社、一九九七年）
- 網伸也「四天王寺古代瓦の再検討―平安宮豊楽院同范瓦によせて―」（『ヒストリア』一四〇号、一九九三年）
- 網伸也「四天王寺出土瓦の編年的考察」（『堅田直先生古稀記念論文集』、真陽社、一九九七年）
- 網伸也「古代の難波と四天王寺―飛鳥時代の寺院関連遺跡を中心に―」（『大阪春秋』一五三号、二〇一四年）

●網伸也「難波百済寺と百済王氏―百済郡建郡と交野移貫の実態―」（『古代日本と渡来系移民』高志書院、二〇二一年）
●石川知彦「一乗寺本聖徳太子孝養像と太子画像の展開」（大阪市立美術館監修『聖徳太子信仰の美術』東方出版、一九九六年）
●石川知彦「時空を超えた聖徳太子像―静岡・個人蔵太子二臣像を手がかりに」（東京都美術館、大阪市立美術館、名古屋市博物館、NHK、NHKプロモーション『聖徳太子展』、二〇〇一年）
●石川知彦「河合寺木造役行者倚像をめぐって」（『大阪市立美術館紀要』一一号、一九九八年）
●石田尚豊「両界曼荼羅図（大阪・四天王寺蔵）―台密系両界曼荼羅の一考察―」（『MUSEUM』一七二号、一九六五年／『日本美術史論集―その構造的把握』中央公論美術出版、一九八八年）
●市村元「―幻の世界最大鐘―四天王寺頌徳鐘の悲劇の生涯」（『鋳造工学』七〇号、一九九八年）
●一本崇之「四天王寺伝来の仏像」（『四天王寺』七七七号、二〇一六年）
●一本崇之「江戸時代における四天王寺絵堂と聖徳太子絵伝―狩野山楽本以降の太子絵伝と文化再建絵堂をめぐって―」（『美術史論集』一七号、二〇一七年）
●一本崇之「四天王寺の阿弥陀さまとお地蔵さん―おもに仏像遺品を中心に―」（四天王寺勧学部『阿弥陀さまとお地蔵さん―導きのほとけ―』、二〇一五年）
●一本崇之「地蔵菩薩坐像」（『国華』一四九五号、二〇二〇年）
●今村久兵衛「鋳物師と四天王寺の大梵鐘」（『上方―梵鐘号―』一四五号、一九四三年）
●岡田英男「飛鳥時代寺院の造営計画」（奈良国立文化財研究所『奈良国立文化財研究所学報』四七冊、一九八九年）
●奥健夫「東寺伝聖僧文殊像をめぐって」（『美術史』一三四号、一九九三年／『仏教彫像の制作と受容』中央公論美術出版、二〇一九年）。
●奥健夫「構造技法よりみた東寺講堂諸尊像」（『仏教彫像の制作と受容―平安時代を中心に―』中央公論美術出版、二〇一九年）
●小倉豊文「四天王寺絵堂並に絵伝沿革略考」（『太子鑽仰』一一三号、一九四六年）
●小山正文「遊行寺本『聖徳太子伝暦』の書写者と伝持者」（『親鸞と真宗絵伝』法蔵館、二〇〇〇年）
●上川通夫「一切経と中世の仏教」（『年報中世史研究』二四号、一九九九年）
●川岸宏教「初期の四天王寺別当について」（『四天王寺学園女子短期大学研究紀要』三号、一九六一年）
●川岸宏教「四天王寺の創立」「四天王寺の発展」（新修大阪市史編纂委員会編『新修 大阪市史 第一巻』、一九八八年）
●川岸宏教「近世初期の四天王寺―堂塔の被災と再建―」（『四天王寺国際仏教大学紀要』三四・四二号、二〇〇二年）
●北川央「巡礼と四天王寺」（『四天王寺』七四四号、二〇一一年）
●木村展子「四天王寺の慶長再建について」（『美術史論集』九号、二〇〇九年）
●榊原史子「平安時代初期の広隆寺と四天王寺」（あたらしい古代史の会編『王権と信仰の古代史』吉川弘文館、二〇〇五年）
●櫻井敏雄「宝蔵 指定説明書」（『四天王寺建造物 指定調書』（未刊行）、二〇一五年）
●櫻井敏雄「建長寺伽藍の設計計画」（『日本建築学会論文報告集』三五〇号、一九八五年）

●櫻井敏雄「薬師寺・唐招提寺の造営基本計画」（『佛教藝術』一九〇号、一九九〇年）
●櫻井敏雄「設計側からみた寸法論―古建築の設計はどのように行われたか―」（『文建協通信』公益財団法人文化財建造物保存協会、二〇一九年）
●佐藤佐「四天王寺文化五重塔倒壊見聞録」（『四天王寺』六巻八号、一九四〇年）
●佐藤長門「入唐僧円行に関する基礎的考察」（『国史学』一五三号、一九九四年／『遣唐使と入唐僧の研究―附校訂『入唐五家伝』―』高志書院、二〇一五年再録）
●沢村仁「四天王寺の発掘調査」（『聖徳太子研究』創刊号、一九六五年）
●新谷哉々「四天王寺新発見三尊仏」（『史迹と美術』五〇号、一九三五年）
●杉原たく哉「七星剣の図像とその思想 法隆寺・四天王寺・正倉院所蔵の三剣をめぐって」（『美術史研究』二一号／『アジア図像探検』集広舎、二〇二〇年）
●竹内理三「四天王寺初代別当円行和尚伝」（『四天王寺』四巻一号、一九三八年）
●竹内理三「闕史時代四天王寺別当伝」（『四天王寺』四巻五号、一九三八年）
●田中主水「四天王寺の大釣鐘が出来る迄の話」（『上方』九四号、一九三八年）
●谷口耕生「鎌倉時代やまと絵の形成―尊智・円伊・高階隆兼」（『日本美術全集 第八巻 鎌倉・南北朝時代Ⅱ 中世絵巻と肖像画』小学館、二〇一五年）
●谷崎仁美「七世紀後半における寺院造営とその背景―四天王寺と堂ケ芝廃寺を中心に―」（四天王寺勧学部『地より湧出した難波の大伽藍―四天王寺の考古学―』、二〇一八年）
●谷崎仁美「四天王寺飛鳥時代軒瓦の再検討」（『龍谷大学考古学論集Ⅲ―岡崎晋明先生喜寿記念論文集―』、二〇二〇年）
●谷崎仁美「四天王寺の伽藍造営からみた難波の地域的特性」（『古代日本と渡来系移民―百済郡と高麗郡の成立―』高志書院、二〇二一年）
●出口常順「千人斬供養碑の由来」（『四天王寺』一九四号、一九五六年）
●出口常順「四天王寺蔵 七星剣・丙子椒林剣の伝来について」（『聖徳太子研究』六）一九七一年、聖徳太子研究会
●土居次義「狩野山楽の聖徳太子絵伝板絵」（『佛教藝術』五六号、一九六五年）
●中島博「やまと絵の花鳥における宋画の影響について」（『花鳥画の世界1』学習研究社、一九八二年）
●長尾武「大阪・四天王寺、安政南海地震津波碑文の判読」（『歴史地震』二七号、二〇一二年）
●中尾芳治「四天王寺の発掘調査」（『新修大阪市史 第一巻』大阪市、一九八八年）
●中村亜希子、神野恵「古代の山椒」（奈良文化財研究所『香辛料利用からみた古代日本の食文化の生成に関する研究（山崎香辛料財団研究助成成果報告書）』、二〇一四年）
●西木政統「東京国立博物館所蔵の如意輪観音菩薩坐像と檀像表現」（『MUSEUM』第六八三号、二〇一九年）
●根立研介「承和期の乾漆併用木彫像とその後の展開」（古代學協會編『仁明朝史の研究―承和転換期とその周辺―』思文閣出版、二〇一一年）

●長谷川輝雄「四天王寺建築論」（『建築雑誌』四七七号、一九二五年）
●日垣明貫「明治初年の四天王寺春の彼岸詣り」（『上方』二七号、一九三三年）
●福山敏男「初期の四天王寺史」（『佛教藝術』五六号、一九六五年）
●藤岡穣「四天王寺の仏像と聖徳太子の彫像」（『四天王寺の宝物と聖徳太子信仰』展実行委員会『四天王寺の宝物と聖徳太子信仰』、一九九二年）
●藤岡譲「木造 阿弥陀如来坐像」「木造 観音・勢至菩薩立像」（大阪市立美術館監修『聖徳太子信仰の美術』東方出版、一九九六年）
●藤岡譲「様式からみた新薬師寺薬師如来像」（林温編『仏教美術論集 二』竹林舎、二〇一二年）
●藤岡穣「曹仲達様式の継承―鎌倉時代の仏像にみる宋風の源流」（『ひと・もの・知の往来 シルクロードの文化学（アジア遊学二〇八）』勉誠出版、二〇一七年）
●藤澤一夫「大阪の庚申塔資料」（『考古学』七巻四号、一九三六年）
●藤澤典彦「挽歌の記憶」『論集他界観』（大阪大谷大学歴史文化学科、二〇一六年）
●牧村源三「四天王寺焼失手記」（『太子鑽仰』一三〇号、一九四六年）
●牧村史陽「四天王寺八面観五―四天王寺創建に関する伝説―」（『四天王寺』二二八号、一九五九年）
●牧村史陽「四天王寺八面観三〇」（『四天王寺』二六一号、一九六二年）
●牧村史陽「四天王寺八面観三五」（『四天王寺』二六六号、一九六二年）
●松原智美「胎蔵四仏の配位における台密系の特徴―円珍による現図系配位の改変」（『美術史研究』三七号、一九九九年）
●丸尾彰三郎「内仏殿阿弥陀三尊像のこと（目次では「四天王寺阿弥陀仏像のこと」）（『四天王寺』一九五号、一九五六年）
●南谷恵敬「四天王寺蔵板絵聖徳太子絵伝について―復元的考察―」（『大阪文化財論集―財団法人大阪文化財センター設立十五周年記念論集―』、一九八九年）
●三宅久雄「青斑石鼈合子と仙薬七星散」（『正倉院紀要』二三号、二〇〇一年）
●村田治郎「四天王寺創立史の諸問題」（『聖徳太子研究』二号、一九六六年）
●毛利久「四天王寺彫刻の鑑賞」（『佛教藝術』五六号、一九六五年）
●山口哲史「四天王寺五重塔壁画に関する基礎的考察」（西本昌弘編『日本古代の儀礼と神祇・仏教』塙書房、二〇二〇年）
●山口隆介、宮崎幹子「明治時代の興福寺における仏像の移動と現所在地について―興福寺所蔵の古写真をもちいた史料学的研究―」（『MUSEUM』六七六号、二〇一八年）
●山口隆介「彫刻史研究と売立目録」（『売立目録デジタルアーカイブの公開と今後の展望―売立目録の新たな活用を目指して―』東京文化財研究所、二〇二一年）
●山崎竜洋「近世四天王寺における寺社社会構造」（『都市文化研究』一四号、二〇一二年）
●渡辺信和「江戸後期の四天王寺絵伝と絵解『摂州四天王寺絵堂聖徳太子御画伝略解』」（『聖徳太子説話の研究―伝と絵伝と』新典社、二〇一二年）

あとがき

四天王寺一四〇〇年の歴史のなかでも、百年に一度のとくに重要な聖徳太子御聖忌、その記念出版の監修を引き受けるのは浅学非才の筆者にとって、とても承知できるようなことではなかった。四天王寺の錚々たる学僧・高徳をはじめ、古代史・仏教史・考古学等々の諸先生が多数おみえのなか、様々な経緯で引き受けざるをえない状況になった訳だが、その最たる理由が、四天王寺や一心寺のお膝元にある大阪市立美術館在職の二十五年余の間に、筆者がお太子さん関連の特別展を三回開催したためであろう。一介の「展覧会屋」がお受けするにはあまりに大役であり、身震いが止まない状況である。

お正月には時々の館長とともに、お年賀のご挨拶に管長・執事長猊下を訪ね、入社八年目で初めて四天王寺の特別展を担当した頃から、四天王寺へ参上する機会が増えていった。ところが仕事が思う通りに進まないとき、精神的にまいってしまったとき、四天王寺での仕事を終えた後、まっすぐ職場へは帰らず、石舞台脇の亀の池を時が過ぎるのも忘れて眺めていた。するとなぜか心が落ち着き、やる気がちょっとだけ戻ってくる。そんな力をお太子さんから頂いていたのであった。またお大師さんの二十一日に用事があったときは楽しみで、職場へ帰らず境内の骨董品の露店を巡っていた。骨董とまでは言い難いが、お気に入りの陶磁器の一部が今でも食器棚に並んでいる。

東国駿河国出身の筆者が、お太子さんとのご縁を頂いたのにも因縁があった。度重なる私ごとで恐縮ながら、筆者の母方の曽祖父は戦前まで四天王寺の北東、天王寺区細工谷で漆器屋を営んでいたという。祖父がその駿河での支店を任された関係で筆者は生を受けたのであって、母がよく筆者に対して、「おじいちゃんが呼んでくれた」と言っていた。筆者は中学生の頃から関西の古い寺社に興味を持つようになり、大学からは関西に出て、大学院で日本の仏教美術史を志した。その後、奇跡的に「天王寺の美術館」に就職でき、以来お太子さんは筆者のライフワークになった。

一九九二年、四天王寺の最初の展覧会からお世話になったのが、石田茂作先生の『聖徳太子尊像聚成』（講談社、一九七六年）であった。この二冊本には、古代から現代までの、ありとあらゆるお太子さんの図版が一一四〇件掲載されており、先生のお太子さんへの深い敬愛の念と、太子信仰研究への執念のようなお気持ちが感じられた。このような著作は二度と実現しないであろうが、一方で本書が次の千五百年遠忌への第一歩となれば幸いである。

最後になりましたが、本書刊行の立役者であられる四天王寺執事の南谷恵敬先生、そして実質的に本書の監修・編集をして頂いた四天王寺の一本崇之・法藏館の田中夕子の両氏に、深甚なる謝意を表します。

石川知彦

執筆者紹介（五十音順）

監修
石川知彦　いしかわ　ともひこ　神戸大学大学院文学研究科修士課程修了。龍谷大学龍谷ミュージアム副館長（学芸員）

明尾圭造　あけお　けいぞう　関西大学大学院文学研究科博士課程前期課程修了。大阪商業大学教授、同商業史博物館主席学芸員

芦田淳一　あしだ　じゅんいち　関西大学大学院文学研究科博士課程修了。奈良国立博物館調査員

阿部泰郎　あべ　やすろう　大谷大学大学院文学研究科博士後期課程単位取得満期退学。龍谷大学教授

網　伸也　あみ　のぶや　早稲田大学大学院文学研究科修士課程修了。近畿大学教授

一本崇之　いちもと　たかゆき　神戸大学大学院人文学研究科博士課程前期課程修了。和宗総本山四天王寺勧学部勧学課文化財係主任・学芸員

植木　久　うえき　ひさし　九州芸術工科大学（現九州大学）生活環境専攻博士課程前期修了。大阪市教育委員会文化財保護課

宇都宮啓吾　うつのみや　けいご　広島大学大学院文学研究科博士課程後期国語学国文学専攻単位取得満期退学。大阪大谷大学教授、京都国立博物館客員研究員

大澤研一　おおさわ　けんいち　大阪市立大学大学院文学研究科前期博士課程中途退学。大阪歴史博物館館長

河上繁樹　かわかみ　しげき　関西学院大学大学院文学研究科博士課程前期課程修了。関西学院大学教授

北川　央　きたがわ　ひろし　神戸大学大学院文学研究科修了。大阪城天守閣館長

久保智康　くぼ　ともやす　九州大学文学部史学科。叡山学院教授、京都国立博物館名誉館員

齋藤龍一　さいとう　りゅういち　成城大学大学院文学研究科博士課程後期単位取得満期退学。大阪市立美術館主任学芸員

酒井元樹　さかい　もとき　東京藝術大学大学院美術研究科修士課程修了。東京国立博物館主任研究員

櫻井敏雄　さくらい　としお　大阪市立大学大学院工学研究科博士課程修了。工学博士。（公財）和歌山県文化財センター理事長

佐藤亜聖　さとう　あせい　奈良大学大学院文学研究科博士前期課程修了。滋賀県立大学教授

角南聡一郎　すなみ そういちろう　奈良大学大学院文学研究科文化財史料学専攻博士後期課程修了 博士（文学）。神奈川大学准教授

竹下多美　たけした たみ　神戸大学大学院文学研究科修了。長野市立博物館研究員

谷﨑仁美　たにざき ひとみ　龍谷大学大学院文学研究科修士課程修了（文学）。龍谷大学非常勤講師

寺島典人　てらしま のりひと　神戸大学大学院文化学研究科博士課程中退。大津市歴史博物館学芸員

内藤　栄　ないとう さかえ　筑波大学大学院博士課程芸術学研究科単位取得退学。奈良国立博物館特任研究員

西木政統　にしき まさのり　慶應義塾大学大学院文学研究科後期博士課程修了（美学博士）。東京国立博物館研究員

藤岡　穣　ふじおか ゆたか　東京藝術大学大学院美術研究科修士課程修了。大阪大学教授

増記隆介　ますき りゅうすけ　東京大学大学院人文社会系研究科修士課程修了。東京大学准教授

南谷恵敬　みなみたに えけい　大阪大学大学院文学研究科（芸術学専攻）博士課程単位取得満期退学。和宗総本山四天王寺執事、四天王寺大学客員教授

南谷美保　みなみたに みほ　大阪大学大学院文学研究科後期博士課程中退。四天王寺大学教授

村松加奈子　むらまつ かなこ　名古屋大学大学院文学研究科単位取得満期退学。龍谷大学龍谷ミュージアム講師（学芸員）

矢野昌史　やの まさし　近畿大学大学院総合文化研究科修士課程修了。高槻市街にぎわい部文化財課

渡邉慶一郎　わたなべ けいいちろう　龍谷大学大学院文学研究科修士課程修了。和宗総本山四天王寺勧学部勧学課文化財係・学芸員

聖徳太子千四百年御聖忌記念出版
聖徳太子と四天王寺
二〇二一年一一月三〇日　初版第一刷発行

監　修　石川知彦
編　集　和宗総本山 四天王寺
発行者　西村明高
発行所　株式会社　法藏館
京都市下京区正面通烏丸東入
〒六〇〇-八一五三
電話　〇七五-三四三-〇〇三〇（編集）
〇七五-三四三-五六五六（営業）

装幀　鷺草デザイン事務所
印刷・製本　中村印刷株式会社

ISBN978-4-8318-6070-5 C0015